Tu, adobe o wey
oan in won caforo

LES AMOURS DE PSYCHE ET DE CUPIDON,
COMTES ET NOUVELLES EN VERS

FABLES

JEAN DE LA FONTAINE

FABLES

Introduction et chronologie
par
Alain-Marie BASSY

Bibliographie et notes
par
Yves LE PESTIPON

GF-Flammarion

INTRODUCTION

LES *FABLES*
OU
LE MENSONGE AVOUÉ

Quand j'aurais, en naissant, reçu de Calliope
Les dons qu'à ses Amants cette Muse a promis,
Je les consacrerais aux mensonges d'Esope :
Le mensonge et les vers de tout temps sont amis [1].

Les *Fables* sont mensonges. La Fontaine le dit et le
répète à l'envi [2]. Il persiste et signe. Mensonges. Pas
seulement fiction poétique, mais duplicité, ou, comme
on le dit au XVIIᵉ siècle, « feinte ». Curieux pédagogue
sans doute que ce poète qui dédie ses *Fables* au jeune
Dauphin, et qui prétend user, pour le former, de
l'arme du « mensonge ». Car les *Fables* cachent, tra-
vestissent, simulent et dissimulent à la fois. Nous en
sommes avertis dès l'entrée. Il faut apprendre à les
lire. Pour cela, il faut passer derrière le miroir, abandonner sur la rive les catégories classiques qui balisent
le champ poétique, démonter leurs mécanismes et
leurs codes subtils, retrouver l'architecture secrète qui
les ordonne. Les *Fables* sont un piège, un leurre,
l'envers des apparences. Il faut, pour les goûter,
retourner les évidences.

1. II, 1, *Contre ceux qui ont le goût difficile.*
2. Voir III, 1, *Le Meunier, son Fils et l'Ane ;* V, 10, *La Montagne
qui accouche ;* VI, 1, *Le Pâtre et le Lion ;* VII, *A Madame de Montespan ;* IX, 1, *Le Dépositaire infidèle ;* XII, *A Monseigneur le Duc de
Bourgogne.*

Dès l'origine, les *Fables* ont été utilisées comme un instrument pédagogique pour les enfants des écoles. Elles sont pourtant le testament trompeur d'un homme qui s'est efforcé de construire l'artifice d'une vie. La Fontaine nous fait un signe : ce « livre favori » par lequel il espère « une seconde vie [3] » dissimulera pour des siècles son autre vie, la première, la véritable. A travers son œuvre, le poète prend une pose pour l'éternité. Pendant près de deux siècles, les générations suivantes en seront les dupes.

L'homme est incertain et contradictoire. Un manque de confiance en soi, parfois un aveuglement sur ses talents réels et pourtant une profonde ambition. Des préoccupations matérielles, des « soucis d'argent », mais une série de choix qui devaient, inévitablement, le placer dans une situation difficile. Le refus des complaisances et des engagements et pourtant le souci de plaire et d'être aimé. Une fidélité hors du commun en amitié et une infidélité viscérale en amour. Une recherche de l'innovation littéraire et une proclamation de foi dans l'insurpassable valeur des Anciens. Un souci de la perfection en toutes choses et une dissimulation persistante des efforts faits pour l'atteindre. Une inquiétude religieuse, un questionnement métaphysique à plusieurs reprises au cours de sa vie, et, cependant, une adhésion aux philosophies « matérialistes » proches de l'athéisme des libertins.

Mais les contradictions de l'homme ne dérangent pas le poète. La poésie, c'est l'instrument qui permet de dominer les contradictions, de transgresser les limites, de concilier les contraires. La transparence et la limpidité de l'œuvre n'ont d'égales que l'opacité ou l'ambiguïté de l'homme. La critique, à l'origine, va s'y laisser prendre et conclure trop souvent de l'œuvre à l'homme. Or, la poésie des *Fables* nous renvoie l'image du dilettantisme, de la légèreté, de l'insouciance, de la facilité et de la naïveté. La naïveté : c'est le maître-mot qu'on retrouve sans cesse sous la plume

3. VI, *A Madame de Montespan*.

des contemporains du fabuliste lorsqu'ils évoquent son talent — Baillet, l'Abbé de La Chambre, Charles Perrault, La Bruyère, Fénelon... Les personnages qui animent l'« *ample comédie* » dessinent par superposition un portrait : un loup épris de liberté et d'indépendance, un savetier joyeux et insoucieux de sa fortune, une colombe charitable, une laitière rêveuse, un rat amical, un enfant imprudent et paresseux... La Fontaine nous tend un miroir trompeur. Nous croyons voir se refléter son image. Mais c'est un piège à illusions.

Illusion pour le lecteur. Illusion pour l'auteur aussi bien. Ces visages entrevus représentent autant de « tentations » du poète. Les faces contradictoires d'une personnalité qui se cherche. La réalité est toujours fuyante. Elle vibre derrière le poli du miroir. Elle est entièrement à reconstruire à partir de ces fragments d'images épars. La Fontaine aime lancer le lecteur sur des pistes multiples, en partie vraies, en partie fausses. Un ordre souterrain peu à peu se devine derrière ces oppositions, ces contradictions apparentes. La Fontaine est *à la fois* la Cigale et la Fourmi, *à la fois* le Loup et l'Agneau.

Les titres des fables sont éclairants à cet égard. Chaque titre apparaît comme une contradiction à surmonter, comme le heurt paradoxal de deux êtres, ou de deux concepts : le Lion *et* le Rat, le Loup *et* le Chien, la *jeune Veuve*. Chaque fois, la conjonction ou la parataxe noue l'opposition. La fable la dénouera. Elle « réglera les comptes » et désignera un vainqueur et un perdant. Un être sera dévoré par l'autre. Un concept sera absorbé dans l'autre. Mais bientôt le vainqueur d'une fable sera, dans une autre fable, à nouveau mis en conflit. Et le triomphateur d'hier deviendra le perdant d'alors : le loup croqueur d'agneaux du Livre I est mis en échec par un jeune chevreau au Livre IV. La femme, qui refuse de sacrifier sa jeunesse à son veuvage [4] gâche, quelques fables

4. VI, 21, *La jeune Veuve*.

plus loin, cette même jeunesse à refuser les préten-
dants au mariage [5]. Logique de la contradiction surmontée : la fable des *Deux Amis* [6] nous en offre une
sorte de preuve *a contrario*. Le titre retient notre
attention : pas d'opposition, pas de conjonction ni de
parataxe. Les deux amis sont l'exact reflet l'un de
l'autre. Ils sont « superposables », confondus dans un
sentiment d'amitié vraie. Inquiétés par un songe, ils
vont, dans la fable, chercher à identifier le malheur
qui pourrait les séparer ou l'accident qui risquerait
d'assombrir leur harmonieux bonheur. A son terme,
la fable se boucle sur elle-même : les deux amis res-
tent confondus. Ils savent qu'ils ne feront toujours
qu'un.

Derrière tous ces personnages affrontés ou réunis
s'esquisse un étrange portrait. Portrait kaléidosco-
pique qui n'existe que pour ceux qui savent voir au-
delà des apparences. Trop souvent, la critique s'est
arrêtée en chemin. Elle est demeurée à la surface des
choses. Elle n'a pas osé fouiller la tombe du paresseux
qui avait pris le soin de rédiger jusqu'à son épitaphe.
La Fontaine a ainsi réussi le plus bel escamotage de
personnalité, et, à visage apparemment découvert, une
superbe mystification littéraire.

Mensonges, encore une fois. Les *Fables* paraissent
rassurantes, quand elles devraient nous inquiéter,
quand elles devraient nous déranger. Elles dérangent
en effet. Dès leur parution en 1668, elles dérangent,
ou, plutôt, elles surprennent. Comment expliquer une
telle surprise ? Chacun la ressent, mais nul ne
l'explique.

Pourtant, quoi de moins surprenant au XVIIᵉ siècle
que d'écrire des fables ? L'apologue est un genre aussi
vieux que la littérature. En recherche de paternité, on
peut convoquer tous les anciens, grecs ou latins
— Esope, Phèdre, Babrias, Aphtonius, Avianus, Abstemius —, on peut se réclamer de la tradition fran-

5. VII, 4, *La Fille*.
6. VIII, 11, *Les Deux Amis*.

çaise des Ysopets, plus tard, des Italiens, comme Verdizotti ou des Flamands, on peut appeler à la rescousse Alciat et les auteurs d'emblèmes, Pibrac et les pédagogues, Baudoin et les moralisateurs, Patru et les latinistes, et pour finir l'Orient, patrie des contes et des fables qu'un voyageur tel que Bernier pouvait faire découvrir aux salons littéraires de l'époque. Vers le milieu du siècle, les recueils de fables fleurissent : Boissat, Audin, Trichet du Fresne en produisent et en publient. D'où vient pourtant qu'on relève dans le travail du fabuliste « un caractère singulier qui le distingue des ouvrages de même nature [7] ? » Où trouver l'origine de cette singularité ? Encore une fois, dans une contradiction surmontée.

D'un côté, une réelle ambition littéraire. Le maître des eaux et forêts de Château-Thierry a vite compris qu'il n'était guère fait pour le balivage des bois et l'arbitrage des délits de basse-justice. C'est à Saint-Mandé, près de Fouquet, qu'il devine que sa carrière se fera dans les salons. Elle sera littéraire ou ne sera pas. Et, comme tout homme de lettres à la même époque, son souci essentiel est de plaire. C'est-à-dire, plus prosaïquement, de connaître le succès : « On ne considère en France que ce qui plaît : c'est la grande règle, et pour ainsi dire la seule [8]. »

Mais l'exercice de la littérature, et plus particulièrement de la poésie, est en 1660 un exercice délicat et périlleux. Premier obstacle et non des moindres : le respect des Anciens. Nous imaginons mal aujourd'hui les problèmes que posait à un auteur avide de succès l'incontournable débat sur la valeur respective des Anciens et des Modernes. Peut-être, pour en mesurer l'importance, pourrions-nous le comparer, dans un temps plus proche de nous, aux querelles sur l'engagement politique des écrivains pendant et après la Seconde Guerre mondiale. En 1660, ou bien l'écrivain se condamne à un respect

7. *Le Mercure galant*, juin 1695, p. 266.
8. *Fables, Préface.*

frileux des Anciens — qu'il décalque ou qu'il démarque —, ou bien il tente de rivaliser avec eux, de les surpasser, mais il prend le risque de déplaire à l'Académie. La novation condamne à l'insuccès ou à la cabale, le désir de plaire au conformisme ou au plagiat. Voilà qui n'est pas du goût de La Fontaine. Son tempérament le porte à chercher une fois encore la conciliation entre une ambition littéraire novatrice et le souci de plaire. Chez lui, l'admirateur de Malherbe et d'Honoré d'Urfé, le lecteur assidu de Boccace le disputent à l'imitateur de Térence ou au futur traducteur de Sénèque.

La voie est étroite. Elle l'est plus encore pour qui se pique, de surcroît, d'être poète. La poésie est exsangue :

> « *Chacun forge des vers ; mais pour la Poésie,*
> *Cette Princesse est morte, aucun ne s'en soucie* [9]. »

Tantôt elle vise au sublime. D'inspiration héroïque, religieuse ou philosophique, elle se laisse envahir par la rhétorique et ses figures savamment codifiées. Malherbe, en outre, apparaît au candidat-poète comme un maître insurpassable. Tantôt, elle est frivole et s'épanouit dans les petits genres que le mouvement littéraire de la préciosité remet en honneur. Elle use d'un langage convenu, qui bannit le naturel, qui n'adhère plus à la réalité des choses. Une rhétorique qui codifie la syntaxe, une préciosité littéraire qui codifie le lexique : voilà notre poète, nouveau Prométhée, cruellement enchaîné ! Comment retrouver une poétique nouvelle, émancipée de ces règles contraignantes et qui, néanmoins, ait le bonheur de plaire ? Comment innover sans déplaire, surprendre sans déranger, s'imposer sans coup de force contre les modèles établis ?

Chaque fois qu'il aborde un genre littéraire nouveau, La Fontaine se pose cette question. Chaque fois, la solution qu'il adopte est la même : l'art du dépla-

9. *Clymène.*

cement bienséant, la novation sans scandale, la révolution sans révolte.

Pour y parvenir, il faut pouvoir disposer d'un registre varié d'instruments poétiques parfaitement dominés et maîtrisés. Si la carrière littéraire de La Fontaine commence tard — à quarante ans —, c'est sans doute parce que, pendant près de quinze années, il s'est exercé à « faire ses gammes », à tirer de sa lyre tous les sons qu'il pouvait lui faire rendre. Une fois la maîtrise acquise, le poète prend son envol et peut jouer habilement des genres et des styles. Il va, chaque fois, s'adonner à un genre et le traiter dans un style profondément différent de celui qui, traditionnellement, s'attache à lui.

« *Je changerai de style en changeant de matière* [10]. »

Choisit-il dans *Adonis* de mettre en scène des personnages mythologiques et de décrire des scènes violentes de chasse et de combat ? Là où l'on attendait un style héroïque, il file des « moments de soie » sur le ton de l'idylle. Entreprend-il d'écrire une comédie ? Il nous offre avec *Clymène* une sorte de conte féerique en vers, qui déjoue toutes les règles de l'art dramatique, *« la chose n'étant pas faite pour être représentée »*. Paraît-il emprunter à Apulée son conte d'*Amour et Psyché*, récit tantôt épique, tantôt élégiaque, dissimulant une initiation philosophique ? La Fontaine fait du conte un texte « au second degré » qui ponctue la conversation de quatre amis dans le parc de Versailles. Les scènes mythologiques s'ordonnent soudain « topographiquement » au long de cette promenade, comme autant de statues ou de bosquets ornant les allées et les ombrages du royal jardin. Prétend-il enfin retrouver dans ses *Contes* la gauloiserie des *Cent Nouvelles nouvelles* ou la gaillardise de Boccace ? Il choisit ce lieu pour puiser dans l'arsenal lexical des Précieux et voiler les plaisirs du sexe sous une épaisseur de langage et de codes.

Détournement toujours. Détournement avoué par-

10. *Les Filles de Minée.*

fois : La Fontaine s'affirme en position de « *chal-lenger* », de rival :

> « *Matière non encor par les Muses traitée,*
> *Route qu'aucun Mortel en ses vers n'a tentée* [11]. »

Dans cette position, l'originalité, la nouveauté sont un devoir. La Fontaine rivalise avec le médiocre Bouillon lorsqu'il écrit le conte de *Joconde*. Il se mesure à Phèdre lorsqu'il écrit les *Fables*, et entre très directement en compétition avec Boileau pour la mise en vers de *La Mort et le Bûcheron*.

Aussi, sous sa plume, « *les Fables ne sont pas ce qu'elles semblent être* [12] ». C'est volontairement qu'il choisit cette « *Muse que les autres emploient* », selon le mot de Jean Giraudoux [13], « *à faire le ménage des morales, et qui reste, pendant que les autres chantent ou vont au bal, à monologuer ou à dire des proverbes ennuyeux* ». Choisir la Muse la plus « *rêche* », c'est donner au défi plus d'éclat. C'est en même temps s'assurer, tant le genre est populaire, un public plus étendu et, par suite, un succès plus large.

En 1660, traduites du latin par Pierre Millot, ou réécrites en latin par Gilles Ménage, les fables répondent à deux sortes de règles : celles de la Rhétorique ; celles de la Morale. Elles sont construites sur le vieux schéma des emblématistes. Les figures de rhétorique s'y emboîtent parfaitement sur les figures gravées qui ornent les ouvrages. L'*exemplum* — l'apologue ou le récit fabuleux — mène à l'*applicatio* ou discours moral. L'apologue, de fait, appartient selon Aristote à la Rhétorique, non à la Poétique. Des fables certes, mais de Poésie point. Que va faire La Fontaine ? Selon sa pratique coutumière, il va opérer un déplacement stylistique. Là où régnait la Rhétorique, il introduit la Poésie. Mais comprenons bien : Poésie ne signifie pas seulement rime et versification. D'autres

---

11. *Le Quinquina.*
12. VI, 1, *Le Pâtre et le Lion.*
13. Jean Giraudoux, *Les cinq tentations de La Fontaine*, Paris, Grasset, 1938, IV, « La tentation littéraire ».

avaient su faire cela avant lui. L'usage d'une versification libérée, qui fait alterner des mètres et des rythmes divers, constitue la preuve *a contrario* du refus de La Fontaine de faire reposer sa poétique sur les contraintes du mètre et de la rime. Sa poésie s'affirmera au contraire en réveillant la sensation, par le jeu du rythme et de la suggestion.

Second défi et second déplacement : La Fontaine échappe à la Rhétorique et renoue avec la Poésie, en faisant entrer le genre dans un autre, d'une nature bien différente. Avec lui, la fable pénètre de plainpied dans l'univers des Arts. Si la puissance d'évocation des *Fables* est si singulière, c'est que, le plus souvent, derrière chacune d'elles, une œuvre d'art se devine, se dessine, se laisse apercevoir enfin. Le public cultivé de l'époque s'amusait à la distinguer. Nous oublions trop souvent que La Fontaine ne fréquentait guère les champs boueux et les forêts profondes, les étables odorantes ou les chaumines enfumées, moins encore l'antre des loups ou des ours, et les déserts peuplés de lions. Plus que lui sans doute, le public cultivé qui était le sien vivait éloigné de tout contact avec cette réalité. Où la retrouvait-il pourtant ? Dans la peinture rustique des Flamands, dans les natures mortes illusionnistes des Hollandais — ces tableaux qui, selon les inventaires de l'époque, étaient de mise dans les « petits appartements » ou les chambres à coucher. Il la trouvait encore dans les décors des tapisseries, dans les motifs ornementaux des porcelaines orientales, dans les groupes de statues animalières qui ornaient parcs et jardins. Avec ses *Fables*, La Fontaine livre à un public surpris de ce « déplacement », mais qui s'amuse à le goûter, une série de « tableaux de genre », placés aux carrefours d'une originale promenade littéraire. Là où l'on attendait le lourd appareil de la Morale s'impose le jeu subtil de la sensation. La règle du jeu, pour le lecteur, est simple et nouvelle : retrouver à travers le rythme et les nuances de la poésie l'émotion esthétique déjà ressentie devant une œuvre d'art.

Ainsi, La Fontaine, en écrivant des fables, échappe-t-il doublement au genre. Pour qui prétend se contenter humblement de « *mettre en vers* » des fables empruntées au vieux fonds ésopique, c'est assurément cultiver le paradoxe. Car, du même coup, il parvient à dynamiter la morale traditionnelle, à pulvériser la norme. Le premier livre des *Fables* s'ouvre sur *La Cigale et la Fourmi*. Ce n'est certes pas un hasard. Aucune *applicatio* n'est tirée de l'exemple conté. Depuis trois siècles, les commentateurs disputent : la fable condamne-t-elle l'avarice de la Fourmi ou l'insouciance de la Cigale ? Le poète s'identifie-t-il à celle-ci ou à celle-là ? Ces débats n'ont guère de sens. *La Cigale et la Fourmi* est un manifeste. La Fontaine y proclame dès l'ouverture son irrespect du genre. Prenant volontairement à contrepied sa laborieuse dissertation, dans sa *Préface*, sur l'union indissoluble du « corps » de la Fable et de son « âme » — la Moralité —, il lance, en vingt-deux vers, un avertissement qui vaudra pour l'ensemble du recueil : que le lecteur ne cherche pas à tirer, naïvement, « au coup par coup », un précepte moral de chacune de ses fables. Aurait-il d'ailleurs la tentation de conclure de cette première fable que le Verbe, le discours, est impuissant à convaincre autrui et à nous le rendre favorable, que la deuxième fable — *Le Corbeau et le Renard* — viendrait l'en détromper. Elle en constitue le reflet inversé, et le Renard, beau parleur comme la Cigale était bonne chanteuse, triomphe là où celle-ci échouait. Il suffit de deux fables pour ne savoir plus que penser. Le poète nous a, quant à lui, donné un manifeste et produit un indice :

> « *Que le Lecteur en tire une moralité.*
> *Voici la Fable toute nue* [14]. »

La Fontaine se pique de mettre en vers des fables morales, pour ôter à la Morale traditionnelle toute

14. IV.12, *Tribut envoyé par les animaux à Alexandre.*

place et tout pouvoir en ces lieux. La Morale est ici
« hors jeu », comme l'est le désir sexuel dans les
Contes. Le fabuliste substitue à un « corps de doc-
trine » imposé, une série d'approximations : nous
approchons avec lui de la vérité par essais et erreurs,
nous suivons dans ses pas un itinéraire spirituel, une
quête qui est aussi la sienne. Il observe, il nous fait
part de ses constats, de ses doutes, de ses espoirs, de
ses désillusions, de sa résignation parfois. Aucune
leçon, jusqu'à la dernière, n'est jamais définitive,
arrêtée, sans appel. Comme dans la physique épicurienne, l'« écoulement » des *Fables* s'effectue par plis,
leur trajectoire résulte de la combinaison de flux
divergents. Le monde, autour du poète, change et
renvoie des images contrastées. La Fontaine entraîne
le lecteur dans sa propre recherche de la vérité. Parcours sinueux au milieu des contradictions, des
cruautés, des mensonges du monde. Chaque fois
qu'une piste paraît s'ouvrir, qu'une voie semble sûre
ou un appui solide, une autre expérience, une autre
scène, une autre fable viennent les contredire, les
subvertir, les annuler. Seule conclusion assurée : il
faudra que le lecteur accompagne le poète sur ces
chemins de traverse, artistement balisés, et qu'il
découvre, au terme du parcours, la même issue que
lui. Même si, lorsque La Fontaine écrit la première
de ses *Fables*, il ignore encore quelle sera cette issue.

Les fables sont mensonges. Celles de La Fontaine le
sont au suprême degré. Ne sont-ce pas des fables qui
s'annoncent telles mais qui dénoncent le genre auquel
elles appartiennent et les règles auxquelles elles
devraient être soumises ? Poétique de l'illusion où le
fabuliste simule pour mieux dissimuler.

Première fonction du jeu illusionniste : donner le
sentiment de la naïveté, de la simplicité et du naturel.
Laisser penser au lecteur qu'on restitue les choses et
les êtres dans leur aspect « naïf », pour utiliser le terme
du XVIIe siècle, ou dans leur allure « native ». Faire
croire de cet art poétique ce que Diderot dira plus
tard des peintres « réalistes » : « *C'est de l'eau prise dans*

le ruisseau et jetée sur la toile [15]. » Semblable effet pour les *Fables*. La sensation d'avoir vu, d'avoir perçu, d'avoir ressenti ce que dit le fabuliste. Pourtant, rien de plus éloigné de la Nature, rien de plus improbable que ces fables où les animaux parlent, où les dieux agissent et où les temps et les lieux se confondent. En outre, comment imaginer qu'au XVIIe siècle, dans une société qui se défie du Naturel, on pût fonder une poétique sur la naïveté de la sensation et l'irruption de la Nature ? La langue, la morale, la philosophie tendent vers un seul but : la maîtrise du Naturel. Or, La Fontaine veut plaire, et plaît en effet à cette société. La conclusion est simple : la Nature, chez La Fontaine est une Nature en liberté étroitement surveillée. Ou, plus précisément, ne pouvant admettre la Nature dans l'univers des codes et la laisser subvertir la Raison, le poète a simplement restitué aux codes l'évidence du Naturel. Il a rendu naturelle la Raison. Les *Fables* sont en fait une littérature de l'*intellectus* travestie en littérature de l'*affectus*.

Le langage des *Fables* est un langage savamment codé. L'épaisseur du langage agit comme un verre correcteur. Elle atténue la brutalité de la sensation et, au-delà d'elle, donne l'illusion du naturel, reconstruit la réalité, qui devient « plus vraie que nature ». Méditons la leçon que nous donne La Fontaine dans *Un Animal dans la lune* :

> « *Mon âme en toute occasion*
> *Développe le vrai caché sous l'apparence.* [...]
> *Quand l'eau courbe un bâton ma raison le redresse,*
> *La raison décide en maîtresse* [16]. »

Comme la raison permet ici de contrôler la sensation et de restaurer la vérité scientifique, dans les *Fables*, le détour par le code s'impose pour approcher de plus près la réalité naturelle. Et tout dans la langue de La Fontaine est codé, vocabulaire,

15. Diderot, *Pensées détachées sur la peinture, Du naïf et de la flatterie.*

16. VII, 17, *Un Animal dans la Lune*, v. 25-26 et 30-31.

rythmes, références. Le lexique des *Fables* donne l'illusion de la limpidité, de l'unité, de la pertinence et de l'évidence naturelles. Pourtant chaque terme de ce lexique est savamment recherché, choisi, « cueilli » dans un souci de correction permanente, d'adéquation à la réalité décrite. La Fontaine emprunte ce vocabulaire à des registres multiples — épique, élégiaque, bucolique, tragique, comique, prosaïque. Il parcourt les époques — latinismes, mots de français médiéval, emprunts à Marot ou à Rabelais ; il fait voisiner les contrées et leurs langues — patois français ou termes orientaux ; il va puiser dans les lexiques propres aux métiers, aux terroirs, aux pratiques, comme la chasse ou la vénerie. Au bout du compte, à travers le miroitement savant de ce discours, nous croyons retrouver l'image de la réalité naturelle. Chaque fois le mot choisi se moule adéquatement sur la chose. Le poète évoque-t-il une réalité passée ? Il « patine » son vocabulaire de termes vieillis. Veut-il nous entraîner sur un chemin de campagne ? Il retrouve les vigoureuses et souvent cocasses expressions de terroir. Adéquation entre le mot et la chose, et constant dépaysement pour le lecteur : sans y prendre garde, il est contraint par le fabuliste de parcourir les temps et les lieux, et laissé presque seul en terrain inconnu, il doit à son tour « imaginer », recréer, restaurer la vérité naturelle.

Le rythme des *Fables* est tout aussi savant, tout aussi codé. Le changement de mètre donne l'illusion de suivre le rythme d'une expression ou d'une conversation naturelles. Nous croyons entendre la respiration du conteur derrière la césure des vers. La Fontaine joue de la proximité de la fable avec l'oralité. Tout le fonds ancien des fables, particulièrement en Orient, relève d'abord d'une tradition orale. Le rythme a, chez La Fontaine, une double fonction : il reproduit le rythme respiratoire du conteur, mais il fait naître aussi dans la conscience du lecteur une sensation identique à celle qu'il aurait ressentie devant la scène évoquée.

> « *Dans un chemin montant, sablonneux, malaisé,*
>   *Et de tous les côtés au Soleil exposé,*
>   *Six forts chevaux tiraient un Coche* [17]. »

Savante simplicité : aucun mot ne peut être déplacé, interposé, remplacé, sans rompre à la fois le rythme progressif de la diction et la sensation de pesanteur accrue, d'engourdissement, de fatigue liée à la scène représentée.

Un troisième maillage recouvre ce double jeu du lexique et du rythme : celui de la référence. Références intra-textuelles, références à l'actualité politique, références enfin à l'environnement littéraire et artistique. Les *Fables* nous font des signes que le lecteur du XVIIᵉ siècle — plus sans doute que celui d'aujourd'hui — prenait plaisir à décrypter.

Les signes les plus manifestes sont ceux que nous adresse le poète d'une fable à l'autre : tel personnage, figurant ici, est repris ailleurs à contre-emploi ; telle fable en évoque une autre, parfois pour mieux la conforter, parfois aussi pour la contredire et la réfuter. *Les Frelons et les Mouches à miel* annoncent déjà *L'Huître et les Plaideurs*. Le Loup du Livre IX — *Le Loup et le Chien maigre* — « *ne savait pas encor bien son métier* » : il n'a pas su tirer la leçon de la fable du *Petit Poisson et le Pêcheur*. Un peu plus tard, un autre loup « *rempli d'humanité* » — *Le Loup et les Bergers* — se remémore en rougissant la fable du *Loup, la Mère et l'Enfant*. Enfin la mine du *Paysan du Danube* est aussi trompeuse que celle du chat dont un jeune souriceau pensait se faire un ami — *Le Cochet, le Chat et le Souriceau*. Parfois La Fontaine se livre à un « bilan ». Il rappelle sur la scène nombre de personnages déjà entrevus [18]. Il récapitule. Il annonce la suite [19]. Jeu de

17. VII, 8, *Le Coche et la Mouche*, v. 1-3.
18. Par exemple dans II, 1, *Contre ceux qui ont le goût difficile*, ou dans IX, 1, *Le Dépositaire infidèle*.
19. On se reportera aux *Notes* de la présente édition pour retrouver toutes ces références intra-textuelles, et ce jeu de correspondances savamment mises en place par le fabuliste.

la connivence entre l'auteur qui fait des signes et le lecteur qui découvre un parcours balisé.

Le public du XVIIᵉ siècle devinait d'autres signes. Devinait, car le poète, dans le temps où il les lui montre, s'ingénie à les dissimuler, il joue de l'ambiguïté propre à l'apologue : faut-il voir derrière celui-ci un précepte général ou une critique particulière ? Dénonce-t-il la pratique des hommes ou la conduite d'un individu ? Chacun hésite aujourd'hui, et chacun dut hésiter à l'époque. Car les *Fables* pouvaient alors à bon droit paraître appartenir au genre de la « littérature à clefs ». Ne naissent-elles pas sous la plume du fabuliste quand Fouquet tombe sous les coups de Colbert et du jeune Monarque ? Pensionné de Fouquet, exilé avec son oncle Jannart, ami de Brienne, habitué du salon de la duchesse de Bouillon, née Marie-Anne Mancini, fréquentant à la fin de sa vie la cour du Prince de Conti, La Fontaine fait incontestablement partie de ces cercles mondains d'opposants au pouvoir royal absolu et à l'économie « boutiquière » de Colbert. Dix fables qui paraissent constituer le noyau originel des premiers livres ont été retrouvées dans un recueil de manuscrits de l'érudit Conrart. Elles s'ordonnent autour de l'apologue « transparent » du *Renard et l'Écureuil*. Elle peuvent se lire comme une « défense et illustration » du surintendant abattu, une critique acerbe contre Colbert et une mise en cause du pouvoir royal. Au-delà, l'ensemble du premier recueil de 1668 paraît commenter l'actualité politique, sorte de « critique marginale » prenant pour objet les événements ou les hommes, qu'on devine derrière le travesti fabuleux [20]. Mais le jeu ici est subtil, la stratégie savante et complexe. La Fontaine, une fois encore, ne nous lance-t-il pas sur une fausse piste ? Ou, plus précisément, ne s'efforce-t-il pas de le faire croire au Roi ? Un fait significatif : *Le Renard et l'Écureuil*, fable « à clefs » trop évidente, n'est pas retenue dans le

20. Voir, René Jasinski, *La Fontaine et le premier recueil des* Fables, Paris, Nizet, 2 vol., 1966.

recueil. La dédicace au Dauphin est acceptée par l'autorité royale. Enfin, peu à peu, surtout dans les livres VII à XII, le fabuliste paraît délaisser la « littérature à clefs » pour renouer avec une réflexion philosophique d'une autre ampleur. Mais comment en avoir la certitude ? Pour être moins évidents, les signes sont encore présents. La Fontaine avance sous le masque. Quand il paraît faire l'éloge du Monarque, il sait nous en détromper : un vers glissé négligemment [21], ou la proximité significative d'une autre fable [22] nous mettent prudemment en garde. Le fabuliste est un sage. Or, il nous en avertit,

> « Les sages quelquefois, ainsi que l'Ecrevisse,
> Marchent à reculons, tournent le dos au port [23]. »

En marge de la vie politique, La Fontaine tisse à travers ses *Fables* un réseau subtil de références, et marque, pour qui sait les voir, les discrets repères d'une stratégie de l'opposant.

Ces signes sont d'autant plus ambigus qu'ils sont volontairement mêlés à d'autres qui n'ont pas de portée politique. Ceux-là ramènent le lecteur à tout un environnement littéraire et artistique : citation des Anciens — surtout Horace —, mais aussi de Marot, de Rabelais, de Montaigne et parfois d'auteurs plus contemporains comme Malherbe. Au-delà, c'est l'évocation de l'univers pictural et plastique qui transparaît, en filigrane, derrière le texte des *Fables*. La description d'art, l'*ekphrasis* prisée des Anciens, La Fontaine en avait l'habitude. Il l'a pratiquée dans *Le Songe de Vaux*, en célébrant dans ses vers les peintures, les sculptures et les jardins encore inachevés du Palais. Il émaille sa *Relation d'un Voyage de Paris en Limousin* — six lettres adressées à sa femme — de notations d'art, au hasard de son voyage : château de Richelieu, château de Blois... Il promène les quatre

21. Voir, par exemple, XII, 12, *Le Milan, le Roi et le Chasseur*.
22. Voir la proximité entre XI, 1, *Le Lion*, et XI, 2, *Pour Monseigneur le duc du Maine*.
23. XII, 10, *L'Ecrevisse et sa Fille*.

amis de *Psyché* dans le parc de Versailles, et décrit, dans le conte, des tapisseries — sans doute sorties d'un atelier bruxellois — qui mettent en scène, par avance, l'aventure de la jeune fille. On ne s'étonnera pas, dès lors, de pouvoir distinguer derrière les *Fables* l'environnement esthétique de la peinture contemporaine, cette peinture intimiste et rustique où excellaient les Flamands et les Hollandais, et celui de la sculpture animalière remise à l'honneur pour l'ornement des parcs classiques. Derrière *Le Rat de ville et le Rat des champs* se profile peut-être quelque tableau d'un Claesz-Heda, derrière *Le Chartier embourbé* une peinture de Rubens, derrière *Le Cheval et l'Ane*, les chevaux échappés au pinceau de Wouverman. Les scènes de genre, les intérieurs rustiques semblent peints dans les couleurs d'un Téniers. Enfin lions, loups, cerfs et chiens s'affrontent dans les *Fables* comme sous le ciseau d'un Houzeau ou, un peu plus tard, d'un Van Cleve. Les *Fables* sont ainsi le point de départ et l'aboutissement d'un circuit savant de la référence, propre à la séduction d'un public cultivé. Le jeu de l'illusion est aussi un jeu de l'allusion.

La Fontaine trouvait sans doute dans cette connivence renouée avec son lecteur une solution à l'impasse poétique dans laquelle il se sentait placé. D'emblée, il se pose en rival d'Esope et de Phèdre, et des divers rimeurs de quatrains moraux. Ce sont tous des champions de la brièveté, de la concision et du laconisme. Il lui faut donc choisir, pour se battre, un autre terrain : « *Comme il m'était impossible de l'*[Phèdre] *imiter en cela, j'ai cru qu'il fallait en récompense égayer l'Ouvrage plus qu'il n'a fait.* [...] *J'ai considéré que, ces Fables étant sues de tout le monde, je ne ferais rien si je ne les rendais nouvelles par quelques traits qui en relevassent le goût. C'est ce qu'on demande aujourd'hui : on veut de la nouveauté et de la gaieté* [24]. » Il enchérira sur ce propos dans l'*Avertissement* du Livre VII : « *Il a donc fallu que j'aie cherché d'autres enrichissements et*

_____

24. *Fables*, *Préface* de la première édition (1668).

étendu davantage les circonstances de ces récits... » Mais
« étendre les circonstances » tenait de la gageure. Car
en 1660, le récit poétique, la description poétique, le
langage poétique sont dans une impasse. Bloqués,
figés par les expériences antérieures, sans avenir. Les
poètes libertins — Théophile, Saint-Amant ou
Tristan — ont porté sur le paysage un regard *« de
myope »* selon le mot d'Odette de Mourgues [25]. Leur
langage descriptif convenu a épuisé la Nature en composant une peinture faite d'une juxtaposition de
détails : un « pointillisme » poétique qui finit par éloigner de la sensation vraie, un colorisme artificieux qui
bannit le contact sensuel avec les paysages. En outre,
le poète s'exprime avec des mots. Or, en quelques
dizaines d'années, la langue poétique a évolué. Elle est
devenue, pour l'apprenti fabuliste, un instrument bien
inadéquat. Autrefois *« la Langue latine n'en demandait
pas davantage [...] La simplicité est magnifique chez ces
grands Hommes ; moi, qui n'ai pas les perfections du langage comme ils les ont eues, je ne la puis élever à un si haut
point* [26] *».* Entendons bien : si La Fontaine renonce à
rivaliser avec Phèdre sur le terrain de la brièveté, c'est
aussi parce que la langue ne le lui permet plus. Le
langage poétique du XVIIᵉ siècle n'a plus la force et
l'efficacité de la langue latine. La Préciosité a semé le
trouble dans l'univers des mots et des choses. Ceux-là
se sont peu à peu séparés de celles-ci. La langue s'est
sophistiquée. Un vocabulaire prédicatif sectionne,
classe, ordonne la réalité. C'est le règne de la *distinction*. L'épithète et l'attribut règnent en maîtres et soumettent à leur loi le sujet et plus encore le verbe. Le
paraître passe l'être et le faire. Ce langage-là n'a plus
de prise réelle sur les êtres et les choses. Il épuise la
sensation. Il dit le monde en le contournant. La
périphrase, c'est un cheval cabré, qui se dérobe sur
l'obstacle. Il passe à côté. Il nous le révèle en voulant
l'éviter.

25. Odette de Mourgues, *O Muse, fuyante proie... Essai sur la
poésie de La Fontaine*, Paris, Corti, 1962, p. 16.
26. *Fables, Préface* de la première édition (1668).

En 1660, avec un tel langage, le poète ne peut plus conter, ne peut plus décrire, ne peut plus simplement « dire ». Les mots et les choses ont consommé leur divorce. Unique solution : restaurer la puissance du verbe, faire et agir au lieu de dire et de décrire, forcer le lecteur, à son tour, à faire et à agir, par la puissance de l'imagination, à retrouver le geste, la sensation, l'émotion du créateur. Une image ? La Fontaine nous l'a donnée dans l'une de ses fables, *Les deux Aventuriers et le Talisman* [27]. Au bord d'un torrent, deux chevaliers errants. Ils trouvent sur la rive un talisman portant une ancienne écriture. Celle-ci promet une surprise magnifique à qui osera traverser le torrent et porter d'une haleine, sur l'autre rive, un éléphant de pierre jusqu'au sommet d'une montagne. L'écriteau désigne les choses, il est « vocatif ». Il évoque un âge d'or de la création où il suffit de nommer pour créer. Le premier chevalier est un poltron et un « raisonneur ». Il suppute, disserte, classe des hypothèses pour justifier son refus de l'aventure. Il décompose la réalité en distinguant les qualités propres à chaque chose (« *rapide autant que profonde... nain, pygmée, avorton* »). Ce langage prédicatif et distanciateur, cette dissection du réel l'éloignent de l'action. Il conclut :

> « *On nous veut attraper dedans cette écriture :*
> *Ce sera quelque énigme à tromper un enfant.* »

Le chevalier fait ici, malgré lui, le portrait des *Fables*, ces « *cinq ou six contes d'enfant* [28] », qui, en dépit des apparences, constituent une écriture piégée. Le second chevalier, lui, n'hésite pas. Il suit aveuglément (« *...les yeux clos...* ») les indications données par l'écriteau. Il agit. Il fait. Avec lui, le verbe reprend ses droits. Sans qu'on sache comment, le miracle se produit. La réalité des choses se moule tout naturellement sur la réalité des mots. L'écriture devient aventure. Le chevalier porte sans problème le monstrueux

---

27. X, 13.
28. II, 1, *Contre ceux qui ont le goût difficile*, v. 16.

éléphant de pierre jusqu'au sommet de la montagne. Au terme de l'aventure, il est couronné monarque.

La réussite poétique de La Fontaine est celle du second chevalier. Ces contes « à tromper un enfant » sont en réalité une écriture magiquement créatrice. Le mensonge poétique sait donner corps aux songes. L'objectif des *Fables* est de retrouver l'adéquation entre les mots et les choses, et de conduire, à son insu, le lecteur à (ré-)agir. Rupture avec les poètes libertins : pas ou peu de descriptions dans les *Fables*. D'où vient pourtant que nous avons l'impression d'avoir vu, d'avoir entendu, d'avoir senti ? La certitude d'avoir perçu l'odeur de la rosée matinale, ou le doux murmure de l'écoulement des eaux ? Retournons au texte des *Fables* : les notations de couleur, de lumière, de son, d'odeur sont rares et souvent pauvres. Où sont-elles pourtant ? Elles sont dans notre mémoire, dans notre souvenir, dans notre imagination. La Fontaine, lui, se contente de suggérer, de mobiliser notre attention, et de faire remonter à la surface de notre conscience, comme des bulles gazeuses, ces impressions furtives enfouies dans notre mémoire. Il s'amuse à camper à grands traits un personnage :

> « *Un Rat hôte d'un champ, Rat de peu de cervelle,*
> *Des Lares paternels un jour se trouva sou.*
> *Il laisse là le champ, le grain, et la javelle,*
> *Va courir le pays, abandonne son trou* [29]. »

Ce personnage se déplace sur un décor à peine esquissé. Le poète, volontairement, sacrifie la description :

> « *Sitôt qu'il fut hors de la case,*
> *Que le monde, dit-il, est grand et spacieux !*
> *Voilà les Apennins et voici le Caucase :*
> *La moindre taupinée était mont à ses yeux.*
> *Au bout de quelques jours le voyageur arrive*
> *En un certain canton où Thétys sur la rive*
> *Avait laissé mainte huître ;... »*

29. VIII, 9, *Le Rat et l'Huître.*

Le lecteur est contraint par le poète d'imaginer le décor qui va servir de support au déplacement du personnage. Il va fouiller, malgré lui, dans sa mémoire, solliciter son imagination, prolonger et achever l'acte créateur du fabuliste. Au bout du compte, il croira avoir vu, avoir senti, avoir lu un texte dont le poète ne lui a donné que la ponctuation et quelques signes visibles. Le plaisir qu'on goûte aux *Fables* n'est pas un plaisir de lecteur mais un plaisir de (re-)créateur. L'intelligence du texte est de parvenir, par un maniement suprêmement habile des codes du langage et de l'écriture, à mobiliser l'imaginaire, à réveiller dans l'esprit des souvenirs, des songes, des gestes esquissés, des sensations oubliées. Le lecture des *Fables* n'est pas un chemin qui mène à la connaissance, mais à la reconnaissance, au ressouvenir. C'est un chemin sur lequel, on le sait, on éprouve un très étrange et très intense plaisir. Paresseux, La Fontaine ? Oui, sans doute. Mais sa véritable paresse est d'avoir confié au lecteur le soin, en devenant poète à son tour, d'achever sa création :

« *Favoris des neuf Sœurs, achevez l'entreprise* [30]. »

Nous comprenons mieux dès lors l'importance du rythme, ressort essentiel de la poétique des *Fables*. Le rythme, c'est un temps intérieur, un temps de la conscience. C'est un temps qui n'a plus rien de commun avec le temps rationnel des horloges, ce temps homogène, continu et irréversible. Le temps des *Fables* est une superposition, un recouvrement d'instants différemment rythmés, de « *moments filés de soie* ». Temps intérieur : possibilités infinies de tour, de détour et de retour. Sur le fil de ce temps, comme sur le fil de l'eau, se dessinent, se replient, se superposent des flux successifs. Les *Fables* imposent doucement à la conscience du lecteur le rythme propre du conteur, et celui des sensations que le poète a éprouvées et qu'il lui faut retrouver, recréer. Le plaisir qu'on éprouve à la

30. *Épilogue* du Livre XI, v. 14.

lecture des *Fables* naît de cette échappée « chronique »,
de cette plongée dans les profondeurs de la conscience, dans les abîmes de la mémoire, où demeurent
les sensations endormies. Retour au temps de la conscience, celui que chaque lecteur porte en lui. Le poëte
est un éveilleur d'âmes assoupies.

Dans ce cheminement, il nous mène discrètement
par la main. Par itérations, essais et erreurs, flux successifs, il nous conduit aux lieux de la re-connais-
sance, de la redécouverte intérieure.

Pourtant, comment guider, comment faire retrouver
un ordre, quand on ne veut ni montrer, ni démon-
trer ? Quand on jette aux orties les attributs de la rhétorique ? La Fontaine se contente de substituer la dialectique à la rhétorique. Dans le rythme, dans le ton,
l'oralité se laisse percevoir. Mais, au-delà de l'expression propre à chaque fable, c'est le recueil entier qui
paraît construit comme une longue conversation entre
le poëte et ses lecteurs. Nombreuses sont les fables où
La Fontaine feint de s'entretenir avec un interlocuteur
fictif, de discuter une opinion, de réfuter le jugement
adverse comme il réfute celui des Cartésiens dans le
Discours à Madame de La Sablière. Il interpelle son
lecteur, l'interroge, le met au défi, le réprimande, le
sollicite :

« Qui d'eux aimait le mieux, que t'en semble, Lecteur [31] *? »*
« A qui donner le prix ? Au cœur si l'on m'en croit [32]. *»*
« Maudit censeur, te tairas-tu [33] *? »*
« Mais que répondra-t-on à ce que je vais dire [34] *? »*

De cette conversation sinueuse, tantôt lente, tantôt
vive ou heurtée, La Fontaine nous offre une image : le
cheminement du *Meunier, son Fils et l'Ane* — une de
ces fables-« manifestes » qu'il s'amuse à jeter en début
de livre. L'anecdote nous est contée comme un
exemple du « pouvoir des fables » : c'est la réponse

31. VIII, 11, *Les deux Amis.*
32. XII, 15, *Le Corbeau, la Gazelle, la Tortue et le Rat.*
33. II, 1, *Contre ceux qui ont le goût difficile.*
34. IX, *Discours à Madame de La Sablière.*

imagée de Malherbe à Racan, comme les *Fables* sont celles de La Fontaine à ses interlocuteurs fictifs. Le « *trio de baudets* » progresse peu à peu vers la ville, vers son but, sur un chemin tortueux semé d'accidents et de rencontres. Progression au rythme d'une étrange « dialectique rurale », au prix de tentatives et d'échecs, de retours en arrière, de discussions et de réfutations, pour retrouver au terme du voyage la solitude du jugement individuel.

De livre en livre, la conversation se poursuit, marque des étapes, dépasse des contradictions entrevues, revient sur ses pas, complète, insiste, réfute. *Le Trésor et les deux Hommes* reprend sur le ton de la comédie le « scénario » tragique de *L'Avare qui a perdu son trésor*. *La Souris métamorphosée en fille* transpose sur le plan philosophique l'anecdote simplement gaillarde de *La Chatte métamorphosée en femme*. *Les deux Aventuriers et le Talisman* affirme le primat de l'action individuelle qu'avait mis en doute *L'Homme qui court après la Fortune et L'Homme qui l'attend dans son lit*.

Allons-nous conclure, pour autant, que ce cheminement dialectique est aléatoire, que le poète vole « *de fleur en fleur et d'objet en objet* », sans ordre et sans repères — conversation mondaine à bâtons rompus, flirtant avec l'actualité, les nouvelles ou simplement l'humeur du moment, entreprise par amusement, poursuivie par entêtement, et abandonnée par lassitude ? Florilège, guirlande à laquelle on peut indéfiniment ajouter une fleur nouvelle ou la retrancher sans que l'équilibre du parfum soit rompu ? Ce serait sans doute faire trop vite confiance aux apparences. Derrière la conversation s'esquisse une construction. Ce souci profond d'un ordre dissimulé sous les apparences volontiers trompeuses du « papillonnement » n'a pas de quoi nous étonner. Sous la conversation, et derrière la promenade des quatre amis de *Psyché* transparaît l'ordonnance des jardins royaux. En art comme en architecture, La Fontaine aime le désordre apparent, la dissymétrie extérieure qui cachent en réalité un ordre secret, un équilibre des masses, une

ordonnance formelle, une nécessité intérieure. Qu'on
songe à l'émotion qu'il ressent à la vue du château de
Blois et qu'il conte à sa femme dans ses *Lettres du
Limousin*. En outre, l'émule de Gassendi, l'adepte de
l'Epicurisme rénové, ne peut ignorer que, dans l'écoulement continu des atomes, le *clinamen* réintroduit des
structures, des agrégats, des ensembles stables et
pérennes. La quête de La Fontaine est là : dans la
recherche d'un ordre qui soit à la fois évident et transparent comme l'eau claire. Cet ordre est tout entier à
reconstituer, sous l'apparente agitation des « atomes »
que sont les fables. Pour le distinguer, il faut savoir
laisser reposer la boue qui trouble l'eau au fond du
verre du Solitaire [35].

Les *Fables* possèdent une architecture secrète. Un
double-fond. Un ordre qui soutient l'édifice. Pour
nous le faire apercevoir, sans toutefois nous le révéler,
La Fontaine nous donne des indices. Premier indice :
si la composition et la publication des *Fables* s'étendent sur près de trente années, l'œuvre n'est déclarée
« achevée » par son auteur qu'au dernier vers de la
fable ultime du Livre XII, *Le Juge arbitre, l'Hospitalier
et le Solitaire.*

> « Cette leçon sera la fin de ces Ouvrages :
> Puisse-t-elle être utile aux siècles à venir !
> Je la présente aux Rois, je la propose aux Sages :
> Par où saurais-je mieux finir ? »

Jusque-là, l'œuvre, par deux fois, n'avait été que
« suspendue » volontairement par le poète — par
paresse ? par doute [36] ? — Deuxième indice : les livres

35. XII, 29, *Le Juge arbitre, l'Hospitalier et le Solitaire.*
36. Voir *Epilogue* du Livre VI :
> « Il s'en va temps que je reprenne
> Un peu de forces et d'haleine
> Pour fournir à d'autres projets. »
Voir aussi l'*Epilogue* du Livre XI :
> « Si mon œuvre n'est pas un assez bon modèle,
> J'ai du moins ouvert le chemin :
> D'autres pourront y mettre une dernière main.
> Favoris des neuf Sœurs, achevez l'entreprise... »

à l'origine se répartissent en cinq parties (1/ L.I, II, III ; 2/ L.IV, V, VI ; 3/ L.VII, VIII ; 4/ L.IX, X, XI ; 5/ L.XII) et trois publications. Signe manifeste que les livres ne sont pas des unités en enfilade, semblables aux pièces des appartements royaux, qui ne peuvent être visitées que successivement, en passant de l'une à l'autre. Une logique architecturale les sous-tend. Troisième indice : La Fontaine reclasse ses fables à l'intérieur des livres dans un ordre étranger à l'ordre chronologique de composition ou de publication séparée. Il élimine en outre à l'édition certaines fables, notamment des pièces de circonstance à caractère trop ouvertement politique [37]. Sélection. Classement. Ordre. Dernier indice enfin : chaque fable en évoque au moins une autre, soit directement par citation, soit parce que le même personnage y est repris dans une situation analogue ou inversée, soit parce que le décor semble s'y prolonger, soit enfin parce que la leçon d'une fable s'y trouve complétée ou retournée.

Dans son jardin d'illusions, La Fontaine crée des attirances perspectives. Un réseau se dessine, où, par un lien ténu mais bien réel, chaque fable, liée à une autre ou à plusieurs autres, finit par s'insérer. Quel que soit le point d'entrée, quelle que soit la fable par laquelle on s'introduise dans cet artificieux jardin, on se trouve inévitablement conduit à le visiter tout entier, et guidé vers l'unique sortie. En effet, que l'on remonte « la » rivière des *Fables* pour parvenir à sa « *source* [38] », que l'on parcoure le règne végétal et le règne animal pour considérer l'Homme, que l'on s'efforce d'apaiser les effets de la discorde sociale par la Justice et la Charité, ou du désordre intérieur de l'âme et de ses passions, on recoupera au dernier moment la voie royale du Solitaire, figure souveraine de la dernière fable du recueil. Seul, celui-ci s'attaque aux racines du mal, aux causes du désordre dans la société humaine dont les *Fables* nous donnent des

---

37. Par exemple, *Le Renard et l'Ecureuil* ou *Le Soleil et les Grenouilles*.
38. XII, 29, *Le Juge arbitre, l'Hospitalier et le Solitaire*, v. 34.

illustrations. La connaissance de soi conduit à l'ordre
intérieur, l'ordre avec soi-même. Cet ordre-là est la
seule garantie de l'ordre social, car la société n'est,
pour La Fontaine, que la somme, l'*agrégat* — au sens
épicurien du terme — d'atomes individuels, animés
par leurs passions d'une agitation perpétuelle. Les
efforts du juge arbitre et de l'hospitalier sont certes à
louer et soulagent certains de nos maux. Mais ils
demeurent en partie vains, si les hommes n'appren-
nent pas à réveiller en eux le philosophe qui s'y est
assoupi.

Etrange architecture, où, guidé par un fil arach-
néen, le lecteur se laisse prendre au jeu des correspondances, des tentations, des illusions et parvient peu à
peu à l'unique sortie. Composition « en abymes »,
espace où s'ouvrent de feintes ou de vraies perspectives, tout évoque ici le jardin en labyrinthe. Un tel
jardin a — réellement — existé : installé en 1664 par
Le Nôtre dans le « petit bois vert » du parc de Versailles, il s'orne en 1672 de statues de plomb coloré
figurant les fables d'Esope et ne disparaîtra qu'en
1775. Chaque statue est accompagnée d'un quatrain
— médiocre — de Benserade. Que ce projet ait pu
être conçu à l'origine pour les jardins de Vaux et qu'à
cette époque La Fontaine ait été naturellement choisi
pour « commenter » en vers les statues du labyrinthe,
nombre d'indices portent à le croire mais aucune
preuve n'est assurée [39]. Quoi qu'il en soit, La Fontaine, éternel *challenger*, a réussi à constituer son jardin
de divertissement, ce jardin littéraire où la choro-
graphie se substitue à la composition, où la rhétorique perd ses droits au profit d'un cheminement
savamment guidé dans l'espace. Il invite une société
étonnée et amusée, hors des sentiers battus des fables,
qui sont « *sues de tout le monde* », à une promenade
littéraire qui constitue la plus paradoxale des réussites.

39. Pour découvrir ces indices et mesurer la probabilité de cette
hypothèse, on se reportera à Alain-Marie Bassy, « Les Fables de La
Fontaine et le labyrinthe de Versailles », *Revue française d'histoire du
livre*, n° 12, 3ᵉ trimestre 1976, pp. 367-426.

En sublimant les vieux schémas rhétoriques dans un art des jardins, les *Fables* assimilent un triple héritage : l'héritage des jeux de société — comme le « très antique jeu de l'Oye » —, celui de la cartographie littéraire, remise à l'honneur par les Précieux, enfin celui des « arts de mémoire » qui, depuis Quintilien, demeurent des instruments indispensables de la pédagogie et de la scolastique. La Fontaine est le jardinier[40] de cet espace « paysagé », où chaque lecteur devra inventer, recréer, jusqu'à l'unique sortie, son propre itinéraire. Dissimulé sous l'apparent désordre d'un paysage naturel se dessine l'ordonnancement sinueux d'un espace intellectuellement construit, que le lecteur découvre comme le Démocrite de la fable[41] :

> « *Sous un ombrage épais, assis près d'un ruisseau,*
> *Les labyrinthes d'un cerveau*
> *L'occupaient.* »

Testament mensonger, poétique de l'illusion, architecture dissimulée, les *Fables* appartiennent décidément au royaume de la « feinte ». Ce sont les jardins du mensonge. Ces jardins-là nous en rappellent d'autres : ces « jardins du Songe » nés de l'imagination de Francesco Colonna. Son *Hypnerotomachia Poliphili*[42] — n'avait-il pas inspiré depuis plus d'un siècle hommes de lettres, peintres, sculpteurs et... jardiniers ? N'est-ce pas de Colonna dont se réclame La Fontaine dans sa *Préface* du *Songe de Vaux* ? Enfin, n'est-ce pas sous l'identité de Poliphile (ou Polyphile) que le poète se représente lui-même dans *Psyché* ? Ce n'est sans doute pas par facilité que La Fontaine, dans nombre de ses fables, fait rimer « *songe* » et « *men-*

---

40. On remarquera que le jardinier est, dans l'ensemble des *Fables*, le seul personnage auquel va, de façon constante, la sympathie du poète.

41. VIII, 26, *Démocrite et les Abdéritains*, v. 33-35.

42. *Hypnerotomachia Poliphili*, Venise, Alde Manuce, 1499. Traduction française, *Le Discours du Songe de Poliphile*, Paris, Jacques Kerver, 1546.

songe », le mensonge des *Fables* avec *Le Songe de Poliphile*. Car l'œuvre de Colonna est un modèle. Pour qui
sait voir et comprendre, en effet, elle constitue un
parcours initiatique, la quête sinueuse d'une vérité.
Cette quête prend place « topographiquement » dans
un paysage étrange, à proximité d'une rivière que
Poliphile remonte jusqu'à sa source. Paysage orné de
bâtiments, de ruines, de « fabriques », de sculptures.
Tout paraît indiquer, jusqu'aux illustrations du livre,
que Colonna nous décrit des œuvres d'art réelles.
Pourtant ces architectures demeureront à jamais
introuvables. Elles sont sorties de la seule imagination
de l'auteur. Loin de nous induire en erreur, le jeu
illusionniste nous « induit en vérité ». La Fontaine se
règle sur pareil exemple. Simplement la leçon finale ne
sera pas la même : là, on découvrait la puissance de
l'Amour et de l'harmonie, on aboutit ici, dans la solitude, à la connaissance de soi.

Et, depuis des siècles, *Le Songe* et les *Fables*
connaissent le même destin. Sur eux s'opère la même
métamorphose. Les monuments et les architectures
inventées de Colonna ont fait naître, sur leur modèle,
des monuments et des architectures bien réelles. Création en perpétuel devenir, les *Fables* prennent corps
dans l'imagination des lecteurs et des artistes — peintres, sculpteurs, graveurs, ébénistes, cartonniers — qui
depuis trois cents ans en font un motif récurrent d'inspiration. Protéiformes, les *Fables* revêtent les aspects
divers que leur prête chaque sensibilité, et traversent,
avec élégance, les époques et les lieux. L'œuvre paraît
toujours nouvelle, vivante, comme un bouquet fraî-
chement coupé. Palingénésie. Apprentissage littéraire
de la vie éternelle. Constante re-création, qui vient
nous convaincre, si nous ne l'étions déjà par le poète,
du *« Pouvoir des fables »*.

Alain-Marie BASSY.

NOTE SUR CETTE EDITION

Avertissement au texte

Comme Antoine Adam, nous avons suivi le texte des éditions de 1692 et de 1693 (pour le livre XII), et nous avons maintenu son système traditionnel de majuscules.

Avertissement aux notes

Annoter La Fontaine peut être « œuvre infinie ».

Pour chaque fable, nous indiquons les sources principales. Nous ne donnons que rarement les variantes — souvent infimes — entre les diverses éditions du XVIIe siècle.

Les dates des parutions particulières de certaines fables sont dans la liste des éditions, p. 505-506.

Le plus souvent possible, les définitions des mots viennent des dictionnaires du temps : celui de Furetière (Fur.), celui de l'Académie (Acad.), celui de Richelet (Rich.).

Nous soulignons fréquemment les rapports des fables entre elles, en invitant à comparer les emplois de certains mots et, surtout, à suivre les fables dans l'ordre lafontainien de leur succession. Pour le premier livre, sans prétendre à l'exhaustivité, nous avons ainsi tenté de situer chaque fable parmi ses voisines et dans le mouvement d'ensemble du livre. Pour les suivants, nous nous sommes souvent bornés à des indications ponctuelles pour donner « quelque chose à penser ».

Bien que la critique soit peu diserte sur ce point capital, il nous semble clair que La Fontaine a profondément médité et rêvé la composition de ses « ouvrages ». La diversité qu'il donne à lire n'est nullement un chaos et ce n'est pas une apparence qu'on réduirait aisément à un ordre. Elle n'est pas bigarrure stérile, comme la peau du Léopard, ou multiplicité trompeuse comme les tours que le Renard exécute devant les Poulets d'Inde à seule fin de les croquer. On gagne à la rapprocher — même étymologiquement — du mouvement de l'onde dont l'image est récurrente dans les *Fables* et qui forme ce que La Fontaine appelle dans *Adonis* « les longs replis du cristal vagabond ».

Les fables s'ordonnent, selon nous, comme un flux riche en replis que Gilles Deleuze dirait peut-être baroques. Elles se succèdent en formant un réseau semblable à un labyrinthe fécond, voire à ces « labyrinthes du cerveau » qui produisent la pensée et qui « occupaient » Démocrite (VIII, 26). Ce mode de composition trouve sa légitimité dans une appréhension profonde de l'épicurisme lucrétien qui pense l'univers comme flux d'éléments discontinus et écarts par rapport à ce flux, l'ensemble suscitant l'étonnante diversité que l'on observe partout. « L'ample comédie à cent actes divers », qui commente l'univers, est ainsi, par sa composition seule, image de l'univers.

Le lecteur peut sans doute s'instruire et se plaire en repliant chaque fable sur celles qui l'environnent. Peu à peu, la richesse de la méditation lafontainienne apparaît ainsi par précisions, corrections, déplacements, retournements de figures... *La Cigale et la Fourmi* se lit mieux à travers *Le Corbeau et le Renard* que l'on gagne à lire à travers *La Grenouille qui se veut faire aussi grosse que le Bœuf*... qu'une lecture des *Deux Mulets* rend à son tour plus intéressante... Au livre VII, replier *Un Animal dans la Lune* (fable dernière) sur *Les Animaux malades de la peste* fait mieux lire chacun des deux textes et permet d'apercevoir quelques-uns des enjeux du livre. La spécificité du livre IX et la position du *Discours à Mme de La Sablière* sont, quant à elles, éclairées si l'on suit de fable en fable, dès *Le Dépositaire infidèle*, la méditation précise sur la diversité...

La Fontaine a disposé des indices nets qui invitent à pareille lecture. Citons la position ostensiblement choisie des fables initiales, les fables doubles, certains diptyques (*L'Ours et l'Amateur des Jardins*, *Les deux Amis*), certains polyptyques comme la série des fables du livre V.II concernant la Fortune... Beaucoup d'indices sont plus subtils. Au lecteur de les découvrir et de les penser. La Fontaine n'a pas voulu imposer un tel parcours. Admirateur des dialogues de Platon et conscient des dangers du « pouvoir des fables », il a subtilement rendu possible une lecture-conversation, telle que le lecteur peut interpréter, selon son désir et son talent, l'ordre des textes et faire à sa guise des passages. Toute structure trop visible aurait enlaidi. Le « Papillon du Parnasse » pratiquait en somme ce qu'il louait chez Ovide : quelquefois il « n'a pas plus de fondement pour passer d'une métamorphose à une autre. Les diverses liaisons dont il se sert ne m'en semblent que plus belles ; et, selon mon goût, elles plairaient moins si elles se suivaient davantage [1] ».

Ces notes invitent à goûter « cet heureux art / Qui cache ce qu'il est et ressemble au hasard [2] ».

1. *Inscription* tirée de Boissard, texte précédant *Les Filles de Minée* en 1685, *O. D.*, Bibliothèque de la Pléiade, p. 769.
2. *Le Songe de Vaux*, *O. D.*, p. 84.

FABLES

A MONSEIGNEUR LE DAUPHIN [1]

MONSEIGNEUR,

S'il y a quelque chose d'ingénieux dans la République des Lettres, on peut dire que c'est la manière dont Esope a débité sa morale. Il serait véritablement à souhaiter que d'autres mains que les miennes y eussent ajouté les ornements de la poésie, puisque le plus sage des Anciens [2] a jugé qu'ils n'y étaient pas inutiles. J'ose, MONSEIGNEUR, vous en présenter quelques Essais. C'est un Entretien convenable à vos premières années. Vous êtes en un âge où l'amusement et les jeux sont permis aux Princes ; mais en même temps vous devez donner quelques-unes de vos pensées à des réflexions sérieuses. Tout cela se rencontre aux fables que nous devons à Esope. L'apparence en est puérile, je le confesse ; mais ces puérilités servent d'enveloppe à des vérités importantes.

Je ne doute point, MONSEIGNEUR, que vous ne regardiez favorablement des inventions si utiles et tout ensemble si agréables : car que peut-on souhaiter davantage que ces deux points ? Ce sont eux qui ont introduit les Sciences parmi les hommes. Esope a trouvé un art singulier de les joindre l'un avec l'autre. La lecture de son Ouvrage répand insensiblement dans une âme les semences de la vertu, et lui apprend à se connaître sans qu'elle s'aperçoive de cette étude, et tandis qu'elle croit faire toute autre chose.

C'est une adresse dont s'est servi très heureusement
celui [3] sur lequel Sa Majesté a jeté les yeux pour vous
donner des instructions. Il fait en sorte que vous
appreniez sans peine, ou, pour mieux parler, avec
plaisir, tout ce qu'il est nécessaire qu'un Prince sache.
Nous espérons beaucoup de cette conduite. Mais, à
dire la vérité, il y a des choses dont nous espérons
infiniment davantage : ce sont, MONSEIGNEUR, les
qualités que notre invincible Monarque vous a données avec la Naissance ; c'est l'Exemple que tous les
jours il vous donne. Quand vous le voyez former de si
grands Desseins ; quand vous le considérez qui
regarde sans s'étonner l'agitation de l'Europe et les
machines qu'elle remue pour le détourner de son
entreprise ; quand il pénètre dès sa première
démarche jusque dans le cœur d'une Province [4] où
l'on trouve à chaque pas des barrières insurmontables,
et qu'il en subjugue une autre [5] en huit jours, pendant
la saison la plus ennemie de la guerre, lorsque le repos
et les plaisirs règnent dans les Cours des autres Princes ; quand, non content de dompter les hommes, il
veut triompher aussi des Eléments et quand au retour
de cette expédition, où il a vaincu comme un Alexandre [6], vous le voyez gouverner ses peuples comme un
Auguste ; avouez le vrai, MONSEIGNEUR, vous soupirez pour la gloire aussi bien que lui, malgré l'impuissance de vos années ; vous attendez avec impatience le
temps où vous pourrez vous déclarer son Rival dans
l'amour de cette divine Maîtresse. Vous ne l'attendez
pas, MONSEIGNEUR : vous le prévenez. Je n'en veux
pour témoignage que ces nobles inquiétudes, cette
vivacité, cette ardeur, ces marques d'esprit, de courage, et de grandeur d'âme, que vous faites paraître à
tous les moments. Certainement c'est une joie bien
sensible à notre Monarque ; mais c'est un spectacle
bien agréable pour l'Univers que de voir ainsi croître
une jeune Plante qui couvrira un jour de son ombre
tant de Peuples et de Nations. Je devrais m'étendre
sur ce sujet ; mais, comme le dessein que j'ai de vous
divertir est plus proportionné à mes forces que celui

de vous louer, je me hâte de venir aux Fables, et n'ajouterai aux vérités que je vous ai dites que celle-ci : c'est, MONSEIGNEUR, que je suis, avec un zèle respectueux,

Votre très humble, très obéissant,
et très fidèle serviteur,

DE LA FONTAINE.

PRÉFACE

L'indulgence que l'on a eue pour quelques-unes de mes Fables me donne lieu d'espérer la même grâce pour ce Recueil. Ce n'est pas qu'un des Maîtres de notre Eloquence [1] n'ait désapprouvé le dessein de les mettre en vers. Il a cru que leur principal ornement est de n'en avoir aucun ; que d'ailleurs la contrainte de la Poésie, jointe à la sévérité de notre langue, m'embarrasseraient en beaucoup d'endroits, et banniraient de la plupart de ces Récits la brèveté [2], qu'on peut fort bien appeler l'âme du Conte, puisque sans elle il faut nécessairement qu'il languisse. Cette opinion ne saurait partir que d'un homme d'excellent goût ; je demanderais seulement qu'il en relâchât quelque peu, et qu'il crût que les Grâces lacédémoniennes [3] ne sont pas tellement ennemies des Muses Françaises, que l'on ne puisse souvent les faire marcher de compagnie.

Après tout, je n'ai entrepris la chose que sur l'exemple, je ne veux pas dire des Anciens, qui ne tire point à conséquence pour moi, mais sur celui des Modernes. C'est de tout temps, et chez tous les peuples qui font profession de poésie, que le Parnasse a jugé ceci de son apanage. A peine les Fables qu'on attribue à Esope virent le jour, que Socrate trouva à propos de les habiller des livrées [4] des Muses. Ce que Platon [5] en rapporte est si agréable, que je ne puis m'empêcher d'en faire un des ornements de cette Préface. Il dit que, Socrate étant condamné au dernier supplice, l'on remit l'exécution de l'Arrêt, à cause de certaines Fêtes. Cébès l'alla voir le jour de sa mort. Socrate lui dit que les Dieux l'avaient averti plusieurs fois pendant son sommeil, qu'il devait s'appliquer à la Musique avant qu'il mourût. Il n'avait pas entendu d'abord ce que ce songe signifiait ; car, comme la Musique ne rend pas l'homme meilleur, à quoi bon s'y attacher ? Il fallait qu'il y eût du mystère là-dessous : d'autant plus que les Dieux ne se lassaient point de lui envoyer la même inspiration. Elle lui était encore venue une de ces Fêtes. Si bien qu'en songeant aux choses que le Ciel pouvait exiger de lui, il s'était avisé que la Musique [6] et la Poésie ont tant de rapport, que possible était-ce de la dernière qu'il s'agissait. Il n'y a point de bonne Poésie sans Harmonie ; mais il n'y en a point non plus sans fiction ; et Socrate ne savait que dire la vérité. Enfin il avait trouvé un tempérament [7] : c'était de choisir des Fables qui continssent quelque chose de véritable, telles que sont celles d'Esope. Il employa donc à les mettre en Vers les derniers moments de sa vie.

Socrate n'est pas le seul qui ait considéré comme sœurs la Poésie et nos Fables. Phèdre a témoigné qu'il était de ce sentiment ; et par l'excellence de son ouvrage, nous pouvons juger de celui du Prince des Philosophes. Après Phèdre, Avienus [8] a traité le même sujet. Enfin les Modernes les ont suivis : nous en avons des exemples, non seulement chez les Etrangers, mais chez nous. Il est vrai que lorsque nos gens [9] y ont travaillé, la Langue était si différente de ce qu'elle est, qu'on ne les doit considérer que comme Etrangères. Cela ne m'a point détourné de mon entreprise : au contraire, je me suis flatté de l'espérance que si je ne courais dans cette carrière avec succès, on me donnerait au moins la gloire de l'avoir ouverte.

Il arrivera possible que mon travail fera naître à d'autres personnes l'envie de porter la chose plus loin. Tant s'en faut que cette matière soit épuisée, qu'il reste encore plus de Fables à mettre en vers que je n'en ai mis. J'ai choisi véritablement les meilleures, c'est-à-dire celles qui m'ont semblé telles ; mais outre que je puis m'être trompé dans mon choix, il ne sera pas difficile de donner un autre tour à celles-là même que j'ai choisies ; et si ce tour est moins long, il sera sans doute plus approuvé. Quoi qu'il en arrive, on m'aura toujours obligation ; soit que ma témérité ait été heureuse, et que je ne me sois point trop écarté du chemin qu'il fallait tenir, soit que j'aie seulement excité les autres à mieux faire.

Je pense avoir justifié suffisamment mon dessein : quant à l'exécution, le Public en sera juge. On ne trouvera pas ici l'élégance ni l'extrême breveté qui rendent Phèdre recommandable : ce sont qualités au-dessus de ma portée. Comme il m'était impossible de l'imiter en cela, j'ai cru qu'il fallait en récompense [10] égayer l'Ouvrage plus qu'il n'a fait. Non que je le blâme d'en être demeuré dans ces termes : la Langue Latine n'en demandait pas davantage ; et si l'on y veut prendre garde, on reconnaîtra dans cet Auteur le vrai caractère et le vrai génie de Térence [11]. La simplicité est magnifique chez ces grands Hommes ; moi, qui n'ai pas les perfections du langage comme ils les ont eues, je ne la puis élever à un si haut point. Il a donc fallu se récompenser d'ailleurs : c'est ce que j'ai fait avec d'autant plus de hardiesse, que Quintilien [12] dit qu'on ne saurait trop égayer les Narrations. Il ne s'agit pas ici d'en apporter une raison ; c'est assez que Quintilien l'ait dit. J'ai pourtant considéré que, ces Fables étant sues de tout le monde, je ne ferais rien si je ne les rendais nouvelles par quelques traits qui en relevassent le goût. C'est ce qu'on demande aujourd'hui : on veut de la nouveauté et de la gaieté. Je n'appelle pas gaieté ce qui excite le rire ; mais un certain charme, un air agréable qu'on peut donner à toutes sortes de sujets, même les plus sérieux.

Mais ce n'est pas tant par la forme que j'ai donnée à cet Ouvrage qu'on en doit mesurer le prix, que par son utilité et par sa matière ; car qu'y a-t-il de recommandable dans les productions de l'esprit, qui ne se

rencontre dans l'Apologue ? C'est quelque chose de si
divin, que plusieurs personnages de l'Antiquité ont
attribué la plus grande partie de ces Fables à Socrate,
choisissant pour leur servir de père celui des mortels
qui avait le plus de communication avec les Dieux. Je
ne sais comme ils n'ont point fait descendre du ciel
ces mêmes Fables, et comme ils ne leur ont point
assigné un Dieu qui en eût la direction, ainsi qu'à la
Poésie et à l'Eloquence. Ce que je dis n'est pas tout à
fait sans fondement, puisque, s'il m'est permis de
mêler ce que nous avons de plus sacré parmi les
erreurs du paganisme, nous voyons que la Vérité a
parlé aux hommes par paraboles ; et la parabole est-
elle autre chose que l'Apologue, c'est-à-dire un
exemple fabuleux, et qui s'insinue avec d'autant plus
de facilité et d'effet, qu'il est plus commun et plus
familier ? Qui ne nous proposerait à imiter que les
Maîtres de la Sagesse nous fournirait un sujet
d'excuse : il n'y en a point quand des Abeilles et des
Fourmis sont capables de cela même qu'on nous
demande.

   C'est pour ces raisons que Platon, ayant banni
Homère de sa République, y a donné à Esope une
place très honorable [13]. Il souhaite que les enfants
sucent ces Fables avec le lait ; il recommande aux
Nourrices de les leur apprendre : car on ne saurait
s'accoutumer de trop bonne heure à la sagesse et à la
vertu ; plutôt que d'être réduits à corriger nos habi-
tudes, il faut travailler à les rendre bonnes pendant
qu'elles sont encore indifférentes au bien ou au mal.
Or, quelle méthode y peut contribuer plus utilement
que ces Fables ? Dites à un enfant que Crassus, allant
contre les Parthes, s'engagea dans leur pays sans
considérer comment il en sortirait ; que cela le fit
périr, lui et son Armée, quelque effort qu'il fît pour se
retirer. Dites au même enfant que le Renard et le
Bouc descendirent au fond d'un puits pour y éteindre
leur soif ; que le Renard en sortit s'étant servi des
épaules et des cornes de son camarade comme d'une
échelle ; au contraire le Bouc y demeura pour n'avoir

pas eu tant de prévoyance ; et par conséquent il faut
considérer en toute chose la fin [14]. Je demande lequel
de ces deux exemples fera le plus d'impression sur cet
enfant. Ne s'arrêtera-t-il pas au dernier, comme plus
conforme et moins disproportionné que l'autre à la
petitesse de son esprit ? Il ne faut pas m'alléguer que
les pensées de l'enfance sont d'elles-mêmes assez
enfantines, sans y joindre encore de nouvelles badineries. Ces badineries ne sont telles qu'en apparence ;
car dans le fond elles portent un sens très solide. Et
comme, par la définition du Point, de la Ligne, de la
Surface, et par d'autres principes très familiers, nous
parvenons à des connaissances qui mesurent enfin le
Ciel et la Terre, de même aussi, par les raisonnements
et conséquences que l'on peut tirer de ces Fables, on
se forme le jugement et les mœurs, on se rend capable
de grandes choses.

Elles ne sont pas seulement Morales, elles donnent
encore d'autres connaissances. Les propriétés des Animaux et leurs divers caractères y sont exprimés ; par
conséquent les nôtres aussi, puisque nous sommes
l'abrégé de ce qu'il y a de bon et de mauvais dans les
créatures irraisonnables. Quand Prométhée [15] voulut
former l'homme, il prit la qualité dominante de
chaque bête : de ces pièces si différentes il composa
notre espèce ; il fit cet ouvrage qu'on appelle *le petit
Monde* [16]. Ainsi ces fables sont un tableau où chacun
de nous se trouve dépeint. Ce qu'elles nous représentent confirme les personnes d'âge avancé dans les
connaissances que l'usage leur a données, et apprend
aux enfants ce qu'il faut qu'ils sachent. Comme ces
derniers sont nouveaux venus dans le monde, ils n'en
connaissent pas encore les habitants, ils ne se connaissent pas eux-mêmes. On ne les doit laisser dans cette
ignorance que le moins qu'on peut : il leur faut
apprendre ce que c'est qu'un Lion, un Renard, ainsi
du reste ; et pourquoi l'on compare quelquefois un
homme à ce renard ou à ce lion. C'est à quoi les
Fables travaillent : les premières Notions de ces
choses proviennent d'elles.

J'ai déjà passé la longueur ordinaire des Préfaces ; cependant je n'ai pas encore rendu raison de la conduite de mon Ouvrage. L'Apologue est composé de deux parties, dont on peut appeler l'une le Corps, l'autre l'Ame. Le Corps est la Fable ; l'Ame, la Moralité. Aristote n'admet dans la fable que les animaux ; il en exclut les Hommes et les Plantes [17]. Cette règle est moins de nécessité que de bienséance, puisque ni Esope, ni Phèdre, ni aucun des Fabulistes, ne l'a gardée : tout au contraire de la Moralité, dont aucun ne se dispense. Que s'il m'est arrivé de le faire, ce n'a été que dans les endroits où elle n'a pu entrer avec grâce, et où il est aisé au lecteur de la suppléer. On ne considère en France que ce qui plaît : c'est la grande règle, et pour ainsi dire la seule. Je n'ai donc pas cru que ce fût un crime de passer par-dessus les anciennes Coutumes lorsque je ne pouvais les mettre en usage sans leur faire tort. Du temps d'Esope la fable était contée simplement ; la moralité séparée, et toujours en suite. Phèdre est venu, qui ne s'est pas assujetti à cet ordre : il embellit la Narration, et transporte quelquefois la Moralité de la fin au commencement. Quand il serait nécessaire de lui trouver place, je ne manque à ce précepte que pour en observer un qui n'est pas moins important : c'est Horace [18] qui nous le donne. Cet Auteur ne veut pas qu'un Ecrivain s'opiniâtre contre l'incapacité de son esprit, ni contre celle de sa matière. Jamais, à ce qu'il prétend, un homme qui veut réussir n'en vient jusque-là ; il abandonne les choses dont il voit bien qu'il ne saurait rien faire de bon :

> *Et quæ*
> *Deseperat tractata nitescere posse relinquit.*

C'est ce que j'ai fait à l'égard de quelques Moralités du succès desquelles je n'ai pas bien espéré.

Il ne reste plus qu'à parler de la vie d'Esope. Je ne vois presque personne qui ne tienne pour fabuleuse celle que Planude [19] nous a laissée. On s'imagine que cet Auteur a voulu donner à son Héros un caractère et des aventures qui répondissent à ses Fables. Cela m'a paru d'abord spécieux [20] ; mais j'ai trouvé à la fin peu de certitude en cette critique. Elle est en partie fondée sur ce qui se passe entre Xantus et Esope : on y trouve trop de niaiserie ; et qui est le sage à qui de pareilles choses n'arrivent point ? Toute la vie de Socrate n'a pas été sérieuse. Ce qui me confirme en mon sentiment, c'est que le caractère que Planude donne à Esope est semblable à celui que Plutarque lui a donné dans son *Banquet des sept Sages*, c'est-à-dire d'un homme subtil, et qui ne laisse rien passer. On me dira que le Banquet des sept Sages est aussi une invention. Il est aisé de douter de tout ; quant à moi, je ne vois pas bien pourquoi Plutarque aurait voulu imposer à la postérité dans ce traité-là, lui qui fait profession d'être véritable partout ailleurs, et de conserver à chacun son caractère. Quand cela serait, je ne saurais que mentir sur la foi d'autrui : me croira-t-on moins que si je m'arrête à la mienne ? Car ce que je puis est de composer un tissu de mes conjectures, lequel j'intitulerai : *Vie d'Esope*. Quelque vraisemblable que je le rende, on ne s'y assurera pas ; et Fable pour Fable, le lecteur préférera toujours celle de Planude à la mienne.

LA VIE D'ESOPE LE PHRYGIEN

Nous n'avons rien d'assuré touchant la naissance d'Homère et d'Esope. A peine même sait-on ce qui leur est arrivé de plus remarquable. C'est de quoi il y a lieu de s'étonner, vu que l'Histoire ne rejette pas des choses moins agréables et moins nécessaires que celle-là. Tant de destructeurs de nations, tant de princes sans mérite, ont trouvé des gens qui nous ont appris jusqu'aux moindres particularités de leur vie ; et nous ignorons les plus importantes de celles d'Esope et d'Homère, c'est-à-dire des deux personnages qui ont le mieux mérité des siècles suivants. Car Homère n'est pas seulement le Père des Dieux, c'est aussi celui des bons Poètes. Quant à Esope il me semble qu'on le devait mettre au nombre des Sages dont la Grèce s'est vantée, lui qui enseignait la véritable sagesse, et qui l'enseignait avec bien plus d'art que ceux qui en donnent des Définitions et des Règles. On a véritablement recueilli les vies de ces deux grands Hommes ; mais la plupart des savants les tiennent toutes deux fabuleuses, particulièrement celle que Planude a écrite. Pour moi, je n'ai pas voulu m'engager dans cette critique. Comme Planude vivait dans un siècle où la mémoire des choses arrivées à Esope ne devait pas être encore éteinte, j'ai cru qu'il savait par tradition [1] ce qu'il a laissé. Dans cette croyance, je l'ai suivi sans retrancher de ce qu'il a dit d'Esope que ce qui m'a semblé trop puéril, ou qui s'écartait en quelque façon de la bienséance.

Esope était Phrygien, d'un Bourg appelé Amorium. Il naquit vers la cinquante-septième olympiade, quelque deux cents ans après la fondation de Rome [2]. On ne saurait dire s'il eut sujet de remercier la nature, ou bien de se plaindre d'elle : car en le douant d'un très bel esprit, elle le fit naître difforme et laid de visage, ayant à peine figure d'homme, jusqu'à lui refuser presque entièrement l'usage de la parole. Avec ces défauts, quand il n'aurait pas été de condition à être Esclave, il ne pouvait manquer de le devenir. Au reste, son âme se maintint toujours libre et indépendante de la fortune.

Le premier Maître qu'il eut l'envoya aux champs labourer la terre ; soit qu'il le jugeât incapable de toute autre chose, soit pour s'ôter de devant les yeux un objet si désagréable. Or il arriva que ce Maître étant allé voir sa maison des champs, un Paysan lui donna des figues : il les trouva belles, et les fit serrer fort soigneusement, donnant ordre à son sommelier, appelé Agathopus, de les lui apporter au sortir du bain. Le hasard voulut qu'Esope eut affaire dans le logis. Aussitôt qu'il y fut entré, Agathopus se servit de l'occasion, et mangea les Figues avec quelques-uns de ses Camarades ; puis ils rejetèrent cette friponnerie sur Esope, ne croyant pas qu'il se pût jamais justifier, tant il était bègue, et paraissait idiot. Les châtiments dont les Anciens usaient envers leurs esclaves étaient fort cruels, et cette faute très punissable. Le pauvre Esope se jeta aux pieds de son maître ; et se faisant entendre du mieux qu'il put, il témoigna qu'il demandait pour toute grâce qu'on sursît de quelques moments sa punition. Cette grâce lui ayant été accordée, il alla quérir de l'eau tiède, la but en présence de son Seigneur, se mit les doigts dans la bouche, et ce qui s'ensuit, sans rendre autre chose que cette eau seule. Après s'être ainsi justifié, il fit signe qu'on obligeât les autres d'en faire autant. Chacun demeura surpris : on n'aurait pas cru qu'une telle invention pût partir d'Esope. Agathopus et ses Camarades ne parurent point étonnés. Ils burent de l'eau comme le Phrygien avait fait, et se mirent les doigts dans la bouche ; mais ils se gardèrent bien de les enfoncer trop avant. L'eau ne laissa pas d'agir, et de mettre en évidence les Figues toutes crues encore et toutes vermeilles. Par ce moyen Esope se garantit : ses accusateurs furent punis doublement, pour leur gourmandise et pour leur méchanceté.

Le lendemain, après que leur Maître fut parti, et le Phrygien étant à son travail ordinaire, quelques Voyageurs égarés (aucuns disent que c'étaient des Prêtres de Diane) le prièrent, au nom de Jupiter Hospitalier, qu'il leur enseignât le chemin qui conduisait à la Ville. Esope les obligea premièrement de se reposer à l'ombre ; puis leur ayant présenté une légère collation, il voulut être leur guide, et ne les quitta qu'après qu'il les eut remis dans leur chemin. Les bonnes gens levèrent les mains au Ciel, et prièrent Jupiter de ne pas laisser cette action charitable sans récompense. A peine Esope les eut quittés, que le chaud et la lassitude le contraignirent de s'endormir. Pendant son sommeil, il s'imagina que la Fortune était debout devant lui, qui lui déliait la langue, et par même moyen lui faisait présent de cet Art dont on peut dire qu'il est l'Auteur. Réjoui de cette aventure, il s'éveilla en sursaut ; et en s'éveillant : « Qu'est ceci ? dit-il ; ma voix est devenue libre ; je prononce bien un râteau, une charrue, tout ce que je veux. »

Cette merveille fut cause qu'il changea de maître. Car, comme un certain Zénas, qui était là en qualité d'Œconome et qui avait l'œil sur les Esclaves, en eut battu un outrageusement pour une faute qui ne le méritait pas, Esope ne put s'empêcher de le reprendre, et le menaça que ses mauvais traitements seraient sus : Zénas, pour le prévenir et pour se venger de lui, alla dire au maître qu'il était arrivé un prodige dans sa maison, que le Phrygien avait recouvré la parole, mais que le méchant ne s'en servait qu'à blasphémer, et à médire de leur Seigneur. Le Maître le crut, et passa

bien plus avant ; car il lui donna Esope, avec liberté
d'en faire ce qu'il voudrait. Zénas de retour aux
champs, un Marchand l'alla trouver, et lui demanda si
pour de l'argent il le voulait accommoder [3] de quelque
bête de somme. Non pas cela, dit Zénas : je n'en ai
pas le pouvoir ; mais je te vendrai, si tu veux, un de
nos Esclaves. Là-dessus ayant fait venir Esope, le
Marchand dit : Est-ce afin de te moquer que tu me
proposes l'achat de ce personnage ? On le prendrait
pour un Outre. Dès que le marchand eut ainsi parlé, il
prit congé d'eux, partie murmurant, partie riant de ce
bel objet. Esope le rappela, et lui dit : Achète-moi
hardiment : je ne te serai pas inutile. Si tu as des
enfants qui crient et qui soient méchants, ma mine les
fera taire : on les menacera de moi comme de la Bête.
Cette raillerie plut au marchand. Il acheta notre Phrygien trois oboles, et dit en riant : Les Dieux soient
loués ; je n'ai pas fait grande acquisition, à la vérité,
aussi n'ai-je pas déboursé grand argent.

Entre autres denrées, ce marchand trafiquait
d'esclaves ; si bien qu'allant à Ephèse pour se défaire
de ceux qu'il avait, ce que chacun d'eux devait porter
pour la commodité du voyage fut départi selon leur
emploi et selon leurs forces. Esope pria que l'on eût
égard à sa taille ; qu'il était nouveau venu, et devait
être traité doucement. Tu ne porteras rien, si tu veux,
lui repartirent ses Camarades. Esope se piqua d'honneur, et voulut avoir sa charge comme les autres. On
le laissa donc choisir. Il prit le Panier au pain : c'était
le fardeau le plus pesant. Chacun crut qu'il l'avait fait
par bêtise ; mais dès la dînée [4] le panier fut entamé, et
le Phrygien déchargé d'autant ; ainsi le soir, et de
même le lendemain ; de façon qu'au bout de deux
jours il marchait à vide. Le bon sens et le raisonnement du personnage furent admirés.

Quant au Marchand, il se défit de tous ses Esclaves,
à la réserve d'un Grammairien, d'un Chantre et
d'Esope, lesquels il alla exposer en vente à Samos.
Avant que de les mener sur la place, il fit habiller les
deux premiers le plus proprement qu'il put, comme

chacun farde sa marchandise. Esope, au contraire, ne
fut vêtu que d'un sac, et placé entre ses deux Compagnons, afin de leur donner lustre. Quelques acheteurs
se présentèrent, entre autres un philosophe appelé
Xantus. Il demanda au Grammairien et au Chantre ce
qu'ils savaient faire : Tout, reprirent-ils. Cela fit rire le
Phrygien, on peut s'imaginer de quel air. Planude rapporte qu'il s'en fallut peu qu'on ne prît la fuite, tant il
fit une effroyable grimace. Le Marchand fit son
Chantre mille oboles, son Grammairien trois mille ; et
en cas que l'on achetât l'un des deux, il devait donner
Esope par-dessus le marché. La cherté du Grammairien et du Chantre dégoûta Xantus. Mais, pour ne pas
retourner chez soi sans avoir fait quelque emplette, ses
disciples lui conseillèrent d'acheter ce petit bout
d'homme qui avait ri de si bonne grâce : on en ferait
un épouvantail ; il divertirait les gens par sa mine.
Xantus se laissa persuader, et fit prix d'Esope à
soixante oboles. Il lui demanda, devant que de
l'acheter, à quoi il lui serait propre, comme il l'avait
demandé à ses camarades. Esope répondit : A rien,
puisque les deux autres avaient tout retenu pour eux.
Les commis de la douane remirent généreusement à
Xantus le sou pour livre [5], et lui en donnèrent quit-
tance sans rien payer [6].

Xantus avait une femme de goût assez délicat, et à
qui toutes sortes de gens ne plaisaient pas : si bien que
de lui aller présenter sérieusement son nouvel Esclave,
il n'y avait pas d'apparence [7], à moins qu'il ne la
voulût mettre en colère et se faire moquer de lui. Il
jugea plus à propos d'en faire un sujet de plaisanterie,
et alla dire au logis qu'il venait d'acheter un jeune
Esclave le plus beau du monde et le mieux fait. Sur
cette nouvelle, les filles qui servaient sa femme se pen-
sèrent battre à qui l'aurait pour son serviteur ; mais
elles furent bien étonnées quand le Personnage parut.
L'une se mit la main devant les yeux, l'autre s'enfuit,
l'autre fit un cri. La Maîtresse du logis dit que c'était
pour la chasser qu'on lui amenait un tel monstre ;
qu'il y avait longtemps que le Philosophe se lassait

d'elle. De parole en parole, le différend s'échauffa jusqu'à tel point que la femme demanda son bien et voulut se retirer chez ses parents. Xantus fit tant par sa patience, et Esope par son esprit, que les choses s'accommodèrent. On ne parla plus de s'en aller, et peut-être que l'accoutumance effaça à la fin une partie de la laideur du nouvel Esclave.

Je laisserai beaucoup de petites choses où il fit paraître la vivacité de son esprit : car quoiqu'on puisse juger par là de son caractère, elles sont de trop peu de conséquence pour en informer la postérité. Voici seulement un échantillon de son bon sens et de l'ignorance de son Maître. Celui-ci alla chez un Jardinier se choisir lui-même une salade. Les herbes cueillies, le Jardinier le pria de lui satisfaire l'esprit sur une difficulté qui regardait la Philosophie aussi bien que le Jardinage. C'est que les herbes qu'il plantait et qu'il cultivait avec un grand soin ne profitaient point, tout au contraire de celles que la terre produisait d'elle-même, sans culture ni amendement. Xantus rapporta le tout à la Providence, comme on a coutume de faire quand on est court : Esope se mit à rire, et ayant tiré son Maître à part, il lui conseilla de dire à ce Jardinier qu'il lui avait fait une réponse ainsi générale, parce que la question n'était pas digne de lui : il le laissait donc avec son garçon, qui assurément le satisferait. Xantus s'étant allé promener d'un autre côté du jardin, Esope compara la terre à une femme qui, ayant des enfants d'un premier mari, en épouserait un second qui aurait aussi des enfants d'une autre femme. Sa nouvelle épouse ne manquerait pas de concevoir de l'aversion pour ceux-ci, et leur ôterait la nourriture, afin que les siens en profitassent. Il en était ainsi de la terre, qui n'adoptait qu'avec peine les productions du travail et de la culture, et qui réservait toute sa tendresse et tous ses bienfaits pour les siennes seules : elle était marâtre des unes, et mère passionnée des autres. Le Jardinier parut si content de cette raison, qu'il offrit à Esope tout ce qui était dans son jardin.

Il arriva quelque temps après un grand différend entre le Philosophe et sa femme. Le Philosophe, étant de festin, mit à part quelques friandises, et dit à Esope : Va porter ceci à ma bonne Amie. Esope l'alla donner à une petite Chienne qui était les délices de son Maître. Xantus de retour ne manqua pas de demander des nouvelles de son présent, et si on l'avait trouvé bon. Sa femme ne comprenait rien à ce langage : on fit venir Esope pour l'éclaircir. Xantus, qui ne cherchait qu'un prétexte pour le faire battre, lui demanda s'il ne lui avait pas dit expressément : Va-t'en porter de ma part ces friandises à ma bonne Amie. Esope répondit là-dessus que la bonne Amie n'était pas la femme, qui pour la moindre parole menaçait de faire un divorce : c'était la Chienne qui endurait tout, et qui revenait faire caresses après qu'on l'avait battue. Le Philosophe demeura court ; mais sa femme entra dans une telle colère qu'elle se retira d'avec lui. Il n'y eut parent ni ami par qui Xantus ne lui fît parler, sans que les raisons ni les prières y gagnassent rien. Esope s'avisa d'un stratagème. Il acheta force gibier, comme pour une noce considérable, et fit tant qu'il fut rencontré par un des domestiques de sa Maîtresse. Celui-ci lui demanda pourquoi tant d'apprêts. Esope lui dit que son Maître, ne pouvant obliger sa femme de revenir, en allait épouser une autre. Aussitôt que la Dame sut cette nouvelle, elle retourna chez son Mari, par esprit de contradiction ou par jalousie. Ce ne fut pas sans la garder bonne [8] à Esope, qui tous les jours faisait de nouvelles pièces [9] à son Maître, et tous les jours se sauvait du châtiment par quelque trait de subtilité. Il n'était pas possible au Philosophe de le confondre.

Un certain jour de marché, Xantus qui avait dessein de régaler quelques-uns de ses Amis, lui commanda d'acheter ce qu'il y aurait de meilleur, et rien autre chose. Je t'apprendrai, dit en soi-même le Phrygien, à spécifier ce que tu souhaites, sans t'en remettre à la discrétion [10] d'un esclave. Il n'acheta que des langues, lesquelles il fit accommoder à toutes les sauces, l'Entrée, le Second [11], l'Entremets, tout ne fut que langues. Les Conviés louèrent d'abord le choix de ces mets ; à la fin ils s'en dégoûtèrent. Ne t'ai-je pas commandé, dit Xantus, d'acheter ce qu'il y aurait de meilleur ? — Et qu'y a-t-il de meilleur que la langue ? reprit Esope. C'est le lien de la vie civile, la Clef des Sciences, l'Organe de la Vérité et de la Raison. Par elle on bâtit les Villes et on les police ; on instruit ; on persuade ; on règne dans les Assemblées ; on s'acquitte du premier de tous les devoirs, qui est de louer les Dieux. — Eh bien (dit Xantus, qui prétendait l'attraper), achète-moi demain ce qui est de pire : ces mêmes personnes viendront chez moi ; et je veux diversifier. Le lendemain Esope ne fit servir que le même mets, disant que la Langue est la pire chose qui soit au monde. C'est la Mère de tous débats, la Nourrice des procès, la source des divisions et des guerres. Si l'on dit qu'elle est l'organe de la Vérité, c'est aussi celui de l'erreur, et qui pis est, de la Calomnie. Par elle on détruit les Villes, on persuade de méchantes choses. Si d'un côté elle loue les Dieux, de l'autre elle profère des blasphèmes contre leur puissance. Quelqu'un de la compagnie dit à Xantus que véritablement ce Valet lui était fort nécessaire ; car il savait le mieux du monde exercer la patience d'un Philosophe. — De quoi vous mettez-vous en peine ? reprit Esope. — Et trouve-moi, dit Xantus, un homme qui ne se mette en peine de rien.

Esope alla le lendemain sur la Place, et voyant un Paysan qui regardait toutes choses avec la froideur et l'indifférence d'une statue, il amena ce Paysan au logis. Voilà, dit-il à Xantus, l'homme sans souci que vous demandez. Xantus commanda à sa femme de faire chauffer de l'eau, de la mettre dans un bassin, puis de laver elle-même les pieds de son nouvel Hôte. Le Paysan la laissa faire, quoiqu'il sût fort bien qu'il ne méritait pas cet honneur ; mais il disait en lui-même : C'est peut-être la coutume d'en user ainsi. On le fit asseoir au haut bout [12] : il prit sa place sans cérémonie. Pendant le repas, Xantus ne fit autre chose que blâmer son Cuisinier ; rien ne lui plaisait : ce qui était doux, il le trouvait trop salé, et ce qui était trop salé, il le trouvait doux. L'homme sans souci le laissait dire, et mangeait de toutes ses dents. Au Dessert on mit sur la table un Gâteau que la femme du philosophe avait fait : Xantus le trouva mauvais, quoiqu'il fût très bon. Voilà, dit-il, la pâtisserie la plus méchante que j'aie jamais mangée ; il faut brûler l'Ouvrière ; car elle ne fera de sa vie rien qui vaille : qu'on apporte des fagots. — Attendez, dit le paysan ; je m'en vais quérir ma femme : on ne fera qu'un bûcher pour toutes les deux. Ce dernier trait désarçonna le Philosophe, et lui ôta l'espérance de jamais attraper le Phrygien.

Or ce n'était pas seulement avec son Maître qu'Esope trouvait occasion de rire et de dire de bons mots. Xantus l'avait envoyé en certain endroit ; il rencontra en chemin le Magistrat, qui lui demanda où il allait. Soit qu'Esope fût distrait, ou par une autre raison, il répondit qu'il n'en savait rien. Le Magistrat, tenant à mépris et irrévérence cette réponse, le fit mener en prison. Comme les Huissiers le conduisaient : Ne voyez-vous pas, dit-il, que j'ai très bien répondu ? Savais-je qu'on me ferait aller où je vas ? Le Magistrat le fit relâcher, et trouva Xantus heureux d'avoir un Esclave si plein d'esprit.

Xantus, de sa part, voyait par là de quelle importance il lui était de ne point affranchir Esope, et combien la possession d'un tel Esclave lui faisait d'honneur. Même un jour, faisant la débauche avec ses disciples, Esope, qui les servait, vit que les fumées leur échauffaient déjà la cervelle, aussi bien au Maître qu'aux Ecoliers. La débauche de vin, leur dit-il, a trois degrés : le premier de volupté, le second, d'ivrognerie, le troisième, de fureur. On se moqua de son observation et on continua de vider les pots [13]. Xantus s'en donna jusqu'à perdre la raison et à se vanter qu'il boirait la Mer. Cela fit rire la Compagnie. Xantus soutint ce qu'il avait dit, gagea sa maison qu'il boirait la Mer tout entière ; et pour assurance de la gageure, il déposa l'Anneau qu'il avait au doigt. Le jour suivant,

que les vapeurs de Bacchus furent dissipées, Xantus
fut extrêmement surpris de ne plus trouver son
anneau, lequel il tenait fort cher. Esope lui dit qu'il
était perdu, et que sa maison l'était aussi par la
gageure qu'il avait faite. Voilà le Philosophe bien
alarmé. Il pria Esope de lui enseigner une défaite [14].
Esope s'avisa de celle-ci.

Quand le jour que l'on avait pris pour l'exécution
de la gageure fut arrivé, tout le peuple de Samos
accourut au rivage de la Mer pour être témoin de la
honte du Philosophe. Celui de ses Disciples qui avait
gagé contre lui triomphait déjà. Xantus dit à l'Assemblée : Messieurs, j'ai gagé véritablement que je boirais
toute la Mer, mais non pas les Fleuves qui entrent
dedans. C'est pourquoi que celui qui a gagé contre
moi détourne leurs cours, et puis je ferai ce que je me
suis vanté de faire. Chacun admira l'expédient que
Xantus avait trouvé pour sortir à son honneur d'un si
mauvais pas. Le Disciple confessa qu'il était vaincu, et
demanda pardon à son Maître. Xantus fut reconduit
jusqu'en son logis avec acclamations.

Pour récompense, Esope lui demanda la liberté.
Xantus la lui refusa, et dit que le temps de l'affranchir
n'était pas encore venu : si toutefois les Dieux l'ordon-
naient ainsi, il y consentait : partant, qu'il prît garde
au premier présage qu'il aurait étant sorti du logis : s'il
était heureux, et que, par exemple, deux Corneilles se
présentassent à sa vue, la liberté lui serait donnée ; s'il
n'en voyait qu'une, qu'il ne se lassât point d'être
Esclave. Esope sortit aussitôt. Son Maître était logé à
l'écart, et apparemment vers un lieu couvert de grands
arbres. A peine notre Phrygien fut hors qu'il aperçut
deux Corneilles qui s'abattirent sur le plus haut. Il en
alla avertir son Maître, qui voulut voir lui-même s'il
disait vrai. Tandis que Xantus venait, l'une des Corneilles s'envola. Me tromperas-tu toujours ? dit-il à
Esope. Qu'on lui donne les étrivières. L'ordre fut exé-
cuté. Pendant le supplice du pauvre Esope, on vint
inviter Xantus à un repas : il promit qu'il s'y trouverait. Hélas ! s'écria Esope, les présages sont bien men-

teurs ! Moi, qui ai vu deux Corneilles, je suis battu ;
mon Maître, qui n'en a vu qu'une, est prié de noces.
Ce mot plut tellement à Xantus, qu'il commanda
qu'on cessât de fouetter Esope ; mais quant à la
liberté, il ne se pouvait résoudre à la lui donner,
encore qu'il la lui promît en diverses occasions.

Un jour ils se promenaient tous deux parmi de
vieux monuments, considérant avec beaucoup de
plaisir les Inscriptions qu'on y avait mises. Xantus en
aperçut une qu'il ne put entendre, quoiqu'il demeurât
longtemps à en chercher l'explication. Elle était composée des premières lettres de certains mots. Le Philosophe avoua ingénument que cela passait son esprit.
Si je vous fais trouver un Trésor par le moyen de ces
lettres, lui dit Esope, quelle récompense aurai-je ?
Xantus lui promit la liberté, et la moitié du Trésor.
Elles signifient, poursuivit Esope, qu'à quatre pas de
cette Colonne nous en rencontrerons un. En effet, ils
le trouvèrent, après avoir creusé quelque peu dans la
terre. Le Philosophe fut sommé de tenir parole ; mais
il reculait toujours. Les Dieux me gardent de t'affranchir, dit-il à Esope, que tu ne m'aies donné avant cela
l'intelligence de ces lettres ; ce me sera un autre trésor
plus précieux que celui lequel nous avons trouvé.
— On les a ici gravées, poursuivit Esope, comme étant
les premières lettres de ces mots : Ἀποϐὰς βήματα,
etc. ; c'est-à-dire : *Si vous reculez quatre pas, et que vous
creusiez, vous trouverez un trésor.* — Puisque tu es si
subtil, repartit Xantus, j'aurais tort de me défaire de
toi : n'espère donc pas que je t'affranchisse. — Et moi,
répliqua Esope, je vous dénoncerai au Roi Denys [15] ;
car c'est à lui que le trésor appartient, et ces mêmes
lettres commencent d'autres mots qui le signifient. Le
Philosophe intimidé dit au Phrygien qu'il prît sa part
de l'argent, et qu'il n'en dît mot ; de quoi Esope
déclara ne lui avoir aucune obligation, ces lettres ayant
été choisies de telle manière qu'elles enfermaient un
triple sens, et signifiaient encore : *En vous en allant,
vous partagerez le trésor que vous aurez rencontré.* Dès
qu'ils furent de retour, Xantus commanda que l'on

enfermât le Phrygien, et que l'on lui mît les fers aux pieds, de crainte qu'il n'allât publier cette aventure. Hélas ! s'écria Esope, est-ce ainsi que les Philosophes s'acquittent de leurs promesses ? Mais faites ce que vous voudrez, il faudra que vous m'affranchissiez malgré vous. Sa prédiction se trouva vraie.

Il arriva un prodige qui mit fort en peine les Samiens. Un Aigle enleva l'Anneau public (c'était apparemment quelque Sceau que l'on apposait aux délibérations du Conseil), et le fit tomber au sein d'un Esclave. Le Philosophe fut consulté là-dessus, et comme étant Philosophe, et comme étant un des premiers de la République. Il demanda temps, et eut recours à son Oracle ordinaire : c'était Esope. Celui-ci lui conseilla de le produire en public, parce que, s'il rencontrait bien, l'honneur en serait toujours à son Maître ; sinon, il n'y aurait que l'Esclave de blâmé. Xantus approuva la chose, et le fit monter à la Tribune aux Harangues. Dès qu'on le vit, chacun s'éclata de rire, personne ne s'imagina qu'il pût rien partir de raisonnable d'un homme fait de cette manière. Esope leur dit qu'il ne fallait pas considérer la forme du vase, mais la liqueur qui y était enfermée. Les Samiens lui crièrent qu'il dît donc sans crainte ce qu'il jugeait de ce Prodige. Esope s'en excusa sur ce qu'il n'osait le faire. La fortune, disait-il, avait mis un débat de gloire entre le Maître et l'Esclave : si l'Esclave disait mal, il serait battu ; s'il disait mieux que le Maître, il serait battu encore. Aussitôt on pressa Xantus de l'affranchir. Le Philosophe résista longtemps. A la fin le Prévôt de Ville le menaça de le faire de son office, et en vertu du pouvoir qu'il en avait comme Magistrat : de façon que le Philosophe fut obligé de donner les mains [16]. Cela fait, Esope dit que les Samiens étaient menacés de servitude par ce Prodige ; et que l'Aigle enlevant leur Sceau ne signifiait autre chose qu'un Roi puissant, qui voulait les assujettir.

Peu de temps après, Crésus [17], Roi des Lydiens, fit dénoncer [18] à ceux de Samos qu'ils eussent à se rendre ses tributaires : sinon, qu'il les y forcerait par les armes.

La plupart étaient d'avis qu'on lui obéît. Esope leur dit que la Fortune présentait deux chemins aux hommes : l'un, de liberté, rude et épineux au commencement, mais dans la suite très agréable ; l'autre, d'Esclavage, dont les commencements étaient plus aisés, mais la suite laborieuse. C'était conseiller assez intelligiblement aux Samiens de défendre leur liberté. Ils renvoyèrent l'ambassadeur de Crésus avec peu de satisfaction. Crésus se mit en état de les attaquer. L'Ambassadeur lui dit que tant qu'ils auraient Esope avec eux, il aurait peine à les réduire à ses volontés, vu la confiance qu'ils avaient au bon sens du Personnage. Crésus le leur envoya demander, avec la promesse de leur laisser la liberté s'ils le lui livraient. Les Principaux de la Ville trouvèrent ces conditions avantageuses, et ne crurent pas que leur repos leur coûtât trop cher quand ils l'achèteraient aux dépens d'Esope. Le Phrygien leur fit changer de sentiment en leur contant que les Loups et les Brebis ayant fait un traité de paix, celles-ci donnèrent leurs Chiens pour otages. Quand elles n'eurent plus de défenseurs, les Loups les étranglèrent avec moins de peine qu'ils ne faisaient [19]. Cet Apologue fit son effet : les Samiens prirent une délibération toute contraire à celle qu'ils avaient prise.

Esope voulut toutefois aller vers Crésus, et dit qu'il les servirait plus utilement étant près du Roi, que s'il demeurait à Samos. Quand Crésus le vit, il s'étonna qu'une si chétive créature lui eût été un si grand obstacle. Quoi ! voilà celui qui fait qu'on s'oppose à mes volontés ! s'écria-t-il. Esope se prosterna à ses pieds. Un homme prenait des Sauterelles, dit-il ; une Cigale lui tomba aussi sous la main. Il s'en allait la tuer comme il avait fait les sauterelles. Que vous ai-je fait ? dit-elle à cet homme : je ne ronge point vos blés ; je ne vous procure aucun dommage ; vous ne trouverez en moi que la voix, dont je me sers fort innocemment. Grand Roi, je ressemble à cette cigale : je n'ai que la voix, et ne m'en suis point servi pour vous offenser. Crésus, touché d'admiration et de pitié, non seule-

ment lui pardonna, mais il laissa en repos les Samiens
à sa considération.

En ce temps-là, le Phrygien composa ses Fables,
lesquelles il laissa au Roi de Lydie, et fut envoyé par
lui vers les Samiens, qui décernèrent à Esope de
grands honneurs. Il lui prit aussi envie de voyager, et
d'aller par le monde, s'entretenant de diverses choses
avec ceux que l'on appelait Philosophes. Enfin il se
mit en grand crédit près de Lycérus, Roi de Babylone.
Les rois d'alors s'envoyaient les uns aux autres des
problèmes à soudre [20] sur toutes sortes de matières, à
condition de se payer une espèce de tribut ou
d'amende, selon qu'ils répondraient bien ou mal aux
questions proposées : en quoi Lycérus, assisté
d'Esope, avait toujours l'avantage et se rendait illustre
parmi les autres, soit à résoudre, soit à proposer.

Cependant notre Phrygien se maria ; et, ne pouvant
avoir d'enfants, il adopta un jeune homme d'extraction noble, appelé Ennus. Celui-ci le paya d'ingratitude, et fut si méchant que d'oser souiller le lit de son
bien-facteur. Cela étant venu à la connaissance
d'Esope, il le chassa. L'autre, afin de s'en venger,
contrefit des lettres par lesquelles il semblait qu'Esope
eût intelligence avec les Rois qui étaient émules de
Lycérus. Lycérus, persuadé par le cachet et par la
signature de ces lettres, commanda à un de ses officiers nommé Hermippus, que sans chercher de plus
grandes preuves, il fît mourir promptement le traître
Esope. Cet Hermippus, étant ami du Phrygien, lui
sauva la vie, et à l'insu de tout le monde, le nourrit
longtemps dans un Sépulcre, jusqu'à ce que Necténabo, roi d'Egypte, sur le bruit de la mort d'Esope
crut à l'avenir rendre Lycérus son tributaire. Il osa le
provoquer, et le défia de lui envoyer des Architectes
qui sussent bâtir une Tour en l'air, et par même
moyen, un homme prêt à répondre à toutes sortes de
questions. Lycérus ayant lu les lettres et les ayant
communiquées aux plus habiles de son Etat, chacun
d'eux demeura court ; ce qui fit que le Roi regretta
Esope, quand Hermippus lui dit qu'il n'était pas mort,

et le fit venir. Le Phrygien fut très bien reçu, se justifia, et pardonna à Ennus. Quant à la Lettre du Roi d'Egypte, il n'en fit que rire, et manda qu'il enverrait au printemps les Architectes et le Répondant à toutes sortes de questions.

Lycérus remit Esope en possession de tous ses biens, et lui fit livrer Ennus pour en faire ce qu'il voudrait. Esope le reçut comme son enfant, et pour toute punition, lui recommanda d'honorer les Dieux et son prince ; se rendre terrible à ses ennemis, facile et commode aux autres ; bien traiter sa femme, sans pourtant lui confier son secret ; parler peu et chasser de chez soi les babillards ; ne se point laisser abattre aux malheurs ; avoir soin du lendemain, car il vaut mieux enrichir ses ennemis par sa mort que d'être importun à ses amis pendant son vivant ; surtout n'être point envieux du bonheur ni de la vertu d'autrui, d'autant que c'est se faire du mal à soi-même. Ennus, touché de ces avertissements et de la bonté d'Esope, comme d'un trait qui lui aurait pénétré le cœur, mourut peu de temps après.

Pour revenir au défi de Necténabo, Esope choisit des Aiglons, et les fit instruire (chose difficile à croire), il les fit, dis-je, instruire à porter en l'air chacun un panier, dans lequel était un jeune enfant. Le printemps venu, il s'en alla en Egypte avec tout cet équipage, non sans tenir en grande admiration et en attente de son dessein les peuples chez qui il passait. Necténabo, qui, sur le bruit de sa mort, avait envoyé l'énigme, fut extrêmement surpris de son arrivée. Il ne s'y attendait pas, et ne se fût jamais engagé dans un tel défi contre Lycérus, s'il eût cru Esope vivant. Il lui demanda s'il avait amené les Architectes et le Répondant. Esope dit que le Répondant était lui-même, et qu'il ferait voir les Architectes quand il serait sur le lieu. On sortit en pleine campagne, où les Aigles enlevèrent les paniers avec les petits enfants, qui criaient qu'on leur donnât du mortier, des pierres, et du bois. Vous voyez, dit Esope à Necténabo, je vous ai trouvé les Ouvriers ; fournissez-leur des matériaux. Necténabo avoua que Lycérus était le vainqueur. Il proposa toutefois ceci à Esope. J'ai des cavales en Egypte qui conçoivent au hannissement des chevaux qui sont devers Babylone. Qu'avez-vous à répondre là-dessus ? Le Phrygien remit sa réponse au lendemain, et retourné qu'il fut au logis, il commanda à des enfants de prendre un Chat, et de le mener fouettant par les rues. Les Egyptiens, qui adorent cet animal, se trouvèrent extrêmement scandalisés du traitement que l'on lui faisait. Ils l'arrachèrent des mains des enfants, et allèrent se plaindre au Roi. On fit venir en sa présence le Phrygien. Ne savez-vous pas, lui dit le Roi, que cet Animal est un de nos dieux ? Pourquoi donc le faites-vous traiter de la sorte ? — C'est pour l'offense qu'il a commise envers Lycérus, reprit Esope : car, la nuit dernière, il lui a étranglé un Coq extrêmement courageux et qui chantait à toutes les heures. — Vous êtes un menteur, repartit le Roi ; comment serait-il possible que ce chat eût fait en si peu de temps un si long voyage ? — Et comment est-il possible, reprit Esope, que vos juments entendent de si loin nos chevaux hannir [21], et conçoivent pour les entendre ?

En suite de cela le Roi fit venir d'Héliopolis certains personnages d'esprit subtil, et savants en questions énigmatiques. Il leur fit un grand régal où le Phrygien fut invité. Pendant le repas, ils proposèrent à Esope diverses choses, celle-ci entre autres. Il y a un grand Temple qui est appuyé sur une Colonne entourée de douze Villes, chacune desquelles a trente arcboutants ; et autour de ces arcboutants se promènent, l'une après l'autre, deux femmes, l'une blanche, l'autre noire. Il faut renvoyer, dit Esope, cette question aux petits enfants de notre pays. Le Temple est le Monde ; la Colonne, l'An ; les Villes, ce sont les Mois ; et les Arcboutants, les Jours, autour desquels se promènent alternativement le Jour et la Nuit.

Le lendemain, Necténabo assembla tous ses amis. Souffrirez-vous, leur dit-il, qu'une moitié d'homme, qu'un avorton soit la cause que Lycérus remporte le prix, et que j'aie la confusion pour mon partage ? Un d'eux s'avisa de demander à Esope qu'il leur fît des questions de choses dont ils n'eussent jamais entendu parler. Esope écrivit une cédule [22] par laquelle Necténabo confessait devoir deux mille talents à Lycérus. La cédule fut mise entre les mains de Necténabo toute cachetée. Avant qu'on l'ouvrît, les amis du Prince soutinrent que la chose contenue dans cet Ecrit était de leur connaissance. Quand on l'eut ouverte, Necténabo s'écria : Voilà la plus grande fausseté du monde ; je vous en prends à témoin tous tant que vous êtes. — Il est vrai, repartirent-ils, que nous n'en avons jamais entendu parler. — J'ai donc satisfait à votre demande, reprit Esope.

Necténabo le renvoya comblé de présents, tant pour lui que pour son maître. Le séjour qu'il fit en Egypte est peut-être cause que quelques-uns ont écrit qu'il fut Esclave avec Rhodopé [23], celle-là qui, des libéralités de ses amants, fit élever une des trois Pyramides qui subsistent encore, et qu'on voit avec admiration : c'est la plus petite, mais celle qui est bâtie avec le plus d'art.

Esope, à son retour dans Babylone, fut reçu de Lycérus avec de grandes démonstrations de joie et de bienveillance. Ce Roi lui fit ériger une statue. L'envie de voir et d'apprendre le fit renoncer à tous ces honneurs. Il quitta la cour de Lycérus, où il avait tous les avantages qu'on peut souhaiter, et prit congé de ce prince pour voir la Grèce encore une fois. Lycérus ne le laissa point partir sans embrassements et sans larmes, et sans faire promettre sur les autels qu'il reviendrait achever ses jours auprès de lui.

Entre les Villes où il s'arrêta, Delphes fut une des principales. Les Delphiens l'écoutèrent fort volontiers, mais ils ne lui rendirent point d'honneurs. Esope, piqué de ce mépris, les compara aux bâtons qui flottent sur l'onde. On s'imagine de loin que c'est quelque chose de considérable ; de près, on trouve que ce n'est rien [24]. La comparaison lui coûta cher. Les Delphiens en conçurent une telle haine et un si violent désir de vengeance (outre qu'ils craignaient d'être décriés par lui), qu'ils résolurent de l'ôter du monde. Pour y parvenir, ils cachèrent parmi ses hardes un de leurs vases sacrés, prétendant que par ce moyen ils convaincraient Esope de vol et de sacrilège, et qu'ils le condamneraient à la mort. Comme il fut sorti de Delphes, et qu'il eut pris le chemin de la Phocide, les Delphiens accoururent comme gens qui étaient en peine. Ils l'accusèrent d'avoir dérobé leur vase. Esope le nia avec des serments : on chercha dans son équipage, et il fut trouvé. Tout ce qu'Esope put dire n'empêcha point qu'on ne le traitât comme un criminel infâme. Il fut ramené à Delphes chargé de fers, mis dans les cachots, puis condamné à être précipité. Rien ne lui servit de se défendre avec ses armes ordinaires, et de raconter des apologues ; les Delphiens s'en moquèrent. La Grenouille, leur dit-il, avait invité le Rat à la venir voir ; afin de lui faire traverser l'onde, elle l'attacha à son pied. Dès qu'il fut sur l'eau, elle voulut le tirer au fond, dans le dessein de le noyer, et d'en faire ensuite un repas. Le malheureux Rat résista quelque peu de temps. Pendant qu'il se débattait sur l'eau, un Oiseau de proie l'aperçut, fondit sur lui, et l'ayant enlevé avec la Grenouille, qui ne se put détacher, il se reput de l'un et de l'autre [25]. C'est ainsi, Delphiens abominables, qu'un plus puissant que nous me vengera : je périrai ; mais vous périrez aussi. Comme on le conduisait au supplice, il trouva moyen de s'échapper, et entra dans une petite Chapelle dédiée à Apollon. Les Delphiens l'en arrachèrent. Vous violez cet asile, leur dit-il, parce que ce n'est qu'une petite Chapelle, mais un jour viendra que votre méchanceté ne trouvera point de retraite sûre, non pas même dans les Temples. Il vous arrivera la même chose qu'à l'Aigle, laquelle, nonobstant les prières de l'Escarbot, enleva un Lièvre qui s'était réfugié chez lui ; la génération de l'Aigle en fut punie jusque dans le giron de Jupiter [26]. Les Delphiens peu touchés de tous ces exemples, le précipitèrent.

Peu de temps après sa mort, une peste très violente exerça sur eux ses ravages. Ils demandèrent à l'Oracle par quels moyens ils pourraient apaiser le courroux des Dieux. L'Oracle leur répondit qu'il n'y en avait point d'autre que d'expier leur forfait, et satisfaire aux Mânes d'Esope. Aussitôt une Pyramide fut élevée. Les Dieux ne témoignèrent pas seuls combien ce crime leur déplaisait : les hommes vengèrent aussi la mort de leur Sage. La Grèce envoya des Commissaires pour en informer, et en fit une punition rigoureuse.

A MONSEIGNEUR LE DAUPHIN

Je chante les Héros dont Esope est le Père,
Troupe de qui l'Histoire, encor que mensongère,
Contient des vérités qui servent de leçons.
Tout parle en mon Ouvrage, et même les Poissons :
Ce qu'ils disent s'adresse à tous tant que nous sommes. 5
Je me sers d'Animaux pour instruire les Hommes.
ILLUSTRE REJETON D'UN PRINCE aimé des Cieux,
Sur qui le Monde entier a maintenant les yeux,
Et qui, faisant fléchir les plus superbes Têtes,
Compteras désormais tes jours par tes conquêtes,   10
Quelque autre te dira d'une plus forte voix
Les faits de tes Aïeux et les vertus des Rois.
Je vais t'entretenir de moindres Aventures,
Te tracer en ces vers de légères peintures.
Et, si de t'agréer je n'emporte le prix,   15
J'aurai du moins l'honneur de l'avoir entrepris.

LIVRE PREMIER

FABLE I
LA CIGALE ET LA FOURMI

La Cigale, ayant chanté
    Tout l'Eté,
Se trouva fort dépourvue
Quand la bise fut venue.
Pas un seul petit morceau   5
De mouche ou de vermisseau.
Elle alla crier famine
Chez la Fourmi sa voisine,
La priant de lui prêter
Quelque grain pour subsister *   10
Jusqu'à la saison nouvelle.
Je vous paierai, lui dit-elle,
Avant l'Oût *, foi d'animal,
Intérêt et principal.
La Fourmi n'est pas prêteuse ;   15
C'est là son moindre défaut.
« Que faisiez-vous au temps chaud ?
Dit-elle à cette emprunteuse.
— Nuit et jour à tout venant
Je chantais, ne vous déplaise.   20
— Vous chantiez ? J'en suis fort aise.
Eh bien ! dansez maintenant *. »

FABLE II

LE CORBEAU ET LE RENARD

Maître Corbeau, sur un arbre perché,
   Tenait en son bec un fromage.
Maître Renard, par l'odeur alléché,
   Lui tint à peu près ce langage :
   Hé bonjour, Monsieur du Corbeau.   5
Que vous êtes joli ! que vous me semblez beau * !
   Sans mentir, si votre ramage *
   Se rapporte à votre plumage,
Vous êtes le Phénix * des hôtes de ces bois.
A ces mots, le Corbeau ne se sent pas de joie ;   10
   Et pour montrer sa belle voix,
Il ouvre un large bec, laisse tomber sa proie.
Le Renard s'en saisit, et dit : Mon bon Monsieur,
   Apprenez que tout flatteur
Vit aux dépens de celui qui l'écoute.   15
Cette leçon vaut bien un fromage, sans doute.
   Le Corbeau honteux et confus
Jura, mais un peu tard, qu'on ne l'y prendrait plus.

FABLE III

LA GRENOUILLE QUI SE VEUT FAIRE
AUSSI GROSSE QUE LE BŒUF

   Une Grenouille vit un bœuf
   Qui lui sembla de belle taille.
Elle qui n'était pas grosse en tout comme un œuf
Envieuse * s'étend, et s'enfle, et se travaille
   Pour égaler l'animal en grosseur,   5
   Disant : Regardez bien, ma sœur ;
Est-ce assez ? dites-moi ; n'y suis-je point encore ?
— Nenni. — M'y voici donc ? — Point du tout. — M'y
                   [voilà ?

— Vous n'en approchez point. La chétive pécore *
    S'enfla si bien qu'elle creva.   10
Le monde est plein de gens qui ne sont pas plus sages :
Tout Bourgeois veut bâtir comme les grands Seigneurs,
    Tout petit Prince a des Ambassadeurs,
        Tout Marquis veut avoir des Pages.

FABLE IV

LES DEUX MULETS

Deux Mulets cheminaient : l'un d'avoine chargé,
    L'autre portant l'argent de la Gabelle.
Celui-ci, glorieux d'une charge * si belle,
N'eût voulu pour beaucoup en être soulagé.
    Il marchait d'un pas relevé,   5
    Et faisait sonner sa sonnette :
    Quand, l'ennemi se présentant,
    Comme il en voulait à l'argent,
Sur le Mulet du fisc une troupe se jette,
    Le saisit au frein et l'arrête.   10
    Le Mulet en se défendant
Se sent percer de coups : il gémit, il soupire.
Est-ce donc là, dit-il, ce qu'on m'avait promis ?
Ce Mulet qui me suit du danger se retire,
    Et moi j'y tombe, et je péris.   15
    — Ami, lui dit son camarade,
Il n'est pas toujours bon d'avoir un haut Emploi :
Si tu n'avais servi qu'un Meunier, comme moi,
    Tu ne serais pas si malade.

FABLE V

LE LOUP ET LE CHIEN

    Un Loup n'avait que les os et la peau ;
    Tant les Chiens faisaient bonne garde.
Ce Loup rencontre un Dogue aussi puissant * que beau,

Gras, poli *, qui s'était fourvoyé par mégarde.
    L'attaquer, le mettre en quartiers,   5
    Sire Loup l'eût fait volontiers.
    Mais il fallait livrer bataille,
    Et le Mâtin était de taille
    A se défendre hardiment.
    Le Loup donc l'aborde humblement,   10
 Entre en propos, et lui fait compliment
    Sur son embonpoint, qu'il admire.
    Il ne tiendra qu'à vous, beau Sire,
D'être aussi gras que moi, lui repartit le Chien.
    Quittez les bois, vous ferez bien :   15
    Vos pareils y sont misérables,
    Cancres *, haires *, et pauvres diables,
Dont la condition est de mourir de faim.
Car quoi ? Rien d'assuré : point de franche lippée * :
    Tout à la pointe de l'épée.   20
Suivez-moi : vous aurez un bien meilleur destin.
    Le Loup reprit : Que me faudra-t-il faire ?
Presque rien, dit le Chien, donner la chasse aux gens
    Portants * bâtons, et mendiants * ;
Flatter ceux du logis, à son Maître complaire ;   25
    Moyennant quoi votre salaire
Sera force reliefs * de toutes les façons :
    Os de poulets, os de pigeons :
    Sans parler de mainte caresse.
Le Loup déjà se forge une félicité   30
    Qui le fait pleurer de tendresse.
Chemin faisant, il vit le col du Chien pelé.
Qu'est-ce là ? lui dit-il. — Rien. — Quoi ? rien ? — Peu
                                                  [de chose.
— Mais encor ? — Le collier dont je suis attaché
De ce que vous voyez est peut-être la cause.   35
— Attaché ? dit le Loup : vous ne courez donc pas
Où vous voulez ? — Pas toujours, mais qu'importe ?
— Il importe si bien, que de tous vos repas
    Je ne veux en aucune sorte *,
Et ne voudrais pas même à ce prix un trésor.   40
Cela dit, maître Loup s'enfuit, et court encor.

FABLE VI

LA GENISSE, LA CHÈVRE ET LA BREBIS,
EN SOCIÉTÉ AVEC LE LION

La Génisse, la Chèvre et leur sœur la Brebis,
Avec un fier Lion, Seigneur du voisinage *,
Firent société, dit-on, au temps jadis,
Et mirent en commun le gain et le dommage.
Dans les lacs de la Chèvre un Cerf se trouva pris.   5
Vers ses associés aussitôt elle envoie.
Eux venus, le Lion par ses ongles compta,
Et dit : Nous sommes quatre à partager la proie ;
Puis en autant de parts le Cerf il dépeça ;
Prit pour lui la première en qualité de Sire :   10
Elle doit être à moi, dit-il ; et la raison,
    C'est que je m'appelle Lion :
    A cela l'on n'a rien à dire.
La seconde, par droit, me doit échoir encor :
Ce droit, vous le savez, c'est le droit du plus fort *.   15
Comme le plus vaillant je prétends la troisième.
Si quelqu'une de vous touche à la quatrième
    Je l'étranglerai tout d'abord.

FABLE VII

LA BESACE

Jupiter dit un jour : Que tout ce qui respire
S'en vienne comparaître aux pieds de ma grandeur.
Si dans son composé quelqu'un trouve à redire,
    Il peut le déclarer sans peur * :
    Je mettrai remède à la chose.   5
Venez, Singe ; parlez le premier, et pour cause *.
Voyez ces animaux, faites comparaison
    De leurs beautés avec les vôtres.
Etes-vous satisfait ? — Moi, dit-il, pourquoi non ?

N'ai-je pas quatre pieds aussi bien que les autres ?   10
Mon portrait * jusqu'ici ne m'a rien reproché ;
Mais pour mon frère l'Ours, on ne l'a qu'ébauché :
Jamais, s'il me veut croire, il ne se fera peindre.
L'Ours venant là-dessus, on crut qu'il s'allait plaindre.
Tant s'en faut : de sa forme il se loua très fort ;   15
Glosa sur l'Eléphant ; dit qu'on pourrait encor
Ajouter à sa queue, ôter à ses oreilles ;
Que c'était une masse informe et sans beauté.
    L'Eléphant étant écouté,
Tout sage qu'il était, dit des choses pareilles.   20
    Il jugea qu'à son appétit
    Dame Baleine était trop grosse.
Dame Fourmi trouva le Ciron trop petit,
    Se croyant, pour elle, un colosse.
Jupin les renvoya s'étant censurés tous,   25
Du reste, contents d'eux ; mais parmi les plus fous
Notre espèce excella ; car tout ce que nous sommes,
Lynx envers nos pareils, et Taupes envers nous,
Nous nous pardonnons tout, et rien aux autres
                    [hommes.
On se voit d'un autre œil qu'on ne voit son prochain. 30
    Le Fabricateur souverain
Nous créa Besaciers * tous de même manière,
Tant ceux du temps passé que du temps d'aujourd'hui.
Il fit pour nos défauts la poche de derrière
Et celle de devant pour les défauts d'autrui.   35

FABLE VIII

L'HIRONDELLE ET LES PETITS OISEAUX

    Une Hirondelle en ses voyages
Avait beaucoup appris. Quiconque a beaucoup vu
    Peut avoir beaucoup retenu.
Celle-ci prévoyait jusqu'aux moindres orages,
    Et devant qu'ils fussent éclos,   5
    Les annonçait aux Matelots.
Il arriva qu'au temps que le chanvre se sème,

Elle vit un Manant en couvrir maints sillons.
Ceci ne me plaît pas, dit-elle aux Oisillons.
Je vous plains : car pour moi, dans ce péril extrême,   10
Je saurai m'éloigner, ou vivre en quelque coin.
Voyez-vous cette main qui par les airs chemine ?
          Un jour viendra, qui n'est pas loin,
Que ce qu'elle répand sera votre ruine.
De là naîtront engins à vous envelopper,   15
          Et lacets pour vous attraper,
          Enfin mainte et mainte machine
          Qui causera dans la saison
          Votre mort ou votre prison.
          Gare la cage ou le chaudron.   20
          C'est pourquoi, leur dit l'Hirondelle,
          Mangez ce grain ; et croyez-moi.
          Les Oiseaux se moquèrent d'elle :
          Ils trouvaient aux champs trop de quoi.
          Quand la chènevière * fut verte,   25
L'Hirondelle leur dit : Arrachez brin à brin
          Ce qu'a produit ce maudit grain,
          Ou soyez sûrs de votre perte.
— Prophète de malheur, babillarde, dit-on,
          Le bel emploi que tu nous donnes !   30
          Il nous faudrait mille personnes
          Pour éplucher tout ce canton *.
          La chanvre étant tout à fait crue,
L'Hirondelle ajouta : Ceci ne va pas bien ;
          Mauvaise graine est tôt venue.   35
Mais puisque jusqu'ici l'on ne m'a crue en rien,
          Dès que vous verrez que la terre
          Sera couverte, et qu'à leurs blés
          Les gens n'étant plus occupés
          Feront aux Oisillons la guerre ;   40
          Quand reginglettes * et réseaux
          Attraperont petits Oiseaux,
          Ne volez plus de place en place,
Demeurez au logis, ou changez de climat :
Imitez le Canard, la Grue, et la Bécasse.   45
          Mais vous n'êtes pas en état
De passer comme nous les déserts et les ondes,

Ni d'aller chercher d'autres mondes.
C'est pourquoi vous n'avez qu'un parti qui soit sûr :
C'est de vous renfermer aux trous de quelque mur.   50
    Les Oisillons, las de l'entendre,
Se mirent à jaser aussi confusément
Que faisaient les Troyens quand la pauvre Cassandre *
    Ouvrait la bouche seulement.
    Il en prit * aux uns comme aux autres :   55
Maint oisillon se vit esclave retenu.
Nous n'écoutons d'instincts que ceux qui sont les nôtres,
Et ne croyons le mal que quand il est venu.

FABLE IX

LE RAT DE VILLE ET LE RAT DES CHAMPS

Autrefois le Rat de ville
Invita le Rat des champs,
D'une façon fort civile,
A des reliefs d'Ortolans.

Sur un Tapis de Turquie   5
Le couvert se trouva mis.
Je laisse à penser la vie
Que firent ces deux amis.

Le régal fut fort honnête,
Rien ne manquait au festin ;   10
Mais quelqu'un troubla la fête
Pendant qu'ils étaient en train.

A la porte de la salle
Ils entendirent du bruit :
Le Rat de ville détale ;   15
Son camarade le suit.

Le bruit cesse, on se retire :
Rats en campagne aussitôt ;
Et le citadin de dire :
Achevons tout notre rôt.   20

    — C'est assez, dit le rustique ;
    Demain vous viendrez chez moi :
    Ce n'est pas que je me pique
    De tous vos festins de Roi ;

    Mais rien ne vient m'interrompre * :   25
    Je mange tout à loisir.
    Adieu donc ; fi du plaisir
    Que la crainte peut corrompre.

FABLE X

LE LOUP ET L'AGNEAU

La raison du plus fort est toujours la meilleure :
    Nous l'allons montrer tout à l'heure.
    Un Agneau se désaltérait
    Dans le courant d'une onde pure.
Un Loup survient à jeun qui cherchait aventure,   5
    Et que la faim en ces lieux attirait.
Qui te rend si hardi de troubler mon breuvage ?
    Dit cet animal plein de rage :
Tu seras châtié de ta témérité.
    — Sire, répond l'Agneau, que votre Majesté   10
    Ne se mette pas en colère ;
    Mais plutôt qu'elle considère
    Que je me vas * désaltérant
        Dans le courant,
    Plus de vingt pas au-dessous d'Elle,   15
Et que par conséquent, en aucune façon,
    Je ne puis troubler sa boisson.
— Tu la troubles, reprit cette bête cruelle,
Et je sais que de moi tu médis l'an passé.
    — Comment l'aurais-je fait si je n'étais pas né ?   20
    Reprit l'Agneau, je tette encor ma mère.
    — Si ce n'est toi, c'est donc ton frère.
— Je n'en ai point. — C'est donc quelqu'un des tiens :
    Car vous ne m'épargnez guère,
    Vous, vos bergers, et vos chiens.   25
On me l'a dit : il faut que je me venge.
    Là-dessus, au fond des forêts

Le Loup l'emporte, et puis le mange,
Sans autre forme de procès.

FABLE XI

L'HOMME ET SON IMAGE
POUR M. L. D. D. L. R.

Un homme qui s'aimait sans avoir de rivaux
Passait dans son esprit pour le plus beau du monde.
Il accusait toujours les miroirs d'être faux,
Vivant plus que content dans son erreur profonde.
Afin de le guérir, le sort officieux   5
    Présentait partout à ses yeux
Les Conseillers muets dont se servent nos Dames * :
Miroirs dans les logis, miroirs chez les Marchands,
    Miroirs aux poches des Galands,
    Miroirs aux ceintures des femmes *.   10
Que fait notre Narcisse ? Il va se confiner
Aux lieux les plus cachés qu'il peut s'imaginer,
N'osant plus des miroirs éprouver l'aventure *.
Mais un canal, formé par une source pure,
    Se trouve en ces lieux écartés ;   15
Il s'y voit ; il se fâche ; et ses yeux irrités
Pensent apercevoir une chimère vaine.
Il fait tout ce qu'il peut pour éviter cette eau ;
    Mais quoi, le canal est si beau
    Qu'il ne le quitte qu'avec peine.   20
    On voit bien où je veux venir.
  Je parle à tous ; et cette erreur extrême
Est un mal que chacun se plaît d'entretenir.
Notre âme, c'est cet Homme amoureux de lui-même ;
Tant de Miroirs, ce sont les sottises d'autrui,   25
Miroirs, de nos défauts les Peintres légitimes ;
    Et quant au Canal, c'est celui
    Que chacun sait, le Livre des *Maximes*.

FABLE XII

LE DRAGON A PLUSIEURS TÊTES
ET LE DRAGON A PLUSIEURS QUEUES

Un Envoyé du Grand Seigneur
Préférait, dit l'Histoire, un jour chez l'Empereur,
Les forces de son Maître à celles de l'Empire.
    Un Allemand se mit à dire :
    Notre prince a des dépendants   5
    Qui de leur chef sont si puissants
Que chacun d'eux pourrait soudoyer une armée.
    Le Chiaoux *, homme de sens,
    Lui dit : Je sais par renommée
Ce que chaque Electeur peut de monde fournir ;   10
    Et cela me fait souvenir
D'une aventure étrange, et qui pourtant est vraie.
J'étais en un lieu sûr, lorsque je vis passer
Les cent têtes d'une Hydre au travers d'une haie.
    Mon sang commence à se glacer ;   15
    Et je crois qu'à moins on s'effraie.
Je n'en eus toutefois que la peur sans le mal.
    Jamais le corps de l'animal
Ne put venir vers moi, ni trouver d'ouverture.
    Je rêvais à cette aventure,   20
Quand un autre Dragon, qui n'avait qu'un seul chef
Et bien plus d'une queue, à passer se présente.
    Me voici saisi derechef
    D'étonnement et d'épouvante.
Ce chef passe, et le corps, et chaque queue aussi.   25
Rien ne les empêcha ; l'un fit chemin à l'autre.
    Je soutiens qu'il en est ainsi
    De votre Empereur et du nôtre.

LES VOLEURS ET L'ANE

Pour un Ane enlevé deux Voleurs se battaient :
L'un voulait le garder ; l'autre le voulait vendre.
    Tandis que coups de poing trottaient,
Et que nos champions songeaient à se défendre,
      Arrive un troisième larron   5
      Qui saisit maître Aliboron.
L'Ane, c'est quelquefois une pauvre province.
      Les voleurs sont tel ou tel prince,
Comme le Transylvain *, le Turc, et le Hongrois.
    Au lieu de deux, j'en ai rencontré trois :   10
      Il est assez de cette marchandise.
De nul d'eux n'est souvent la Province conquise :
Un quart * Voleur survient, qui les accorde net
      En se saisissant du Baudet.

SIMONIDE PRÉSERVÉ PAR LES DIEUX

On ne peut trop louer trois sortes de personnes :
    Les Dieux, sa Maîtresse, et son Roi.
Malherbe * le disait ; j'y souscris quant à moi :
    Ce sont maximes toujours bonnes.
La louange chatouille et gagne les esprits ;   5
Les faveurs d'une belle en sont souvent le prix.
Voyons comme les Dieux l'ont quelquefois payée.
    Simonide * avait entrepris
L'éloge d'un Athlète, et, la chose essayée,
Il trouva son sujet plein de récits tout nus.   10
Les parents de l'Athlète étaient gens inconnus,
Son père, un bon Bourgeois, lui sans autre mérite :
    Matière infertile et petite.
Le Poète d'abord parla de son Héros.

Après en avoir dit ce qu'il en pouvait dire,   15
Il se jette à côté, se met sur le propos
De Castor et Pollux, ne manque pas d'écrire
Que leur exemple était aux lutteurs glorieux,
Elève leurs combats, spécifiant les lieux
Où ces frères s'étaient signalés davantage.   20
    Enfin l'éloge de ces Dieux
    Faisait les deux tiers de l'ouvrage.
L'Athlète avait promis d'en payer un talent * ;
    Mais quand il le vit, le galand
N'en donna que le tiers, et dit fort franchement   25
Que Castor et Pollux acquitassent le reste.
Faites-vous contenter par ce couple céleste.
    Je vous veux traiter cependant :
Venez souper chez moi, nous ferons bonne vie.
    Les conviés sont gens choisis,   30
    Mes parents, mes meilleurs amis.
    Soyez donc de la compagnie.
Simonide promit. Peut-être qu'il eut peur
De perdre, outre son dû, le gré * de sa louange.
    Il vient, l'on festine, l'on mange.   35
    Chacun étant en belle humeur,
Un domestique accourt, l'avertit qu'à la porte
Deux hommes demandaient à le voir promptement.
    Il sort de table, et la cohorte
    N'en perd pas un seul coup de dent.   40
Ces deux hommes étaient les gémeaux de l'éloge.
Tous deux lui rendent grâce ; et pour prix de ses vers,
    Ils l'avertissent qu'il déloge,
Et que cette maison va tomber à l'envers.
    La prédiction en fut vraie ;   45
    Un pilier manque ; et le plafonds,
    Ne trouvant plus rien qui l'étaie,
Tombe sur le festin, brise plats et flacons,
    N'en fait pas moins aux Echansons.
Ce ne fut pas le pis ; car, pour rendre complète   50
    La vengeance due au Poète,
Une poutre cassa les jambes à l'Athlète,
    Et renvoya les conviés
    Pour la plupart estropiés.

La renommée eut soin de publier l'affaire.   55
Chacun cria miracle. On doubla le salaire
Que méritaient les vers d'un homme aimé des Dieux.
    Il n'était fils de bonne mère
    Qui, les payant à qui mieux mieux,
    Pour ses ancêtres n'en fît faire.   60
Je reviens à mon texte * et dis premièrement
Qu'on ne saurait manquer de louer largement
Les Dieux et leurs pareils ; de plus, que Melpomène *
Souvent sans déroger trafique de sa peine ;
Enfin qu'on doit tenir notre art en quelque prix.   65
Les grands se font honneur dès lors qu'ils nous font
                                      [grâce :
    Jadis l'Olympe et le Parnasse
    Etaient frères et bons amis.

FABLE XV
LA MORT ET LE MALHEUREUX

FABLE XVI
LA MORT ET LE BÛCHERON

Un Malheureux appelait tous les jours
    La mort à son secours.
O mort, lui disait-il, que tu me sembles belle !
Viens vite, viens finir ma fortune cruelle.
La Mort crut, en venant, l'obliger en effet.   5
Elle frappe à sa porte, elle entre, elle se montre.
    Que vois-je ! cria-t-il, ôtez-moi cet objet ;
    Qu'il est hideux ! que sa rencontre
    Me cause d'horreur et d'effroi !
N'approche pas, ô mort ; ô mort, retire-toi.   10
    Mécénas fut un galant homme :
Il a dit quelque part : Qu'on me rende impotent,
Cul-de-jatte, goutteux, manchot, pourvu qu'en somme
Je vive, c'est assez, je suis plus que content.
Ne viens jamais, ô mort ; on t'en dit tout autant.   15

*Ce sujet a été traité d'une autre façon par Esope, comme
la Fable suivante le fera voir. Je composai celle-ci pour une
raison qui me contraignait de rendre la chose ainsi générale *. Mais quelqu'un * me fit connaître que j'eusse beaucoup mieux fait de suivre mon original, et que je laissais
passer un des plus beaux traits * qui fût dans Esope. Cela
m'obligea d'y avoir recours. Nous ne saurions aller plus
avant que les Anciens : ils ne nous ont laissé pour notre
part que la gloire de les bien suivre. Je joins toutefois ma
Fable à celle d'Esope, non que la mienne le mérite, mais à
cause du mot de Mécénas que j'y fais entrer, et qui est si
beau et si à propos que je n'ai pas cru le devoir omettre.*

Un pauvre Bûcheron tout couvert de ramée,
Sous le faix du fagot aussi bien que des ans
Gémissant et courbé marchait à pas pesants,
Et tâchait de gagner sa chaumine enfumée.
Enfin, n'en pouvant plus d'effort et de douleur,   5
Il met bas son fagot, il songe à son malheur.
Quel plaisir a-t-il eu depuis qu'il est au monde ?
En est-il un plus pauvre en la machine ronde * ?
Point de pain quelquefois, et jamais de repos.
Sa femme, ses enfants, les soldats *, les impôts,   10
     Le créancier, et la corvée
Lui font d'un malheureux la peinture achevée.
Il appelle la mort, elle vient sans tarder,
     Lui demande ce qu'il faut faire.
     C'est, dit-il, afin de m'aider   15
A recharger ce bois ; tu ne tarderas guère.
     Le trépas vient tout guérir ;
     Mais ne bougeons d'où nous sommes.
     Plutôt souffrir que mourir,
     C'est la devise des hommes.   20

FABLE XVII

L'HOMME ENTRE DEUX AGES
ET SES DEUX MAÎTRESSES

Un homme de moyen âge *,
Et tirant sur le grison,
Jugea qu'il était saison
De songer au mariage.
    Il avait du comptant,   5
      Et partant
De quoi choisir. Toutes voulaient lui plaire ;
En quoi notre amoureux ne se pressait pas tant ;
Bien adresser * n'est pas petite affaire.
Deux veuves sur son cœur eurent le plus de part :   10
  L'une encor verte, et l'autre un peu bien mûre.
    Mais qui réparait par son art
    Ce qu'avait détruit la nature.
    Ces deux Veuves, en badinant,
    En riant, en lui faisant fête,   15
    L'allaient quelquefois testonnant *,
    C'est-à-dire ajustant sa tête.
La Vieille à tous moments de sa part emportait
    Un peu du poil noir qui restait,
Afin que son amant en fût plus à sa guise.   20
La Jeune saccageait les poils blancs à son tour.
Toutes deux firent tant, que notre tête grise
Demeura sans cheveux, et se douta du tour.
Je vous rends, leur dit-il, mille grâces, les Belles,
    Qui m'avez si bien tondu ;   25
    J'ai plus gagné que perdu :
    Car d'Hymen point de nouvelles.
Celle que je prendrais voudrait qu'à sa façon
    Je vécusse, et non à la mienne.
    Il n'est tête chauve qui tienne,   30
Je vous suis obligé, Belles, de la leçon.

FABLE XVIII

LE RENARD ET LA CIGOGNE

Compère le Renard se mit un jour en frais,
Et retint à dîner commère la Cigogne.
Le régal fut petit, et sans beaucoup d'apprêts ;
    Le galand* pour toute besogne *
Avait un brouet * clair (il vivait chichement).   5
Ce brouet fut par lui servi sur une assiette :
La Cigogne au long bec n'en put attraper miette ;
Et le drôle eut lapé le tout en un moment.
    Pour se venger de cette tromperie,
A quelque temps de là, la Cigogne le prie.   10
Volontiers, lui dit-il, car avec mes amis
    Je ne fais point cérémonie.
    A l'heure dite il courut au logis
    De la Cigogne son hôtesse,
    Loua très fort la politesse,   15
    Trouva le dîner cuit à point.
Bon appétit surtout ; Renards n'en manquent point.
Il se réjouissait à l'odeur de la viande
Mise en menus morceaux, et qu'il croyait friande.
    On servit, pour l'embarrasser,   20
En un vase à long col et d'étroite embouchure.
Le bec de la Cigogne y pouvait bien passer,
Mais le museau du Sire était d'autre mesure.
Il lui fallut à jeun retourner au logis,
Honteux * comme un Renard qu'une Poule aurait pris, 25
    Serrant la queue, et portant bas l'oreille.
    Trompeurs, c'est pour vous que j'écris :
    Attendez-vous à la pareille.

FABLE XIX

L'ENFANT ET LE MAÎTRE D'ECOLE

Dans ce récit je prétends faire voir
D'un certain sot la remontrance vaine.
Un jeune enfant dans l'eau se laissa choir,
En badinant sur les bords de la Seine.
Le Ciel permit qu'un saule se trouva   5
Dont le branchage, après Dieu, le sauva.
S'étant pris, dis-je, aux branches de ce saule,
Par cet endroit passe un Maître d'école.
L'Enfant lui crie : Au secours, je péris !
Le Magister, se tournant à ses cris,   10
D'un ton fort grave à contre-temps s'avise
De le tancer : Ah ! le petit babouin * !
Voyez, dit-il, où l'a mis sa sottise !
Et puis, prenez de tels fripons le soin.
Que les parents sont malheureux, qu'il faille   15
Toujours veiller à semblable canaille !
Qu'ils ont de maux : et que je plains leur sort !
Ayant tout dit, il mit l'enfant à bord.
Je blâme ici plus de gens qu'on ne pense.
Tout babillard, tout censeur *, tout pédant *,   20
Se peut connaître au discours que j'avance :
Chacun des trois fait un peuple fort grand ;
Le Créateur en a béni l'engeance.
En toute affaire ils ne font que songer
    Aux moyens d'exercer leur langue.   25
Hé mon ami, tire-moi de danger :
    Tu feras après ta harangue.

FABLE XX

LE COQ ET LA PERLE

Un jour un Coq détourna *
Une Perle qu'il donna
Au beau premier Lapidaire.
Je la crois fine, dit-il ;
Mais le moindre grain de mil   5
Serait bien mieux mon affaire.

Un ignorant hérita
D'un manuscrit qu'il porta
Chez son voisin le Libraire.
Je crois, dit-il, qu'il est bon ;   10
Mais le moindre ducaton
Serait bien mieux mon affaire.

FABLE XXI

LES FRELONS ET LES MOUCHES A MIEL

A l'œuvre on connaît l'Artisan.
Quelques rayons de miel sans maître se trouvèrent,
    Des Frelons les réclamèrent.
    Des Abeilles s'opposant *,
Devant certaine Guêpe on traduisit * la cause.   5
Il était malaisé de décider la chose.
Les témoins déposaient qu'autour de ces rayons
Des animaux ailés, bourdonnants, un peu longs,
De couleur fort tannée * et tels que les Abeilles,
Avaient longtemps paru. Mais quoi ! dans les Frelons 10
    Ces enseignes * étaient pareilles.
La Guêpe, ne sachant que dire à ces raisons,
Fit enquête nouvelle, et pour plus de lumière
    Entendit une fourmilière.
    Le point n'en put être éclairci.   15
    De grâce, à quoi bon tout ceci ?

    Dit une Abeille fort prudente,
Depuis tantôt six mois que la cause est pendante,
    Nous voici comme aux premiers jours.
    Pendant cela le miel se gâte.   20
Il est temps désormais que le juge se hâte :
    N'a-t-il point assez léché l'Ours ★ ?
Sans tant de contredits et d'interlocutoires ★,
    Et de fatras, et de grimoires,
    Travaillons, les Frelons et nous :   25
On verra qui sait faire, avec un suc si doux,
    Des cellules si bien bâties.
    Le refus des Frelons fit voir
    Que cet art passait leur savoir ;
Et la Guêpe adjugea le miel à leurs parties.   30
Plût à Dieu qu'on réglât ainsi tous les procès !
Que des Turcs en cela l'on suivît la méthode !
Le simple sens commun nous tiendrait lieu de Code ;
    Il ne faudrait point tant de frais ;
    Au lieu qu'on nous mange, on nous gruge,   35
    On nous mine par des longueurs ;
On fait tant, à la fin, que l'huître est pour le juge,
    Les écailles pour les plaideurs ★.

FABLE XXII

LE CHÊNE ET LE ROSEAU

    Le Chêne un jour dit au Roseau :
    Vous avez bien sujet d'accuser la Nature ;
Un Roitelet ★ pour vous est un pesant fardeau.
Le moindre vent qui d'aventure
Fait rider la face de l'eau   5
Vous oblige à baisser la tête :
Cependant que mon front, au Caucase pareil,
Non content d'arrêter les rayons du Soleil,
    Brave l'effort de la tempête.
Tout vous est Aquilon, tout me semble Zéphyr ★.   10
Encor si vous naissiez à l'abri du feuillage
    Dont je couvre le voisinage ★,

Vous n'auriez pas tant à souffrir :
Je vous défendrais de l'orage ;
Mais vous naissez le plus souvent   15
Sur les humides bords des Royaumes du vent.
La nature envers vous me semble bien injuste.
— Votre compassion, lui répondit l'Arbuste,
Part d'un bon naturel ; mais quittez ce souci.
Les vents me sont moins qu'à vous redoutables.   20
Je plie, et ne romps pas. Vous avez jusqu'ici
Contre leurs coups épouvantables
Résisté sans courber le dos ;
Mais attendons la fin. Comme il disait ces mots
Du bout de l'horizon accourt avec furie   25
Le plus terrible des enfants
Que le Nord eût porté jusques-là dans ses flancs.
L'Arbre tient bon ; le Roseau plie.
Le vent redouble ses efforts,
Et fait si bien qu'il déracine   30
Celui de qui la tête au Ciel était voisine,
Et dont les pieds touchaient à l'Empire des Morts *.

LIVRE DEUXIÈME

FABLE I

CONTRE CEUX QUI ONT LE GOÛT DIFFICILE

Quand j'aurais, en naissant, reçu de Calliope *
Les dons qu'à ses Amants cette Muse a promis,
Je les consacrerais aux mensonges d'Esope * :
Le mensonge et les vers de tout temps sont amis.
Mais je ne me crois pas si chéri du Parnasse   5
Que de savoir orner toutes ces fictions.
On peut donner du lustre à leurs inventions ;
On le peut, je l'essaie ; un plus savant le fasse.
Cependant jusqu'ici d'un langage nouveau
J'ai fait parler le Loup et répondre l'Agneau.   10
J'ai passé plus avant : les Arbres et les Plantes
Sont devenus chez moi créatures parlantes *.
Qui ne prendrait ceci pour un enchantement ?
        Vraiment, me diront nos Critiques,
        Vous parlez magnifiquement   15
        De cinq ou six contes d'enfant.
— Censeurs, en voulez-vous qui soient plus authenti-
                                                      [ques
Et d'un style plus haut ? En voici. Les Troyens *,
Après dix ans de guerre autour de leurs murailles,
Avaient lassé les Grecs qui, par mille moyens,   20
        Par mille assauts, par cent batailles,

N'avaient pu mettre à bout cette fière Cité ;
Quand un cheval de bois par Minerve inventé
    D'un rare et nouvel artifice,
Dans ses énormes flancs reçut le sage Ulysse,   25
Le vaillant Diomède, Ajax l'impétueux,
    Que ce Colosse monstrueux
Avec leurs escadrons devait porter dans Troie,
Livrant à leur fureur ses Dieux mêmes en proie.
Stratagème inouï, qui des fabricateurs   30
    Paya la constance et la peine.
— C'est assez, me dira quelqu'un de nos Auteurs ;
La période est longue, il faut reprendre haleine ;
    Et puis votre Cheval de bois,
    Vos Héros avec leurs Phalanges,   35
    Ce sont des contes plus étranges *
Qu'un Renard qui cajole un Corbeau sur sa voix.
De plus, il vous sied mal d'écrire en si haut style.
— Eh bien, baissons d'un ton. La jalouse Amarylle
Songeait à son Alcippe, et croyait de ses soins   40
N'avoir que ses Moutons et son Chien pour témoins.
Tircis, qui l'aperçut, se glisse entre des Saules ;
Il entend la Bergère adressant ces paroles
    Au doux Zéphire, et le priant
    De les porter à son Amant.   45
    — Je vous arrête à cette rime *,
    Dira mon censeur à l'instant,
    Je ne la tiens pas légitime,
    Ni d'une assez grande vertu.
Remettez, pour le mieux, ces deux vers à la fonte.   50
    — Maudit censeur, te tairas-tu ?
    Ne saurais-je achever mon conte ?
    C'est un dessein très dangereux
    Que d'entreprendre de te plaire.
    Les délicats sont malheureux :   55
    Rien ne saurait les satisfaire.

FABLE II

CONSEIL TENU PAR LES RATS

Un Chat, nommé Rodilardus *
Faisait de Rats telle déconfiture *
Que l'on n'en voyait presque plus,
Tant il en avait mis dedans la sépulture.
Le peu qu'il en restait, n'osant quitter son trou,   5
Ne trouvait à manger que le quart de son sou ;
Et Rodilard passait, chez la gent misérable,
   Non pour un Chat, mais pour un Diable.
   Or un jour qu'au haut et au loin
   Le Galand alla chercher femme,   10
Pendant tout le sabbat qu'il fit avec sa dame,
Le demeurant des Rats tint Chapitre en un coin
   Sur la nécessité présente.
Dès l'abord leur Doyen, personne fort prudente,
Opina qu'il fallait, et plus tôt que plus tard,   15
Attacher un grelot au cou de Rodilard ;
   Qu'ainsi, quand il irait en guerre,
De sa marche avertis, ils s'enfuiraient sous terre ;
   Qu'il n'y savait que ce moyen.
Chacun fut de l'avis de Monsieur le Doyen,   20
Chose ne leur parut à tous plus salutaire.
La difficulté fut d'attacher le grelot.
L'un dit : Je n'y vas point, je ne suis pas si sot ;
L'autre : Je ne saurais. Si bien que sans rien faire
  On se quitta. J'ai maints Chapitres vus,   25
  Qui pour néant se sont ainsi tenus :
Chapitres non de Rats, mais Chapitres de Moines,
   Voire Chapitres de Chanoines.

   Ne faut-il que délibérer,
   La Cour en Conseillers foisonne ;   30
   Est-il besoin d'exécuter,
   L'on ne rencontre plus personne.

FABLE III

LE LOUP
PLAIDANT CONTRE LE RENARD
PAR-DEVANT LE SINGE

Un Loup disait que l'on l'avait volé :
Un Renard, son voisin, d'assez mauvaise vie,
Pour ce prétendu vol par lui fut appelé *.
    Devant le Singe il fut plaidé,
Non point par Avocats, mais par chaque Partie.   5
    Thémis n'avait point travaillé,
De mémoire de Singe, à fait plus embrouillé.
Le Magistrat suait en son lit de Justice *.
Après qu'on eut bien contesté,
    Répliqué, crié, tempêté,   10
    Le Juge, instruit de leur malice,
Leur dit : Je vous connais de longtemps, mes amis ;
    Et tous deux vous paierez l'amende :
Car toi, Loup, tu te plains, quoiqu'on ne t'ait rien pris ;
Et toi, Renard, as pris ce que l'on te demande.   15
Le Juge prétendait qu'à tort et à travers
On ne saurait manquer condamnant un pervers *.

*Quelques personnes de bon sens ont cru que l'impossibilité et la contradiction qui est dans le Jugement de ce Singe était une chose à censurer * ; mais je ne m'en suis servi qu'après Phèdre ; et c'est en cela que consiste le bon mot, selon mon avis.*

FABLE IV

LES DEUX TAUREAUX
ET UNE GRENOUILLE

Deux Taureaux combattaient à qui posséderait
    Une Génisse avec l'empire.
    Une Grenouille en soupirait.
    Qu'avez-vous ? se mit à lui dire

Quelqu'un du peuple croassant *.   5
— Et ne voyez-vous pas, dit-elle,
Que la fin de cette querelle
Sera l'exil de l'un ; que l'autre, le chassant,
Le fera renoncer aux campagnes fleuries ?
Il ne régnera plus sur l'herbe des prairies,   10
Viendra dans nos marais régner sur les roseaux,
Et nous foulant aux pieds jusques au fond des eaux,
Tantôt l'une, et puis l'autre, il faudra qu'on pâtisse
Du combat qu'a causé Madame la Génisse.

Cette crainte était de bon sens.   15
L'un des Taureaux en leur demeure
S'alla cacher à leurs dépens :
Il en écrasait vingt par heure.
Hélas ! on voit que de tout temps
Les petits ont pâti des sottises des grands.   20

FABLE V

LA CHAUVE-SOURIS
ET LES DEUX BELETTES

Une Chauve-souris donna tête baissée
Dans un nid de Belette ; et sitôt qu'elle y fut,
L'autre, envers les souris de longtemps courroucée,
Pour la dévorer accourut.
Quoi ! vous osez, dit-elle, à mes yeux vous produire,   5
Après que votre race a tâché de me nuire !
N'êtes-vous pas Souris ? Parlez sans fiction.
Oui, vous l'êtes, ou bien je ne suis pas Belette.
— Pardonnez-moi, dit la pauvrette,
Ce n'est pas ma profession.   10
Moi, Souris ! Des méchants vous ont dit ces nouvelles.
Grâce à l'Auteur de l'Univers,
Je suis Oiseau : voyez mes ailes :
Vive la gent qui fend les airs !
Sa raison * plut, et sembla bonne.   15
Elle fait si bien qu'on lui donne
Liberté de se retirer.

Deux jours après, notre étourdie
Aveuglément se va fourrer
Chez une autre Belette aux Oiseaux ennemie.   20
La voilà derechef en danger de sa vie.
La Dame du logis avec son long museau
S'en allait la croquer en qualité d'Oiseau,
Quand elle protesta qu'on lui faisait outrage :
Moi, pour telle passer ? Vous n'y regardez pas.   25
Qui fait l'Oiseau ? c'est le plumage.
Je suis Souris : vivent les Rats !
Jupiter confonde les Chats !
Par cette adroite repartie
Elle sauva deux fois sa vie.   30

Plusieurs se sont trouvés qui d'écharpe * changeants
Aux dangers, ainsi qu'elle, ont souvent fait la figue.
Le Sage dit, selon les gens :
Vive le Roi, vive la Ligue.

FABLE VI

L'OISEAU BLESSÉ D'UNE FLÈCHE

Mortellement atteint d'une flèche empennée *,
Un oiseau déplorait sa triste destinée,
Et disait, en souffrant un surcroît de douleur :
Faut-il contribuer à son propre malheur ?
Cruels humains, vous tirez de nos ailes   5
De quoi faire voler ces machines mortelles ;
Mais ne vous moquez point, engeance sans pitié * :
Souvent il vous arrive un sort comme le nôtre.
Des enfants de Japet * toujours une moitié
Fournira des armes à l'autre.   10

FABLE VII

LA LICE ET SA COMPAGNE

Une Lice * étant sur son terme,
Et ne sachant où mettre un fardeau si pressant,

Fait si bien qu'à la fin sa Compagne consent
De lui prêter sa hutte *, où la Lice s'enferme.
Au bout de quelque temps sa Compagne revient.   5
La Lice lui demande encore une quinzaine.
Ses petits ne marchaient, disait-elle, qu'à peine.
  Pour faire court, elle l'obtient.
Ce second terme échu, l'autre lui redemande
  Sa maison, sa chambre, son lit.   10
La Lice cette fois montre les dents, et dit :
Je suis prête à sortir avec toute ma bande,
  Si vous pouvez nous mettre hors.
  Ses enfants étaient déjà forts.
Ce qu'on donne aux méchants, toujours on le regrette *. 15
  Pour tirer d'eux ce qu'on leur prête,
  Il faut que l'on en vienne aux coups ;
  Il faut plaider, il faut combattre.
  Laissez-leur prendre un pied chez vous,
  Ils en auront bientôt pris quatre.   20

FABLE VIII

L'AIGLE ET L'ESCARBOT

L'Aigle donnait la chasse à Maître Jean Lapin,
Qui droit à son terrier s'enfuyait au plus vite.
Le trou de l'Escarbot * se rencontre en chemin.
  Je laisse à penser si ce gîte
Etait sûr ; mais où mieux ? Jean Lapin s'y blottit.   5
L'Aigle fondant sur lui nonobstant cet asile,
  L'Escarbot intercède, et dit :
Princesse des Oiseaux, il vous est fort facile
D'enlever malgré moi ce pauvre malheureux ;
Mais ne me faites pas cet affront, je vous prie ;   10
Et puisque Jean Lapin vous demande la vie,
Donnez-la-lui, de grâce, ou l'ôtez à tous deux :
  C'est mon voisin, c'est mon compère.
L'oiseau de Jupiter, sans répondre un seul mot,
  Choque de l'aile l'Escarbot,   15
  L'étourdit, l'oblige à se taire,

Enlève Jean Lapin. L'Escarbot indigné
Vole au nid de l'oiseau, fracasse en son absence
Ses œufs, ses tendres œufs, sa plus douce espérance :
    Pas un seul ne fut épargné.   20
L'Aigle étant de retour et voyant ce ménage *,
Remplit le ciel de cris, et pour comble de rage,
Ne sait sur qui venger le tort qu'elle a souffert.
Elle gémit en vain, sa plainte au vent se perd.
Il fallut pour cet an vivre en mère affligée.   25
L'an suivant, elle mit son nid en lieu plus haut.
L'Escarbot prend son temps, fait faire aux œufs le saut :
La mort de Jean Lapin derechef est vengée.
Ce second deuil fut tel que l'écho de ces bois
    N'en dormit de plus de six mois.   30
    L'Oiseau qui porte Ganymède *
Du monarque des Dieux enfin implore l'aide,
Dépose en son giron ses œufs, et croit qu'en paix
Ils seront dans ce lieu, que pour ses intérêts
Jupiter se verra contraint de les défendre :   35
    Hardi qui les irait là prendre.
    Aussi ne les y prit-on pas.
    Leur ennemi changea de note,
Sur la robe du Dieu fit tomber une crotte :
Le Dieu la secouant jeta les œufs à bas.   40
    Quand l'Aigle sut l'inadvertance,
    Elle menaça Jupiter
D'abandonner sa Cour, d'aller vivre au désert,
    Avec mainte autre extravagance.
    Le pauvre Jupiter se tut :   45
Devant son tribunal l'Escarbot comparut,
    Fit sa plainte, et conta l'affaire.
On fit entendre à l'Aigle enfin qu'elle avait tort.
Mais les deux ennemis ne voulant point d'accord,
Le Monarque des Dieux s'avisa, pour bien faire,   50
De transporter le temps où l'Aigle fait l'amour
En une autre saison, quand la race Escarbote
Est en quartier d'hiver, et comme la Marmotte,
    Se cache et ne voit point le jour.

LE LION ET LE MOUCHERON

Va-t'en, chétif insecte, excrément de la terre *.
C'est en ces mots que le Lion
Parlait un jour au Moucheron.
L'autre lui déclara la guerre.
Penses-tu, lui dit-il, que ton titre de Roi   5
Me fasse peur ni me soucie ?
Un bœuf est plus puissant * que toi,
Je le mène à ma fantaisie.
A peine il achevait ces mots
Que lui-même il sonna la charge,   10
Fut le Trompette et le Héros.
Dans l'abord * il se met au large,
Puis prend son temps *, fond sur le cou
Du Lion, qu'il rend presque fou.
Le Quadrupède écume, et son œil étincelle ;   15
Il rugit, on se cache, on tremble à l'environ ;
Et cette alarme universelle
Est l'ouvrage d'un Moucheron.
Un avorton de Mouche en cent lieux le harcelle,
Tantôt pique l'échine, et tantôt le museau,   20
Tantôt entre au fond du naseau.
La rage alors se trouve à son faîte montée.
L'invisible ennemi triomphe, et rit de voir
Qu'il n'est griffe ni dent en la bête irritée
Qui de la mettre en sang ne fasse son devoir.   25
Le malheureux Lion se déchire lui-même,
Fait résonner sa queue à l'entour de ses flancs,
Bat l'air, qui n'en peut mais ; et sa fureur extrême
Le fatigue, l'abat ; le voilà sur les dents.
L'insecte du combat se retire avec gloire :   30
Comme il sonna la charge, il sonne la victoire,
Va partout l'annoncer, et rencontre en chemin
L'embuscade d'une araignée :
Il y rencontre aussi sa fin.

Quelle chose par là nous peut être enseignée ?   35
J'en vois deux, dont l'une est qu'entre nos ennemis
Les plus à craindre sont souvent les plus petits ;
L'autre, qu'aux grands périls tel a pu se soustraire,
    Qui périt pour la moindre affaire.

FABLE X

L'ANE CHARGÉ D'EPONGES ET L'ANE CHARGÉ DE SEL

    Un Anier, son Sceptre à la main,
    Menait, en Empereur Romain,
    Deux Coursiers à longues oreilles.
L'un d'éponges chargé marchait comme un Courrier ;
    Et l'autre se faisant prier   5
    Portait, comme on dit, les bouteilles * :
Sa charge était de sel. Nos gaillards Pèlerins,
    Par monts, par vaux et par chemins,
Au gué d'une rivière à la fin arrivèrent,
    Et fort empêchés se trouvèrent.   10
L'Anier, qui tous les jours traversait ce gué-là,
    Sur l'Ane à l'éponge monta,
    Chassant devant lui l'autre bête,
    Qui voulant en faire à sa tête,
    Dans un trou se précipita,   15
    Revint sur l'eau, puis échappa ;
Car au bout de quelques nagées,
Tout son sel se fondit si bien
Que le Baudet ne sentit rien
Sur ses épaules soulagées.   20
Camarade Epongier * prit exemple sur lui,
Comme un Mouton qui va dessus la foi d'autrui *.
Voilà mon Ane à l'eau : jusqu'au col il se plonge,
    Lui, le Conducteur et l'Eponge.
Tous trois burent d'autant * : l'Anier et le Grison   25
    Firent à l'éponge raison *.
    Celle-ci devint si pesante,

Et de tant d'eau s'emplit d'abord,
Que l'Ane succombant ne put gagner le bord.
 L'Anier l'embrassait dans l'attente   30
 D'une prompte et certaine mort.
Quelqu'un vint au secours : qui ce fut, il n'importe ;

C'est assez qu'on ait vu par là qu'il ne faut point
 Agir chacun de même sorte.
 J'en voulais venir à ce point.   35

FABLE XI

LE LION ET LE RAT

FABLE XII

LA COLOMBE ET LA FOURMI

Il faut, autant qu'on peut, obliger tout le monde :
On a souvent besoin d'un plus petit que soi.
De cette vérité deux Fables feront foi,
 Tant la chose en preuves abonde.
 Entre les pattes d'un Lion   5
Un Rat sortit de terre assez à l'étourdie.
Le Roi * des animaux, en cette occasion,
Montra ce qu'il était, et lui donna la vie.
 Ce bienfait ne fut pas perdu *.
 Quelqu'un aurait-il jamais cru   10
 Qu'un Lion d'un Rat eût affaire ?
Cependant il avint qu'au sortir des forêts
 Ce Lion fut pris dans des rets *
Dont ses rugissements ne le purent défaire.
Sire Rat accourut, et fit tant par ses dents   15
Qu'une maille rongée emporta tout l'ouvrage,
 Patience et longueur de temps
 Font plus que force ni que rage.

L'autre exemple est tiré d'animaux plus petits.
Le long d'un clair ruisseau buvait une Colombe,   20
Quand sur l'eau se penchant une Fourmi y tombe ;

Et dans cet Océan l'on eût vu la Fourmi
S'efforcer, mais en vain, de regagner la rive.
La Colombe aussitôt usa de charité * :
Un brin d'herbe dans l'eau par elle étant jeté,   25
Ce fut un promontoire où la Fourmi arrive.
    Elle se sauve ; et là-dessus
Passe un certain Croquant qui marchait les pieds nus.
Ce Croquant par hasard avait une arbalète.
    Dès qu'il voit l'Oiseau de Vénus,   30
Il le croit en son pot, et déjà lui fait fête.
Tandis qu'à le tuer mon Villageois s'apprête,
    La Fourmi le pique au talon.
    Le Vilain retourne la tête.
La Colombe l'entend, part, et tire de long.   35
Le soupé du Croquant avec elle s'envole :
    Point de Pigeon pour une obole.

FABLE XIII

L'ASTROLOGUE QUI SE LAISSE TOMBER
DANS UN PUITS

Un Astrologue un jour se laissa choir
Au fond d'un puits. On lui dit : Pauvre bête,
Tandis qu'à peine à tes pieds tu peux voir,
Penses-tu lire au-dessus de ta tête ?

Cette aventure en soi, sans aller plus avant,   5
Peut servir de leçon à la plupart des hommes.
Parmi ce que de gens sur la terre nous sommes,
    Il en est peu qui fort souvent
    Ne se plaisent d'entendre dire
Qu'au Livre du Destin les mortels peuvent lire.   10
Mais ce Livre qu'Homère et les siens * ont chanté,
Qu'est-ce que * le hasard parmi l'Antiquité,
    Et parmi nous la Providence ?
  Or du hasard * il n'est point de science :
    S'il en était, on aurait tort   15
De l'appeler hasard, ni fortune, ni sort,
    Toutes choses très incertaines.

Quant aux volontés souveraines
De celui qui fait tout, et rien qu'avec dessein,
Qui les sait, que lui seul ? Comment lire en son sein ? 20
Aurait-il imprimé sur le front des étoiles
Ce que la nuit des temps enferme dans ses voiles ?
A quelle utilité ? Pour exercer l'esprit
De ceux qui de la Sphère et du Globe ont écrit ?
Pour nous faire éviter des maux inévitables ?   25
Nous rendre dans les biens de plaisir incapables * ?
Et causant du dégoût pour ces biens prévenus,
Les convertir en maux devant qu'ils soient venus ?
C'est erreur, ou plutôt c'est crime de le croire.
Le Firmament se meut ; les Astres font leur cours,   30
　　Le Soleil nous luit tous les jours,
Tous les jours sa clarté succède à l'ombre noire,
Sans que nous en puissions autre chose inférer
Que la nécessité de luire et d'éclairer,
D'amener les saisons, de mûrir les semences,   35
De verser sur les corps certaines influences.
Du reste, en quoi répond au sort toujours divers
Ce train toujours égal dont marche l'Univers ?
　　　Charlatans, faiseurs d'horoscope,
　Quittez les Cours des Princes de l'Europe ;   40
Emmenez avec vous les souffleurs * tout d'un temps.
Vous ne méritez pas plus de foi que ces gens.
Je m'emporte un peu trop : revenons à l'histoire
De ce Spéculateur * qui fut contraint de boire *.
Outre la vanité de son art mensonger,   45
C'est l'image de ceux qui bâillent aux chimères,
　　　Cependant qu'ils sont en danger *,
　　　Soit pour eux, soit pour leurs affaires.

FABLE XIV

LE LIÈVRE ET LES GRENOUILLES

Un Lièvre en son gîte songeait
(Car que faire en un gîte, à moins que l'on ne songe ?) ;

Dans un profond ennui ce Lièvre se plongeait :
Cet animal est triste, et la crainte le ronge.
    Les gens de naturel peureux   5
    Sont, disait-il, bien malheureux ;
Ils ne sauraient manger morceau qui leur profite.
Jamais un plaisir pur, toujours assauts divers :
Voilà comme je vis : cette crainte maudite
M'empêche de dormir, sinon les yeux ouverts.   10
Corrigez-vous, dira quelque sage cervelle.
    Et la peur se corrige-t-elle ?
    Je crois même qu'en bonne foi
    Les hommes ont peur comme moi.
    Ainsi raisonnait notre Lièvre   15
    Et cependant faisait le guet *.
    Il était douteux *, inquiet :
Un souffle, une ombre, un rien, tout lui donnait la
                                [fièvre *.
    Le mélancolique animal,
    En rêvant à cette matière,   20
Entend un léger bruit : ce lui fut un signal
    Pour s'enfuir devers sa tanière.
Il s'en alla passer sur le bord d'un Etang.
Grenouilles aussitôt de sauter dans les ondes,
Grenouilles de rentrer en leurs grottes profondes.   25
    Oh ! dit-il, j'en fais faire autant
    Qu'on m'en fait faire ! Ma présence
Effraie aussi les gens, je mets l'alarme au camp !
    Et d'où me vient cette vaillance ?
Comment ! des animaux qui tremblent devant moi !   30
    Je suis donc un foudre de guerre ?
Il n'est, je le vois * bien, si poltron sur la terre
Qui ne puisse trouver un plus poltron que soi.

FABLE XV

LE COQ ET LE RENARD

Sur la branche d'un arbre était en sentinelle
    Un vieux Coq adroit et matois.
Frère, dit un Renard, adoucissant sa voix,

Nous ne sommes plus en querelle :
　　Paix générale cette fois.   5
Je viens te l'annoncer ; descends que je t'embrasse.
　　Ne me retarde point, de grâce :
Je dois faire aujourd'hui vingt postes * sans manquer.
　　Les tiens et toi pouvez vaquer
Sans nulle crainte * à vos affaires ;   10
　　Nous vous y servirons en frères.
　　Faites-en les feux * dès ce soir.
　　Et cependant viens recevoir
　　Le baiser d'amour fraternelle.
— Ami, reprit le Coq, je ne pouvais jamais   15
Apprendre une plus douce et meilleure nouvelle
　　　　Que celle
　　　De cette paix ;
　　Et ce m'est une double joie
De la tenir de toi. Je vois deux Lévriers,   20
　　Qui, je m'assure *, sont courriers
　　Que pour ce sujet on envoie.
Ils vont vite, et seront dans un moment à nous.
Je descends ; nous pourrons nous entre-baiser tous.
— Adieu, dit le Renard, ma traite est longue à faire : 25
Nous nous réjouirons du succès de l'affaire
　　Une autre fois. Le galand aussitôt
　　Tire ses grègues, gagne au haut *,
　　Mal content de son stratagème ;
　　Et notre vieux Coq en soi-même   30
　　Se mit à rire de sa peur ;
Car c'est double plaisir de tromper le trompeur.

LE CORBEAU
VOULANT IMITER L'AIGLE

L'Oiseau de Jupiter * enlevant un mouton,
　　Un Corbeau témoin de l'affaire,
Et plus faible de reins, mais non pas moins glouton,
　　En voulut sur l'heure autant faire *.

Il tourne à l'entour du troupeau,   5
Marque entre cent Moutons le plus gras, le plus beau,
    Un vrai Mouton de sacrifice :
On l'avait réservé pour la bouche des Dieux.
Gaillard Corbeau disait, en le couvant des yeux :
    Je ne sais qui fut ta nourrice ;   10
Mais ton corps me paraît en merveilleux état :
    Tu me serviras de pâture.
Sur l'animal bêlant à ces mots il s'abat.
    La Moutonnière créature
Pesait plus qu'un fromage *, outre que sa toison   15
    Etait d'une épaisseur extrême,
Et mêlée à peu près de la même façon
    Que la barbe de Polyphème *.
Elle empêtra si bien les serres du Corbeau
Que le pauvre animal ne put faire retraite.   20
Le Berger vient, le prend, l'encage bien et beau,
Le donne à ses enfants pour servir d'amusette.
Il faut se mesurer *, la conséquence est nette :
Mal prend aux Volereaux de faire les Voleurs.
    L'exemple est un dangereux leurre :   25
Tous les mangeurs de gens ne sont pas grands
                             [Seigneurs ;
Où la Guêpe a passé, le Moucheron * demeure.

FABLE XVII

LE PAON SE PLAIGNANT A JUNON

    Le Paon se plaignait à Junon * :
Déesse, disait-il, ce n'est pas sans raison
    Que je me plains, que je murmure :
    Le chant dont vous m'avez fait don
    Déplaît à toute la Nature ;   5
Au lieu qu'un Rossignol, chétive créature,
    Forme des sons aussi doux qu'éclatants,
    Est lui seul l'honneur du Printemps.
    Junon répondit en colère :
Oiseau jaloux, et qui devrais te taire,   10

Est-ce à toi d'envier la voix du Rossignol,
Toi que l'on voit porter à l'entour de ton col
    Un arc-en-ciel nué * de cent sortes de soies ;
        Qui te panades *, qui déploies
Une si riche queue, et qui semble à nos yeux   15
        La Boutique d'un Lapidaire ?
        Est-il quelque oiseau sous les Cieux
        Plus que toi capable de plaire ?
Tout animal n'a pas toutes propriétés.
Nous vous avons donné diverses qualités :   20
Les uns ont la grandeur et la force en partage ;
Le Faucon est léger, l'Aigle plein de courage ;
        Le Corbeau sert pour le présage,
La Corneille avertit des malheurs à venir ;
        Tous sont contents de leur ramage *.   25
Cesse donc de te plaindre, ou bien pour te punir,
        Je t'ôterai ton plumage.

FABLE XVIII

LA CHATTE MÉTAMORPHOSÉE
EN FEMME

Un homme chérissait éperdument sa Chatte ;
Il la trouvait mignonne, et belle, et délicate,
        Qui miaulait d'un ton fort doux.
        Il était plus fou que les fous.
    Cet homme donc, par prières, par larmes,   5
        Par sortilèges et par charmes,
        Fait tant qu'il obtient du destin
        Que sa Chatte en un beau matin
        Devient femme, et le matin même,
        Maître sot en fait sa moitié.   10
        Le voilà fou d'amour extrême,
        De fou qu'il était d'amitié.
        Jamais la Dame la plus belle
        Ne charma tant son Favori
        Que fait cette épouse nouvelle   15
        Son hypocondre * de mari.

Il l'amadoue *, elle le flatte ;
Il n'y trouve plus rien de Chatte,
Et poussant l'erreur jusqu'au bout,
La croit femme en tout et partout,   20
Lorsque quelques Souris qui rongeaient de la natte
Troublèrent le plaisir des nouveaux mariés.
    Aussitôt la femme est sur pieds :
    Elle manqua son aventure *.
Souris de revenir, femme d'être en posture.   25
  Pour cette fois elle accourut à point :
    Car ayant changé de figure,
    Les souris ne la craignaient point.
    Ce lui fut toujours une amorce *,
    Tant le naturel a de force.   30
Il se moque de tout, certain âge accompli :
Le vase est imbibé, l'étoffe a pris son pli *.
    En vain de son train ordinaire
    On le veut désaccoutumer.
    Quelque chose qu'on puisse faire,   35
    On ne saurait le réformer.
    Coups de fourche ni d'étrivières
    Ne lui font changer de manières ;
    Et, fussiez-vous embâtonnés *,
    Jamais vous n'en serez les maîtres.   40
    Qu'on lui ferme la porte au nez,
    Il reviendra par les fenêtres.

FABLE XIX

LE LION ET L'ANE CHASSANT

Le Roi des animaux se mit un jour en tête
  De giboyer *. Il célébrait sa fête.
Le gibier du Lion, ce ne sont pas moineaux,
Mais beaux et bons Sangliers, Daims et Cerfs bons et
                              [beaux.
    Pour réussir dans cette affaire *,   5
    Il se servit du ministère
    De l'Ane à la voix de Stentor *.

L'Ane à Messer Lion fit office de Cor.
Le Lion le posta, le couvrit de ramée,
Lui commanda de braire, assuré qu'à ce son   10
Les moins intimidés fuiraient de leur maison.
Leur troupe n'était pas encore accoutumée
    A la tempête de sa voix ;
L'air en retentissait d'un bruit épouvantable ;
La frayeur saisissait les hôtes de ces bois.   15
Tous fuyaient, tous tombaient au piège inévitable
    Où les attendait le Lion.
N'ai-je pas bien servi dans cette occasion ?
Dit l'Ane, en se donnant tout l'honneur de la chasse.
— Oui, reprit le Lion, c'est bravement crié :   20
Si je ne connaissais ta personne et ta race,
    J'en serais moi-même effrayé *.
L'Ane, s'il eût osé, se fût mis en colère,
Encor qu'on le raillât avec juste raison :
Car qui pourrait souffrir un Ane fanfaron * ?   25
    Ce n'est pas là leur caractère.

FABLE XX

TESTAMENT EXPLIQUÉ PAR ESOPE

    Si ce qu'on dit d'Esope * est vrai,
    C'était l'Oracle de la Grèce :
    Lui seul avait plus de sagesse
Que tout l'Aréopage *. En voici pour essai *
    Une histoire des plus gentilles,   5
    Et qui pourra plaire au Lecteur.

    Un certain homme avait trois filles,
    Toutes trois de contraire humeur :
    Une buveuse, une coquette,
    La troisième avare parfaite.   10
    Cet homme, par son Testament,
    Selon les Lois municipales *,
Leur laissa tout son bien par portions égales,
    En donnant à leur Mère tant,
    Payable quand chacune d'elles   15

Ne posséderait plus sa contingente * part.
    Le Père mort, les trois Femelles
Courent au Testament sans attendre plus tard.
      On le lit ; on tâche d'entendre
      La volonté du Testateur ;   20
      Mais en vain : car comment comprendre
      Qu'aussitôt que chacune * sœur
Ne possédera plus sa part héréditaire,
    Il lui faudra payer sa Mère ?
    Ce n'est pas un fort bon moyen   25
    Pour payer, que d'être sans bien.
    Que voulait donc dire le Père ?
L'affaire est consultée *, et tous les Avocats,
    Après avoir tourné le cas
    En cent et cent mille manières,   30
Y jettent leur bonnet *, se confessent vaincus,
    Et conseillent aux héritières
De partager le bien sans songer au surplus.
    Quant à la somme de la veuve,
Voici, leur dirent-ils, ce que le conseil treuve :   35
Il faut que chaque sœur se charge par traité *
    Du tiers, payable à volonté *,
Si mieux n'aime la Mère en créer une rente,
    Dès le décès du Mort courante.
La chose ainsi réglée, on composa trois lots :   40
    En l'un, les maisons de bouteille *,
    Les buffets dressés sous la treille,
La vaisselle d'argent, les cuvettes, les brocs,
    Les magasins de malvoisie,
Les esclaves de bouche *, et, pour dire en deux mots,   45
    L'attirail de la goinfrerie ;
Dans un autre celui de la coquetterie :
La maison de la Ville et les meubles exquis,
    Les Eunuques et les Coiffeuses,
      Et les Brodeuses,   50
    Les joyaux, les robes de prix ;
Dans le troisième lot, les fermes, le ménage,
    Les troupeaux et le pâturage,
    Valets et bêtes de labeur.
Ces lots faits, on jugea que le sort pourrait faire   55

Que peut-être pas une sœur
N'aurait ce qui lui pourrait plaire.
Ainsi chacune prit son inclination ;
    Le tout à l'estimation *.
    Ce fut dans la ville d'Athènes   60
    Que cette rencontre arriva.
    Petits et grands, tout approuva
Le partage et le choix. Esope seul trouva
    Qu'après bien du temps et des peines
    Les gens avaient pris justement   65
    Le contre-pied du Testament.
Si le Défunt vivait, disait-il, que l'Attique
    Aurait de reproches de lui !
    Comment ! ce peuple qui se pique
D'être le plus subtil des peuples d'aujourd'hui   .70
A si mal entendu la volonté suprême
    D'un testateur ! Ayant ainsi parlé,
    Il fait le partage lui-même,
Et donne à chaque sœur un lot contre son gré,
    Rien qui pût être convenable,   75
    Partant rien aux sœurs d'agréable :
    A la Coquette, l'attirail
    Qui suit les personnes buveuses ;
    La Biberonne eut le bétail ;
    La Ménagère eut les coiffeuses.   80
    Tel fut l'avis du Phrygien,
    Alléguant qu'il n'était moyen
    Plus sûr pour obliger ces filles
    A se défaire de leur bien,
Qu'elles se marieraient dans les bonnes familles,   85
    Quand on leur verrait de l'argent ;
    Paieraient leur Mère tout comptant ;
Ne posséderaient plus les effets de leur Père,
    Ce que disait le Testament.
Le peuple s'étonna comme il se pouvait faire   90
    Qu'un homme seul eût plus de sens
    Qu'une multitude de gens *.

LIVRE TROISIÈME

FABLE I

LE MEUNIER, SON FILS ET L'ANE
A.M.D.M.

L'invention des Arts étant un droit d'aînesse,
Nous devons l'Apologue à l'ancienne Grèce.
Mais ce champ ne se peut tellement moissonner *
Que les derniers venus n'y trouvent à glaner.
La feinte * est un pays plein de terres désertes.   5
Tous les jours nos Auteurs y font des découvertes.
Je t'en veux dire un trait assez bien inventé ;
Autrefois à Racan Malherbe l'a conté.
Ces deux rivaux d'Horace, héritiers de sa Lyre,
Disciples d'Apollon, nos Maîtres, pour mieux dire,   10
Se rencontrant un jour tout seuls et sans témoins
(Comme ils se confiaient leurs pensers et leurs soins),
Racan commence ainsi : Dites-moi, je vous prie,
Vous qui devez savoir les choses de la vie,
Qui par tous ses degrés avez déjà passé,   15
Et que rien ne doit fuir en cet âge avancé,
A quoi me résoudrai-je ? Il est temps que j'y pense.
Vous connaissez mon bien, mon talent, ma naissance ;
Dois-je dans la Province établir mon séjour,
Prendre emploi dans l'Armée, ou bien charge à la Cour ? 20
Tout au monde est mêlé d'amertume et de charmes.
La guerre a ses douceurs, l'Hymen a ses alarmes.

Si je suivais mon goût, je saurais où buter *,
Mais j'ai les miens, la cour, le peuple à contenter.
Malherbe là-dessus : Contenter tout le monde !   25
Ecoutez ce récit avant que je réponde.

J'ai lu dans quelque endroit qu'un Meunier et son Fils,
L'un vieillard, l'autre enfant, non pas des plus petits,
Mais garçon de quinze ans, si j'ai bonne mémoire,
Allaient vendre leur Ane, un certain jour de foire.
Afin qu'il fût plus frais et de meilleur débit,   30
On lui lia les pieds, on vous le suspendit ;
Puis cet homme et son fils le portent comme un lustre.
Pauvres gens, idiots, couple ignorant et rustre.
Le premier qui les vit de rire s'éclata.
Quelle farce, dit-il, vont jouer ces gens-là ?   35
Le plus âne des trois n'est pas celui qu'on pense.
Le Meunier à ces mots connaît son ignorance ;
Il met sur pieds sa bête, et la fait détaler.
L'Ane, qui goûtait fort l'autre façon d'aller,
Se plaint en son patois. Le Meunier n'en a cure.   40
Il fait monter son Fils, il suit, et d'aventure
Passent trois bons Marchands. Cet objet leur déplut.
Le plus vieux au Garçon s'écria tant qu'il put :
Oh là ! oh ! descendez, que l'on ne vous le dise,
Jeune homme, qui menez Laquais à barbe grise.   45
C'était à vous de suivre, au Vieillard de monter.
— Messieurs, dit le Meunier, il vous faut contenter.
L'enfant met pied à terre, et puis le Vieillard monte,
Quand trois filles passant, l'une dit : C'est grand'honte
Qu'il faille voir ainsi clocher ce jeune fils,   50
Tandis que ce nigaud, comme un Evêque assis,
Fait le veau sur son Ane, et pense être bien sage.
— Il n'est, dit le Meunier, plus de Veaux à mon âge :
Passez votre chemin, la fille, et m'en croyez.
Après maints quolibets coup sur coup renvoyés,   55
L'homme crut avoir tort, et mit son fils en croupe.
Au bout de trente pas, une troisième troupe
Trouve encore à gloser. L'un dit : Ces gens sont fous,
Le Baudet n'en peut plus ; il mourra sous leurs coups.   60
Hé quoi ! charger ainsi cette pauvre bourrique !

N'ont-ils point de pitié de leur vieux domestique ?
Sans doute qu'à la Foire ils vont vendre sa peau.
— Parbieu, dit le Meunier, est bien fou du cerveau
Qui prétend contenter tout le monde et son père.   65
Essayons toutefois, si par quelque manière
Nous en viendrons à bout. Ils descendent tous deux.
L'Ane, se prélassant, marche seul devant eux.
Un quidam les rencontre, et dit : Est-ce la mode
Que Baudet aille à l'aise, et Meunier s'incommode ?   70
Qui de l'âne ou du maître est fait pour se lasser ?
Je conseille à ces gens de le faire enchâsser.
Ils usent leurs souliers, et conservent leur Ane.
Nicolas au rebours, car, quand il va voir Jeanne,
Il monte sur sa bête ; et la chanson * le dit.   75
Beau trio de Baudets ! Le Meunier repartit :
Je suis Ane, il est vrai, j'en conviens, je l'avoue ;
Mais que dorénavant on me blâme, on me loue ;
Qu'on dise quelque chose ou qu'on ne dise rien ;
J'en veux faire à ma tête. Il le fit, et fit bien *.   80

Quant à vous, suivez Mars, ou l'Amour, ou le Prince ;
Allez, venez, courez ; demeurez en Province ;
Prenez Femme, Abbaye, Emploi, Gouvernement :
Les gens en parleront, n'en doutez nullement.

FABLE II

LES MEMBRES ET L'ESTOMAC

    Je devais * par la Royauté
    Avoir commencé mon Ouvrage *
    A la voir d'un certain côté *,
    Messer Gaster [a] en est l'image.
S'il a quelque besoin, tout le corps s'en ressent.   5
De travailler pour lui les membres se lassant,
Chacun d'eux résolut de vivre en Gentilhomme,
Sans rien faire, alléguant l'exemple de Gaster.
Il faudrait, disaient-ils, sans nous qu'il vécût d'air.

a. « L'Estomach. » *(Note de La Fontaine.)*

Nous suons, nous peinons, comme bêtes de somme. 10
Et pour qui ? Pour lui seul ; nous n'en profitons pas :
Notre soin n'aboutit qu'à fournir ses repas.
Chommons, c'est un métier qu'il veut nous faire
                                              [apprendre.
Ainsi dit, ainsi fait. Les mains cessent de prendre,
   Les bras d'agir, les jambes de marcher.   15
Tous dirent à Gaster qu'il en * allât chercher.
Ce leur fut une erreur dont ils se repentirent.
Bientôt les pauvres gens tombèrent en langueur ;
Il ne se forma plus de nouveau sang au cœur :
Chaque membre en souffrit, les forces se perdirent.   20
      Par ce moyen, les mutins virent
Que celui qu'ils croyaient oisif et paresseux,
A l'intérêt commun contribuait plus qu'eux.
Ceci peut s'appliquer à la grandeur Royale *.
Elle reçoit et donne, et la chose est égale.   25
Tout travaille pour elle, et réciproquement
      Tout tire d'elle l'aliment.
Elle fait subsister l'artisan de ses peines,
Enrichit le Marchand, gage le Magistrat,
Maintient * le Laboureur, donne paie au soldat,   30
Distribue en cent lieux ses grâces souveraines,
      Entretient seule tout l'Etat.
      Ménénius * le sut bien dire.
La Commune s'allait séparer du Sénat.
Les mécontents disaient qu'il avait tout l'Empire,   35
Le pouvoir, les trésors, l'honneur, la dignité ;
Au lieu que tout le mal était de leur côté,
Les tributs, les impôts, les fatigues de guerre.
Le peuple hors des murs était déjà posté,
La plupart s'en allaient chercher une autre terre,   40
      Quand Ménénius leur fit voir
      Qu'ils étaient aux membres semblables,
Et par cet apologue, insigne entre les Fables,
      Les ramena dans leur devoir.

FABLE III

LE LOUP DEVENU BERGER

Un Loup qui commençait d'avoir petite part
    Aux Brebis de son voisinage,
Crut qu'il fallait s'aider de la peau du Renard *
    Et faire un nouveau personnage.
Il s'habille en Berger, endosse un hoqueton *,   5
    Fait sa houlette d'un bâton,
    Sans oublier la Cornemuse.
    Pour pousser jusqu'au bout la ruse,
Il aurait volontiers écrit sur son chapeau :
C'est moi qui suis Guillot, Berger de ce troupeau.   10
    Sa personne étant ainsi faite
Et ses pieds de devant posés sur sa houlette,
Guillot le sycophante ^a approche doucement.
Guillot le vrai Guillot étendu sur l'herbette,
    Dormait alors profondément.   15
Son chien dormait aussi, comme aussi sa musette *.
La plupart des Brebis dormaient pareillement.
    L'hypocrite les laissa faire,
Et pour pouvoir mener vers son fort les Brebis
Il voulut ajouter la parole aux habits,   20
    Chose qu'il croyait nécessaire.
    Mais cela gâta son affaire,
Il ne put du Pasteur contrefaire la voix.
Le ton dont il parla fit retentir les bois,
    Et découvrit tout le mystère.   25
    Chacun se réveille à ce son,
    Les Brebis, le Chien, le Garçon.
    Le pauvre Loup, dans cet esclandre,
    Empêché par son hoqueton,
    Ne put ni fuir ni se défendre.   30
Toujours par quelque endroit fourbes se laissent
                [prendre.

a. « Trompeur. » *(Note de La Fontaine.)*

Quiconque est Loup agisse en Loup :
C'est le plus certain de beaucoup.

FABLE IV

LES GRENOUILLES
QUI DEMANDENT UN ROI

Les Grenouilles, se lassant
De l'état Démocratique,
Par leurs clameurs firent tant
Que Jupin les soumit au pouvoir Monarchique.
Il leur tomba du Ciel un Roi tout pacifique :   5
Ce Roi fit toutefois un tel bruit en tombant
    Que la gent marécageuse,
    Gent fort sotte et fort peureuse,
    S'alla cacher sous les eaux,
    Dans les joncs, dans les roseaux,   10
    Dans les trous du marécage,
Sans oser de longtemps regarder au visage
Celui qu'elles croyaient être un géant nouveau ;
    Or c'était un Soliveau *,
De qui la gravité * fit peur à la première   15
    Qui de le voir s'aventurant
    Osa bien quitter sa tanière.
    Elle approcha, mais en tremblant.
Une autre la suivit, une autre en fit autant,
    Il en vint une fourmilière ;   20
Et leur troupe à la fin se rendit familière
    Jusqu'à sauter sur l'épaule du Roi.
Le bon Sire le souffre, et se tient toujours coi.
Jupin en a bientôt la cervelle rompue.
Donnez-nous, dit ce peuple, un Roi qui se remue.   25
Le Monarque des Dieux leur envoie une Grue *,
    Qui les croque, qui les tue,
    Qui les gobe à son plaisir,
    Et Grenouilles de se plaindre ;
Et Jupin de leur dire : Eh quoi ! votre désir   30
    A ses lois croit-il nous astreindre ?

Vous avez dû * premièrement
Garder votre Gouvernement ;
Mais, ne l'ayant pas fait, il vous devait suffire
Que votre premier roi fût débonnaire et doux :   35
De celui-ci contentez-vous,
De peur d'en rencontrer un pire *.

FABLE V

LE RENARD ET LE BOUC

Capitaine * Renard allait de compagnie
Avec son ami Bouc des plus haut encornés.
Celui-ci ne voyait pas plus loin que son nez ;
L'autre était passé maître en fait de tromperie *.
La soif les obligea de descendre en un puits.   5
    Là chacun d'eux se désaltère.
Après qu'abondamment tous deux en * eurent pris,
Le Renard dit au Bouc : Que ferons-nous, compère ?
Ce n'est pas tout de boire, il faut sortir d'ici.
Lève tes pieds en haut, et tes cornes aussi :   10
Mets-les contre le mur. Le long de ton échine
    Je grimperai premièrement ;
    Puis sur tes cornes m'élevant,
    A l'aide de cette machine,
    De ce lieu-ci je sortirai,   15
    Après quoi je t'en tirerai.
— Par ma barbe, dit l'autre, il * est bon ; et je loue
    Les gens bien sensés comme toi.
    Je n'aurais jamais, quant à moi,
    Trouvé ce secret, je l'avoue.   20
Le Renard sort du puits, laisse son compagnon,
    Et vous lui fait un beau sermon
    Pour l'exhorter à patience.
Si le ciel t'eût, dit-il, donné par excellence
Autant de jugement que de barbe au menton,   25
    Tu n'aurais pas, à la légère,
Descendu dans ce puits. Or, adieu, j'en suis hors.

Tâche de t'en tirer, et fais tous tes efforts :
    Car pour moi, j'ai certaine affaire
Qui ne me permet pas d'arrêter en chemin.   30
En toute chose il faut considérer la fin *.

FABLE VI

L'AIGLE, LA LAIE ET LA CHATTE

L'Aigle avait ses petits au haut d'un arbre creux.
  La Laie au pied, la Chatte entre les deux ;
Et sans s'incommoder, moyennant ce partage,
Mères et nourrissons faisaient leur tripotage *.
La Chatte détruisit par sa fourbe l'accord.   5
Elle grimpa chez l'Aigle, et lui dit : Notre mort
(Au moins de nos enfants, car c'est tout un aux mères)
    Ne tardera possible * guères.
Voyez-vous à nos pieds fouir incessamment
Cette maudite Laie, et creuser une mine ?   10
C'est pour déraciner le chêne assurément,
Et de nos nourrissons attirer la ruine.
L'arbre tombant, ils seront dévorés :
    Qu'ils s'en tiennent pour assurés.
S'il m'en restait un seul, j'adoucirais ma plainte.   15
Au partir de ce lieu, qu'elle remplit de crainte,
    La perfide descend tout droit
        A l'endroit
    Où la Laie était en gésine *.
    Ma bonne amie et ma voisine,   20
Lui dit-elle tout bas, je vous donne un avis.
L'Aigle, si vous sortez, fondra sur vos petits :
    Obligez-moi de n'en rien dire :
    Son courroux tomberait sur moi.
Dans cette autre famille ayant semé l'effroi,   25
    La Chatte en son trou se retire.
L'Aigle n'ose sortir, ni pourvoir aux besoins
  De ses petits ; la Laie encore moins :
Sottes de ne pas voir que le plus grand des soins,
Ce doit être celui d'éviter la famine.   30

A demeurer chez soi l'une et l'autre s'obstine
Pour secourir les siens dedans l'occasion :
    L'Oiseau Royal, en cas de mine,
    La Laie, en cas d'irruption.
La faim détruisit tout : il ne resta personne   35
De la gent Marcassine et de la gent Aiglonne,
    Qui n'allât de vie à trépas :
    Grand renfort pour Messieurs les Chats.

Que ne sait point ourdir une langue traîtresse
    Par sa pernicieuse adresse * ?   40
    Des malheurs qui sont sortis
    De la boîte de Pandore *,
Celui qu'à meilleur droit tout l'Univers abhorre,
    C'est la fourbe, à mon avis.

FABLE VII

L'IVROGNE ET SA FEMME

Chacun a son défaut où toujours il revient :
    Honte ni peur n'y remédie.
  Sur ce propos, d'un conte il me souvient :
    Je ne dis rien que je n'appuie
  De quelque exemple. Un suppôt de Bacchus   5
Altérait sa santé, son esprit et sa bourse.
Telles gens n'ont pas fait la moitié de leur course
    Qu'ils sont au bout de leurs écus.
Un jour que celui-ci plein du jus de la treille,
Avait laissé ses sens au fond d'une bouteille,   10
Sa femme l'enferma dans un certain tombeau.
    Là les vapeurs du vin nouveau
Cuvèrent à loisir. A son réveil il treuve
L'attirail de la mort à l'entour de son corps :
    Un luminaire *, un drap des morts.   15
Oh ! dit-il, qu'est ceci ? Ma femme est-elle veuve ?
Là-dessus, son épouse, en habit d'Alecton *,
Masquée et de sa voix contrefaisant * le ton,
Vient au prétendu mort, approche de sa bière,
Lui présente un chaudeau * propre pour Lucifer.   20

L'Epoux alors ne doute en aucune manière
    Qu'il ne soit citoyen d'enfer.
Quelle personne es-tu ? dit-il à ce fantôme.
    — La cellerière * du royaume
De Satan, reprit-elle ; et je porte à manger   25
    A ceux qu'enclôt la tombe noire.
    Le Mari repart sans songer :
    Tu ne leur portes point à boire ?

FABLE VIII

LA GOUTTE ET L'ARAIGNÉE

Quand l'Enfer * eut produit la Goutte et l'Araignée :
Mes filles, leur dit-il, vous pouvez vous vanter
    D'être pour l'humaine lignée
    Egalement à redouter.
Or, avisons aux lieux qu'il vous faut habiter.   5
    Voyez-vous ces cases étrètes *,
Et ces Palais si grands, si beaux, si bien dorés ?
Je me suis proposé d'en faire vos retraites.
    Tenez donc, voici deux bûchettes :
    Accommodez-vous, ou tirez *.   10
— Il n'est rien, dit l'Aragne *, aux cases qui me plaise.
L'autre, tout au rebours, voyant les Palais pleins
    De ces gens nommés Médecins,
Ne crut pas y pouvoir demeurer à son aise.
Elle prend l'autre lot *, y plante le piquet *,   15
S'étend à son plaisir sur l'orteil d'un pauvre homme,
Disant : Je ne crois pas qu'en ce poste je chomme,
Ni que d'en déloger et faire mon paquet
    Jamais Hippocrate me somme.
L'Aragne cependant se campe en un lambris,   20
Comme si de ces lieux elle eût fait bail à vie ;
Travaille à demeurer : voilà sa toile ourdie ;
    Voilà des moucherons de pris.
Une servante vient balayer tout l'ouvrage.
Autre toile tissue, autre coup de balai :   25
Le pauvre Bestion tous les jours déménage.

Enfin après un vain essai,
Il va trouver la Goutte. Elle était en campagne,
    Plus malheureuse mille fois
    Que la plus malheureuse Aragne.   30
Son hôte la menait tantôt fendre du bois,
Tantôt fouir, houer *. Goutte bien tracassée
    Est, dit-on, à demi pansée.
Oh ! je ne saurais plus, dit-elle, y résister.
Changeons, ma sœur l'Aragne. Et l'autre d'écouter. 35
Elle la prend au mot, se glisse en la cabane :
Point de coup de balai qui l'oblige à changer.
La Goutte, d'autre part, va tout droit se loger
    Chez un Prélat qu'elle condamne
    A jamais du lit ne bouger.   40
Cataplasmes, Dieu sait. Les gens n'ont point de honte
De faire aller le mal toujours de pis en pis.
L'une et l'autre trouva de la sorte son conte ;
Et fit très sagement de changer de logis.

FABLE IX

LE LOUP ET LA CIGOGNE

Les Loups mangent gloutonnement *.
Un Loup donc étant de frairie *,
Se pressa, dit-on, tellement
Qu'il en pensa perdre la vie.
Un os lui demeura bien avant au gosier.   5
De bonheur pour ce Loup, qui ne pouvait crier,
    Près de là passe une Cigogne.
    Il lui fait signe, elle accourt.
Voilà l'Opératrice * aussitôt en besogne.
Elle retira l'os ; puis pour un si bon tour   10
    Elle demanda son salaire.
    Votre salaire ? dit le Loup :
    Vous riez, ma bonne commère.
    Quoi ! ce n'est pas encor beaucoup
D'avoir de mon gosier retiré votre cou ?   15
    Allez, vous êtes une ingrate ;
    Ne tombez jamais sous ma patte.

LE LION ABATTU PAR L'HOMME

On exposait une peinture
Où l'Artisan avait tracé
Un Lion d'immense stature
Par un seul homme terrassé.
Les regardants en tiraient gloire,   5
Un Lion en passant rabattit leur caquet.
  Je vois bien, dit-il, qu'en effet
  On vous donne ici la victoire ;
  Mais l'Ouvrier vous a déçus * :
  Il avait liberté de feindre *.   10
Avec plus de raison nous aurions le dessus,
  Si mes confrères savaient peindre *.

LE RENARD ET LES RAISINS

Certain Renard Gascon, d'autres disent Normand *,
Mourant presque de faim, vit au haut d'une treille
  Des Raisins mûrs apparemment *
  Et couverts d'une peau vermeille.
Le galand en eût fait volontiers un repas ;   5
  Mais comme il n'y pouvait atteindre :
Ils sont trop verts, dit-il, et bons pour des goujats *.
  Fit-il pas mieux que de se plaindre ?

LE CYGNE ET LE CUISINIER

  Dans une ménagerie *
  De volatiles remplie

Vivaient le Cygne et l'Oison :
Celui-là destiné pour les regards du Maître,
Celui-ci pour son goût ; l'un qui se piquait d'être   5
Commensal du jardin, l'autre, de la maison.
Des fossés du Château faisant leurs galeries *,
Tantôt on les eût vus côte à côte nager,
Tantôt courir sur l'onde, et tantôt se plonger,
Sans pouvoir satisfaire à leurs vaines envies *.   10
Un jour le Cuisinier, ayant trop bu d'un coup,
Prit pour Oison le Cygne, et le tenant au cou,
Il allait l'égorger, puis le mettre en potage.
L'oiseau, prêt à mourir, se plaint en son ramage.
     Le Cuisinier fut fort surpris,   15
     Et vit bien qu'il s'était mépris.
Quoi ? je mettrais, dit-il, un tel chanteur * en soupe !
Non, non, ne plaise aux Dieux que jamais ma main
                             [coupe
     La gorge à qui s'en sert si bien.

Ainsi dans les dangers qui nous suivent en croupe   20
     Le doux parler ne nuit de rien *.

FABLE XIII

LES LOUPS ET LES BREBIS

Après mille ans et plus de guerre déclarée,
Les Loups firent la paix avecque les Brebis.
C'était apparemment * le bien des deux partis :
Car si les Loups mangeaient mainte bête égarée,
Les Bergers de leur peau se faisaient maints habits.   5
Jamais de liberté, ni pour les pâturages,
     Ni d'autre part pour les carnages.
Ils ne pouvaient jouir qu'en tremblant * de leurs biens.
La paix se conclut donc ; on donne des otages :
Les Loups leurs Louveteaux, et les Brebis leurs Chiens. 10
L'échange en étant fait aux formes ordinaires,
     Et réglé par des Commissaires,
Au bout de quelque temps que Messieurs les Louvats
Se virent Loups parfaits et friands de tuerie,

Ils vous prennent le temps que dans la Bergerie   15
     Messieurs les Bergers n'étaient pas,
Etranglent la moitié des Agneaux les plus gras,
Les emportent aux dents, dans les bois se retirent.
Ils avaient averti leurs gens secrètement.
Les Chiens, qui, sur leur foi, reposaient sûrement,   20
     Furent étranglés en dormant :
Cela fut sitôt fait qu'à peine ils le sentirent.
Tout fut mis en morceaux ; un seul n'en échappa.
     Nous pouvons conclure de là
Qu'il faut faire aux méchants guerre continuelle.   25
    La paix est fort bonne de soi,
     J'en conviens ; mais de quoi sert-elle
    Avec des ennemis sans foi ?

FABLE XIV

LE LION DEVENU VIEUX

    Le Lion, terreur des forêts,
Chargé d'ans, et pleurant son antique prouesse *,
Fut enfin attaqué par ses propres sujets,
    Devenus forts par sa faiblesse.
Le Cheval s'approchant lui donne un coup de pied,   5
Le Loup un coup de dent, le Bœuf un coup de corne.
Le malheureux Lion, languissant, triste, et morne,
Peut à peine rugir, par l'âge estropié.
Il attend son destin, sans faire aucunes plaintes,
Quand voyant l'Ane même à son antre accourir :   10
Ah ! c'est trop, lui dit-il : je voulais bien mourir ;
Mais c'est mourir deux fois que souffrir tes atteintes.

FABLE XV

PHILOMÈLE ET PROGNÉ

    Autrefois Progné l'hirondelle
De sa demeure s'écarta,

Et loin des Villes s'emporta
Dans un Bois où chantait la pauvre Philomèle.
Ma sœur, lui dit Progné, comment vous portez-vous ? 5
Voici tantôt mille ans que l'on ne vous a vue :
Je ne me souviens point que vous soyez venue
Depuis le temps de Thrace habiter parmi nous.
    Dites-moi, que pensez-vous faire ?
Ne quitterez-vous point ce séjour solitaire ?   10
— Ah ! reprit Philomèle, en est-il de plus doux ?
Progné lui repartit : Eh quoi, cette musique,
    Pour ne chanter qu'aux animaux,
    Tout au plus à quelque rustique ?
Le désert est-il fait pour des talents si beaux ?   15
Venez faire aux cités éclater leurs merveilles.
    Aussi bien, en voyant les bois,
Sans cesse il vous souvient que Térée autrefois
    Parmi des demeures pareilles
Exerça sa fureur sur vos divins appas.   20
— Et c'est le souvenir d'un si cruel outrage
Qui fait, reprit sa sœur, que je ne vous suis pas :
    En voyant les hommes, hélas !
    Il m'en souvient bien davantage *.

FABLE XVI

LA FEMME NOYÉE

Je ne suis pas de ceux qui disent : Ce n'est rien :
    C'est une femme qui se noie.
Je dis que c'est beaucoup ; et ce sexe vaut bien
Que nous le regrettions, puisqu'il fait notre joie *.
Ce que j'avance ici n'est point hors de propos,   5
    Puisqu'il s'agit dans cette Fable,
    D'une femme qui dans les flots
Avait fini ses jours par un sort déplorable.
    Son Epoux en cherchait le corps,
    Pour lui rendre en cette aventure   10
    Les honneurs de la sépulture.
    Il arriva que sur les bords

Du fleuve auteur de sa disgrâce *
Des gens se promenaient ignorant l'accident.
    Ce mari donc leur demandant   15
S'ils n'avaient de sa femme aperçu nulle trace :
Nulle, reprit l'un d'eux ; mais cherchez-la plus bas ;
    Suivez le fil de la rivière.
Un autre repartit : Non, ne le suivez pas ;
    Rebroussez plutôt en arrière.   20
Quelle que soit la pente et l'inclination
    Dont l'eau par sa course l'emporte,
    L'esprit de contradiction
    L'aura fait flotter d'autre sorte.
Cet homme se raillait assez hors de saison.   25
    Quant à l'humeur contredisante,
    Je ne sais s'il avait raison ;
    Mais que cette humeur soit, ou non,
    Le défaut du sexe et sa pente,
    Quiconque avec elle naîtra   30
    Sans faute avec elle mourra,
    Et jusqu'au bout contredira,
    Et, s'il peut, encor par-delà *.

FABLE XVII

LA BELETTE
ENTRÉE DANS UN GRENIER

Damoiselle Belette, au corps long et floüet,
Entra dans un Grenier par un trou fort étroit :
    Elle sortait de maladie.
    Là, vivant à discrétion,
    La galande fit chère lie *,   5
    Mangea, rongea : Dieu sait la vie *,
Et le lard qui périt en cette occasion.
    La voilà pour conclusion
    Grasse, maflue *, et rebondie.
Au bout de la semaine, ayant dîné son soû,   10
Elle entend quelque bruit, veut sortir par le trou,
Ne peut plus repasser, et croit s'être méprise.

Après avoir fait quelques tours,
C'est, dit-elle, l'endroit : me voilà bien surprise ;
J'ai passé par ici depuis cinq ou six jours.   15
    Un Rat qui la voyait en peine
Lui dit : Vous aviez lors la panse un peu moins pleine.
Vous êtes maigre entrée, il faut maigre sortir *.
Ce que je vous dis là, l'on le dit à bien d'autres.
Mais ne confondons point, par trop approfondir,   20
    Leurs affaires avec les vôtres *.

FABLE XVIII

LE CHAT ET UN VIEUX RAT

J'ai lu chez un conteur de Fables,
Qu'un second Rodilard *, l'Alexandre * des Chats,
    L'Attila, le fléau des Rats,
    Rendait ces derniers misérables :
    J'ai lu, dis-je, en certain Auteur,   5
    Que ce Chat exterminateur,
Vrai Cerbère, était craint une lieue à la ronde :
Il voulait de Souris dépeupler tout le monde.
Les planches qu'on suspend sur un léger appui,
    La mort aux Rats, les Souricières,   10
    N'étaient que jeux au prix de lui.
    Comme il voit que dans leurs tanières
    Les Souris étaient prisonnières,
Qu'elles n'osaient sortir, qu'il avait beau chercher,
Le galand fait le mort, et du haut d'un plancher   15
Se pend la tête en bas. La bête scélérate
A de certains cordons se tenait par la patte.
Le peuple des Souris croit que c'est châtiment,
Qu'il a fait un larcin de rôt ou de fromage,
Egratigné quelqu'un, causé quelque dommage,   20
Enfin qu'on a pendu le mauvais garnement.
    Toutes, dis-je, unanimement
Se promettent de rire à son enterrement,
Mettent le nez à l'air, montrent un peu la tête,
    Puis rentrent dans leurs nids à rats,   25

Puis, ressortant, font quatre pas,
Puis enfin se mettent en quête.
Mais voici bien une autre fête :
Le pendu ressuscite, et sur ses pieds tombant,
  Attrape les plus paresseuses.   30
Nous en savons plus d'un, dit-il en les gobant :
C'est tour de vieille guerre, et vos cavernes creuses
Ne vous sauveront pas, je vous en avertis ;
  Vous viendrez toutes au logis.
Il prophétisait vrai : notre maître Mitis *   35
Pour la seconde fois les trompe et les affine *,
  Blanchit sa robe et s'enfarine,
  Et de la sorte déguisé,
Se niche et se blottit dans une huche ouverte.
  Ce fut à lui bien avisé :   40
La gent trotte-menu s'en vient chercher sa perte.
Un Rat sans plus s'abstient d'aller flairer autour :
C'était un vieux routier * : il savait plus * d'un tour ;
Même il avait perdu sa queue à la bataille.
Ce bloc enfariné ne me dit rien qui vaille,   45
S'écria-t-il de loin au Général des Chats.
Je soupçonne dessous encor quelque machine.
  Rien ne te sert d'être farine ;
Car quand tu serais sac *, je n'approcherais pas.
C'était bien dit à lui ; j'approuve sa prudence : 50
  Il était expérimenté,
  Et savait que la méfiance
  Est mère de la sûreté.

LIVRE QUATRIÈME

FABLE I

LE LION AMOUREUX
A MADEMOISELLE DE SÉVIGNÉ *

Sévigné, de qui les attraits
Servent aux grâces de modèle,
Et qui naquîtes toute belle,
A votre indifférence près,
Pourriez-vous être favorable   5
Aux jeux innocents d'une Fable,
Et voir sans vous épouvanter
Un Lion qu'Amour sut dompter ?
Amour est un étrange * maître.
Heureux qui peut ne le connaître   10
Que par récit, lui ni ses coups * !
Quand on en parle devant vous,
Si la vérité vous offense,
La Fable au moins se peut souffrir * :
Celle-ci prend bien l'assurance   15
De venir à vos pieds s'offrir,
Par zèle et par reconnaissance.
Du temps que les bêtes parlaient,
Les Lions, entre autres, voulaient
Etre admis dans notre alliance.   20
Pourquoi non ? puisque leur engeance
Valait la nôtre en ce temps-là,

Ayant courage, intelligence,
Et belle hure * outre cela.
Voici comment il en alla.   25
Un Lion de haut parentage,
En passant par un certain pré,
Rencontra Bergère à son gré :
Il la demande en mariage.
Le père aurait fort souhaité   30
Quelque gendre un peu moins terrible.
La donner lui semblait bien dur ;
La refuser n'était pas sûr ;
Même un refus eût fait possible
Qu'on eût vu quelque beau matin   35
Un mariage clandestin.
Car outre qu'en toute manière
La belle était pour les gens fiers,
Fille se coiffe volontiers
D'amoureux à longue crinière.   40
Le Père donc ouvertement
N'osant renvoyer notre amant,
Lui dit : Ma fille est délicate ;
Vos griffes la pourront blesser
Quand vous voudrez la caresser.   45
Permettez donc qu'à chaque patte
On vous les rogne, et pour les dents,
Qu'on vous les lime en même temps.
Vos baisers en seront moins rudes,
Et pour vous plus délicieux ;   50
Car ma fille y répondra mieux,
Etant sans ces inquiétudes.
Le Lion consent à cela,
Tant son âme était aveuglée !
Sans dents ni griffes le voilà,   55
Comme place démantelée.
On lâche sur lui quelques chiens :
Il fit fort peu de résistance.
Amour, amour, quand tu nous tiens
On peut bien dire : Adieu prudence *.   60

FABLE II

LE BERGER ET LA MER

Du rapport d'un troupeau dont il vivait sans soins
Se contenta longtemps un voisin d'Amphitrite *
    Si sa fortune était petite,
    Elle était sûre * tout au moins.
A la fin les trésors déchargés sur la plage   5
Le tentèrent si bien qu'il vendit son troupeau,
Trafiqua de l'argent, le mit entier sur l'eau ;
    Cet argent périt par naufrage.
Son maître fut réduit à garder les Brebis,
Non plus Berger en chef comme il était jadis,   10
Quand ses propres Moutons paissaient sur le rivage ;
Celui qui s'était vu Coridon ou Tircis *
    Fut Pierrot, et rien davantage.
Au bout de quelque temps il fit quelques profits,
    Racheta des bêtes à laine ;   15
Et comme un jour les vents retenant leur haleine
Laissaient paisiblement aborder les vaisseaux :
Vous voulez de l'argent, ô Mesdames les Eaux,
Dit-il ; adressez-vous, je vous prie, à quelque autre :
    Ma foi, vous n'aurez pas le nôtre.   20

Ceci n'est pas un conte à plaisir inventé.
    Je me sers de la vérité
    Pour montrer, par expérience,
    Qu'un sou, quand il est assuré,
    Vaut mieux que cinq en espérance ;   25
Qu'il se faut contenter de sa condition ;
Qu'aux conseils de la Mer et de l'Ambition *
    Nous devons fermer les oreilles.
Pour un qui s'en louera, dix mille s'en plaindront.
    La Mer promet monts et merveilles ;   30
Fiez-vous-y, les vents et les voleurs viendront.

FABLE III

LA MOUCHE ET LA FOURMI

La Mouche et la Fourmi contestaient de leur prix.
 O Jupiter ! dit la première,
Faut-il que l'amour-propre aveugle les esprits
  D'une si terrible manière,
  Qu'un vil et rampant animal   5
A la fille de l'air ose se dire égal ?
Je hante les Palais, je m'assieds à ta table :
Si l'on t'immole un bœuf, j'en goûte devant * toi ;
Pendant que celle-ci, chétive et misérable,
Vit trois jours d'un fétu qu'elle a traîné chez soi. 10
  Mais, ma mignonne, dites-moi,
Vous campez-vous jamais sur la tête d'un Roi,
  D'un Empereur, ou d'une Belle ?
Je le fais ; et je baise un beau sein quand je veux :
  Je me joue entre des cheveux ;   15
Je rehausse d'un teint la blancheur naturelle ;
Et la dernière main que met à sa beauté
  Une femme allant en conquête,
C'est un ajustement des Mouches * emprunté.
  Puis allez-moi rompre la tête   20
  De vos greniers. — Avez-vous dit ?
  Lui répliqua la ménagère.
Vous hantez les Palais ; mais on vous y maudit.
  Et quant à goûter la première
  De ce qu'on sert devant les Dieux,   25
  Croyez-vous qu'il en vaille mieux ?
Si vous entrez partout, aussi font les profanes.
Sur la tête des Rois et sur celle des Anes
Vous allez vous planter ; je n'en disconviens pas ;
  Et je sais que d'un prompt trépas   30
Cette importunité bien souvent est punie.
Certain ajustement, dites-vous, rend jolie.
J'en conviens : il est noir ainsi que vous et moi.

Je veux qu'il ait nom Mouche : est-ce un sujet pourquoi
    Vous fassiez sonner vos mérites ?   35
Nomme-t-on pas aussi Mouches les parasites * ?
Cessez donc de tenir un langage si vain :
    N'ayez plus ces hautes pensées.
    Les Mouches de cour sont chassées ;
Les Mouchards * sont pendus ; et vous mourrez de 40
                      [faim,
    De froid, de langueur, de misère,
Quand Phébus régnera sur un autre hémisphère.
Alors je jouirai du fruit de mes travaux.
    Je n'irai, par monts ni par vaux,
    M'exposer au vent, à la pluie ;   45
    Je vivrai sans mélancolie.
Le soin que j'aurai pris, de soin m'exemptera.
    Je vous enseignerai par là
Ce que c'est qu'une fausse ou véritable gloire.
Adieu : je perds le temps : laissez-moi travailler * ;   50
    Ni mon grenier, ni mon armoire
    Ne se remplit à babiller.

FABLE IV

LE JARDINIER ET SON SEIGNEUR

    Un amateur du jardinage,
    Demi Bourgeois, demi Manant *,
    Possédait en certain Village
Un jardin assez propre, et le clos attenant.
Il avait de plant vif fermé cette étendue.   5
Là croissait à plaisir l'oseille et la laitue,
De quoi faire à Margot pour sa fête un bouquet,
Peu de jasmin d'Espagne, et force serpolet.
Cette félicité par un Lièvre troublée
Fit qu'au Seigneur * du Bourg notre homme se plaignit. 10
Ce maudit animal vient prendre sa goulée *
Soir et matin, dit-il, et des pièges se rit ;
Les pierres, les bâtons y perdent leur crédit.
Il est Sorcier, je crois. — Sorcier ? je l'en défie,

Repartit le Seigneur. Fût-il diable, Miraut,   15
En dépit de ses tours, l'attrapera bientôt.
Je vous en déferai, bon homme, sur ma vie.
— Et quand ? — Et dès demain, sans tarder plus
                                              [longtemps.
La partie ainsi faite, il vient avec ses gens.
Çà, déjeunons, dit-il : vos poulets sont-ils tendres ?   20
La fille du logis, qu'on vous voie, approchez.
Quand la marierons-nous ? quand aurons-nous des
                                                  [gendres ?
Bon homme, c'est ce coup qu'il faut, vous m'entendez,
      Qu'il faut fouiller à l'escarcelle.
Disant ces mots, il fait connaissance avec elle,   25
      Auprès de lui la fait asseoir,
Prend une main, un bras, lève un coin du mouchoir * ;
      Toutes sottises dont la Belle
      Se défend avec grand respect ;
Tant qu'au père à la fin cela devient suspect.   30
Cependant on fricasse, on se rue en cuisine *.
De quand sont vos jambons ? ils ont fort bonne mine.
— Monsieur, ils sont à vous. — Vraiment ! dit le
                                              [Seigneur,
      Je les reçois, et de bon cœur.
Il déjeune très bien ; aussi fait sa famille *,   35
Chiens, chevaux, et valets, tous gens bien endentés :
Il commande chez l'hôte, y prend des libertés,
      Boit son vin, caresse sa fille.
L'embarras des chasseurs succède au déjeuné.
      Chacun s'anime et se prépare :   40
Les trompes et les cors font un tel tintamarre
      Que le bon homme est étonné *.
Le pis fut que l'on mit en piteux équipage
Le pauvre potager ; adieu planches, carreaux ;
      Adieu chicorée et porreaux ;   45
      Adieu de quoi mettre au potage.
Le lièvre était gîté dessous un maître chou.
On le quête ; on le lance *, il s'enfuit par un trou,
Non pas trou, mais trouée, horrible et large plaie
      Que l'on fit à la pauvre haie   50
Par ordre du Seigneur ; car il eût été mal

Qu'on n'eût pu du jardin sortir tout à cheval.
Le bon homme disait : Ce sont là jeux de Prince *.
Mais on le laissait dire ; et les chiens et les gens
Firent plus de dégât en une heure de temps   55
    Que n'en auraient fait en cent ans
    Tous les lièvres de la Province.

Petits Princes, videz vos débats entre vous :
De recourir aux rois vous seriez de grands fous.
Il ne les faut jamais engager dans vos guerres,   60
    Ni les faire entrer sur vos terres *.

FABLE V

L'ANE ET LE PETIT CHIEN

    Ne forçons point notre talent,
    Nous ne ferions rien avec grâce :
    Jamais un lourdaud, quoi qu'il fasse,
    Ne saurait passer pour galant *.
Peu de gens que le Ciel chérit et gratifie   5
Ont le don d'agréer infus avec la vie.
    C'est un point qu'il leur faut laisser,
Et ne pas ressembler à l'Ane de la Fable,
    Qui pour se rendre plus aimable
Et plus cher à son Maître, alla le caresser.   10
    Comment ! disait-il en son âme,
    Ce Chien, parce qu'il est mignon,
    Vivra de pair à compagnon
    Avec Monsieur, avec Madame,
    Et j'aurai des coups de bâton ?   15
    Que fait-il ? Il donne la patte ;
    Puis aussitôt il est baisé :
S'il en faut faire autant afin que l'on me flatte,
    Cela n'est pas bien malaisé.
    Dans cette admirable pensée,   20
Voyant son Maître en joie, il s'en vient lourdement,
    Lève une corne toute usée,

La lui porte au menton fort amoureusement,
Non sans accompagner pour plus grand ornement
De son chant gracieux cette action hardie   25
Oh ! oh ! quelle caresse, et quelle mélodie !
Dit le Maître aussitôt. Holà, Martin bâton !
Martin bâton accourt ; l'Ane change de ton.
    Ainsi finit la Comédie.

FABLE VI

LE COMBAT DES RATS ET DES BELETTES

La nation des Belettes,
Non plus que celle des Chats,
Ne veut aucun bien aux Rats ;
Et sans les portes étrètes
De leurs habitations,   5
L'animal à longue échine
En ferait, je m'imagine,
De grandes destructions.
Or une certaine année
Qu'il en était à foison   10
Leur Roi nommé Ratapon,
Mit en campagne une armée.
Les Belettes de leur part
Déployèrent l'étendard.
Si l'on croit la Renommée,   15
La Victoire balança :
Plus d'un Guéret s'engraissa
Du sang de plus d'une bande.
Mais la perte la plus grande
Tomba presque en tous endroits   20
Sur le peuple Souriquois.
Sa déroute fut entière,
Quoi que pût faire Artapax,
Psicarpax, Méridarpax *,
Qui, tout couverts de poussière,   25
Soutinrent assez longtemps
Les efforts des combattants.

Leur résistance fut vaine :
Il fallut céder au sort :
Chacun s'enfuit au plus fort *,   30
Tant Soldat que Capitaine.
Les Princes périrent tous.
La racaille, dans des trous
Trouvant sa retraite prête,
Se sauva sans grand travail.   35
Mais les Seigneurs sur leur tête
Ayant chacun un plumail,
Des cornes ou des aigrettes,
Soit comme marques d'honneur,
Soit afin que les Belettes   40
En conçussent plus de peur :
Cela causa leur malheur.
Trou, ni fente, ni crevasse
Ne fut large assez pour eux,
Au lieu que la populace   45
Entrait dans les moindres creux.
La principale jonchée
Fut donc des principaux Rats.
Une tête empanachée
N'est pas petit embarras.   50
Le trop superbe équipage
Peut souvent en un passage
Causer du retardement *.
Les petits en toute affaire
Esquivent fort aisément ;   55
Les grands ne le peuvent faire.

FABLE VII

LE SINGE ET LE DAUPHIN

C'était chez les Grecs un usage
Que sur la mer tous voyageurs
Menaient avec eux en voyage
Singes et Chiens de Bateleurs.
Un Navire en cet équipage   5

Non loin d'Athènes fit naufrage.
Sans les Dauphins tout eût péri.
Cet animal est fort ami
De notre espèce : en son Histoire
Pline * le dit, il le faut croire.   10
Il sauva donc tout ce qu'il put.
Même un Singe en cette occurrence,
Profitant de la ressemblance,
Lui pensa devoir son salut.
Un Dauphin le prit pour un homme,   15
Et sur son dos le fit asseoir
Si gravement qu'on eût cru voir
Ce chanteur que tant on renomme *.
Le Dauphin l'allait mettre à bord,
Quand par hasard il lui demande :   20
Etes-vous d'Athènes la grande ?
— Oui, dit l'autre, on m'y connaît fort ;
S'il vous y survient quelque affaire,
Employez-moi ; car mes parents
Y tiennent tous les premiers rangs :   25
Un mien cousin est Juge-Maire *.
Le Dauphin dit : Bien grand merci :
Et le Pirée a part aussi
A l'honneur de votre présence ?
Vous le voyez souvent ? je pense.   30
— Tous les jours : il est mon ami,
C'est une vieille connaissance.
Notre Magot prit pour ce coup
Le nom d'un port pour un nom d'homme.
De telles gens il est beaucoup   35
Qui prendraient Vaugirard * pour Rome,
Et qui, caquetants au plus dru,
Parlent de tout et n'ont rien vu.
Le Dauphin rit, tourne la tête,
Et, le Magot considéré,   40
Il s'aperçoit qu'il n'a tiré
Du fond des eaux rien qu'une bête.
Il l'y replonge, et va trouver
Quelque homme afin de le sauver.

FABLE VIII

L'HOMME ET L'IDOLE DE BOIS

Certain Païen chez lui gardait un Dieu de bois,
De ces Dieux qui sont sourds, bien qu'ayant des oreilles *.
Le Païen cependant s'en promettait merveilles *.
    Il lui coûtait autant que trois.
    Ce n'étaient que vœux et qu'offrandes,   5
Sacrifices de bœufs couronnés de guirlandes.
    Jamais Idole *, quel qu'il fût,
    N'avait eu cuisine si grasse,
Sans que pour tout ce culte à son hôte il échût
Succession, trésor, gain au jeu, nulle grâce.   10
Bien plus, si pour un sou d'orage en quelque endroit
    S'amassait d'une ou d'autre sorte,
L'homme en avait sa part, et sa bourse en souffroit.
La pitance du Dieu n'en était pas moins forte.
A la fin, se fâchant de n'en obtenir rien,   15
Il vous prend un levier, met en pièces l'Idole,
Le trouve rempli d'or : Quand je t'ai fait du bien,
M'as-tu valu, dit-il, seulement une obole ?
Va, sors de mon logis : cherche d'autres autels.
    Tu ressembles aux naturels   20
    Malheureux, grossiers et stupides * :
On n'en peut rien tirer qu'avecque le bâton *.
Plus je te remplissais, plus mes mains étaient vides :
    J'ai bien fait de changer de ton.

FABLE IX

LE GEAI PARÉ DES PLUMES DU PAON

    Un Paon muait ; un Geai prit son plumage * ;
    Puis après se l'accommoda ;
Puis parmi d'autres Paons tout fier se panada * ,
    Croyant être un beau personnage.

Quelqu'un le reconnut : il se vit bafoué,   5
    Berné, sifflé, moqué, joué *,
Et par Messieurs les Paons plumé d'étrange sorte ;
Même vers ses pareils s'étant réfugié,
    Il fut par eux mis à la porte.
Il est assez de geais à deux pieds comme lui,   10
Qui se parent souvent des dépouilles d'autrui,
    Et que l'on nomme plagiaires.
Je m'en tais ; et ne veux leur causer nul ennui :
    Ce ne sont pas là mes affaires *.

FABLE X

LE CHAMEAU ET LES BÂTONS FLOTTANTS

    Le premier qui vit un Chameau
    S'enfuit à cet objet nouveau ;
Le second approcha ; le troisième osa faire
    Un licou pour le Dromadaire *.
L'accoutumance ainsi nous rend tout familier.   5
Ce qui nous paraissait terrible et singulier
    S'apprivoise avec notre vue,
    Quand ce vient à la continue.
Et puisque nous voici tombés sur ce sujet,
    On avait mis des gens au guet,   10
Qui voyant sur les eaux de loin certain objet,
    Ne purent s'empêcher de dire
    Que c'était un puissant navire.
Quelques moments après, l'objet devint brûlot *,
    Et puis nacelle, et puis ballot,   15
    Enfin bâtons flottants sur l'onde.
    J'en sais beaucoup de par le monde
    A qui ceci conviendrait bien :
De loin c'est quelque chose, et de près ce n'est rien *.

FABLE XI

LA GRENOUILLE ET LE RAT

Tel, comme dit Merlin, cuide engeigner * autrui,
    Qui souvent s'engeigne soi-même.
J'ai regret que ce mot soit trop vieux aujourd'hui :
Il m'a toujours semblé d'une énergie extrême.
Mais afin d'en venir au dessein que j'ai pris,   5
Un rat plein d'embonpoint, gras, et des mieux nourris,
Et qui ne connaissait l'Avent ni le Carême,
Sur le bord d'un marais égayait ses esprits.
Une Grenouille approche, et lui dit en sa langue :
Venez me voir chez moi, je vous ferai festin.   10
    Messire Rat promit soudain :
Il n'était pas besoin de plus longue harangue.
Elle allégua pourtant les délices du bain,
La curiosité, le plaisir du voyage *,
Cent raretés à voir le long du marécage :   15
Un jour il conterait à ses petits-enfants
Les beautés de ces lieux, les mœurs des habitants,
Et le gouvernement de la chose publique
    Aquatique.
Un point sans plus tenait le galand empêché :   20
Il nageait quelque peu ; mais il fallait de l'aide.
La Grenouille à cela trouve un très bon remède :
Le Rat fut à son pied par la patte attaché ;
    Un brinc de jonc en fit l'affaire.
Dans le marais entrés, notre bonne commère   25
S'efforce de tirer son hôte au fond de l'eau,
Contre le droit des gens, contre la foi jurée ;
Prétend qu'elle en fera gorge-chaude et curée ;
(C'était, à son avis, un excellent morceau).
Déjà dans son esprit la galande le croque.   30
Il atteste les Dieux ; la perfide s'en moque.
Il résiste ; elle tire. En ce combat nouveau *,
Un Milan qui dans l'air planait, faisait la ronde,

Voit d'en haut le pauvret se débattant sur l'onde.
Il fond dessus, l'enlève, et, par même moyen   35
      La Grenouille et le lien.
      Tout en fut ; tant et si bien,
      Que de cette double proie
      L'oiseau se donne au cœur joie,
      Ayant de cette façon   40
      A souper chair et poisson.

      La ruse la mieux ourdie
      Peut nuire à son inventeur ;
      Et souvent la perfidie
      Retourne sur son auteur *.   45

FABLE XII

TRIBUT ENVOYÉ PAR LES ANIMAUX
A ALEXANDRE

Une Fable avait cours parmi l'antiquité,
    Et la raison ne m'en est pas connue.
Que le Lecteur en tire une moralité.
      Voici la Fable toute nue.

   La Renommée ayant dit en cent lieux   5
Qu'un fils de Jupiter, un certain Alexandre *,
Ne voulant rien laisser de libre sous les Cieux,
      Commandait que sans plus attendre,
      Tout peuple à ses pieds s'allât rendre,
Quadrupèdes, Humains, Eléphants, Vermisseaux,   10
      Les Républiques des Oiseaux ;
      La Déesse aux cent bouches *, dis-je,
      Ayant mis partout la terreur
En publiant l'Edit du nouvel Empereur,
   Les Animaux, et toute espèce lige *   15
De son seul appétit, crurent que cette fois
      Il fallait subir d'autres lois.
On s'assemble au désert. Tous quittent leur tanière.
Après divers avis, on résout, on conclut
      D'envoyer hommage et tribut.   20

Pour l'hommage et pour la manière,
Le Singe en fut chargé : l'on lui mit par écrit
        Ce que l'on voulait qui fût dit.
        Le seul tribut les tint en peine.
    Car que donner ? il fallait de l'argent.   25
        On en prit d'un Prince obligeant,
        Qui possédant dans son domaine
    Des mines d'or fournit ce qu'on voulut.
Comme il fut question de porter ce tribut,
        Le Mulet et l'Ane s'offrirent,   30
Assistés du Cheval ainsi que du Chameau.
        Tous quatre en chemin ils se mirent,
        Avec le Singe, Ambassadeur nouveau.
La Caravane enfin rencontre en un passage
Monseigneur le Lion. Cela ne leur plut point.   35
        Nous nous rencontrons tout à point,
Dit-il, et nous voici compagnons de voyage.
        J'allais offrir mon fait à part ;
Mais bien qu'il soit léger, tout fardeau m'embarrasse.
        Obligez-moi de me faire la grâce   40
        Que d'en porter chacun un quart.
Ce ne vous sera pas une charge trop grande,
Et j'en serai plus libre, et bien plus en état,
En cas que les Voleurs attaquent notre bande,
        Et que l'on en vienne au combat.   45
Econduire un Lion rarement se pratique.
Le voilà donc admis, soulagé, bien reçu,
Et, malgré le Héros de Jupiter issu,
Faisant chère et vivant sur la bourse publique.
        Ils arrivèrent dans un pré   50
Tout bordé de ruisseaux, de fleurs tout diapré,
        Où maint Mouton cherchait sa vie :
        Séjour du frais, véritable patrie
Des Zéphirs. Le Lion n'y fut pas, qu'à ces gens
        Il se plaignit d'être malade.   55
        Continuez votre Ambassade,
Dit-il ; je sens un feu qui me brûle au dedans,
Et veux chercher ici quelque herbe salutaire.
        Pour vous, ne perdez point de temps :
Rendez-moi mon argent, j'en puis avoir affaire.   60

On déballe ; et d'abord le Lion s'écria,
 D'un ton qui témoignait sa joie :
Que de filles, ô Dieux, mes pièces de monnoie
Ont produites ! Voyez ; la plupart sont déjà
 Aussi grandes que leurs mères.   65
Le croît * m'en appartient. Il prit tout là-dessus ;
Ou bien s'il ne prit tout, il n'en demeura guères.
 Le Singe et les sommiers * confus,
Sans oser répliquer, en chemin se remirent.
Au fils de Jupiter on dit qu'ils se plaignirent, 70
 Et n'en eurent point de raison.
Qu'eût-il fait ? C'eût été Lion contre Lion ;
Et le proverbe dit : Corsaires à Corsaires,
L'un l'autre s'attaquant, ne font pas leurs affaires *.

FABLE XIII

LE CHEVAL
S'ETANT VOULU VENGER DU CERF

De tout temps les Chevaux ne sont nés pour les hommes.
Lorsque le genre humain de gland se contentait *,
Ane, Cheval, et Mule, aux forêts habitait ;
Et l'on ne voyait point, comme au siècle où nous
           [sommes,
 Tant de selles et tant de bâts,   5
 Tant de harnois pour les combats,
 Tant de chaises *, tant de carrosses,
 Comme aussi ne voyait-on pas
 Tant de festins et tant de noces.
Or un Cheval eut alors différend   10
 Avec un Cerf plein de vitesse,
Et ne pouvant l'attraper en courant,
Il eut recours à l'Homme, implora son adresse.
L'Homme lui mit un frein, lui sauta sur le dos,
 Ne lui donna point de repos   15
Que le Cerf ne fût pris, et n'y laissât la vie ;
 Et cela fait, le Cheval remercie

L'Homme son bienfaiteur, disant : Je suis à vous ;
Adieu. Je m'en retourne en mon séjour sauvage.
– Non pas cela, dit l'Homme ; il fait meilleur chez
[nous : 20
    Je vois trop quel est votre usage.
    Demeurez donc ; vous serez bien traité.
    Et jusqu'au ventre en la litière.

      Hélas ! que sert la bonne chère
      Quand on n'a pas la liberté ?   25
Le Cheval s'aperçut qu'il avait fait folie ;
Mais il n'était plus temps : déjà son écurie
    Etait prête et toute bâtie.
Il y mourut en traînant son lien.
Sage s'il eût remis une légère offense.   30
Quel que soit le plaisir que cause la vengeance,
C'est l'acheter trop cher, que l'acheter d'un bien
    Sans qui les autres ne sont rien *.

FABLE XIV

LE RENARD ET LE BUSTE

Les Grands, pour la plupart, sont masques de théâtre ;
Leur apparence impose au vulgaire idolâtre *.
L'Ane n'en sait juger que par ce qu'il en voit.
Le Renard au contraire à fond les examine,
Les tourne de tout sens ; et quand il s'aperçoit   5
    Que leur fait n'est que bonne mine,
Il leur applique un mot qu'un Buste de Héros
    Lui fit dire fort à propos.
C'était un Buste creux, et plus grand que nature.
Le Renard, en louant l'effort de la sculpture :   10
*Belle tête, dit-il ; mais de cervelle * point.*
Combien de grands Seigneurs sont Bustes en ce point ?

FABLE XV

LE LOUP, LA CHÈVRE ET LE CHEVREAU

FABLE XVI

LE LOUP, LA MÈRE ET L'ENFANT

La Bique allant remplir sa traînante mamelle
  Et paître l'herbe nouvelle,
  Ferma sa porte au loquet,
  Non sans dire à son Biquet :
  Gardez-vous sur votre vie   5
  D'ouvrir que l'on ne vous die *,
  Pour enseigne * et mot du guet * :
  Foin du Loup et de sa race !
  Comme elle disait ces mots,
  Le Loup de fortune * passe ;   10
  Il les recueille à propos,
  Et les garde en sa mémoire,
  La Bique, comme on peut croire,
  N'avait pas vu le glouton.
Dès qu'il la voit partie, il contrefait son ton, 15
  Et d'une voix papelarde *
Il demande qu'on ouvre, en disant Foin du Loup,
  Et croyant entrer tout d'un coup *.
Le Biquet soupçonneux par la fente regarde.
Montrez-moi patte blanche, ou je n'ouvrirai point, 20
S'écria-t-il d'abord. (Patte blanche est un point
Chez les Loups, comme on sait, rarement * en usage.)
Celui-ci, fort surpris d'entendre ce langage,
Comme il était venu s'en retourna chez soi.
Où serait le Biquet s'il eût ajouté foi 25
  Au mot du guet, que de fortune
  Notre Loup avait entendu ?
  Deux sûretés valent mieux qu'une,
Et le trop * en cela ne fut jamais perdu.

Ce Loup me remet en mémoire   30
Un de ses compagnons qui fut encor mieux pris.
    Il y périt ; voici l'histoire.
Un Villageois avait à l'écart son logis.
Messer Loup attendait chape-chute * à la porte.
Il avait vu sortir gibier de toute sorte :   35
    Veaux de lait, Agneaux et Brebis,
Régiments de Dindons, enfin bonne Provende *.
Le larron commençait pourtant à s'ennuyer.
    Il entend un enfant crier.
    La mère aussitôt le gourmande,   40
    Le menace, s'il ne se tait,
De le donner au Loup. L'Animal se tient prêt,
Remerciant les Dieux d'une telle aventure,
Quand la Mère, apaisant sa chère géniture,
Lui dit : Ne criez point ; s'il vient, nous le tuerons.   45
Qu'est ceci ? s'écria le mangeur de Moutons.
Dire d'un, puis d'un autre ? Est-ce ainsi que l'on traite
Les gens faits comme moi ? me prend-on pour un sot ?
    Que quelque jour ce beau marmot
    Vienne au bois cueillir la noisette !   50
Comme il disait ces mots, on sort de la maison :
Un chien de cour l'arrête. Epieux et fourches-fières *
    L'ajustent de toutes manières.
Que veniez-vous chercher en ce lieu ? lui dit-on.
    Aussitôt il conta l'affaire.   55
    Merci de moi, lui dit la Mère,
Tu mangeras mon Fils ! L'ai-je fait à dessein
    Qu'il assouvisse un jour ta faim ?
    On assomma la pauvre bête.
Un manant lui coupa le pied droit et la tête :   60
Le Seigneur du Village à sa porte les mit,
Et ce dicton picard à l'entour fut écrit :
    Biaux chires Leups, n'écoutez mie
    Mère tenchent chen fieux qui crie *

FABLE XVII

PAROLE DE SOCRATE

Socrate un jour faisant bâtir,
    Chacun censurait son ouvrage :
L'un trouvait les dedans, pour ne lui point mentir,
    Indignes d'un tel personnage ;
L'autre blâmait la face *, et tous étaient d'avis   5
Que les appartements en étaient trop petits.
Quelle maison pour lui ! L'on y tournait à peine.
    Plût au ciel que de vrais amis,
Telle qu'elle est, dit-il, elle pût être pleine !
    Le bon Socrate avait raison   10
De trouver pour ceux-là trop grande sa maison.
Chacun se dit ami ; mais fol qui s'y repose :
    Rien n'est plus commun que ce nom,
    Rien n'est plus rare que la chose.

FABLE XVIII

LE VIEILLARD ET SES ENFANTS

Toute puissance est faible, à moins que d'être unie.
Ecoutez là-dessus l'esclave de Phrygie *.
Si j'ajoute du mien à son invention,
C'est pour peindre nos mœurs, et non point par envie ;
Je suis trop au-dessous de cette ambition *.   5
Phèdre enchérit souvent par un motif de gloire ;
Pour moi, de tels pensers me seraient malséants.
Mais venons à la Fable ou plutôt à l'Histoire
De celui qui tâcha d'unir tous ses enfants.

Un Vieillard prêt d'aller où la mort l'appelait :   10
Mes chers enfants, dit-il (à ses fils il parlait),
Voyez si vous romprez ces dards liés ensemble ;
Je vous expliquerai le nœud qui les assemble.
L'aîné les ayant pris, et fait tous ses efforts,

Les rendit, en disant : Je le donne aux plus forts.   15
Un second lui succède, et se met en posture ;
Mais en vain. Un cadet tente aussi l'aventure.
Tous perdirent leur temps, le faisceau résista ;
De ces dards joints ensemble un seul ne s'éclata.
Faibles gens ! dit le père, il faut que je vous montre   20
Ce que ma force peut en semblable rencontre.
On crut qu'il se moquait ; on sourit, mais à tort.
Il sépare les dards, et les rompt sans effort.
Vous voyez, reprit-il, l'effet de la concorde.
Soyez joints, mes enfants, que l'amour vous accorde.   25
Tant que dura son mal, il n'eut autre discours.
Enfin se sentant prêt de terminer ses jours :
Mes chers enfants, dit-il, je vais où sont nos pères.
Adieu, promettez-moi de vivre comme frères ;
Que j'obtienne de vous cette grâce en mourant.   30
Chacun de ses trois fils l'en assure en pleurant.
Il prend à tous les mains ; il meurt ; et les trois frères
Trouvent un bien fort grand, mais fort mêlé d'affaires.
Un créancier saisit, un voisin fait procès.
D'abord notre Trio s'en tire avec succès.   35
Leur amitié fut courte autant qu'elle était rare *.
Le sang les avait joints, l'intérêt les sépare.
L'ambition, l'envie, avec les consultants,
Dans la succession entrent en même temps.
On en vient au partage, on conteste, on chicane.   40
Le Juge sur cent points tour à tour les condamne.
Créanciers et voisins reviennent * aussitôt ;
Ceux-là sur une erreur, ceux-ci sur un défaut.
Les frères désunis sont tous d'avis contraire :
L'un veut s'accommoder, l'autre n'en veut rien faire.   45
Tous perdirent leur bien, et voulurent trop tard
Profiter de ces dards unis et pris à part.

FABLE XIX

L'ORACLE ET L'IMPIE

Vouloir tromper le Ciel, c'est folie à la Terre ;
Le Dédale des cœurs en ses détours n'enserre

Rien qui ne soit d'abord éclairé * par les Dieux.
Tout ce que l'homme fait, il le fait à leurs yeux
Même les actions que dans l'ombre il croit faire.   5
Un Païen qui sentait quelque peu le fagot,
Et qui croyait en Dieu, pour user de ce mot,
  Par bénéfice d'inventaire *,
  Alla consulter Apollon.
  Dès qu'il fut en son sanctuaire :   10
Ce que je tiens, dit-il, est-il en vie ou non ?
  Il tenait un moineau, dit-on,
  Prêt d'étouffer la pauvre bête,
  Ou de la lâcher aussitôt
  Pour mettre Apollon en défaut.   15
Apollon reconnut ce qu'il avait en tête :
Mort ou vif, lui dit-il, montre-nous ton moineau,
  Et ne me tends plus de panneau ;
Tu te trouverais mal d'un pareil stratagème.
  Je vois de loin, j'atteins de même *.   20

FABLE XX

L'AVARE QUI A PERDU SON TRÉSOR   1

L'Usage seulement fait la possession.
Je demande à ces gens de qui la passion
Est d'entasser toujours, mettre somme sur somme,
Quel avantage ils ont que n'ait pas un autre homme.
Diogène là-bas * est aussi riche qu'eux,   5
Et l'avare ici-haut comme lui vit en gueux.
L'homme au trésor caché qu'Esope nous propose,
  Servira d'exemple à la chose.
  Ce malheureux attendait
Pour jouir de son bien une seconde vie ;   10
Ne possédait pas l'or, mais l'or le possédait.
Il avait dans la terre une somme enfouie,
  Son cœur avec, n'ayant autre déduit *
  Que d'y ruminer jour et nuit,
Et rendre sa chevance * à lui-même sacrée.   15
Qu'il allât ou qu'il vînt, qu'il bût ou qu'il mangeât,

On l'eût pris de bien court, à moins qu'il ne songeât
A l'endroit où gisait cette somme enterrée.
Il y fit tant de tours qu'un Fossoyeur le vit,
Se douta du dépôt, l'enleva sans rien dire.   20
Notre Avare un beau jour ne trouva que le nid.
Voilà mon homme aux pleurs ; il gémit, il soupire.
        Il se tourmente, il se déchire.
Un passant lui demande à quel sujet ses cris.
        C'est mon trésor que l'on m'a pris.   25
— Votre trésor ? où pris ? — Tout joignant cette pierre.
        — Eh ! sommes-nous en temps de guerre,
Pour l'apporter si loin * ? N'eussiez-vous pas mieux fait
De le laisser chez vous en votre cabinet,
        Que de le changer de demeure ?   30
Vous auriez pu sans peine y puiser à toute heure.
— A toute heure ? bons Dieux ! ne tient-il qu'à cela ?
        L'argent vient-il comme il s'en va ?
Je n'y touchais jamais. — Dites-moi donc, de grâce,
Reprit l'autre, pourquoi vous vous affligez tant,   35
Puisque vous ne touchiez jamais à cet argent :
        Mettez une pierre à la place,
        Elle vous vaudra tout autant.

FABLE XXI

L'ŒIL DU MAÎTRE

Un Cerf s'étant sauvé dans une étable à bœufs
        Fut d'abord * averti par eux
        Qu'il cherchât un meilleur asile.
Mes frères, leur dit-il, ne me décelez pas :
Je vous enseignerai les pâtis les plus gras ;   5
Ce service vous peut quelque jour être utile,
        Et vous n'en aurez point regret.
Les Bœufs à toutes fins promirent le secret.
Il se cache en un coin, respire, et prend courage.
Sur le soir on apporte herbe fraîche et fourrage   10
        Comme l'on faisait tous les jours.
    L'on va, l'on vient, les valets font cent tours.

L'Intendant même, et pas un d'aventure
    N'aperçut ni corps, ni ramure,
  Ni Cerf enfin. L'habitant des forêts   15
Rend déjà grâce aux Bœufs, attend dans cette étable
Que chacun retournant au travail de Cérès,
Il trouve pour sortir un moment favorable.
L'un des Bœufs ruminant lui dit : Cela va bien ;
Mais quoi ! l'homme aux cent yeux n'a pas fait sa revue. 20
    Je crains fort pour toi sa venue *.
Jusque-là, pauvre Cerf, ne te vante de rien.
Là-dessus le Maître entre et vient faire sa ronde.
    Qu'est ceci ? dit-il à son monde.
Je trouve bien peu d'herbe en tous ces râteliers.   25
Cette litière est vieille : allez vite aux greniers.
Je veux voir désormais vos bêtes mieux soignées.
Que coûte-t-il d'ôter toutes ces araignées ?
Ne saurait-on ranger ces jougs et ces colliers ?
En regardant à tout, il voit une autre tête   30
Que celles qu'il voyait d'ordinaire en ce lieu.
Le Cerf est reconnu ; chacun prend un épieu ;
    Chacun donne un coup à la bête.
Ses larmes * ne sauraient la sauver du trépas.
On l'emporte, on la sale, on en fait maint repas,   35
    Dont maint voisin s'éjouit * d'être.
Phèdre sur ce sujet dit fort élégamment :
    Il n'est, pour voir, que l'œil du Maître.
Quant à moi, j'y mettrais encor l'œil de l'Amant.

FABLE XXII

L'ALOUETTE ET SES PETITS,
AVEC LE MAÎTRE D'UN CHAMP

Ne t'attends qu'à toi seul *, c'est un commun Proverbe.
    Voici comme Esope le mit
       En crédit.
    Les Alouettes font leur nid
    Dans les blés, quand ils sont en herbe,   5
    C'est-à-dire environ le temps

Que tout aime et que tout pullule dans le monde * :
    Monstres marins au fond de l'onde,
Tigres dans les Forêts, Alouettes aux champs.
    Une pourtant de ces dernières   10
Avait laissé passer la moitié d'un Printemps
Sans goûter le plaisir des amours printanières.
A toute force enfin elle se résolut
D'imiter la Nature, et d'être mère encore.
Elle bâtit un nid, pond, couve, et fait éclore   15
A la hâte ; le tout alla du mieux qu'il put.
Les blés d'alentour mûrs avant que la nitée *
    Se trouvât assez forte encor
    Pour voler et prendre l'essor,
De mille soins divers l'Alouette agitée   20
S'en va chercher pâture, avertit ses enfants *
D'être toujours au guet et faire sentinelle.
    Si le possesseur de ces champs
Vient avecque son fils (comme il viendra), dit-elle,
  Ecoutez bien ; selon ce qu'il dira,   25
    Chacun de nous décampera.
Sitôt que l'Alouette eut quitté sa famille,
Le possesseur du champ vient avecque son fils.
Ces blés sont mûrs, dit-il : allez chez nos amis *
Les prier que chacun, apportant sa faucille,   30
Nous vienne aider demain dès la pointe du jour.
    Notre Alouette de retour
    Trouve en alarme sa couvée.
L'un commence : Il a dit que l'Aurore levée,
L'on fît venir demain ses amis pour l'aider…   35
— S'il n'a dit que cela, repartit l'Alouette,
Rien ne nous presse encor de changer de retraite ;
Mais c'est demain qu'il faut tout de bon écouter.
Cependant soyez gais ; voilà de quoi manger.
Eux repus, tout s'endort, les petits et la mère.   40
L'aube du jour arrive ; et d'amis point du tout.
L'Alouette à l'essor, le Maître s'en vient faire
    Sa ronde ainsi qu'à l'ordinaire.
Ces blés ne devraient pas, dit-il, être debout.
Nos amis ont grand tort, et tort qui se repose   45
Sur de tels paresseux à servir * ainsi lents.

Mon fils, allez chez nos parents
Les prier de la même chose.
L'épouvante est au nid plus forte que jamais.
Il a dit ses parents, mère, c'est à cette heure...   50
   — Non, mes enfants dormez en paix ;
   Ne bougeons de notre demeure.
L'Alouette eut raison, car personne ne vint.
Pour la troisième fois le Maître se souvint
De visiter ses blés. Notre erreur est extrême,   55
Dit-il, de nous attendre à d'autres gens que nous.
Il n'est meilleur ami ni parent que soi-même.
Retenez bien cela, mon fils ; et savez-vous
Ce qu'il faut faire ? Il faut qu'avec notre famille
Nous prenions dès demain chacun une faucille :   60
C'est là notre plus court, et nous achèverons
   Notre moisson quand nous pourrons.
Dès lors que ce dessein fut su de l'Alouette :
C'est ce coup qu'il est bon de partir, mes enfants.
   Et les petits, en même temps,   65
   Voletants, se culebutants,
   Délogèrent tous sans trompette.

LIVRE CINQUIÈME

FABLE I

LE BÛCHERON ET MERCURE
A. M. L. C. D. B. ★

Votre goût a servi de règle à mon ouvrage.
J'ai tenté les moyens d'acquérir son suffrage.
Vous voulez qu'on évite un soin trop curieux ★,
Et des vains ornements l'effort ambitieux ★.
Je le veux comme vous ; cet effort ne peut plaire.   5
Un auteur gâte tout quand il veut trop bien faire.
Non qu'il faille bannir certains traits délicats :
Vous les aimez, ces traits, et je ne les hais pas.
Quant au principal but ★ qu'Esope se propose,
  J'y tombe au moins mal que je puis.   10
Enfin si dans ces Vers je ne plais et n'instruis,
Il ne tient pas à moi, c'est toujours quelque chose.
  Comme la force est un point
  Dont je ne me pique point,
Je tâche d'y tourner le vice en ridicule,   15
Ne pouvant l'attaquer avec des bras d'Hercule ★.
C'est là tout mon talent ; je ne sais s'il suffit.
  Tantôt je peins en un récit
La sotte vanité jointe avecque l'envie,
Deux pivots sur qui roule aujourd'hui notre vie.   20
  Tel est ce chétif animal
Qui voulut en grosseur au Bœuf se rendre égal.

J'oppose quelquefois, par une double image,
Le vice à la vertu, la sottise au bon sens,
    Les Agneaux aux Loups ravissants,   25
La Mouche à la Fourmi *, faisant de cet ouvrage
Une ample Comédie à cent actes divers,
    Et dont la scène est l'Univers.
Hommes, Dieux, Animaux, tout y fait quelque rôle :
Jupiter comme un autre. Introduisons celui   30
Qui porte de sa part aux Belles la parole :
Ce n'est pas de cela qu'il s'agit aujourd'hui.

  Un Bûcheron perdit son gagne-pain,
  C'est sa cognée ; et la cherchant en vain,
  Ce fut pitié là-dessus de l'entendre.   35
  Il n'avait pas des outils à revendre.
  Sur celui-ci roulait tout son avoir.
  Ne sachant donc où mettre son espoir,
  Sa face était de pleurs toute baignée.
  O ma cognée ! ô ma pauvre cognée !   40
  S'écriait-il, Jupiter, rends-la-moi ;
  Je tiendrai l'être encore un coup de toi.
  Sa plainte fut de l'Olympe entendue.
  Mercure vient. Elle n'est pas perdue,
  Lui dit ce Dieu, la connaîtras-tu bien ?   45
  Je crois l'avoir près d'ici rencontrée.
  Lors une d'or à l'homme étant montrée,
  Il répondit : Je n'y demande rien.
  Une d'argent succède à la première,
  Il la refuse. Enfin une de bois :   50
  Voilà, dit-il, la mienne cette fois ;
  Je suis content si j'ai cette dernière.
  — Tu les auras, dit le Dieu, toutes trois.
  Ta bonne foi sera récompensée.
  — En ce cas-là je les prendrai, dit-il.   55
  L'Histoire en est aussitôt dispersée ;
  Et Boquillons * de perdre leur outil,
  Et de crier pour se le faire rendre.
  Le Roi des Dieux ne sait auquel entendre.
  Son fils Mercure aux criards vient encor,   60
  A chacun d'eux il en montre une d'or.

Chacun eût cru passer pour une bête
De ne pas dire aussitôt : La voilà !
Mercure, au lieu de donner celle-là,
Leur en décharge un grand coup sur la tête.   65

Ne point mentir, être content du sien *,
C'est le plus sûr * : cependant on s'occupe
A dire faux pour attraper du bien :
Que sert cela ? Jupiter * n'est pas dupe.

FABLE II

LE POT DE TERRE ET LE POT DE FER

Le Pot de fer proposa
Au Pot de terre un voyage.
Celui-ci s'en excusa,
Disant qu'il ferait que sage *
De garder le coin du feu :   5
Car il lui fallait si peu,
Si peu, que la moindre chose
De son débris * serait cause.
Il n'en reviendrait morceau.
Pour vous, dit-il, dont la peau   10
Est plus dure que la mienne,
Je ne vois rien qui vous tienne.
— Nous vous mettrons à couvert,
Repartit le Pot de fer.
Si quelque matière dure   15
Vous menace d'aventure *,
Entre deux je passerai,
Et du coup vous sauverai.
Cette offre le persuade.
Pot de fer son camarade   20
Se met droit à ses côtés.
Mes gens s'en vont à trois pieds,
Clopin-clopant comme ils peuvent,
L'un contre l'autre jetés
Au moindre hoquet qu'ils treuvent.   25
Le Pot de terre en souffre ; il n'eut pas fait cent pas

Que par son compagnon il fut mis en éclats,
    Sans qu'il eût lieu de se plaindre.
Ne nous associons qu'avecque nos égaux * ;
    Ou bien il nous faudra craindre   30
    Le destin d'un de ces Pots.

FABLE III

LE PETIT POISSON ET LE PÊCHEUR

    Petit poisson deviendra grand,
    Pourvu que Dieu lui prête vie.
    Mais le lâcher en attendant,
    Je tiens pour moi que c'est folie ;
Car de le rattraper il * n'est pas trop certain.   5
Un Carpeau qui n'était encore que fretin
Fut pris par un Pêcheur au bord d'une rivière.
Tout fait nombre, dit l'homme en voyant son butin ;
Voilà commencement de chère et de festin :
    Mettons-le * en notre gibecière.   10
Le pauvre Carpillon lui dit en sa manière :
Que ferez-vous de moi ? je ne saurais fournir
    Au plus qu'une demi-bouchée ;
    Laissez-moi Carpe devenir :
    Je serai par vous repêchée.   15
Quelque gros Partisan * m'achètera bien cher,
    Au lieu qu'il vous en faut chercher
    Peut-être encor cent de ma taille
Pour faire un plat. Quel plat ? croyez-moi ; rien qui vaille.
— Rien qui vaille ? Eh bien soit, repartit le Pêcheur ; 20
Poisson, mon bel ami, qui faites le Prêcheur,
Vous irez dans la poêle ; et vous avez beau dire,
    Dès ce soir on vous fera frire.

Un tien * vaut, ce dit-on, mieux que deux tu l'auras :
    L'un est sûr *, l'autre ne l'est pas.   25

FABLE IV

LES OREILLES DU LIÈVRE

Un animal cornu blessa de quelques coups
    Le Lion, qui plein de courroux,
    Pour ne plus tomber en la peine,
    Bannit des lieux de son domaine
Toute bête portant des cornes à son front.   5
Chèvres, Béliers, Taureaux aussitôt délogèrent,
    Daims, et Cerfs de climat changèrent ;
    Chacun à s'en aller fut prompt.
Un Lièvre, apercevant l'ombre de ses oreilles,
    Craignit que quelque Inquisiteur   10
N'allât interpréter à cornes leur longueur,
Ne les soutînt en tout à des cornes pareilles.
Adieu, voisin Grillon, dit-il, je pars d'ici ;
Mes oreilles enfin seraient cornes aussi ;
Et quand je les aurais plus courtes qu'une Autruche, 15
Je craindrais même encor. Le Grillon repartit :
    Cornes cela ? Vous me prenez pour cruche * ;
    Ce sont oreilles que Dieu fit.
    — On les fera passer pour cornes *,
Dit l'animal craintif, et cornes de Licornes.   20
J'aurai beau protester ; mon dire * et mes raisons
    Iront aux Petites-Maisons.

FABLE V

LE RENARD AYANT LA QUEUE COUPÉE

    Un vieux Renard, mais des plus fins,
Grand croqueur de Poulets, grand preneur de Lapins,
    Sentant son Renard d'une lieue,
    Fut enfin au piège attrapé.
Par grand hasard en étant échappé,   5

Non pas franc, car pour gage il y laissa sa queue :
S'étant, dis-je, sauvé sans queue, et tout honteux,
Pour avoir des pareils (comme il était habile),
Un jour que les Renards tenaient conseil entre eux :
Que faisons-nous, dit-il, de ce poids inutile,   10
Et qui va balayant tous les sentiers fangeux * ?
Que nous sert cette queue ? Il faut qu'on se la coupe :
   Si l'on me croit, chacun s'y résoudra.
— Votre avis est fort bon, dit quelqu'un de la troupe ;
Mais tournez-vous, de grâce, et l'on vous répondra.   15
A ces mots, il se fit une telle huée,
Que le pauvre écourté ne put être entendu.
Prétendre ôter la queue eût été temps perdu ;
   La mode en fut continuée.

LA VIEILLE ET LES DEUX SERVANTES

Il était une Vieille ayant deux Chambrières.
Elles filaient si bien que les sœurs filandières *
Ne faisaient que brouiller * au prix de celles-ci.
La Vieille n'avait point de plus pressant souci
Que de distribuer aux Servantes leur tâche.   5
Dès que Téthis * chassait Phébus aux crins * dorés,
Tourets * entraient en jeu, fuseaux étaient tirés ;
   Deçà, delà, vous en * aurez ;
   Point de cesse, point de relâche.
Dès que l'Aurore, dis-je, en son char remontait,   10
Un misérable Coq à point nommé chantait.
Aussitôt notre Vieille encor plus misérable
S'affublait d'un jupon crasseux et détestable,
Allumait une lampe, et courait droit au lit
Où de tout leur pouvoir, de tout leur appétit,   15
   Dormaient les deux pauvres Servantes.
L'une entr'ouvrait un œil, l'autre étendait un bras ;
   Et toutes deux, très malcontentes,
Disaient entre leurs dents : Maudit Coq, tu mourras.
Comme elles l'avaient dit, la bête fut grippée *.   20

Le réveille-matin eut la gorge coupée.
Ce meurtre n'amenda nullement leur marché *.
Notre couple au contraire à peine était couché
Que la Vieille, craignant de laisser passer l'heure,
Courait comme un Lutin par toute sa demeure.   25
    C'est ainsi que le plus souvent,
Quand on pense sortir d'une mauvaise affaire,
    On s'enfonce encor plus avant * :
    Témoin ce Couple et son salaire.
La Vieille, au lieu du Coq, les fit tomber par là   30
    De Charybde en Scylla.

FABLE VII

LE SATYRE ET LE PASSANT

Au fond d'un antre sauvage,
Un Satyre et ses enfants
Allaient manger leur potage
Et prendre l'écuelle aux dents.

On les eût vus sur la mousse   5
Lui, sa femme, et maint petit ;
Ils n'avaient tapis ni housse *,
Mais tous fort bon appétit.

Pour se sauver de la pluie,
Entre un Passant morfondu.   10
Au brouet * on le convie :
Il n'était pas attendu.

Son Hôte n'eut pas la peine
De le semondre * deux fois ;
D'abord avec son haleine   15
Il se réchauffe les doigts.

Puis sur le mets qu'on lui donne
Délicat il souffle aussi ;
Le Satyre s'en étonne :
Notre hôte, à quoi bon ceci ?   20

— L'un refroidit mon potage,
L'autre réchauffe ma main.
— Vous pouvez, dit le Sauvage,
Reprendre votre chemin.

Ne plaise aux Dieux que je couche   25
Avec vous sous même toit.
Arrière ceux dont la bouche
Souffle le chaud et le froid * !

LE CHEVAL ET LE LOUP

    Un certain Loup, dans la saison
Que les tièdes Zéphyrs ont l'herbe rajeunie,
Et que les animaux quittent tous la maison,
    Pour s'en aller chercher leur vie ;
Un Loup, dis-je, au sortir des rigueurs de l'Hiver,   5
Aperçut un Cheval qu'on avait mis au vert.
    Je laisse à penser quelle joie !
Bonne chasse, dit-il, qui l'aurait * à son croc.
Eh ! que n'es-tu Mouton ? car tu me serais hoc * :
Au lieu qu'il faut ruser pour avoir cette proie.   10
    Rusons donc. Ainsi dit, il vient à pas comptés,
    Se dit Ecolier d'Hippocrate ;
Qu'il connaît les vertus et les propriétés
    De tous les Simples * de ces prés,
    Qu'il sait guérir, sans qu'il se flatte,   15
Toutes sortes de maux. Si Dom Coursier voulait
    Ne point celer sa maladie,
    Lui Loup gratis le guérirait.
    Car le voir en cette prairie
    Paître ainsi sans être lié   20
Témoignait quelque mal, selon la Médecine.
    J'ai, dit la Bête chevaline,
    Une apostume * sous le pied.
— Mon fils, dit le docteur, il n'est point de partie
    Susceptible de tant de maux.   25
J'ai l'honneur de servir Nosseigneurs les Chevaux,

Et fais aussi la Chirurgie.
Mon galand ne songeait qu'à bien prendre son temps,
    Afin de happer son malade.
L'autre qui s'en doutait lui lâche une ruade,   30
    Qui vous lui met en marmelade
    Les mandibules * et les dents.
C'est bien fait, dit le Loup en soi-même fort triste ;
Chacun à son métier doit toujours s'attacher.
    Tu veux faire ici l'Arboriste *,   35
    Et ne fus jamais que Boucher.

FABLE IX

LE LABOUREUR ET SES ENFANTS

    Travaillez, prenez de la peine :
    C'est le fonds qui manque * le moins.
Un riche Laboureur, sentant sa mort prochaine,
Fit venir ses enfants, leur parla sans témoins.
Gardez-vous, leur dit-il, de vendre l'héritage   5
    Que nous ont laissé nos parents.
    Un trésor est caché dedans.
Je ne sais pas l'endroit ; mais un peu de courage
Vous le fera trouver, vous en viendrez à bout.
Remuez votre champ dès qu'on aura fait l'Oût *.   10
Creusez, fouillez, bêchez ; ne laissez nulle place
    Où la main ne passe et repasse.
Le père mort, les fils vous retournent le champ
Deçà, delà, partout ; si bien qu'au bout de l'an
    Il en rapporta davantage *.   15
D'argent, point de caché. Mais le père fut sage
    De leur montrer avant sa mort
    Que le travail est un trésor *.

FABLE X

LA MONTAGNE QUI ACCOUCHE

Une Montagne en mal d'enfant
Jetait une clameur si haute,
Que chacun au bruit accourant
Crut qu'elle accoucherait, sans faute,
D'une Cité plus grosse que Paris :   5
Elle accoucha d'une Souris.

Quand je songe à cette Fable
Dont le récit est menteur
Et le sens est véritable,
Je me figure un Auteur *   10
Qui dit : Je chanterai la guerre
Que firent les Titans au Maître du tonnerre *.
C'est promettre beaucoup : mais qu'en sort-il souvent ?
Du vent *.

FABLE XI

LA FORTUNE ET LE JEUNE ENFANT

Sur le bord d'un puits très profond
Dormait étendu de son long
Un Enfant alors dans ses classes *.
Tout est aux Ecoliers couchette et matelas.
Un honnête homme en pareil cas   5
Aurait fait un saut de vingt brasses.
Près de là tout heureusement
La Fortune passa, l'éveilla doucement,
Lui disant : Mon mignon, je vous sauve la vie.
Soyez une autre fois plus sage, je vous prie.   10
Si vous fussiez tombé, l'on s'en fût pris à moi ;
Cependant c'était votre faute.
Je vous demande, en bonne foi,
Si cette imprudence si haute

Provient de mon caprice. Elle part à ces mots.   15
   Pour moi, j'approuve son propos.
   Il n'arrive rien dans le monde
   Qu'il ne faille qu'elle en réponde.
   Nous la faisons de tous Echos *.
Elle est prise à garant * de toutes aventures.   20
Est-on sot, étourdi, prend-on mal ses mesures ;
On pense en être quitte en accusant son sort :
   Bref la Fortune * a toujours tort.

FABLE XII

LES MÉDECINS

Le Médecin Tant-pis allait voir un malade
Que visitait aussi son confrère Tant-mieux ;
Ce dernier espérait, quoique son camarade
Soutînt que le gisant irait voir ses aïeux.
Tous deux s'étant trouvés différents pour la cure,   5
Leur malade paya le tribut à Nature,
Après qu'en ses conseils Tant-pis eut été cru.
Ils triomphaient encor sur cette maladie.
L'un disait : Il est mort, je l'avais bien prévu.
— S'il m'eût cru, disait l'autre, il serait plein de vie.   10

FABLE XIII

LA POULE AUX ŒUFS D'OR

L'Avarice perd tout en voulant tout gagner.
   Je ne veux, pour le témoigner,
Que celui dont la Poule, à ce que dit la Fable,
   Pondait tous les jours un œuf d'or.
Il crut que dans son corps elle avait un trésor *.   5
Il la tua, l'ouvrit, et la trouva semblable
A celles dont les œufs ne lui rapportaient rien,
S'étant lui-même ôté le plus beau de son bien.
   Belle leçon pour les gens chiches :
Pendant ces derniers temps, combien en a-t-on vus   10

Qui du soir au matin sont pauvres devenus
    Pour vouloir trop tôt être riches ?

L'ANE PORTANT DES RELIQUES

    Un Baudet, chargé de Reliques,
    S'imagina qu'on l'adorait.
    Dans ce penser il se carrait *,
Recevant comme siens l'Encens et les Cantiques.
      Quelqu'un vit l'erreur, et lui dit :   5
    Maître Baudet, ôtez-vous de l'esprit
      Une vanité * si folle.
      Ce n'est pas vous, c'est l'Idole *
      A qui cet honneur se rend,
      Et que * la gloire en est due.   10
      D'un Magistrat ignorant
      C'est la Robe qu'on salue.

LE CERF ET LA VIGNE

Un Cerf, à la faveur d'une Vigne fort haute
Et telle qu'on en voit en de certains climats,
S'étant mis à couvert * et sauvé du trépas,
Les Veneurs pour ce coup croyaient leurs chiens en
                            [faute *.
Ils les rappellent donc. Le Cerf hors de danger   5
Broute sa bienfaitrice, ingratitude extrême !
On l'entend, on retourne, on le fait déloger,
    Il vient mourir en ce lieu même.
J'ai mérité, dit-il, ce juste châtiment * :
Profitez-en, ingrats. Il tombe en ce moment.   10
La Meute en fait curée. Il lui fut inutile
De pleurer * aux Veneurs à sa mort arrivés.
Vraie image de ceux qui profanent l'asile
    Qui les a conservés.

FABLE XVI

LE SERPENT ET LA LIME

On conte qu'un Serpent voisin d'un Horloger
(C'était pour l'Horloger un mauvais voisinage),
Entra dans sa boutique, et cherchant à manger
    N'y rencontra pour tout potage
Qu'une Lime d'acier qu'il se mit à ronger *.   5
Cette Lime lui dit, sans se mettre en colère :
    Pauvre ignorant ! et que prétends-tu faire ?
    Tu te prends à plus dur que toi.
    Petit Serpent à tête folle,
    Plutôt que d'emporter de moi   10
    Seulement le quart d'une obole *,
    Tu te romprais toutes les dents.
    Je ne crains que celles du temps.

Ceci s'adresse à vous, esprits du dernier ordre,
Qui n'étant bons à rien cherchez sur tout à mordre.   15
    Vous vous tourmentez vainement.
Croyez-vous que vos dents impriment leurs outrages
    Sur tant de beaux ouvrages ?
Ils sont pour vous d'airain, d'acier, de diamant.

FABLE XVII

LE LIÈVRE ET LA PERDRIX

Il ne se faut jamais moquer des misérables :
Car qui peut s'assurer d'être toujours heureux ?
    Le sage Esope dans ses Fables
    Nous en donne un exemple ou deux.
    Celui qu'en ces Vers je propose,   5
    Et les siens, ce sont même chose.
Le Lièvre et la Perdrix, concitoyens d'un champ,
Vivaient dans un état, ce semble, assez tranquille,
    Quand une Meute s'approchant

Oblige le premier à chercher un asile.   10
Il s'enfuit dans son fort, met les chiens en défaut *,
    Sans même en excepter Brifaut.
    Enfin il se trahit lui-même.
Par les esprits * sortants de son corps échauffé.
Miraut sur leur odeur ayant philosophé   15
Conclut que c'est son Lièvre, et d'une ardeur extrême
Il le pousse *, et Rustaut, qui n'a jamais menti,
    Dit que le Lièvre est reparti.
Le pauvre malheureux vient mourir à son gîte.
    La Perdrix le raille, et lui dit :
    Tu te vantais d'être si vite * :   20
Qu'as-tu fait de tes pieds ? Au moment qu'elle rit,
Son tour vient ; on la trouve. Elle croit que ses ailes
La sauront garantir à toute extrémité ;
    Mais la pauvrette avait compté *   25
    Sans l'Autour aux serres cruelles.

FABLE XVIII

L'AIGLE ET LE HIBOU

L'Aigle et le Chat-huant leurs querelles cessèrent,
    Et firent tant qu'ils s'embrassèrent.
L'un jura foi de Roi, l'autre foi de Hibou,
Qu'ils ne se goberaient leurs petits peu ni prou.
Connaissez-vous les miens ? dit l'Oiseau de Minerve *.   5
— Non, dit l'Aigle. — Tant pis, reprit le triste * Oiseau.
    Je crains en ce cas pour leur peau :
    C'est hasard si je les conserve.
Comme vous êtes Roi, vous ne considérez
Qui ni quoi : Rois et Dieux mettent, quoi qu'on leur die, 10
    Tout en même catégorie *.
Adieu mes nourrissons si vous les rencontrez.
— Peignez-les-moi, dit l'Aigle, ou bien me les montrez.
    Je n'y toucherai de ma vie.
Le Hibou repartit : Mes petits sont mignons,   15
Beaux, bien faits, et jolis sur tous leurs compagnons.
Vous les reconnaîtrez sans peine à cette marque.

N'allez pas l'oublier ; retenez-la si bien
    Que chez moi la maudite Parque
    N'entre point par votre moyen.   20
Il avint qu'au Hibou Dieu donna géniture,
De façon qu'un beau soir qu'il était en pâture,
    Notre Aigle aperçut d'aventure,
    Dans les coins d'une roche dure,
    Ou dans les trous d'une masure   25
    (Je ne sais pas lequel des deux),
    De petits monstres fort hideux,
Rechignés, un air triste, une voix de Mégère *.
Ces enfants ne sont pas, dit l'Aigle, à notre ami.
Croquons-les. Le galand n'en fit pas à demi.   30
Ses repas ne sont point repas à la légère.
Le Hibou, de retour, ne trouve que les pieds
De ses chers nourrissons, hélas ! pour toute chose.
Il se plaint, et les Dieux sont par lui suppliés
De punir le brigand qui de son deuil est cause.   35
Quelqu'un lui dit alors : N'en accuse que toi *
    Ou plutôt la commune loi
    Qui veut qu'on trouve son semblable
    Beau, bien fait, et sur tous aimable.
Tu fis de tes enfants à l'Aigle ce portrait ;   40
    En avaient-ils le moindre trait ?

FABLE XIX

LE LION S'EN ALLANT EN GUERRE

Le Lion dans sa tête avait une entreprise.
Il tint conseil de guerre, envoya ses Prévôts *,
    Fit avertir les animaux :
Tous furent du dessein, chacun selon sa guise *.
    L'Eléphant devait sur son dos   5
    Porter l'attirail nécessaire
    Et combattre à son ordinaire,
    L'Ours s'apprêter pour les assauts ;
Le Renard ménager de secrètes pratiques,
Et le Singe amuser l'ennemi par ses tours.   10

Renvoyez, dit quelqu'un, les Anes qui sont lourds,
Et les Lièvres sujets à des terreurs paniques.
— Point du tout, dit le Roi, je les veux employer.
Notre troupe sans eux ne serait pas complète.
L'Ane effraiera les gens, nous servant de trompette,   15
Et le Lièvre pourra nous servir de courrier.
　　　　Le monarque prudent et sage
　　　　De ses moindres sujets sait tirer quelque usage,
　　　　Et connaît les divers * talents :
Il n'est rien d'inutile aux personnes de sens.   20

FABLE XX

L'OURS ET LES DEUX COMPAGNONS

　　　Deux compagnons pressés d'argent
　　　A leur voisin Fourreur vendirent
　　　La peau d'un Ours encor vivant,
Mais qu'ils tueraient bientôt, du moins à ce qu'ils dirent.
C'était le Roi des Ours au compte de ces gens.   5
Le Marchand à sa peau devait faire fortune.
Elle garantirait des froids les plus cuisants,
On en pourrait fourrer plutôt deux robes qu'une *.
Dindenaut * prisait moins ses Moutons qu'eux leur
　　　　　　　　　　　　　　　　　　　　　　[Ours :
Leur, à leur compte *, et non à celui de la Bête.   10
S'offrant de la livrer au plus tard dans deux jours,
Ils conviennent de prix, et se mettent en quête,
Trouvent l'Ours qui s'avance, et vient vers eux au trot ;
Voilà mes gens frappés comme d'un coup de foudre.
Le marché ne tint pas ; il fallut le résoudre * :   15
D'intérêts * contre l'Ours, on n'en dit pas un mot.
L'un des deux Compagnons grimpe au faîte d'un arbre ;
　　　L'autre, plus froid que n'est un marbre,
Se couche sur le nez, fait le mort, tient son vent *,
　　　Ayant quelque part ouï dire   20
　　　Que l'Ours s'acharne peu souvent
Sur un corps qui ne vit, ne meut, ni ne respire.

Seigneur Ours, comme un sot, donna dans ce panneau.
Il voit ce corps gisant, le croit privé de vie,
    Et de peur de supercherie   25
Le tourne, le retourne, approche son museau,
    Flaire aux passages de l'haleine.
C'est, dit-il, un cadavre ; Ôtons-nous, car il sent.
A ces mots, l'Ours s'en va dans la forêt prochaine.
L'un de nos deux Marchands de son arbre descend,   30
Court à son compagnon, lui dit que c'est merveille
Qu'il n'ait eu seulement que la peur pour tout mal.
    Eh bien, ajouta-t-il, la peau de l'animal ?
    Mais que t'a-t-il dit à l'oreille ?
    Car il s'approchait de bien près,   35
    Te retournant avec sa serre.
    — Il m'a dit qu'il ne faut jamais
Vendre la peau de l'Ours qu'on ne l'ait mis par terre *.

FABLE XXI

L'ANE VÊTU DE LA PEAU DU LION

De la peau du Lion l'Ane s'étant vêtu
    Etait craint partout à la ronde,
    Et bien qu'animal sans vertu *,
    Il faisait trembler tout le monde.
Un petit bout d'oreille échappé par malheur   5
    Découvrit la fourbe et l'erreur.
    Martin * fit alors son office.
Ceux qui ne savaient pas la ruse et la malice
    S'étonnaient de voir que Martin
    Chassât les Lions au moulin.   10

    Force gens font du bruit en France,
Par qui cet Apologue est rendu familier.
    Un équipage cavalier
    Fait les trois quarts de leur vaillance.

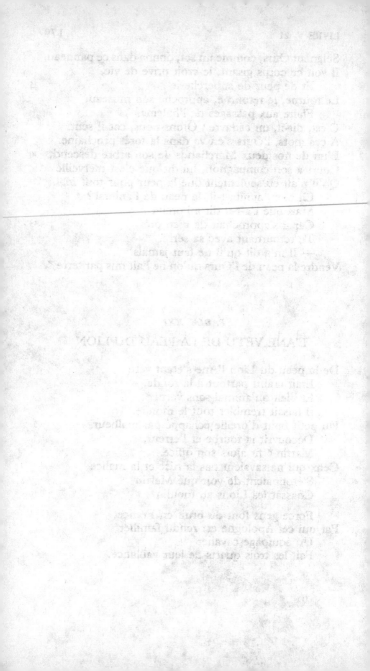

LIVRE SIXIÈME

FABLE I
LE PÂTRE ET LE LION

FABLE II
LE LION ET LE CHASSEUR

Les Fables ne sont pas ce qu'elles semblent être *.
Le plus simple animal nous y tient lieu de Maître.
Une Morale nue apporte de l'ennui ;
Le conte fait passer le précepte avec lui.
En ces sortes de feinte il faut instruire et plaire *,   5
Et conter pour conter me semble peu d'affaire.
C'est par cette raison qu'égayant leur esprit,
Nombre de gens fameux en ce genre ont écrit.
Tous ont fui l'ornement et le trop d'étendue.
On ne voit point chez eux de parole perdue.   10
Phèdre était si succinct qu'aucuns l'en ont blâmé.
Esope en moins de mots s'est encore exprimé.
Mais sur tous certain Grec * ª renchérit et se pique
    D'une élégance Laconique.
Il renferme toujours son conte en quatre Vers ;   15
Bien ou mal, je le laisse à juger aux Experts.

a. « Gabrias ». *(Note de La Fontaine.)*

Voyons-le avec Esope en un sujet semblable.
L'un amène un Chasseur, l'autre un Pâtre, en sa Fable.
J'ai suivi leur projet * quant à l'événement,
Y cousant en chemin quelque trait seulement.   20
Voici comme à peu près * Esope le raconte.

Un Pâtre à ses brebis trouvant quelque méconte,
Voulut à toute force attraper le Larron.
Il s'en va près d'un antre, et tend à l'environ
Des lacs à prendre Loups, soupçonnant cette engeance. 25
        Avant que * partir de ces lieux,
Si tu fais, disait-il, ô Monarque des Dieux,
Que le drôle à ces lacs se prenne en ma présence
        Et que je goûte ce plaisir,
        Parmi vingt Veaux je veux choisir   30
        Le plus gras, et t'en faire offrande.
A ces mots sort de l'antre un Lion grand et fort.
Le Pâtre se tapit, et dit à demi mort * :
Que l'homme ne sait guère, hélas ! ce qu'il demande !
Pour trouver le Larron qui détruit mon troupeau,   35
Et le voir en ces lacs pris avant que je parte,
O monarque des Dieux, je t'ai promis un veau :
Je te promets un bœuf si tu fais qu'il s'écarte.
C'est ainsi que l'a dit le principal Auteur :
        Passons à son imitateur.   40

Un Fanfaron amateur de la chasse,
Venant de perdre un Chien de bonne race,
Qu'il soupçonnait dans le corps d'un Lion,
Vit un berger. Enseigne-moi, de grâce,
De mon voleur, lui dit-il, la maison,   45
Que de ce pas je me fasse raison.
Le Berger dit : C'est vers cette montagne.
En lui payant de tribut * un Mouton
Par chaque mois, j'erre dans la campagne
Comme il me plaît, et je suis en repos.   50
Dans le moment qu'ils tenaient ces propos,
Le Lion sort, et vient d'un pas agile.
Le Fanfaron aussitôt d'esquiver.
O Jupiter, montre-moi quelque asile,
S'écria-t-il, qui me puisse sauver.   55

La vraie épreuve de courage
N'est que dans le danger * que l'on touche du doigt.
Tel le cherchait, dit-il, qui changeant de langage
S'enfuit aussitôt qu'il le voit.

FABLE III

PHÉBUS ET BORÉE

Borée * et le Soleil virent un Voyageur
    Qui s'était muni par bonheur
Contre le mauvais temps *. (On entrait dans
                           [l'Automne,
Quand la précaution aux voyageurs est bonne)
Il pleut ; le Soleil luit ; et l'écharpe d'Iris *   5
    Rend ceux qui sortent avertis
Qu'en ces mois le manteau leur est fort nécessaire ;
Les Latins les nommaient douteux * pour cette affaire.
Notre homme s'était donc à la pluie attendu :
Bon manteau bien doublé ; bonne étoffe bien forte.   10
Celui-ci, dit le Vent, prétend avoir pourvu
A tous les accidents ; mais il n'a pas prévu
    Que je saurai souffler de sorte
Qu'il n'est bouton qui tienne : il faudra, si je veux,
    Que le manteau s'en aille au Diable *.   15
L'ébattement pourrait nous en être agréable :
Vous plaît-il de l'avoir ? — Eh bien, gageons nous deux,
    (Dit Phébus) sans tant de paroles,
A qui plus tôt aura dégarni les épaules
    Du Cavalier que nous voyons.   20
Commencez. Je vous laisse obscurcir mes rayons.
Il n'en fallut pas plus. Notre souffleur à gage *
Se gorge de vapeurs, s'enfle comme un ballon,
    Fait un vacarme de démon,
Siffle, souffle, tempête, et brise en son passage   25
Maint toit qui n'en peut mais, fait périr maint bateau :
    Le tout au sujet d'un manteau.
Le Cavalier eut soin d'empêcher que l'orage
    Ne se pût engouffrer dedans.

Cela le préserva ; le Vent perdit son temps :   30
Plus il se tourmentait, plus l'autre tenait ferme ;
Il eut beau faire agir le collet et les plis.
    Sitôt qu'il fut au bout du terme
    Qu'à la gageure on avait mis,
    Le Soleil dissipe la nue,   35
Recrée *, et puis pénètre enfin le Cavalier,
    Sous son balandras * fait qu'il sue,
    Le contraint de s'en dépouiller.
Encore n'usa-t-il pas de toute sa puissance.
    Plus fait douceur que violence *.   40

FABLE IV

JUPITER ET LE MÉTAYER

Jupiter eut jadis une ferme * à donner,
Mercure en fit l'annonce ; et gens se présentèrent,
    Firent des offres, écoutèrent :
    Ce ne fut pas sans bien tourner.
    L'un alléguait que l'héritage   5
Etait frayant * et rude, et l'autre un autre si.
    Pendant qu'ils marchandaient ainsi,
Un d'eux, le plus hardi, mais non pas le plus sage,
Promit d'en rendre tant, pourvu que Jupiter
    Le laissât disposer de l'air,   10
    Lui donnât saison à sa guise,
Qu'il eût du chaud, du froid, du beau temps, de la bise,
    Enfin du sec et du mouillé,
    Aussitôt qu'il aurait bâillé *.
Jupiter y consent. Contrat passé ; notre homme   15
Tranche du Roi des airs, pleut, vente et fait en somme
Un climat pour lui seul : ses plus proches voisins
Ne s'en sentaient non plus que les Américains.
Ce fut leur avantage ; ils eurent bonne année,
    Pleine moisson, pleine vinée.   20
Monsieur le Receveur * fut très mal partagé.
    L'an suivant voilà tout changé.

Il ajuste d'une autre sorte
La température * des Cieux.
Son champ ne s'en trouve pas mieux,   25
Celui de ses voisins fructifie et rapporte.
Que fait-il ? Il recourt au Monarque des Dieux :
    Il confesse son imprudence.
Jupiter en usa comme un Maître fort doux *.
    Concluons que la Providence   30
    Sait ce qu'il nous faut, mieux que nous *.

FABLE V

LE COCHET, LE CHAT ET LE SOURICEAU

Un Souriceau tout jeune, et qui n'avait rien vu,
    Fut presque pris au dépourvu *.
Voici comme il conta l'aventure à sa mère :
J'avais franchi les Monts qui bornent cet Etat,
    Et trottais comme un jeune Rat   5
    Qui cherche à se donner carrière,
Lorsque deux animaux m'ont arrêté les yeux :
    L'un doux, bénin et gracieux,
Et l'autre turbulent, et plein d'inquiétude *.
    Il a la voix perçante et rude,   10
    Sur la tête un morceau de chair,
Une sorte de bras dont il s'élève en l'air
    Comme pour prendre sa volée,
    La queue en panache étalée.
Or c'était un Cochet * dont notre Souriceau   15
    Fit à sa mère le tableau,
Comme d'un animal venu de l'Amérique.
Il se battait, dit-il, les flancs avec ses bras,
    Faisant tel bruit et tel fracas,
Que moi, qui grâce aux Dieux, de courage me pique, 20
    En ai pris la fuite de peur,
    Le maudissant de très bon cœur.
    Sans lui j'aurais fait connaissance
Avec cet animal qui m'a semblé si doux.
    Il est velouté comme nous,   25

Marqueté, longue queue, une humble contenance ;
Un modeste regard, et pourtant l'œil luisant :
    Je le crois fort sympathisant
Avec Messieurs les Rats ; car il a des oreilles
    En figure aux nôtres pareilles.   30
Je l'allais aborder, quand d'un son plein d'éclat
    L'autre m'a fait prendre la fuite.
— Mon fils, dit la Souris, ce doucet est un Chat,
    Qui sous son minois hypocrite
    Contre toute ta parenté   35
    D'un malin vouloir est porté.
    L'autre animal tout au contraire
    Bien éloigné de nous mal faire,
Servira quelque jour peut-être à nos repas.
Quant au Chat, c'est sur nous qu'il fonde sa cuisine. 40
    Garde-toi, tant que tu vivras,
    De juger des gens sur la mine *.

FABLE VI

LE RENARD, LE SINGE ET LES ANIMAUX

    Les Animaux, au décès d'un Lion,
    En son vivant Prince de la contrée,
    Pour faire un Roi s'assemblèrent, dit-on.
    De son étui la couronne est tirée.
    Dans une chartre * un Dragon la gardait.   5
    Il se trouva que sur tous essayée
    A pas un d'eux elle ne convenait.
    Plusieurs avaient la tête trop menue,
    Aucuns trop grosse, aucuns même cornue.
    Le Singe aussi fit l'épreuve en riant,   10
    Et par plaisir la Tiare * essayant,
    Il fit autour force grimaceries *,
    Tours de souplesse, et mille singeries,
    Passa dedans ainsi qu'en un cerceau.
    Aux Animaux cela sembla si beau   15
    Qu'il fut élu : chacun lui fit hommage.
    Le Renard seul regretta son suffrage,

Sans toutefois montrer son sentiment.
Quand il eut fait son petit compliment,
Il dit au Roi : Je sais, Sire, une cache,   20
Et ne crois pas qu'autre que moi la sache.
Or tout trésor, par droit de Royauté,
Appartient, Sire, à votre Majesté.
Le nouveau Roi bâille * après la finance,
Lui-même y court pour n'être pas trompé.   25
C'était un piège : il y fut attrapé.
Le Renard dit, au nom de l'assistance :
Prétendrais-tu nous gouverner encor,
Ne sachant pas te conduire toi-même * ?
Il fut démis ; et l'on tomba d'accord   30
Qu'à peu de gens convient le Diadème.

FABLE VII

LE MULET
SE VANTANT DE SA GÉNÉALOGIE

Le Mulet d'un prélat se piquait de noblesse,
        Et ne parlait incessamment
        Que de sa mère la Jument,
        Dont il contait mainte prouesse :
Elle avait fait ceci, puis avait été là.   5
        Son fils prétendait pour cela
        Qu'on le dût mettre dans l'Histoire.
Il eût cru s'abaisser servant un Médecin.
Etant devenu vieux, on le mit au moulin *.
Son père l'Ane alors lui revint en mémoire.   10

        Quand le malheur ne serait bon
        Qu'à mettre un sot à la raison,
        Toujours serait-ce à juste cause
        Qu'on le dit bon à quelque chose *.

FABLE VIII

LE VIEILLARD ET L'ANE

Un Vieillard sur son Ane aperçut en passant
    Un Pré plein d'herbe et fleurissant.
Il y lâche sa bête, et le Grison se rue
    Au travers de l'herbe menue,
    Se vautrant, grattant, et frottant,   5
    Gambadant, chantant et broutant,
    Et faisant mainte place nette.
    L'ennemi vient sur l'entrefaite :
    Fuyons, dit alors le Vieillard.
    – Pourquoi ? répondit le paillard.   10
Me fera-t-on porter double bât, double charge ?
— Non pas, dit le Vieillard, qui prit d'abord le large.
— Et que m'importe donc, dit l'Ane, à qui je sois ?
    Sauvez-vous, et me laissez paître :
    Notre ennemi, c'est notre Maître * :   15
    Je vous le dis en bon François.

FABLE IX

LE CERF SE VOYANT DANS L'EAU

    Dans le cristal d'une fontaine
    Un Cerf se mirant autrefois
    Louait la beauté de son bois,
    Et ne pouvait qu'avecque peine
    Souffrir ses jambes de fuseaux,   5
Dont il voyait l'objet se perdre dans les eaux.
Quelle proportion de mes pieds à ma tête !
Disait-il en voyant leur ombre * avec douleur :
Des taillis les plus hauts mon front atteint le faîte ;
    Mes pieds ne me font point d'honneur.   10
      Tout en parlant de la sorte,
      Un Limier le fait partir ;

Il tâche à se garantir ;
Dans les forêts il s'emporte.
Son bois, dommageable ornement, 15
L'arrêtant à chaque moment,
Nuit à l'office que lui rendent
Ses pieds, de qui ses jours dépendent.
Il se dédit alors, et maudit les présents
Que le Ciel lui fait tous les ans. 20

Nous faisons cas du beau, nous méprisons l'utile ;
Et le beau souvent nous détruit *.
Ce Cerf blâme ses pieds qui le rendent agile ;
Il estime un bois qui lui nuit.

FABLE X

LE LIÈVRE ET LA TORTUE

Rien ne sert de courir * ; il faut partir à point.
Le Lièvre et la Tortue en sont un témoignage.
Gageons, dit celle-ci, que vous n'atteindrez point
Sitôt que moi ce but. — Sitôt ? Etes-vous sage ?
Repartit l'animal léger. 5
Ma commère, il vous faut purger
Avec quatre grains d'ellébore *.
– Sage ou non, je parie encore.
Ainsi fut fait : et de tous deux
On mit près du but les enjeux : 10
Savoir quoi, ce n'est pas l'affaire,
Ni de quel juge l'on convint.
Notre Lièvre n'avait que quatre pas à faire ;
J'entends de ceux qu'il fait lorsque prêt d'être atteint
Il s'éloigne des chiens, les renvoie aux Calendes *, 15
Et leur fait arpenter les landes.
Ayant, dis-je, du temps de reste pour brouter,
Pour dormir, et pour écouter
D'où vient le vent, il laisse la Tortue
Aller son train de Sénateur. 20

Elle part, elle s'évertue ;
Elle se hâte avec lenteur *.
Lui cependant méprise une telle victoire,
Tient la gageure à peu de gloire,
Croit qu'il y va de son honneur   25
De partir tard. Il broute, il se repose,
Il s'amuse à toute autre chose
Qu'à la gageure. A la fin quand il vit
Que l'autre touchait presque au bout de la carrière,
Il partit comme un trait ; mais les élans qu'il fit   30
Furent vains : la Tortue arriva la première.
Eh bien ! lui cria-t-elle, avais-je pas raison ?
De quoi vous sert votre vitesse ?
Moi, l'emporter ! et que serait-ce
Si vous portiez une maison ?   35

FABLE XI

L'ANE ET SES MAÎTRES

L'Ane d'un Jardinier se plaignait au destin
De ce qu'on le faisait lever devant l'Aurore.
Les Coqs, lui disait-il, ont beau chanter matin ;
Je suis plus matineux encore.
Et pourquoi ? Pour porter des herbes au marché.   5
Belle nécessité d'interrompre mon somme !
Le sort de sa plainte touché
Lui donne un autre Maître ; et l'Animal de somme
Passe du Jardinier aux mains d'un Corroyeur *.
La pesanteur des peaux, et leur mauvaise odeur   10
Eurent bientôt choqué l'impertinente bête.
J'ai regret, disait-il, à mon premier Seigneur.
Encor quand il tournait la tête,
J'attrapais, s'il m'en souvient bien,
Quelque morceau de chou qui ne me coûtait rien.   15
Mais ici point d'aubaine ; ou, si j'en ai quelqu'une,
C'est de coups. Il obtint changement de fortune,
Et sur l'état * d'un Charbonnier
Il fut couché tout le dernier.

Autre plainte. Quoi donc ! dit le Sort en colère,   20
    Ce Baudet-ci m'occupe autant
    Que cent Monarques pourraient faire.
Croit-il être le seul qui ne soit pas content ?
    N'ai-je en l'esprit que son affaire ?

Le Sort avait raison ; tous gens sont ainsi faits :   25
Notre condition jamais ne nous contente :
    La pire est toujours la présente.
Nous fatiguons le Ciel à force de placets.
Qu'à chacun Jupiter accorde sa requête,
    Nous lui romprons encor la tête *.   30

FABLE XII

LE SOLEIL ET LES GRENOUILLES

Aux noces d'un Tyran tout le Peuple en liesse
    Noyait son souci dans les pots.
Esope seul * trouvait que les gens étaient sots
    De témoigner tant d'allégresse.
Le Soleil, disait-il, eut dessein autrefois   5
    De songer à l'Hyménée.
Aussitôt on ouït d'une commune voix
    Se plaindre de leur destinée
    Les Citoyennes des Etangs.
    Que ferons-nous, s'il lui vient des enfants ?   10
Dirent-elles au Sort, un seul Soleil à peine
    Se peut souffrir. Une demi-douzaine
Mettra la Mer à sec et tous ses habitants.
Adieu joncs et marais : notre race est détruite.
    Bientôt on la verra réduite   15
    A l'eau du Styx. Pour un pauvre Animal,
Grenouilles, à mon sens, ne raisonnaient pas mal.

FABLE XIII

LE VILLAGEOIS ET LE SERPENT

Esope * conte qu'un Manant,
Charitable * autant que peu sage,
Un jour d'Hiver se promenant
A l'entour de son héritage,
Aperçut un Serpent sur la neige étendu,   5
Transi, gelé, perclus, immobile rendu,
    N'ayant pas à vivre un quart d'heure.
Le Villageois le prend, l'emporte en sa demeure,
Et sans considérer quel sera le loyer
    D'une action de ce mérite,   10
    Il l'étend le long du foyer,
    Le réchauffe, le ressuscite.
L'Animal engourdi sent à peine le chaud,
Que l'âme lui revient avecque la colère.
Il lève un peu la tête, et puis siffle aussitôt,   15
Puis fait un long repli, puis tâche à faire un saut
Contre son bienfaiteur, son sauveur et son père.
Ingrat, dit le Manant, voilà donc mon salaire ?
Tu mourras. A ces mots, plein de juste courroux,   20
    Il vous prend sa cognée, il vous tranche la Bête,
    Il fait trois Serpents de deux coups,
    Un tronçon, la queue, et la tête.
L'insecte * sautillant cherche à se réunir,
    Mais il ne put y parvenir.

    Il est bon d'être charitable ;   25
    Mais envers qui ? c'est là le point.
    Quant aux ingrats, il n'en est point
    Qui ne meure enfin misérable.

FABLE XIV

LE LION MALADE ET LE RENARD

De par le Roi des Animaux,
Qui dans son antre était malade,
Fut fait savoir à ses vassaux
Que chaque espèce en ambassade
Envoyât gens le visiter,   5
Sous promesse de bien traiter
Les Députés, eux et leur suite,
Foi de Lion très bien écrite.
Bon passe-port contre la dent ;
Contre la griffe tout autant.   10
L'Edit du Prince s'exécute.
De chaque espèce on lui députe.
Les Renards gardant la maison,
Un d'eux en dit cette raison :
Les pas empreints sur la poussière   15
Par ceux qui s'en vont faire au malade leur cour,
Tous, sans exception, regardent sa tanière ;
Pas un ne marque de retour.
Cela nous met en méfiance.
Que Sa Majesté nous dispense.   20
Grand merci de son passe-port.
Je le crois bon ; mais dans cet antre
Je vois fort bien comme l'on entre,
Et ne vois pas comme on en sort.

FABLE XV

L'OISELEUR,
L'AUTOUR ET L'ALOUETTE

Les injustices des pervers
Servent souvent d'excuse aux nôtres.

Telle est la loi de l'Univers :
Si tu veux qu'on t'épargne, épargne aussi les autres.

Un Manant au miroir prenait des Oisillons.   5
Le fantôme * brillant attire une Alouette.
Aussitôt un Autour planant sur les sillons
   Descend des airs, fond, et se jette
Sur celle qui chantait, quoique près du tombeau.
Elle avait évité la perfide machine,   10
Lorsque, se rencontrant sous la main de l'oiseau,
   Elle sent son ongle maline.
Pendant qu'à la plumer l'Autour est occupé,
Lui-même sous les rets demeure enveloppé.
Oiseleur, laisse-moi, dit-il en son langage ;   15
   Je ne t'ai jamais fait de mal.
L'oiseleur repartit : Ce petit animal
   T'en avait-il fait davantage ?

FABLE XVI

LE CHEVAL ET L'ANE

En ce monde il se faut l'un l'autre secourir.
   Si ton voisin vient à mourir,
   C'est sur toi que le fardeau tombe.
Un Ane accompagnait un Cheval peu courtois,
Celui-ci ne portant que son simple harnois,   5
Et le pauvre Baudet si chargé qu'il succombe.
Il pria le Cheval de l'aider quelque peu :
Autrement il mourrait devant qu'être à la ville.
La prière, dit-il, n'en est pas incivile :
Moitié de ce fardeau ne vous sera que jeu.   10
Le Cheval refusa, fit une pétarade :
Tant qu'il vit sous le faix mourir son camarade,
   Et reconnut qu'il avait tort.
   Du Baudet, en cette aventure,
   On lui fit porter la voiture,   15
   Et la peau par-dessus encor.

FABLE XVII

LE CHIEN QUI LÂCHE SA PROIE
POUR L'OMBRE

Chacun se trompe ici-bas.
On voit courir après l'ombre
Tant de fous, qu'on n'en sait pas
La plupart du temps le nombre.
Au Chien dont parle Esope il faut les renvoyer.   5
Ce Chien, voyant sa proie en l'eau représentée,
La quitta pour l'image, et pensa se noyer ;
La rivière devint tout d'un coup agitée.
   A toute peine il regagna les bords,
   Et n'eut ni l'ombre ni le corps.   10

FABLE XVIII

LE CHARTIER EMBOURBÉ

Le Phaéton * d'une voiture à foin
Vit son char embourbé. Le pauvre homme était loin
De tout humain secours *. C'était à la campagne
Près d'un certain canton de la basse Bretagne
   Appelé Quimpercorentin.   5
   On sait assez que le destin
Adresse là les gens quand il veut qu'on enrage *.
   Dieu nous préserve du voyage !
Pour venir au Chartier embourbé dans ces lieux,
Le voilà qui déteste * et jure de son mieux.   10
   Pestant en sa fureur extrême
Tantôt contre les trous, puis contre ses chevaux,
   Contre son char, contre lui-même.
Il invoque à la fin le Dieu dont les travaux
   Sont si célèbres dans le monde :   15
Hercule, lui dit-il, aide-moi ; si ton dos
   A porté la machine ronde,

Ton bras peut me tirer d'ici.
Sa prière étant faite, il entend dans la nue
     Une voix qui lui parle ainsi :   20
     Hercule veut qu'on se remue,
Puis il aide les gens. Regarde d'où provient
     L'achoppement qui te retient.
     Ote d'autour de chaque roue
Ce malheureux mortier, cette maudite boue   25
     Qui jusqu'à l'essieu les enduit.
Prends ton pic et me romps ce caillou qui te nuit.
Comble-moi cette ornière. As-tu fait ? — Oui, dit
                           [l'homme.
— Or bien je vas t'aider, dit la voix : prends ton fouet.
— Je l'ai pris. Qu'est ceci ? mon char marche à souhait. 30
Hercule en soit loué. Lors la voix : Tu vois comme
Tes chevaux aisément se sont tirés de là.
     Aide-toi, le Ciel t'aidera.

FABLE XIX

LE CHARLATAN

Le monde n'a jamais manqué de Charlatans.
     Cette science de tout temps
     Fut en Professeurs très fertile.
Tantôt l'un en Théâtre affronte l'Achéron,
     Et l'autre affiche par la Ville   5
     Qu'il est un Passe-Cicéron *.
     Un des derniers se vantait d'être
     En Eloquence si grand Maître,
     Qu'il rendrait disert un badaud,
     Un manant, un rustre, un lourdaud ;   10
Oui, Messieurs, un lourdaud ; un Animal, un Ane :
Que l'on amène un Ane, un Ane renforcé,
     Je le rendrai Maître passé * ;
     Et veux qu'il porte la soutane.
Le prince sut la chose ; il manda le Rhéteur.   15
     J'ai, dit-il, dans mon écurie
     Un fort beau Roussin d'Arcadie * :

J'en voudrais faire un Orateur.
— Sire, vous pouvez tout, reprit d'abord notre homme.
    On lui donna certaine somme.   20
    Il devait au bout de dix ans
    Mettre son Ane sur les bancs ;
Sinon, il consentait d'être en place publique
Guindé la hart * au col, étranglé court et net,
    Ayant au dos sa Rhétorique,   25
    Et les oreilles d'un Baudet.
Quelqu'un des Courtisans lui dit qu'à la potence
Il voulait l'aller voir, et que, pour un pendu,
Il aurait bonne grâce et beaucoup de prestance ;
Surtout qu'il se souvînt de faire à l'assistance   30
Un discours où son art fût au long étendu,
Un discours pathétique, et dont le formulaire
    Servît à certains Cicérons
    Vulgairement nommés larrons.
    L'autre reprit : Avant l'affaire,   35
    Le Roi, l'Ane, ou moi, nous mourrons.

    Il avait raison *. C'est folie
    De compter sur dix ans de vie.
    Soyons bien buvants, bien mangeants *,
Nous devons à la mort * de trois l'un en dix ans.   40

FABLE XX

LA DISCORDE

La Déesse Discorde ayant brouillé les Dieux,
Et fait un grand procès là-haut pour une pomme *,
    On la fit déloger des Cieux.
Chez l'Animal qu'on appelle homme
    On la reçut à bras ouverts,   5
    Elle et Que-si-que-non, son frère,
    Avecque Tien-et-mien son père.
Elle nous fit l'honneur en ce bas Univers
    De préférer notre Hémisphère
A celui des mortels qui nous sont opposés ;   10
    Gens grossiers, peu civilisés,

Et qui, se mariant sans Prêtre et sans Notaire,
    De la Discorde n'ont que faire.
Pour la faire trouver aux lieux où le besoin
        Demandait qu'elle fût présente,   15
        La Renommée avait le soin
    De l'avertir ; et l'autre diligente
Courait vite aux débats et prévenait * la Paix,
Faisait d'une étincelle un feu long à s'éteindre.
La Renommée enfin commença de se plaindre   20
        Que l'on ne lui trouvait jamais
        De demeure fixe et certaine.
Bien souvent l'on perdait à la chercher sa peine.
Il fallait donc qu'elle eût un séjour affecté,
Un séjour d'où l'on pût en toutes les familles   25
        L'envoyer à jour arrêté.
Comme il n'était alors aucun Couvent de Filles,
        On y trouva difficulté.
        L'Auberge enfin de l'Hyménée
        Lui fut pour maison assignée *.   30

FABLE XXI

LA JEUNE VEUVE

La perte d'un époux ne va point sans soupirs.
On fait beaucoup de bruit, et puis on se console.
Sur les ailes du Temps * la tristesse s'envole ;
        Le Temps ramène les plaisirs.
        Entre la Veuve d'une année   5
        Et la Veuve d'une journée
La différence est grande : on ne croirait jamais
        Que ce fût la même personne.
L'une fait fuir les gens, et l'autre a mille attraits.
Aux soupirs vrais ou faux celle-là s'abandonne ;   10
C'est toujours même note et pareil entretien :
        On dit qu'on est inconsolable ;
        On le dit, mais il n'en est rien,
        Comme on verra par cette Fable,
        Ou plutôt par la vérité.   15

L'Epoux d'une jeune beauté
Partait pour l'autre monde. A ses côtés sa femme
Lui criait : Attends-moi, je te suis ; et mon âme,
Aussi bien que la tienne, est prête à s'envoler.

    Le Mari fait seul le voyage.   20
La Belle avait un père, homme prudent et sage :
    Il laissa le torrent couler.
    A la fin, pour la consoler,
Ma fille, lui dit-il, c'est trop verser de larmes :
Qu'a besoin le défunt que vous noyiez vos charmes ? 25
Puisqu'il est des vivants, ne songez plus aux morts.
    Je ne dis pas que tout à l'heure *
    Une condition meilleure
    Change en des noces ces transports ;
Mais, après certain temps, souffrez qu'on vous propose 30
Un époux beau, bien fait, jeune, et tout autre chose
  Que le défunt. — Ah ! dit-elle aussitôt,
    Un Cloître est l'époux qu'il me faut.
Le père lui laissa digérer sa disgrâce *.
    Un mois de la sorte se passe.   35
L'autre mois on l'emploie à changer tous les jours
Quelque chose à l'habit, au linge, à la coiffure.
    Le deuil enfin sert de parure,
    En attendant d'autres atours.
    Toute la bande des Amours   40
Revient au colombier : les jeux, les ris, la danse,
    Ont aussi leur tour à la fin.
    On se plonge soir et matin
    Dans la fontaine de Jouvence.
Le Père * ne craint plus ce défunt tant chéri ;   45
Mais comme il ne parlait de rien à notre Belle :
    Où donc est le jeune mari
    Que vous m'avez promis ? dit-elle *.

EPILOGUE

    Bornons ici cette carrière *.
    Les longs Ouvrages me font peur.
    Loin d'épuiser une matière,

On n'en doit prendre que la fleur.   5
Il s'en va temps que je reprenne
Un peu de forces et d'haleine
Pour fournir à d'autres projets.
Amour, ce tyran * de ma vie,
Veut que je change de sujets :   10
Il faut contenter son envie.
Retournons à Psyché : Damon *, vous m'exhortez
A peindre ses malheurs et ses félicités :
        J'y consens : peut-être ma veine
        En sa faveur s'échauffera.
Heureux si ce travail est la dernière peine   15
        Que son époux me causera !

LIVRE SEPTIÈME

AVERTISSEMENT

Voici un second recueil de Fables que je présente au public ; j'ai jugé à propos de donner à la plupart de celles-ci un air et un tour un peu différent de celui que j'ai donné aux premières, tant à cause de la différence des sujets, que pour remplir de plus de variété mon Ouvrage. Les traits familiers que j'ai semés avec assez d'abondance dans les deux autres Parties [1] convenaient bien mieux aux inventions d'Esope qu'à ces dernières, où j'en use plus sobrement pour ne pas tomber en des répétitions : car le nombre de ces traits n'est pas infini. Il a donc fallu que j'aie cherché d'autres enrichissements, et étendu davantage les circonstances de ces récits, qui d'ailleurs me semblaient le demander de la sorte. Pour peu que le lecteur y prenne garde, il le reconnaîtra lui-même ; ainsi je ne tiens pas qu'il soit nécessaire d'en étaler ici les raisons : non plus que dire où j'ai puisé ces derniers sujets. Seulement je dirai par reconnaissance que j'en dois la plus grande partie à Pilpay [2] sage Indien. Son livre a été traduit en toutes les Langues. Les gens du pays le croient fort ancien, et original à l'égard d'Esope, si ce n'est Esope lui-même sous le nom du sage Locman [3]. Quelques autres m'ont fourni des sujets assez heureux. Enfin j'ai tâché de mettre en ces deux dernières Parties toute la diversité dont j'étais capable. Il s'est glissé quelques fautes dans l'impression ; j'en ai fait faire un *Errata* ; mais ce sont de légers remèdes pour un défaut considérable. Si on veut avoir quelque plaisir de la lecture de cet Ouvrage, il faut que chacun fasse corriger ces fautes à la main dans son Exemplaire, ainsi qu'elles sont marquées par chaque *Errata*, aussi bien pour les deux premières Parties, que pour les dernières.

A MADAME DE MONTESPAN *

L'apologue est un don qui vient des immortels * ;
    Ou si c'est un présent des hommes,
Quiconque nous l'a fait mérite des Autels.
    Nous devons, tous tant que nous sommes,
    Eriger en divinité   5
Le Sage * par qui fut ce bel art inventé.
C'est proprement un charme : il rend l'âme attentive,
    Ou plutôt il la tient captive,
    Nous attachant à des récits
Qui mènent à son gré les cœurs et les esprits *.   10
O vous qui l'imitez, Olympe, si ma Muse
A quelquefois pris place à la table des Dieux,
Sur ses dons aujourd'hui daignez porter les yeux,
Favorisez * les jeux où mon esprit s'amuse.
Le temps qui détruit tout, respectant votre appui   15
Me laissera franchir les ans dans cet ouvrage :
Tout Auteur qui voudra vivre encore après lui
    Doit s'acquérir votre suffrage.
C'est de vous que mes vers attendent tout leur prix :
    Il n'est beauté dans nos écrits   20
Dont vous ne connaissez jusques aux moindres traces ;
Eh qui connaît que vous les beautés et les grâces ?
Paroles et regards, tout est charme dans vous.
    Ma Muse en un sujet si doux

Voudrait s'étendre davantage ;   25
Mais il faut réserver à d'autres cet emploi,
Et d'un plus grand maître * que moi
Votre louange est le partage.
Olympe, c'est assez qu'à mon dernier ouvrage
Votre nom serve un jour de rempart et d'abri :   30
Protégez désormais le livre favori *
Par qui j'ose espérer une seconde vie.
Sous vos seuls auspices ces vers
Seront jugés malgré l'envie,
Dignes des yeux de l'Univers.   35
Je ne mérite pas une faveur si grande ;
La Fable en son nom la demande :
Vous savez quel crédit ce mensonge a sur nous ;
S'il procure à mes vers le bonheur de vous plaire,
Je croirai lui devoir un temple pour salaire ;   40
Mais je ne veux bâtir des temples que pour vous *.

FABLE I

LES ANIMAUX MALADES DE LA PESTE

Un mal qui répand la terreur,
Mal que le Ciel * en sa fureur
Inventa pour punir les crimes de la terre,
La Peste (puisqu'il faut l'appeler par son nom)
Capable d'enrichir en un jour l'Achéron *,   5
Faisait aux animaux la guerre.
Ils ne mouraient pas tous, mais tous étaient frappés :
On n'en voyait point d'occupés
A chercher le soutien d'une mourante vie ;
Nul mets n'excitait leur envie ;   10
Ni Loups ni Renards n'épiaient
La douce et l'innocente proie.
Les Tourterelles se fuyaient :
Plus d'amour, partant plus de joie.
Le Lion tint conseil, et dit : Mes chers amis,   15
Je crois que le Ciel a permis
Pour nos péchés cette infortune ;

Que le plus coupable de nous
Se sacrifie aux traits du céleste courroux,
Peut-être il obtiendra la guérison commune.   20
L'histoire nous apprend qu'en de tels accidents
      On fait de pareils dévouements *.
Ne nous flattons donc point ; voyons sans indulgence
      L'état de notre conscience.
Pour moi, satisfaisant mes appétits gloutons   25
      J'ai dévoré force moutons.
      Que m'avaient-ils fait ? Nulle offense :
Même il m'est arrivé quelquefois de manger
            Le Berger.
Je me dévouerai donc, s'il le faut ; mais je pense   30
Qu'il est bon que chacun s'accuse ainsi que moi :
Car on doit souhaiter selon toute justice
      Que le plus coupable périsse.
— Sire, dit le Renard, vous êtes trop bon Roi ;
Vos scrupules font voir trop de délicatesse ;   35
Eh bien, manger moutons, canaille, sotte espèce,
Est-ce un péché ? Non, non. Vous leur fîtes Seigneur
      En les croquant beaucoup d'honneur.
      Et quant au Berger l'on peut dire
      Qu'il était digne de tous maux,   40
Etant de ces gens-là qui sur les animaux
      Se font un chimérique empire.
Ainsi dit le Renard, et flatteurs d'applaudir.
      On n'osa trop approfondir
Du Tigre, ni de l'Ours, ni des autres puissances,   45
      Les moins pardonnables offenses.
Tous les gens querelleurs, jusqu'aux simples mâtins,
Au dire de chacun, étaient de petits saints.
L'Ane vint à son tour et dit : J'ai souvenance *
      Qu'en un pré de Moines passant,   50
La faim, l'occasion, l'herbe tendre, et je pense
      Quelque diable aussi me poussant,
Je tondis de ce pré la largeur de ma langue.
Je n'en avais nul droit, puisqu'il faut parler net.
A ces mots on cria haro sur le baudet.   55
Un Loup quelque peu clerc prouva par sa harangue
Qu'il fallait dévouer ce maudit animal,

Ce pelé, ce galeux, d'où venait tout leur mal.
Sa peccadille fut jugée un cas pendable.
Manger l'herbe d'autrui ! quel crime abominable !   60
    Rien que la mort n'était capable
D'expier son forfait : on le lui fit bien voir.
Selon que vous serez puissant ou misérable,
Les jugements de cour vous rendront blanc ou noir.

FABLE II

LE MAL MARIÉ *

Que le bon soit toujours camarade du beau,
    Dès demain je chercherai femme ;
Mais comme le divorce entre eux n'est pas nouveau,
Et que peu de beaux corps, hôtes d'une belle âme,
    Assemblent l'un et l'autre point,   5
Ne trouvez pas mauvais que je ne cherche point.
J'ai vu beaucoup d'Hymens, aucuns d'eux ne me ten-
                            [tent :
Cependant des humains presque les quatre parts
S'exposent hardiment au plus grand des hasards ;
Les quatre parts aussi des humains se repentent.   10
J'en vais alléguer un qui, s'étant repenti,
    Ne put trouver d'autre parti,
    Que de renvoyer son épouse,
    Querelleuse, avare, et jalouse.
Rien ne la contentait, rien n'était comme il faut,   15
On se levait trop tard, on se couchait trop tôt,
Puis du blanc, puis du noir, puis encore autre chose ;
Les valets enrageaient, l'époux était à bout :
Monsieur ne songe à rien, Monsieur dépense tout,
    Monsieur court, Monsieur se repose.   20
  Elle en dit tant, que Monsieur à la fin
    Lassé d'entendre un tel lutin,
    Vous la renvoie à la campagne
  Chez ses parents. La voilà donc compagne
De certaines Philis qui gardent les dindons   25
    Avec les gardeurs de cochons.

Au bout de quelque temps, qu'on la crut adoucie,
Le mari la reprend. Eh bien ! qu'avez-vous fait ?
    Comment passiez-vous votre vie ?
L'innocence des champs est-elle votre fait ?   30
    — Assez, dit-elle ; mais ma peine
Etait de voir les gens plus paresseux qu'ici ;
    Ils n'ont des troupeaux nul souci.
Je leur savais bien dire, et m'attirais la haine
    De tous ces gens si peu soigneux.   35
— Eh, Madame, reprit son époux tout à l'heure,
    Si votre esprit est si hargneux
    Que le monde qui ne demeure
Qu'un moment avec vous, et ne revient qu'au soir,
    Est déjà lassé de vous voir,   40
Que feront des valets qui toute la journée
    Vous verront contre eux déchaînée ?
    Et que pourra faire un époux
Que vous voulez qui soit jour et nuit avec vous ?
Retournez au village : adieu. Si de ma vie   45
    Je vous rappelle et qu'il m'en prenne envie,
Puissé-je chez les morts avoir pour mes péchés
Deux femmes comme vous sans cesse à mes côtés.

FABLE III

LE RAT QUI S'EST RETIRÉ DU MONDE

    Les Levantins en leur légende
Disent qu'un certain Rat las des soins * d'ici-bas,
    Dans un fromage de Hollande
    Se retira loin du tracas.
    La solitude était profonde,   5
    S'étendant partout à la ronde.
Notre ermite nouveau subsistait là-dedans.
    Il fit tant de pieds et de dents
Qu'en peu de jours il eut au fond de l'ermitage
Le vivre et le couvert : que faut-il davantage ?   10
Il devint gros et gras ; Dieu prodigue ses biens
    A ceux qui font vœu d'être siens.

Un jour, au dévot personnage
Des députés du peuple Rat
S'en vinrent demander quelque aumône légère :   15
   Ils allaient en terre étrangère
Chercher quelque secours contre le peuple chat ;
   Ratopolis était bloquée :
On les avait contraints de partir sans argent,
   Attendu l'état indigent   20
   De la République attaquée.
Ils demandaient fort peu, certains que le secours
   Serait prêt dans quatre ou cinq jours.
   Mes amis, dit le Solitaire,
Les choses d'ici-bas ne me regardent plus :   25
   En quoi peut un pauvre Reclus
   Vous assister ? que peut-il faire,
Que de prier le Ciel qu'il vous aide en ceci ?
J'espère qu'il aura de vous quelque souci.
   Ayant parlé de cette sorte,   30
   Le nouveau Saint ferma sa porte.
   Qui désignai-je, à votre avis,
   Par ce Rat si peu secourable ?
   Un Moine ? Non, mais un Dervis * :
Je suppose qu'un Moine est toujours charitable.   35

FABLE IV

LE HÉRON
LA FILLE

Un jour, sur ses longs pieds, allait je ne sais où,
Le Héron au long bec emmanché d'un long cou.
   Il côtoyait une rivière.
L'onde était transparente ainsi qu'aux plus beaux jours ;
Ma commère la carpe y faisait mille tours   5
   Avec le brochet son compère *.
Le Héron en eût fait aisément son profit :
Tous approchaient du bord, l'oiseau n'avait qu'à
              [prendre * ;
   Mais il crut mieux faire d'attendre

Qu'il eût un peu plus d'appétit.   10
Il vivait de régime, et mangeait à ses heures.
Après quelques moments l'appétit vint : l'oiseau
    S'approchant du bord vit sur l'eau
Des Tanches qui sortaient du fond de ces demeures.
Le mets ne lui plut pas ; il s'attendait à mieux   15
    Et montrait un goût dédaigneux
    Comme le rat du bon Horace *.
Moi des Tanches ? dit-il, moi Héron que je fasse
Une si pauvre chère ? Et pour qui me prend-on ?
La Tanche rebutée il trouva du goujon.   20
Du goujon ! c'est bien là le dîner d'un Héron !
J'ouvrirais pour si peu le bec ! aux Dieux ne plaise !
Il l'ouvrit pour bien moins : tout alla de façon
    Qu'il ne vit plus aucun poisson.
La faim le prit, il fut tout heureux et tout aise   25
    De rencontrer un limaçon.
    Ne soyons pas si difficiles :
Les plus accommodants ce sont les plus habiles :
On hasarde de perdre en voulant trop gagner.
    Gardez-vous de rien dédaigner ;   30
Surtout quand vous avez à peu près votre compte.
Bien des gens y sont pris ; ce n'est pas aux Hérons
Que je parle ; écoutez, humains, un autre conte ;
Vous verrez que chez vous j'ai puisé ces leçons.
    Certaine fille un peu trop fière   35
    Prétendait trouver un mari
Jeune, bien fait et beau, d'agréable manière.
Point froid et point jaloux ; notez ces deux points-ci.
    Cette fille voulait aussi
    Qu'il eût du bien, de la naissance,   40
De l'esprit, enfin tout. Mais qui peut tout avoir ?
Le destin se montra soigneux de la pourvoir :
    Il vint des partis d'importance.
La belle les trouva trop chétifs de moitié.
Quoi moi ? quoi ces gens-là ? l'on radote, je pense.   45
A moi les proposer ! hélas ils font pitié.
    Voyez un peu la belle espèce !
L'un n'avait en l'esprit nulle délicatesse ;
L'autre avait le nez fait de cette façon-là ;

C'était ceci, c'était cela,   50
C'était tout ; car les précieuses
Font dessus tous les dédaigneuses.
Après les bons partis, les médiocres * gens
    Vinrent se mettre sur les rangs.
Elle de se moquer. Ah vraiment je suis bonne   55
De leur ouvrir la porte : Ils pensent que je suis
        Fort en peine de ma personne.
        Grâce à Dieu, je passe les nuits
        Sans chagrin, quoique en solitude.
La belle se sut gré de tous ces sentiments.   60
L'âge la fit déchoir : adieu tous les amants.
Un an se passe et deux avec inquiétude.
Le chagrin vient ensuite : elle sent chaque jour
Déloger quelques Ris, quelques jeux, puis l'amour ;
        Puis ses traits choquer et déplaire ;   65
Puis cent sortes de fards. Ses soins ne purent faire
Qu'elle échappât au temps cet insigne larron :
        Les ruines d'une maison
Se peuvent réparer ; que n'est cet avantage
        Pour les ruines du visage !   70
Sa préciosité changea lors de langage.
Son miroir lui disait : Prenez vite un mari.
Je ne sais quel désir le lui disait aussi ;
Le désir peut loger chez une précieuse.
Celle-ci fit un choix qu'on n'aurait jamais cru,   75
Se trouvant à la fin tout aise et tout heureuse
        De rencontrer un malotru *.

FABLE V

LES SOUHAITS

    Il est au Mogol * des follets
    Qui font office de valets,
Tiennent la maison propre, ont soin de l'équipage *,
    Et quelquefois du jardinage.
    Si vous touchez à leur ouvrage,   5
    Vous gâtez tout. Un d'eux près du Gange autrefois

Cultivait le jardin d'un assez bon Bourgeois.
Il travaillait sans bruit, avait beaucoup d'adresse,
        Aimait le maître et la maîtresse,
Et le jardin surtout. Dieu sait si les zéphirs   10
Peuple ami du Démon * l'assistaient dans sa tâche !
Le follet de sa part travaillant sans relâche
        Comblait ses hôtes de plaisirs.
        Pour plus de marques de son zèle,
Chez ces gens pour toujours il se fût arrêté,   15
        Nonobstant la légèreté
        A ses pareils si naturelle ;
        Mais ses confrères les esprits
Firent tant que le chef de cette république,
        Par caprice ou par politique,   20
        Le changea bientôt de logis.
Ordre lui vient d'aller au fond de la Norvège *
        Prendre le soin d'une maison
        En tout temps couverte de neige ;
Et d'Indou qu'il était on vous le fait Lapon *.   25
Avant que de partir l'esprit dit à ses hôtes :
        On m'oblige de vous quitter :
        Je ne sais pas pour quelles fautes ;
Mais enfin il le faut, je ne puis arrêter
Qu'un temps fort court, un mois, peut-être une
                                        [semaine, 30
Employez-la ; formez trois souhaits, car je puis
        Rendre trois souhaits accomplis,
Trois sans plus. Souhaiter, ce n'est pas une peine
        Etrange et nouvelle aux humains.
Ceux-ci pour premier vœu demandent l'abondance ; 35
        Et l'abondance, à pleines mains,
        Verse en leurs coffres la finance,
En leurs greniers le blé, dans leurs caves les vins ;
Tout en crève. Comment ranger cette chevance * ?
Quels registres, quels soins, quel temps il leur fallut ! 40
Tous deux sont empêchés si jamais on le fut.
        Les voleurs contre eux complotèrent ;
        Les grands Seigneurs leur empruntèrent ;
Le Prince les taxa ! Voilà les pauvres gens
        Malheureux par trop de fortune.   45

Otez-nous de ces biens l'affluence importune,
Dirent-ils l'un et l'autre ; heureux les indigents !
La pauvreté vaut mieux qu'une telle richesse.
Retirez-vous, trésors, fuyez ; et toi Déesse,
Mère du bon esprit, compagne du repos,   50
O médiocrité, reviens vite. A ces mots
La médiocrité revient ; on lui fait place,
      Avec elle ils rentrent en grâce,
Au bout de deux souhaits étant aussi chanceux
         Qu'ils étaient, et que sont tous ceux   55
Qui souhaitent toujours et perdent en chimères
Le temps qu'ils feraient mieux de mettre à leurs affai-
                                                    [res *.
      Le follet en rit * avec eux.
      Pour profiter de sa largesse,
Quand il voulut partir et qu'il fut sur le point,   60
      Ils demandèrent la sagesse :
      C'est un trésor qui n'embarrasse point.

FABLE VI

LA COUR DU LION

Sa Majesté Lionne un jour voulut connaître
De quelles nations le Ciel l'avait fait maître *.
      Il manda donc par députés
      Ses vassaux de toute nature,
      Envoyant de tous les côtés   5
      Une circulaire écriture *,
      Avec son sceau. L'écrit portait
      Qu'un mois durant le Roi tiendrait
      Cour plénière, dont l'ouverture
      Devait être un fort grand festin,   10
      Suivi des tours de Fagotin *.
      Par ce trait de magnificence
Le Prince à ses sujets étalait sa puissance *.
      En son Louvre il les invita.
Quel Louvre ! un vrai charnier, dont l'odeur se porta 15
D'abord au nez des gens. L'Ours boucha sa narine :

Il se fût bien passé de faire cette mine,
Sa grimace déplut. Le Monarque irrité
L'envoya chez Pluton faire le dégoûté.
Le Singe approuva fort cette sévérité,   20
Et flatteur excessif il loua la colère *
Et la griffe du Prince, et l'antre, et cette odeur :
    Il n'était ambre, il n'était fleur,
Qui ne fût ail au prix. Sa sotte flatterie
Eut un mauvais succès, et fut encor punie.   25
    Ce Monseigneur du Lion-là
    Fut parent de Caligula *.
Le Renard étant proche : Or çà, lui dit le Sire,
Que sens-tu ? dis-le-moi : parle sans déguiser.
    L'autre aussitôt de s'excuser,   30
Alléguant un grand rhume : il ne pouvait que dire
    Sans odorat ; bref, il s'en tire *.
    Ceci vous sert d'enseignement :
Ne soyez à la cour, si vous voulez y plaire,
Ni fade adulateur, ni parleur trop sincère,   35
Et tâchez quelquefois de répondre en Normand.

FABLE VII

LES VAUTOURS ET LES PIGEONS

    Mars autrefois mit tout l'air en émute.
    Certain sujet fit naître la dispute
Chez les oiseaux ; non ceux * que le Printemps
Mène à sa Cour, et qui, sous la feuillée,
Par leur exemple et leurs sons éclatants   5
Font que Vénus est en nous réveillée ;
Ni ceux encor que la Mère d'Amour
Met à son char * : mais le peuple Vautour,
Au bec retors *, à la tranchante serre,
Pour un chien mort se fit, dit-on, la guerre.   10
Il plut du sang ; je n'exagère point.
Si je voulais conter de point en point
Tout le détail, je manquerais d'haleine.
Maint chef périt, maint héros expira ;

Et sur son roc Prométhée * espéra   15
De voir bientôt une fin à sa peine.
C'était plaisir d'observer leurs efforts ;
C'était pitié de voir tomber les morts.
Valeur, adresse, et ruses, et surprises,
Tout s'employa. Les deux troupes éprises *   20
D'ardent courroux n'épargnaient nuls moyens
De peupler l'air que respirent les ombres :
Tout élément * remplit de citoyens
Le vaste enclos qu'ont les royaumes sombres.
Cette fureur mit la compassion   25
Dans les esprits d'une autre nation
Au col changeant, au cœur tendre et fidèle.
Elle employa sa médiation
Pour accorder une telle querelle ;
Ambassadeurs par le peuple pigeon   30
Furent choisis, et si bien travaillèrent,
Que les Vautours plus ne se chamaillèrent.
Ils firent trêve, et la paix s'ensuivit :
Hélas ! ce fut aux dépens de la race
A qui la leur aurait dû rendre grâce.   35
La gent maudite aussitôt poursuivit
Tous les pigeons, en fit ample carnage,
En dépeupla les bourgades, les champs.
Peu de prudence eurent les pauvres gens,
D'accommoder un peuple si sauvage.   40
Tenez toujours divisés les méchants ;
La sûreté du reste de la terre
Dépend de là : Semez entre eux la guerre,
Ou vous n'aurez avec eux nulle paix.
Ceci soit dit en passant ; je me tais.   45

FABLE VIII

LE COCHE ET LA MOUCHE

Dans un chemin montant, sablonneux, malaisé,
Et de tous les côtés au Soleil exposé,
    Six forts chevaux tiraient un Coche *.
Femmes, Moine, Vieillards, tout était descendu.

L'attelage suait, soufflait, était rendu.   5
Une Mouche survient, et des chevaux s'approche ;
Prétend les animer par son bourdonnement ;
Pique l'un, pique l'autre, et pense à tout moment
    Qu'elle fait aller la machine,
S'assied sur le timon, sur le nez du Cocher ;   10
    Aussitôt que le char chemine,
Et qu'elle voit les gens marcher,
Elle s'en attribue uniquement la gloire * ;
Va, vient, fait l'empressée ; il semble que ce soit
Un Sergent * de bataille allant en chaque endroit   15
Faire avancer ses gens, et hâter la victoire.
    La Mouche en ce commun besoin
Se plaint qu'elle agit seule, et qu'elle a tout le soin ;
Qu'aucun n'aide aux chevaux à se tirer d'affaire.
    Le Moine disait son Bréviaire ;   20
Il prenait bien son temps ! une femme chantait ;
C'était bien de chansons qu'alors il s'agissait !
Dame Mouche s'en va chanter à leurs oreilles,
    Et fait cent sottises pareilles.
Après bien du travail le Coche arrive au haut.   25
Respirons maintenant, dit la Mouche aussitôt :
J'ai tant fait que nos gens sont enfin dans la plaine.
Ça, Messieurs les Chevaux, payez-moi de ma peine.

Ainsi certaines gens, faisant les empressés,
    S'introduisent dans les affaires :   30
    Ils font partout les nécessaires,
Et, partout importuns, devraient être chassés *.

FABLE IX

LA LAITIÈRE ET LE POT AU LAIT

Perrette sur sa tête ayant un Pot au lait
    Bien posé sur un coussinet,
Prétendait arriver sans encombre à la ville.
Légère et court vêtue elle allait à grands pas ;
Ayant mis ce jour-là, pour être plus agile,   5
    Cotillon simple, et souliers plats *.

Notre laitière ainsi troussée
Comptait déjà dans sa pensée
Tout le prix de son lait, en employait l'argent,
Achetait un cent d'œufs, faisait triple couvée ;   10
La chose allait à bien par son soin diligent.
Il m'est, disait-elle, facile,
D'élever des poulets autour de ma maison :
Le Renard sera bien habile,
S'il ne m'en laisse assez pour avoir un cochon.   15
Le porc à s'engraisser coûtera peu de son ;
Il était quand je l'eus de grosseur raisonnable :
J'aurai le revendant de l'argent bel et bon.
Et qui m'empêchera de mettre en notre étable,
Vu le prix dont il est, une vache et son veau,   20
Que je verrai sauter au milieu du troupeau ?
Perrette là-dessus saute aussi, transportée.
Le lait tombe ; adieu, veau, vache, cochon, couvée ;
La dame * de ces biens, quittant d'un œil marri
Sa fortune ainsi répandue,   25
Va s'excuser à son mari
En grand danger d'être battue.
Le récit en farce * en fut fait ;
On l'appela *le Pot au lait.*

Quel esprit ne bat la campagne ?   30
Qui ne fait châteaux en Espagne ?
Picrochole *, Pyrrhus, la Laitière, enfin tous,
Autant les sages que les fous ?
Chacun songe en veillant, il n'est rien de plus doux :
Une flatteuse erreur emporte alors nos âmes :   35
Tout le bien du monde est à nous,
Tous les honneurs, toutes les femmes.
Quand je suis seul, je fais au plus brave un défi ;
Je m'écarte, je vais détrôner le Sophi *,
On m'élit roi, mon peuple m'aime ;   40
Les diadèmes vont sur ma tête pleuvant :
Quelque accident fait-il que je rentre en moi-même ;
Je suis gros Jean * comme devant.

FABLE X
LE CURÉ ET LE MORT

Un mort s'en allait tristement
S'emparer de son dernier gîte ;
Un Curé s'en allait gaiement
Enterrer ce mort au plus vite.
Notre défunt était en carrosse porté,   5
  Bien et dûment empaqueté,
Et vêtu d'une robe, hélas ! qu'on nomme bière,
  Robe d'hiver, robe d'été,
  Que les morts ne dépouillent guère.
  Le Pasteur était à côté,   10
  Et récitait à l'ordinaire
  Maintes dévotes oraisons,
  Et des psaumes et des leçons *,
  Et des versets et des répons :
  Monsieur le Mort, laissez-nous faire,   15
On vous en donnera de toutes les façons ;
  Il ne s'agit que du salaire.
Messire Jean Chouart * couvait des yeux son mort,
Comme si l'on eût dû lui ravir ce trésor,
  Et des regards semblait lui dire :   20
  Monsieur le Mort, j'aurai de vous
  Tant en argent, et tant en cire *,
  Et tant en autres menus coûts.
Il fondait là-dessus l'achat d'une feuillette
  Du meilleur vin des environs ;   25
  Certaine nièce assez propette *
  Et sa chambrière Pâquette
  Devaient avoir des cotillons.
  Sur cette agréable pensée
  Un heurt survient, adieu le char.   30
  Voilà Messire Jean Chouart
Qui du choc de son mort a la tête cassée :
Le Paroissien en plomb * entraîne son Pasteur ;

Notre Curé suit son Seigneur ;
Tous deux s'en vont de compagnie.   35
Proprement toute notre vie
Est le curé Chouart, qui sur son mort comptait,
Et la fable du *Pot au lait* *.

FABLE XI

L'HOMME
QUI COURT APRÈS LA FORTUNE,
ET L'HOMME
QUI L'ATTEND DANS SON LIT

Qui ne court après la Fortune ?
Je voudrais être en lieu * d'où je pusse aisément
Contempler la foule importune
De ceux qui cherchent vainement
Cette fille du sort de Royaume en Royaume,   5
Fidèles courtisans d'un volage fantôme.
Quand ils sont près du bon moment,
L'inconstante aussitôt à leurs désirs échappe :
Pauvres gens, je les plains, car on a pour les fous
Plus de pitié que de courroux.   10
Cet homme, disent-ils, était planteur de choux,
Et le voilà devenu pape :
Ne le valons-nous pas ? — Vous valez cent fois mieux ;
Mais que vous sert votre mérite ?
La Fortune a-t-elle des yeux ?   15
Et puis la papauté vaut-elle ce qu'on quitte,
Le repos, le repos, trésor si précieux
Qu'on en faisait jadis le partage des Dieux * ?
Rarement la Fortune à ses hôtes le laisse.
Ne cherchez point cette Déesse,   20
Elle vous cherchera ; son sexe en use ainsi.
Certain couple d'amis en un bourg établi,
Possédait quelque bien : l'un soupirait sans cesse
Pour la Fortune ; il dit à l'autre un jour :
Si nous quittions notre séjour ?   25
Vous savez que nul n'est prophète

En son pays * : cherchons notre aventure ailleurs.
— Cherchez, dit l'autre ami, pour moi je ne souhaite
   Ni climats ni destins meilleurs.
Contentez-vous ; suivez votre humeur inquiète * ;   30
Vous reviendrez bientôt. Je fais vœu cependant
   De dormir en vous attendant.
  L'ambitieux, ou, si l'on veut, l'avare *,
   S'en va par voie et par chemin.
   Il arriva le lendemain   35
En un lieu que devait la Déesse bizarre
Fréquenter sur tout autre ; et ce lieu c'est la cour.
Là donc pour quelque temps il fixe son séjour,
Se trouvant au coucher, au lever *, à ces heures
   Que l'on sait être les meilleures ;   40
Bref, se trouvant à tout, et n'arrivant à rien.
Qu'est ceci ? ce dit-il, cherchons ailleurs du bien.
La Fortune pourtant habite ces demeures.
Je la vois tous les jours entrer chez celui-ci,
   Chez celui-là ; d'où vient qu'aussi   45
Je ne puis héberger cette capricieuse ?
On me l'avait bien dit, que des gens de ce lieu
L'on n'aime pas toujours l'humeur ambitieuse.
Adieu Messieurs de cour ; Messieurs de cour adieu :
Suivez jusques au bout une ombre qui vous flatte.   50
La Fortune a, dit-on, des temples à Surate * ;
Allons là. Ce fut un de dire et s'embarquer.
Ames de bronze, humains, celui-là fut sans doute
Armé de diamant, qui tenta cette route,
Et le premier osa l'abîme défier *.   55
   Celui-ci pendant son voyage
   Tourna les yeux vers son village
  Plus d'une fois, essuyant les dangers
Des pirates, des vents, du calme et des rochers,
Ministres de la mort. Avec beaucoup de peines   60
On s'en va la chercher en des rives lointaines,
La trouvant assez tôt sans quitter la maison.
L'homme arrive au Mogol * ; on lui dit qu'au Japon
La Fortune pour lors distribuait ses grâces.
   Il y court ; les mers étaient lasses   65
   De le porter ; et tout le fruit

Qu'il tira de ses longs voyages,
Ce fut cette leçon que donnent les sauvages :
Demeure en ton pays, par la nature instruit.
Le Japon ne fut pas plus heureux à cet homme   70
    Que le Mogol l'avait été ;
    Ce qui lui fit conclure en somme,
Qu'il avait à grand tort son village quitté.
    Il renonce aux courses ingrates,
Revient en son pays, voit de loin ses pénates,   75
Pleure de joie, et dit : Heureux, qui vit chez soi ;
De régler ses désirs faisant tout son emploi.
    Il ne sait que par ouï-dire *
Ce que c'est que la cour, la mer, et ton empire,
Fortune, qui nous fais passer devant les yeux   80
Des dignités, des biens, que jusqu'au bout du monde
On suit, sans que l'effet aux promesses réponde.
Désormais je ne bouge, et ferai cent fois mieux.
    En raisonnant de cette sorte,
Et contre la Fortune ayant pris ce conseil *,   85
    Il la trouve assise à la porte
De son ami plongé dans un profond sommeil.

FABLE XII

LES DEUX COQS

Deux Coqs vivaient en paix : une Poule survint,
    Et voilà la guerre allumée.
Amour *, tu perdis Troie ; et c'est de toi que vint
    Cette querelle envenimée,
Où du sang des Dieux même on vit le Xanthe * teint. 5
Longtemps entre nos Coqs le combat se maintint :
Le bruit s'en répandit par tout le voisinage.
La gent qui porte crête au spectacle accourut.
    Plus d'une Hélène au beau plumage
Fut le prix du vainqueur ; le vaincu disparut.   10
Il alla se cacher au fond de sa retraite,
    Pleura sa gloire et ses amours,

Ses amours qu'un rival tout fier de sa défaite
Possédait à ses yeux. Il voyait tous les jours
Cet objet rallumer sa haine et son courage.   15
Il aiguisait son bec, battait l'air et ses flancs,
        Et s'exerçant contre les vents
        S'armait d'une jalouse rage.
Il n'en eut pas besoin. Son vainqueur sur les toits
    S'alla percher, et chanter sa victoire.   20
        Un Vautour entendit sa voix :
        Adieu les amours et la gloire.
Tout cet orgueil périt sous l'ongle du Vautour.
        Enfin par un fatal retour
        Son rival autour de la Poule   25
    S'en revint faire le coquet *.
    Je laisse à penser quel caquet,
    Car il eut des femmes en foule.
La Fortune se plaît à faire de ces coups ;
Tout vainqueur insolent à sa perte travaille *.   30
Défions-nous du sort, et prenons garde à nous
        Après le gain d'une bataille.

FABLE XIII

L'INGRATITUDE
ET L'INJUSTICE DES HOMMES
ENVERS LA FORTUNE

Un trafiquant sur mer par bonheur s'enrichit.
Il triompha des vents pendant plus d'un voyage,
Gouffre, banc, ni rocher, n'exigea de péage
D'aucun de ses ballots ; le sort l'en affranchit.
Sur tous ses compagnons Atropos * et Neptune   5
Recueillirent leur droit tandis que la Fortune
Prenait soin d'amener son marchand à bon port.
Facteurs *, associés, chacun lui fut fidèle.
Il vendit son tabac, son sucre, sa canelle.
    Ce qu'il voulut, sa porcelaine encor :   10
Le luxe et la folie enflèrent son trésor ;
        Bref il plut dans son escarcelle.

On ne parlait chez lui que par doubles ducats *.
Et mon homme d'avoir chiens, chevaux et carrosses.
    Ses jours de jeûne étaient des noces.   15
Un sien ami, voyant ces somptueux repas,
Lui dit : Et d'où vient donc un si bon ordinaire ?
— Et d'où me viendrait-il que de mon savoir-faire * ?
Je n'en dois rien qu'à moi, qu'à mes soins, qu'au talent
De risquer à propos, et bien placer l'argent.   20
Le profit lui semblant une fort douce chose,
Il risqua de nouveau le gain qu'il avait fait :
Mais rien, pour cette fois, ne lui vint à souhait.
    Son imprudence en fut la cause.
Un vaisseau mal frété * périt au premier vent.   25
Un autre mal pourvu des armes nécessaires
    Fut enlevé par les Corsaires.
    Un troisième au port arrivant,
Rien n'eut cours ni débit. Le luxe et la folie
    N'étaient plus tels qu'auparavant.   30
    Enfin ses facteurs le trompant,
Et lui-même ayant fait grand fracas, chère lie *,
Mis beaucoup en plaisirs, en bâtiments beaucoup,
    Il devint pauvre tout d'un coup.
Son ami le voyant en mauvais équipage,   35
Lui dit : D'où vient cela ? — De la Fortune, hélas !
— Consolez-vous, dit l'autre ; et s'il ne lui plaît pas
Que vous soyez heureux ; tout au moins soyez sage.
    Je ne sais s'il crut ce conseil ;
Mais je sais que chacun impute, en cas pareil,   40
    Son bonheur à son industrie,
Et si de quelque échec notre faute est suivie,
    Nous disons injures au sort.
    Chose n'est ici plus commune :
Le bien nous le faisons, le mal c'est la Fortune,   45
On a toujours raison, le destin * toujours tort.

FABLE XIV

LES DEVINERESSES

C'est souvent du hasard que naît l'opinion ;
Et c'est l'opinion qui fait toujours la vogue.
    Je pourrais fonder ce prologue
Sur gens de tous états ; tout est prévention *,
Cabale *, entêtement, point ou peu de justice :   5
C'est un torrent ; qu'y faire ? Il faut qu'il ait son cours.
    Cela fut et sera toujours.
Une femme à Paris faisait la Pythonisse *.
On l'allait consulter sur chaque événement :
Perdait-on un chiffon, avait-on un amant,   10
Un mari vivant trop, au gré de son épouse,
Une mère fâcheuse, une femme jalouse ;
    Chez la Devineuse on courait,
Pour se faire annoncer ce que l'on désirait.
    Son fait consistait en adresse.   15
Quelques termes de l'art, beaucoup de hardiesse,
Du hasard quelquefois, tout cela concourait :
Tout cela bien souvent faisait crier miracle.
Enfin, quoique ignorante à vingt et trois carats *,
    Elle passait pour un oracle.   20
L'oracle était logé dedans un galetas.
    Là cette femme emplit sa bourse,
    Et sans avoir d'autre ressource,
Gagne de quoi donner un rang à son mari :
Elle achète un office, une maison aussi.   25
    Voilà le galetas rempli
D'une nouvelle hôtesse, à qui toute la ville,
Femmes, filles, valets, gros Messieurs, tout enfin,
Allait comme autrefois demander son destin :
Le galetas devint l'antre de la Sibylle.   30
L'autre femelle avait achalandé * ce lieu.
Cette dernière femme eut beau faire, eut beau dire,
Moi devine ! on se moque ; Eh Messieurs, sais-je lire ?

Je n'ai jamais appris que ma croix de par-Dieu *.
Point de raison ; fallut deviner et prédire,   35
   Mettre à part force bons ducats,
Et gagner malgré soi plus que deux Avocats.
Le meuble et l'équipage * aidaient fort à la chose :
Quatre sièges boiteux, un manche de balai,
Tout sentait son sabbat et sa métamorphose *.   40
    Quand cette femme aurait dit vrai
    Dans une chambre tapissée *,
On s'en serait moqué ; la vogue était passée
  Au galetas ; il avait le crédit :
    L'autre femme se morfondit.   45
    L'enseigne fait la chalandise *.
J'ai vu dans le Palais une robe mal mise
   Gagner gros : les gens l'avaient prise
Pour maître tel, qui traînait après soi
Force écoutants ; demandez-moi pourquoi.   50

FABLE XV

LE CHAT,
LA BELETTE ET LE PETIT LAPIN

Du palais d'un jeune Lapin
Dame Belette un beau matin
S'empara ; c'est une rusée.
Le Maître étant absent, ce lui fut chose aisée.
Elle porta chez lui ses pénates un jour   5
Qu'il était allé faire à l'Aurore sa cour,
   Parmi le thym et la rosée.
Après qu'il eut brouté, trotté, fait tous ses tours,
Janot Lapin retourne aux souterrains séjours.
La Belette avait mis le nez à la fenêtre.   10
O Dieux hospitaliers, que vois-je ici paraître ?
Dit l'animal chassé du paternel logis :
   O là, Madame la Belette,
   Que l'on déloge sans trompette,
Ou je vais avertir tous les rats du pays.   15
La Dame au nez pointu répondit que la terre

Etait au premier occupant.
C'était un beau sujet de guerre
Qu'un logis où lui-même il n'entrait qu'en rampant.
Et quand ce serait un Royaume *   20
Je voudrais bien savoir, dit-elle, quelle loi
En a pour toujours fait l'octroi
A Jean fils ou neveu de Pierre ou de Guillaume,
Plutôt qu'à Paul, plutôt qu'à moi.
Jean Lapin allégua la coutume et l'usage.   25
Ce sont, dit-il, leurs lois qui m'ont de ce logis
Rendu maître et seigneur, et qui de père en fils,
L'ont de Pierre à Simon, puis à moi Jean, transmis.
Le premier occupant est-ce une loi plus sage ?
— Or bien sans crier davantage,   30
Rapportons-nous, dit-elle, à Raminagrobis *.
C'était un chat vivant comme un dévot ermite,
Un chat faisant la chattemite *,
Un saint homme de chat, bien fourré, gros et gras *,
Arbitre expert sur tous les cas.   35
Jean Lapin pour juge l'agrée.
Les voilà tous deux arrivés
Devant sa majesté fourrée.
Grippeminaud * leur dit : Mes enfants, approchez,
Approchez, je suis sourd, les ans en sont la cause.   40
L'un et l'autre approcha ne craignant nulle chose.
Aussitôt qu'à portée il vit les contestants,
Grippeminaud le bon apôtre
Jetant des deux côtés la griffe en même temps,
Mit les plaideurs d'accord en croquant l'un et l'autre.   45
Ceci ressemble fort aux débats qu'ont parfois
Les petits souverains se rapportants aux Rois.

FABLE XVI

LA TÊTE ET LA QUEUE DU SERPENT

Le serpent a deux parties
Du genre humain ennemies,
Tête et queue ; et toutes deux

Ont acquis un nom fameux
Auprès des Parques cruelles :   5
Si bien qu'autrefois entre elles
Il survint de grands débats
        Pour le pas *.
La tête avait toujours marché devant la queue.
        La queue au Ciel se plaignit,   10
            Et lui dit :
        Je fais mainte et mainte lieue,
        Comme il plaît à celle-ci.
Croit-elle que toujours j'en veuille user ainsi ?
        Je suis son humble servante.   15
        On m'a faite Dieu merci
        Sa sœur et non sa suivante.
        Toutes deux de même sang
        Traitez-nous de même sorte :
        Aussi bien qu'elle je porte   20
        Un poison prompt et puissant *.
        Enfin voilà ma requête :
        C'est à vous de commander,
        Qu'on me laisse précéder
        A mon tour ma sœur la tête.   25
        Je la conduirai si bien,
        Qu'on ne se plaindra de rien.
Le Ciel eut pour ses vœux une bonté cruelle.
Souvent sa complaisance a de méchants effets.
Il devrait être sourd aux aveugles souhaits.   30
Il ne le fut pas lors : et la guide * nouvelle,
        Qui ne voyait au grand jour
        Pas plus clair que dans un four,
        Donnait tantôt contre un marbre,
        Contre un passant, contre un arbre.   35
Droit aux ondes du Styx elle mena sa sœur.
Malheureux les Etats tombés dans son erreur.

FABLE XVII

UN ANIMAL DANS LA LUNE

Pendant qu'un Philosophe assure,
Que toujours par leurs sens les hommes sont dupés,
    Un autre Philosophe * jure,
    Qu'ils ne nous ont jamais trompés.
Tous les deux ont raison, et la Philosophie   5
Dit vrai, quand elle dit que les sens tromperont
Tant que sur leur rapport les hommes jugeront ;
    Mais aussi si l'on rectifie
L'image de l'objet sur son éloignement,
    Sur le milieu qui l'environne,   10
    Sur l'organe et sur l'instrument,
    Les sens ne tromperont personne.
La nature ordonna ces choses sagement :
J'en dirai quelque jour les raisons amplement *.
J'aperçois le Soleil ; quelle en est la figure ?   15
Ici-bas ce grand corps n'a que trois pieds de tour * :
Mais si je le voyais là-haut dans son séjour,
Que serait-ce à mes yeux que l'œil de la nature * ?
Sa distance me fait juger de sa grandeur ;
Sur l'angle et les côtés ma main * la détermine ;   20
L'ignorant le croit plat, j'épaissis sa rondeur ;
Je le rends immobile, et la terre chemine.
Bref je démens mes yeux en toute sa machine *.
Ce sens ne me nuit point par son illusion.
    Mon âme en toute occasion   25
Développe le vrai caché sous l'apparence.
    Je ne suis point d'intelligence
Avecque mes regards peut-être un peu trop prompts,
Ni mon oreille lente à m'apporter les sons.
Quand l'eau courbe un bâton ma raison le redresse *,   30
    La raison décide en maîtresse.
    Mes yeux, moyennant ce secours,
Ne me trompent jamais, en me mentant toujours.

Si je crois leur rapport, erreur assez commune,
Une tête de femme est au corps de la Lune.   35
Y peut-elle être ? Non. D'où vient donc cet objet ?
Quelques lieux inégaux font de loin cet effet.
La Lune nulle part n'a sa surface unie :
Montueuse en des lieux, en d'autres aplanie,
L'ombre avec la lumière y peut tracer souvent,   40
      Un Homme, un Bœuf, un Eléphant.
Naguère l'Angleterre y vit chose pareille,
La lunette placée, un animal nouveau
      Parut dans cet astre si beau ;
      Et chacun de crier merveille :   45
Il était arrivé là-haut un changement
Qui présageait * sans doute un grand événement.
Savait-on si la guerre entre tant de puissances
N'en était point l'effet ? Le Monarque accourut :
Il favorise en Roi ces hautes connaissances.   50
Le Monstre dans la Lune à son tour lui parut.
C'était une Souris cachée entre les verres * :
Dans la lunette était la source de ces guerres.
On en rit. Peuple heureux, quand pourront les François
Se donner, comme vous, entiers à ces emplois ?   55
Mars nous fait recueillir d'amples moissons de gloire * :
C'est à nos ennemis de craindre les combats,
A nous de les chercher, certains que la victoire,
Amante de Louis, suivra partout ses pas.
Ses lauriers nous rendront célèbres dans l'histoire.   60
      Même les filles de Mémoire
Ne nous ont point quittés : nous goûtons des plaisirs :
La paix fait nos souhaits et non point nos soupirs.
Charles en sait jouir : Il saurait dans la guerre
Signaler sa valeur, et mener l'Angleterre   65
A ces jeux qu'en repos elle voit aujourd'hui.
Cependant s'il pouvait apaiser la querelle,
Que d'encens ! Est-il rien de plus digne de lui ?
La carrière d'Auguste a-t-elle été moins belle
Que les fameux exploits du premier des Césars ?   70
O peuple trop heureux, quand la paix * viendra-t-elle
Nous rendre * comme vous tout entiers aux beaux-
                                                        [arts ?

LIVRE HUITIÈME

FABLE I

LA MORT ET LE MOURANT

La Mort ne surprend point le sage * ;
Il est toujours prêt à partir,
S'étant su lui-même avertir
Du temps où l'on se doit résoudre à ce passage.
  Ce temps, hélas ! embrasse tous les temps :   5
Qu'on le partage en jours, en heures, en moments * ,
  Il n'en est point qu'il ne comprenne
Dans le fatal tribut ; tous sont de son domaine * ;
Et le premier instant où les enfants des rois
    Ouvrent les yeux à la lumière,   10
    Est celui qui vient quelquefois
    Fermer pour toujours leur paupière.
    Défendez-vous par la grandeur,
Alléguez la beauté, la vertu, la jeunesse,
    La Mort ravit tout sans pudeur.   15
Un jour le monde entier accroîtra sa richesse.
    Il n'est rien de moins ignoré,
    Et puisqu'il faut que je le die,
    Rien où l'on soit moins préparé.
Un mourant qui comptait plus de cent ans de vie,   20
Se plaignait à la Mort que précipitamment
Elle le contraignait de partir tout à l'heure * ,

Sans qu'il eût fait son testament,
Sans l'avertir au moins. Est-il juste qu'on meure
Au pied levé * ? dit-il : attendez quelque peu.   25
Ma femme ne veut pas que je parte sans elle ;
Il me reste à pourvoir un arrière-neveu * ;
Souffrez qu'à mon logis j'ajoute encore une aile.
Que vous êtes pressante, ô Déesse cruelle !
— Vieillard, lui dit la Mort *, je ne t'ai point surpris ; 30
Tu te plains sans raison de mon impatience.
Eh n'as-tu pas cent ans ? trouve-moi dans Paris
Deux mortels aussi vieux, trouve-m'en dix en France.
Je devais, ce dis-tu, te donner quelque avis
        Qui te disposât à la chose :   35
    J'aurais trouvé ton testament tout fait,
Ton petit-fils pourvu, ton bâtiment parfait ;
Ne te donna-t-on pas des avis quand la cause
        Du marcher et du mouvement,
        Quand les esprits, le sentiment,   40
Quand tout faillit en toi ? Plus de goût, plus d'ouïe :
Toute chose pour toi semble être évanouie :
Pour toi l'astre du jour prend des soins superflus :
Tu regrettes des biens qui ne te touchent plus.
        Je t'ai fait voir tes camarades,   45
        Ou morts, ou mourants, ou malades.
Qu'est-ce que tout cela, qu'un avertissement ?
        Allons, vieillard, et sans réplique.
        Il n'importe à la république
        Que tu fasses ton testament.   50
La Mort avait raison. Je voudrais qu'à cet âge
On sortît de la vie ainsi que d'un banquet *,
Remerciant son hôte, et qu'on fît son paquet ;
Car de combien peut-on retarder le voyage ?
Tu murmures, vieillard ; vois ces jeunes mourir,   55
        Vois-les marcher, vois-les courir
A des morts, il est vrai, glorieuses et belles,
Mais sûres cependant, et quelquefois cruelles.
J'ai beau te le crier ; mon zèle est indiscret * :
Le plus semblable aux morts meurt le plus à regret.   60

FABLE II

LE SAVETIER ET LE FINANCIER

Un Savetier chantait du matin jusqu'au soir :
    C'était merveilles de le voir,
Merveilles de l'ouïr ; il faisait des passages *,
    Plus content qu'aucun des sept sages *.
Son voisin au contraire, étant tout cousu d'or,   5
    Chantait peu, dormait moins encor.
    C'était un homme de finance.
Si sur le point du jour parfois il sommeillait,
Le Savetier alors en chantant l'éveillait,
    Et le Financier se plaignait,   10
    Que les soins de la Providence
N'eussent pas au marché fait vendre le dormir,
    Comme le manger et le boire.
    En son hôtel il fait venir
Le chanteur, et lui dit : Or çà, sire Grégoire,   15
Que gagnez-vous par an ? — Par an ? Ma foi, Monsieur,
    Dit avec un ton de rieur,
Le gaillard Savetier, ce n'est point ma manière
De compter de la sorte ; et je n'entasse guère
    Un jour sur l'autre : il suffit qu'à la fin   20
    J'attrape le bout de l'année :
    Chaque jour amène son pain.
— Eh bien que gagnez-vous, dites-moi, par journée ?
— Tantôt plus, tantôt moins : le mal est que toujours ;
(Et sans cela nos gains seraient assez honnêtes,)   25
Le mal est que dans l'an s'entremêlent des jours
    Qu'il faut chommer ; on nous ruine en Fêtes *.
L'une fait tort à l'autre ; et Monsieur le Curé
De quelque nouveau Saint charge toujours son prône.
Le Financier riant de sa naïveté   30
Lui dit : Je vous veux mettre aujourd'hui sur le trône.
Prenez ces cent écus : gardez-les avec soin,
    Pour vous en servir au besoin.

Le Savetier crut voir tout l'argent que la terre
    Avait depuis plus de cent ans   35
    Produit pour l'usage des gens.
Il retourne chez lui : dans sa cave il enserre
    L'argent et sa joie à la fois.
    Plus de chant ; il perdit la voix
Du moment qu'il gagna ce qui cause nos peines.   40
    Le sommeil quitta son logis,
    Il eut pour hôtes les soucis,
    Les soupçons, les alarmes vaines.
Tout le jour il avait l'œil au guet ; et la nuit,
    Si quelque chat faisait du bruit,   45
Le chat prenait l'argent : A la fin le pauvre homme
S'en courut chez celui qu'il ne réveillait plus.
Rendez-moi, lui dit-il, mes chansons et mon somme,
    Et reprenez vos cent écus.

FABLE III

LE LION, LE LOUP ET LE RENARD

Un Lion décrépit, goutteux, n'en pouvant plus,
Voulait que l'on trouvât remède à la vieillesse * :
Alléguer l'impossible aux Rois, c'est un abus.
    Celui-ci parmi chaque espèce
Manda des médecins ; il en est de tous arts * :   5
Médecins au Lion viennent de toutes parts ;
De tous côtés lui vient * des donneurs de recettes.
    Dans les visites qui sont faites,
Le Renard se dispense, et se tient clos et coi.
Le Loup en fait sa cour, daube * au coucher du Roi 10
Son camarade absent ; le Prince tout à l'heure
Veut qu'on aille enfumer Renard dans sa demeure,
Qu'on le fasse venir. Il vient, est présenté ;
Et, sachant que le Loup lui faisait cette affaire :
Je crains, Sire, dit-il, qu'un rapport peu sincère, 15
    Ne m'ait à mépris imputé
    D'avoir différé cet hommage ;

Mais j'étais en pèlerinage ;
Et m'acquittais d'un vœu fait pour votre santé.
　　Même j'ai vu dans mon voyage   20
Gens experts et savants ; leur ai dit la langueur
Dont votre Majesté craint à bon droit la suite.
　　Vous ne manquez que de chaleur :
　　Le long âge en vous l'a détruite :
D'un Loup écorché vif appliquez-vous la peau   25
　　Toute chaude et toute fumante ;
　　Le secret sans doute en est beau
　　Pour la nature défaillante.
　　Messire Loup vous servira,
　　S'il vous plaît, de robe de chambre.   30
　　Le roi goûte cet avis-là :
　　On écorche, on taille, on démembre
Messire Loup. Le Monarque en soupa,
　　Et de sa peau s'enveloppa ;
Messieurs les courtisans, cessez de vous détruire : 35
Faites si vous pouvez votre cour sans vous nuire.
Le mal se rend chez vous au quadruple du bien.
Les daubeurs ont leur tour d'une ou d'autre manière :
　　Vous êtes dans une carrière
　　Où l'on ne se pardonne rien.   40

FABLE IV

LE POUVOIR DES FABLES
A M. DE BARILLON *

　　La qualité d'Ambassadeur
Peut-elle s'abaisser à des contes vulgaires ?
Vous puis-je offrir mes vers et leurs grâces légères ?
S'ils osent quelquefois prendre un air de grandeur,
Seront-ils point traités par vous de téméraires ?   5
　　Vous avez bien d'autres affaires
　　A démêler que les débats
　　Du Lapin et de la Belette *.
　　Lisez-les, ne les lisez pas ;
　　Mais empêchez qu'on ne nous mette   10

Toute l'Europe sur les bras.
Que de mille endroits de la terre
Il nous vienne des ennemis,
J'y consens ; mais que l'Angleterre
Veuille que nos deux Rois se lassent d'être amis,   15
    J'ai peine à digérer la chose.
N'est-il point encor temps que Louis se repose ?
Quel autre Hercule enfin ne se trouverait las
De combattre cette Hydre * ? et faut-il qu'elle oppose
Une nouvelle tête aux efforts de son bras ?   20
    Si votre esprit plein de souplesse,
    Par éloquence, et par adresse,
Peut adoucir les cœurs, et détourner ce coup,
Je vous sacrifierai cent moutons ; c'est beaucoup
    Pour un habitant du Parnasse.   25
    Cependant faites-moi la grâce
    De prendre en don ce peu d'encens.
    Prenez en gré mes vœux ardents,
Et le récit en vers qu'ici je vous dédie.
Son sujet vous convient * ; je n'en dirai pas plus :   30
    Sur les Eloges que l'Envie
    Doit avouer qui vous sont dus,
    Vous ne voulez pas qu'on appuie.

Dans Athène autrefois peuple vain et léger,
Un Orateur voyant sa patrie en danger,   35
Courut à la Tribune ; et d'un art tyrannique *,
Voulant forcer les cœurs dans une république,
Il parla fortement sur le commun salut.
On ne l'écoutait pas : l'Orateur recourut
    A ces figures violentes *   40
Qui savent exciter les âmes les plus lentes.
Il fit parler les morts *, tonna, dit ce qu'il put.
Le vent emporta tout ; personne ne s'émut.
    L'animal aux têtes frivoles *
Etant fait à ces traits, ne daignait l'écouter.   45
Tous regardaient ailleurs : il en vit s'arrêter
A des combats d'enfants, et point à ses paroles.
Que fit le harangueur ? Il prit un autre tour.
Cérès, commença-t-il, faisait voyage un jour

Avec l'Anguille et l'Hirondelle :   50
Un fleuve les arrête ; et l'Anguille en nageant,
    Comme l'Hirondelle en volant,
Le traversa bientôt. L'assemblée à l'instant
Cria tout d'une voix : Et Cérès, que fit-elle ?
    — Ce qu'elle fit ? un prompt courroux   55
    L'anima d'abord contre vous.
Quoi, de contes d'enfants son * peuple s'embarrasse !
    Et du péril qui le menace
Lui seul entre les Grecs il néglige l'effet !
Que ne demandez-vous ce que Philippe fait ?   60
    A ce reproche l'assemblée,
    Par l'Apologue réveillée,
    Se donne entière à l'Orateur :
    Un trait de Fable en eut l'honneur *.
Nous sommes tous d'Athène * en ce point ; et moi-
                                              [même, 65
Au moment que je fais cette moralité,
    Si *Peau d'âne* * m'était conté,
    J'y prendrais un plaisir extrême,
Le monde est vieux, dit-on : je le crois, cependant
Il le faut amuser encor comme un enfant.   70

FABLE V

L'HOMME ET LA PUCE

Par des vœux importuns nous fatiguons les Dieux * :
Souvent pour des sujets même indignes des hommes.
Il semble que le Ciel sur tous tant que nous sommes
Soit obligé d'avoir incessamment les yeux,
Et que le plus petit de la race mortelle,   5
A chaque pas qu'il fait, à chaque bagatelle,
Doive intriguer * l'Olympe et tous ses citoyens,
Comme s'il s'agissait des Grecs et des Troyens.
Un Sot par une puce eut l'épaule mordue.
Dans les plis de ses draps elle alla se loger,   10
Hercule, ce dit-il, tu devais bien purger
La terre de cette Hydre * au printemps revenue.

Que fais-tu, Jupiter, que du haut de la nue
Tu n'en perdes * la race afin de me venger ?
Pour tuer une puce il voulait obliger   15
Ces Dieux à lui prêter leur foudre et leur massue.

FABLE VI

LES FEMMES ET LE SECRET

Rien ne pèse tant qu'un secret :
Le porter loin est difficile aux Dames :
Et je sais même sur ce fait
Bon nombre d'hommes qui sont femmes *.
Pour éprouver la sienne un mari s'écria   5
La nuit étant près d'elle : O dieux ! qu'est-ce cela ?
Je n'en puis plus ; on me déchire ;
Quoi j'accouche d'un œuf ! — D'un œuf ? — Oui, le
                                                    [voilà
Frais et nouveau pondu. Gardez bien de le dire :
On m'appellerait poule. Enfin n'en parlez pas.   10
La femme neuve sur ce cas,
Ainsi que sur mainte autre affaire,
Crut la chose, et promit ses grands dieux de se taire.
Mais ce serment s'évanouit
Avec les ombres de la nuit.   15
L'épouse indiscrète * et peu fine,
Sort du lit quand le jour fut à peine levé :
Et de courir chez sa voisine.
Ma commère, dit-elle, un cas est arrivé :
N'en dites rien surtout, car vous me feriez battre.   20
Mon mari vient de pondre un œuf gros comme quatre.
Au nom de Dieu gardez-vous bien
D'aller publier ce mystère.
— Vous moquez-vous ? dit l'autre : Ah ! vous ne
                                                [savez guère
Quelle je suis. Allez, ne craignez rien.   25
La femme du pondeur s'en retourne chez elle.
L'autre grille déjà de conter la nouvelle :

Elle va la répandre en plus de dix endroits.
　　Au lieu d'un œuf elle en dit trois.
Ce n'est pas encor tout, car une autre commère   30
En dit quatre, et raconte à l'oreille le fait,
　　Précaution peu nécessaire,
　　Car ce n'était plus un secret.
Comme le nombre d'œufs, grâce à la renommée,
　　De bouche en bouche allait croissant,   35
　　Avant la fin de la journée
　　Ils se montaient à plus d'un cent *.

FABLE VII

LE CHIEN QUI PORTE A SON COU
LE DÎNÉ DE SON MAÎTRE

Nous n'avons pas les yeux à l'épreuve des belles,
　　Ni les mains à celle de l'or :
　　Peu de gens gardent un trésor
　　Avec des soins assez fidèles.
Certain Chien, qui portait * la pitance au logis,   5
S'était fait un collier du dîné de son maître.
Il était tempérant plus qu'il n'eût voulu l'être
　　Quand il voyait un mets exquis :
Mais enfin il l'était et tous tant que nous sommes
Nous nous laissons tenter à l'approche des biens.   10
Chose étrange ! on apprend la tempérance aux chiens,
　　Et l'on ne peut l'apprendre aux hommes.
Ce Chien-ci donc étant de la sorte atourné *,
Un mâtin passe, et veut lui prendre le dîné.
　　Il n'en eut pas toute la joie   15
Qu'il espérait d'abord : le Chien mit bas la proie,
Pour la défendre mieux n'en étant plus chargé.
　　Grand combat : D'autres chiens arrivent ;
　　Ils étaient de ceux-là qui vivent
　　Sur le public, et craignent peu les coups.   20
Notre chien se voyant trop faible contre eux tous,
Et que la chair courait un danger manifeste,

Voulut avoir sa part ; et lui sage * : il leur dit :
Point de courroux, Messieurs, mon lopin me suffit :
    Faites votre profit du reste.   25
A ces mots le premier il vous happe un morceau.
Et chacun de tirer, le mâtin, la canaille * ;
   A qui mieux mieux ; ils firent tous ripaille ;
    Chacun d'eux eut part au gâteau.

Je crois voir en ceci l'image d'une Ville,   30
Où l'on met les deniers à la merci des gens.
    Echevins, Prévôt des Marchands,
    Tout fait sa main * : le plus habile
Donne aux autres l'exemple ; et c'est un passe-temps
De leur voir nettoyer un monceau de pistoles.   35
Si quelque scrupuleux par des raisons frivoles
Veut défendre l'argent, et dit le moindre mot,
    On lui fait voir qu'il est un sot.
    Il n'a pas de peine à se rendre :
    C'est bientôt le premier à prendre *.   40

FABLE VIII

LE RIEUR ET LES POISSONS

On cherche les Rieurs ; et moi je les évite *.
Cet art veut sur tout autre un suprême mérite.
    Dieu ne créa que pour les sots
    Les méchants * diseurs de bons mots.
    J'en vais peut-être en une Fable   5
    Introduire un ; peut-être aussi
Que quelqu'un trouvera que j'aurai réussi.
    Un Rieur était à la table
   D'un Financier ; et n'avait en son coin
Que de petits poissons : tous les gros étaient loin.   10
Il prend donc les menus, puis leur parle à l'oreille,
    Et puis il feint à la pareille,
D'écouter leur réponse. On demeura surpris :
    Cela suspendit les esprits.
    Le Rieur alors d'un ton sage   15
    Dit qu'il craignait qu'un sien ami

Pour les grandes Indes * parti,
N'eût depuis un an fait naufrage.
Il s'en informait donc à ce menu fretin :
Mais tous lui répondaient qu'ils n'étaient pas d'un âge   20
    A savoir au vrai son destin ;
    Les gros en sauraient davantage.
N'en puis-je donc, Messieurs, un gros interroger ?
    De dire si la compagnie
    Prit goût à la plaisanterie,   25
J'en doute ; mais enfin, il les sut engager
A lui servir d'un monstre assez vieux pour lui dire
Tous les noms des chercheurs de mondes inconnus
    Qui n'en étaient pas revenus,
Et que depuis cent ans sous l'abîme avaient vus   30
    Les anciens du vaste empire *.

FABLE IX

LE RAT ET L'HUÎTRE

Un Rat hôte d'un champ, Rat de peu de cervelle,
Des Lares paternels un jour se trouva sou *.
Il laisse là le champ, le grain, et la javelle,
Va courir le pays, abandonne son trou.
    Sitôt qu'il fut hors de la case,   5
Que le monde, dit-il, est grand et spacieux !
Voilà les Apennins, et voici le Caucase :
La moindre taupinée était mont à ses yeux.
Au bout de quelques jours le voyageur arrive
En un certain canton * où Thétys sur la rive   10
Avait laissé mainte Huître ; et notre Rat d'abord
Crut voir en les voyant des vaisseaux de haut bord.
Certes, dit-il, mon père était un pauvre sire :
Il n'osait voyager, craintif au dernier point :
Pour moi, j'ai déjà vu le maritime empire :   15
J'ai passé les déserts, mais nous n'y bûmes point *.
D'un certain magister le Rat tenait ces choses,
    Et les disait à travers champs ;
N'étant pas de ces Rats qui les livres rongeants

Se font savants jusques aux dents.   20
    Parmi tant d'Huîtres toutes closes,
Une s'était ouverte, et bâillant au Soleil,
    Par un doux Zéphir réjouie,
Humait l'air, respirait, était épanouie,
Blanche, grasse, et d'un goût, à la voir, nonpareil.   25
D'aussi loin que le Rat voit cette Huître qui bâille :
Qu'aperçois-je ? dit-il, c'est quelque victuaille ;
Et, si je ne me trompe à la couleur du mets,
Je dois faire aujourd'hui bonne chère, ou jamais.
Là-dessus maître Rat plein de belle espérance,   30
Approche de l'écaille, allonge un peu le cou,
Se sent pris comme aux lacs ; car l'Huître tout d'un
                                                        [coup
Se referme, et voilà ce que fait l'ignorance *.

Cette Fable contient plus d'un enseignement.
    Nous y voyons premièrement :   35
Que ceux qui n'ont du monde aucune expérience
Sont aux moindres objets frappés d'étonnement :
    Et puis nous y pouvons apprendre,
    Que tel est pris qui croyait prendre *.

FABLE X

L'OURS ET L'AMATEUR DES JARDINS

Certain Ours montagnard, Ours à demi léché,
Confiné par le sort dans un bois solitaire,
Nouveau Bellérophon * vivait seul et caché :
Il fût devenu fou ; la raison d'ordinaire
N'habite pas longtemps chez les gens séquestrés * :   5
Il est bon de parler, et meilleur de se taire,
Mais tous deux sont mauvais alors qu'ils sont outrés.
    Nul animal n'avait affaire
    Dans les lieux que l'Ours habitait ;
    Si bien que tout Ours qu'il était   10
Il vint à s'ennuyer de cette triste vie.
Pendant qu'il se livrait à la mélancolie,

Non loin de là certain vieillard
S'ennuyait aussi de sa part.
Il aimait les jardins, était Prêtre de Flore,   15
Il l'était de Pomone * encore :
Ces deux emplois sont beaux : Mais je voudrais parmi
Quelque doux et discret ami *.
Les jardins parlent peu ; si ce n'est dans mon livre ;
De façon que, lassé de vivre   20
Avec des gens muets notre homme un beau matin
Va chercher compagnie, et se met en campagne.
L'Ours porté d'un même dessein
Venait de quitter sa montagne :
Tous deux, par un cas surprenant   25
Se rencontrent en un tournant.
L'homme eut peur : mais comment esquiver ; et que
[faire ?
Se tirer en Gascon * d'une semblable affaire
Est le mieux : il sut donc dissimuler sa peur.
L'Ours très mauvais complimenteur,   30
Lui dit : Viens-t'en me voir. L'autre reprit : Seigneur,
Vous voyez mon logis ; si vous me vouliez faire
Tant d'honneur que d'y prendre un champêtre repas,
J'ai des fruits, j'ai du lait : Ce n'est peut-être pas
De Nosseigneurs les Ours le manger ordinaire ;   35
Mais j'offre ce que j'ai. L'Ours l'accepte ; et d'aller.
Les voilà bons amis avant que d'arriver.
Arrivés, les voilà se trouvant bien ensemble ;
Et bien qu'on soit à ce qu'il semble
Beaucoup mieux seul qu'avec des sots,   40
Comme l'Ours en un jour ne disait pas deux mots
L'Homme pouvait sans bruit * vaquer à son ouvrage.
L'Ours allait à la chasse, apportait du gibier,
Faisait son principal métier
D'être bon émoucheur *, écartait du visage   45
De son ami dormant, ce parasite ailé,
Que nous avons mouche appelé *.
Un jour que le vieillard dormait d'un profond somme,
Sur le bout de son nez une allant se placer
Mit l'Ours au désespoir ; il eut beau la chasser.   50
Je t'attraperai bien, dit-il. Et voici comme.

Aussitôt fait que dit ; le fidèle émoucheur
Vous empoigne un pavé, le lance avec roideur,
Casse la tête à l'homme en écrasant la mouche,
Et non moins bon archer que mauvais raisonneur :   55
Roide mort étendu sur la place il le couche.
Rien n'est si dangereux qu'un ignorant ami ;
    Mieux vaudrait un sage ennemi.

FABLE XI

LES DEUX AMIS

Deux vrais amis vivaient au Monomotapa * :
L'un ne possédait rien qui n'appartînt à l'autre :
    Les amis de ce pays-là
    Valent bien dit-on ceux du nôtre.
Une nuit que chacun s'occupait au sommeil,   5
Et mettait à profit l'absence du Soleil,
Un de nos deux Amis sort du lit en alarme :
Il court chez son intime, éveille les valets :
Morphée avait touché * le seuil de ce palais.
L'Ami couché s'étonne, il prend sa bourse, il s'arme ;   10
Vient trouver l'autre, et dit : Il vous arrive peu
De courir quand on dort ; vous me paraissiez homme
A mieux user du temps destiné pour le somme :
N'auriez-vous point perdu tout votre argent au jeu ?
En voici. S'il vous est venu quelque querelle,   15
J'ai mon épée, allons. Vous ennuyez-vous point
De coucher toujours seul ? Une esclave assez belle
Etait à mes côtés : voulez-vous qu'on l'appelle ?
— Non, dit l'ami, ce n'est ni l'un ni l'autre point :
    Je vous rends grâce de ce zèle.   20
Vous m'êtes en dormant * un peu triste apparu ;
J'ai craint qu'il ne fût vrai, je suis vite accouru.
    Ce maudit songe en est la cause.
Qui d'eux aimait le mieux, que t'en semble, Lecteur ?
Cette difficulté vaut bien qu'on la propose *.   25
Qu'un ami véritable est une douce chose.
Il cherche vos besoins au fond de votre cœur ;

Il vous épargne la pudeur
De les lui découvrir vous-même.
Un songe, un rien, tout lui fait peur   30
Quand il s'agit de ce qu'il aime.

FABLE XII

LE COCHON, LA CHÈVRE ET LE MOUTON

Une Chèvre, un Mouton, avec un Cochon gras,
Montés sur même char s'en allaient à la foire :
Leur divertissement ne les y portait pas ;
On s'en allait les vendre, à ce que dit l'histoire :
      Le Charton * n'avait pas dessein   5
      De les mener voir Tabarin *,
      Dom Pourceau criait en chemin
Comme s'il avait eu cent Bouchers à ses trousses.
C'était une clameur à rendre les gens sourds :
Les autres animaux, créatures plus douces,   10
Bonnes gens, s'étonnaient qu'il criât au secours ;
      Ils ne voyaient nul mal à craindre.
Le Charton dit au Porc : Qu'as-tu tant à te plaindre ?
Tu nous étourdis tous, que ne te tiens-tu coi * ?
Ces deux personnes-ci plus honnêtes * que toi,   15
Devraient t'apprendre à vivre, ou du moins à te taire.
Regarde ce Mouton ; a-t-il dit un seul mot ?
      Il est sage. — Il est un sot,
Repartit le Cochon : s'il savait son affaire,
Il crierait comme moi, du haut de son gosier,   20
      Et cette autre personne honnête
      Crierait tout du haut de sa tête.
Ils pensent qu'on les veut seulement décharger,
La Chèvre de son lait, le Mouton de sa laine.
      Je ne sais pas s'ils ont raison ;   25
      Mais quant à moi, qui ne suis bon
      Qu'à manger, ma mort est certaine.
      Adieu mon toit et ma maison.
Dom Pourceau raisonnait en subtil personnage :
Mais que lui servait-il ? Quand le mal est certain,   30

La plainte ni la peur ne changent le destin ;
Et le moins prévoyant est toujours le plus sage *.

TIRCIS ET AMARANTE
POUR MADEMOISELLE DE SILLERY *

J'avais Esope quitté
Pour être tout à Boccace * :
Mais une divinité
Veut revoir sur le Parnasse
Des Fables de ma façon ;   5
Or d'aller lui dire Non,
Sans quelque valable excuse,
Ce n'est pas comme on en use
Avec des Divinités,
Surtout quand ce sont de celles   10
Que la qualité de belles
Fait Reines des volontés.
Car afin que l'on le sache,
C'est Sillery qui s'attache
A vouloir que, de nouveau,   15
Sire Loup, Sire Corbeau
Chez moi se parlent en rime.
Qui dit Sillery, dit tout ;
Peu de gens en leur estime
Lui refusent le haut bout *,   20
Comment le pourrait-on faire ?
Pour venir à notre affaire,
Mes contes à son avis
Sont obscurs * ; les beaux esprits
N'entendent pas toute chose :   25
Faisons donc quelques récits
Qu'elle déchiffre sans glose.
Amenons des Bergers * et puis nous rimerons
Ce que disent entre eux les Loups et les Moutons.
Tircis disait un jour à la jeune Amarante :   30
Ah ! si vous connaissiez comme moi certain mal

Qui nous plaît et qui nous enchante !
Il n'est bien sous le ciel qui vous parût égal :
   Souffrez qu'on vous le communique ;
   Croyez-moi ; n'ayez point de peur :   35
Voudrais-je vous tromper, vous pour qui je me pique
Des plus doux sentiments que puisse avoir un cœur ?
   Amarante aussitôt réplique :
Comment l'appelez-vous, ce mal ? quel est son nom ?
— L'amour *. — Ce mot est beau : dites-moi quelque
                                [marque 40
A quoi je le pourrai connaître * : que sent-on ?
— Des peines près de qui le plaisir des Monarques
Est ennuyeux et fade : on s'oublie, on se plaît
   Toute seule en une forêt.
   Se mire-t-on près un rivage ?   45
Ce n'est pas soi qu'on voit, on ne voit qu'une image
Qui sans cesse revient et qui suit en tous lieux :
   Pour tout le reste on est sans yeux.
   Il est un Berger du village
Dont l'abord, dont la voix, dont le nom fait rougir :   50
   On soupire à son souvenir :
On ne sait pas pourquoi ; cependant on soupire ;
On a peur de le voir encor qu'on le désire.
   Amarante dit à l'instant :
Oh ! oh ! c'est là ce mal que vous me prêchez tant ?   55
Il ne m'est pas nouveau : je pense le connaître.
   Tircis à son but croyait être,
Quand la belle ajouta : Voilà tout justement
   Ce que je sens pour Clidamant.
L'autre pensa mourir de dépit et de honte.   60
   Il est force gens comme lui
Qui prétendent * n'agir que pour leur propre compte,
   Et qui font le marché d'autrui *.

FABLE XIV

LES OBSÈQUES DE LA LIONNE

La femme du Lion mourut :
Aussitôt chacun accourut
Pour s'acquitter envers le Prince
De certains compliments de consolation,
 Qui sont surcroît d'affliction.   5
 Il fit avertir sa Province *
 Que les obsèques se feraient
Un tel jour, en tel lieu ; ses Prévôts * y seraient
 Pour régler la cérémonie,
 Et pour placer la compagnie.   10
 Jugez si chacun s'y trouva.
 Le Prince aux cris s'abandonna,
 Et tout son antre en résonna.
 Les Lions n'ont point d'autre temple.
 On entendit à son exemple   15
Rugir en leurs patois Messieurs les Courtisans.
Je définis la cour un pays où les gens
Tristes, gais, prêts à tout, à tout indifférents,
Sont ce qu'il plaît au Prince, ou s'ils ne peuvent l'être,
 Tâchent au moins de le paraître,   20
Peuple caméléon, peuple singe du maître,
On dirait qu'un esprit anime mille corps ;
C'est bien là que les gens sont de simples ressorts *.
 Pour revenir à notre affaire
Le Cerf ne pleura point, comment eût-il pu faire ? 25
Cette mort le vengeait ; la Reine avait jadis
 Etranglé sa femme et son fils.
Bref il ne pleura point. Un flatteur l'alla dire *,
 Et soutint qu'il l'avait vu rire.
La colère du Roi, comme dit Salomon,   30
Est terrible, et surtout celle du roi Lion :
Mais ce Cerf n'avait pas accoutumé de lire.
Le Monarque lui dit : Chétif hôte des bois

Tu ris, tu ne suis pas ces gémissantes voix.
Nous n'appliquerons point sur tes membres profanes 35
    Nos sacrés ongles ; venez Loups,
    Vengez la Reine, immolez tous
    Ce traître à ses augustes mânes.
Le Cerf reprit alors : Sire, le temps de pleurs
Est passé ; la douleur est ici superflue.   40
Votre digne moitié couchée entre des fleurs,
    Tout près d'ici m'est apparue ;
    Et je l'ai d'abord reconnue.
Ami, m'a-t-elle dit, garde que ce convoi,
Quand je vais chez les Dieux, ne t'oblige à des larmes. 45
Aux Champs Elysiens j'ai goûté mille charmes,
Conversant avec ceux qui sont saints comme moi.
Laisse agir quelque temps le désespoir du Roi.
J'y prends plaisir. A peine on eut ouï la chose,
Qu'on se mit à crier : Miracle, apothéose !   50
Le Cerf eut un présent, bien loin d'être puni.
    Amusez les Rois par des songes,
Flattez *-les, payez-les d'agréables mensonges,
Quelque indignation dont leur cœur soit rempli,
Ils goberont l'appât, vous serez leur ami *.   55

FABLE XV

LE RAT ET L'ELÉPHANT

Se croire un personnage est fort commun en France.
    On y fait l'homme d'importance,
    Et l'on n'est souvent qu'un bourgeois :
    C'est proprement le mal François.
La sotte vanité nous est particulière.   5
Les Espagnols sont vains, mais d'une autre manière.
    Leur orgueil me semble en un mot
    Beaucoup plus fou, mais pas si sot.
    Donnons quelque image du nôtre
    Qui sans doute en vaut bien un autre.   10
Un Rat des plus petits voyait un Eléphant
Des plus gros, et raillait le marcher un peu lent

De la bête de haut parage,
Qui marchait à gros équipage.
Sur l'animal à triple étage *   15
Une Sultane de renom,
Son Chien, son Chat et sa Guenon,
Son Perroquet, sa vieille, et toute sa maison,
S'en allait en pèlerinage.
Le Rat s'étonnait que les gens   20
Fussent touchés * de voir cette pesante masse :
Comme si d'occuper ou plus ou moins de place
Nous rendait, disait-il, plus ou moins importants.
Mais qu'admirez-vous tant en lui vous autres hommes ?
Serait-ce ce grand corps qui fait peur aux enfants ?   25
Nous ne nous prisons pas, tout petits que nous
                                                      [sommes,
D'un grain * moins que les Eléphants.
Il en aurait dit davantage ;
Mais le Chat sortant de sa cage,
Lui fit voir en moins d'un instant   30
Qu'un Rat n'est pas un Eléphant.

FABLE XVI

L'HOROSCOPE

On rencontre sa destinée
Souvent par des chemins qu'on prend pour l'éviter *.
Un père eut pour toute lignée
Un fils qu'il aima trop, jusques à consulter
Sur le sort de sa géniture   5
Les diseurs de bonne aventure.
Un de ces gens lui dit, que des Lions sur tout
Il éloignât l'enfant jusques à certain âge ;
Jusqu'à vingt ans, point davantage.
Le père pour venir à bout   10
D'une précaution sur qui roulait la vie
De celui qu'il aimait, défendit que jamais
On lui laissât passer le seuil de son Palais.
Il pouvait sans sortir contenter son envie,

Avec ses compagnons tout le jour badiner,   15
    Sauter, courir, se promener.
    Quand il fut en l'âge où la chasse
    Plaît le plus aux jeunes esprits,
    Cet exercice avec mépris
    Lui fut dépeint : mais, quoi qu'on fasse,   20
    Propos, conseil, enseignement,
    Rien ne change un tempérament *.
Le jeune homme, inquiet, ardent, plein de courage,
A peine se sentit des bouillons * d'un tel âge,
    Qu'il soupira pour ce plaisir.   25
Plus l'obstacle était grand, plus fort fut le désir *.
Il savait le sujet des fatales défenses ;
Et comme ce logis, plein de magnificences,
    Abondait partout en tableaux,
    Et que la laine * et les pinceaux   30
Traçaient de tous côtés chasses et paysages,
    En cet endroit des animaux,
    En cet autre des personnages,
Le jeune homme s'émut, voyant peint un Lion.
Ah ! monstre, cria-t-il, c'est toi qui me fais vivre   35
Dans l'ombre et dans les fers. A ces mots, il se livre
Aux transports violents de l'indignation,
    Porte le poing sur l'innocente bête.
Sous la tapisserie un clou se rencontra.
    Ce clou le blesse ; il pénétra   40
Jusqu'aux ressorts * de l'âme ; et cette chère tête
Pour qui l'art d'Esculape en vain fit ce qu'il put,
Dut sa perte à ces soins qu'on prit pour son salut.
Même précaution nuisit au poète * Eschyle.
    Quelque Devin le menaça, dit-on,   45
    De la chute d'une maison.
    Aussitôt il quitta la ville,
Mit son lit en plein champ, loin des toits, sous les Cieux.
Un Aigle, qui portait en l'air une Tortue,
Passa par là, vit l'homme, et sur sa tête nue,   50
Qui parut un morceau de rocher à ses yeux,
    Etant de cheveux dépourvue,
Laissa tomber sa proie, afin de la casser :
Le pauvre Eschyle ainsi sut ses jours avancer.

De ces exemples il résulte   55
Que cet art *, s'il est vrai, fait tomber dans les maux
    Que craint celui qui le consulte ;
Mais je l'en justifie, et maintiens qu'il est faux.
    Je ne crois point que la nature
Se soit lié les mains, et nous les lie encor,   60
Jusqu'au point de marquer dans les cieux notre sort.
    Il dépend d'une conjoncture *
    De lieux, de personnes, de temps ;
Non des conjonctions de tous ces charlatans.
Ce Berger et ce Roi sont sous même planète ;   65
L'un d'eux porte le sceptre et l'autre la houlette :
    Jupiter le voulait ainsi.
Qu'est-ce que Jupiter ? un corps sans connaissance.
    D'où vient donc que son influence
Agit différemment sur ces deux hommes-ci ?   70
Puis comment pénétrer jusques à notre monde ?
Comment percer des airs la campagne profonde ?
Percer Mars, le Soleil, et des vides sans fin ?
Un atome la peut détourner en chemin :
Où l'iront retrouver les faiseurs d'horoscope * ?   75
    L'état où nous voyons l'Europe *
Mérite que du moins quelqu'un d'eux l'ait prévu ;
Que ne l'a-t-il donc dit ? Mais nul d'eux ne l'a su.
L'immense éloignement, le point *, et sa vitesse,
    Celle aussi de nos passions,   80
    Permettent-ils à leur faiblesse
De suivre pas à pas toutes nos actions ?
Notre sort en dépend : sa course entre-suivie,
Ne va, non plus que nous, jamais d'un même pas ;
    Et ces gens veulent au compas,   85
    Tracer les cours de notre vie !
    Il ne se faut point arrêter
Aux deux faits ambigus que je viens de conter.
Ce Fils par trop chéri, ni le bonhomme Eschyle,
N'y font rien. Tout aveugle et menteur qu'est cet art, 90
Il peut frapper au but une fois entre mille ;
    Ce sont des effets du hasard.

L'ANE ET LE CHIEN

Il se faut entr'aider, c'est la loi de nature * :
    L'Ane un jour pourtant s'en moqua :
    Et ne sais comme il y manqua ;
    Car il est bonne créature.
Il allait par pays accompagné du Chien,   5
    Gravement, sans songer à rien,
    Tous deux suivis d'un commun maître.
Ce maître s'endormit : l'Ane se mit à paître :
    Il était alors dans un pré,
    Dont l'herbe était fort à son gré.   10
Point de chardons pourtant ; il s'en passa pour l'heure :
Il ne faut pas toujours être si délicat ;
    Et faute de servir ce plat
    Rarement un festin demeure.
    Notre Baudet s'en sut enfin   15
Passer pour cette fois. Le Chien mourant de faim
Lui dit : Cher compagnon, baisse-toi, je te prie ;
Je prendrai mon dîné dans le panier au pain.
Point de réponse, mot * ; le Roussin d'Arcadie *
    Craignit qu'en perdant un moment,   20
    Il ne perdît un coup de dent.
    Il fit longtemps la sourde oreille :
Enfin il répondit : Ami, je te conseille
D'attendre que ton maître ait fini son sommeil ;
Car il te donnera sans faute à son réveil,   25
    Ta portion accoutumée.
    Il ne saurait tarder beaucoup.
    Sur ces entrefaites un Loup
Sort du bois, et s'en vient ; autre bête affamée.
L'Ane appelle aussitôt le Chien à son secours.   30
Le Chien ne bouge, et dit : Ami, je te conseille
De fuir, en attendant que ton maître s'éveille ;
Il ne saurait tarder ; détale vite, et cours.

Que si ce Loup t'atteint, casse-lui la mâchoire.
On t'a ferré de neuf ; et si tu me veux croire,   35
Tu l'étendras tout plat. Pendant ce beau discours
Seigneur Loup étrangla le Baudet sans remède.
    Je conclus qu'il faut qu'on s'entr'aide.

LE BASSA ET LE MARCHAND

Un Marchand Grec en certaine contrée
Faisait trafic. Un Bassa * l'appuyait ;
De quoi le Grec en Bassa le payait,
Non en Marchand : tant c'est chère denrée
Qu'un protecteur. Celui-ci coûtait tant,   5
Que notre Grec s'allait partout plaignant.
Trois autres Turcs d'un rang moindre en puissance
Lui vont offrir leur support * en commun.
Eux trois voulaient moins de reconnaissance
Qu'à ce Marchand il n'en coûtait pour un.   10
Le Grec écoute : avec eux il s'engage ;
Et le Bassa du tout est averti :
Même on lui dit qu'il jouera s'il est sage,
A ces gens-là quelque méchant parti *,
Les prévenant *, les chargeant d'un message   15
Pour Mahomet, droit en son paradis,
Et sans tarder : Sinon ces gens unis
Le préviendront, bien certains qu'à la ronde
Il a des gens tout prêts pour le venger.
Quelque poison l'envoira protéger   20
Les trafiquants qui sont en l'autre monde.
Sur cet avis le Turc se comporta
Comme Alexandre * ; et plein de confiance
Chez le Marchand tout droit il s'en alla ;
Se mit à table : on vit tant d'assurance   25
En ces discours et dans tout son maintien,
Qu'on ne crut point qu'il se doutât de rien.
Ami, dit-il, je sais que tu me quittes ;
Même l'on veut que j'en craigne les suites ;

Mais je te crois un trop homme de bien :   30
Tu n'as point l'air d'un donneur de breuvage.
Je n'en dis pas là-dessus davantage.
Quant à ces gens qui pensent t'appuyer,
Ecoute-moi. Sans tant de Dialogue,
Et de raisons qui pourraient t'ennuyer,   35
Je ne te veux conter qu'un apologue.
Il était un Berger, son Chien, et son troupeau.
Quelqu'un lui demanda ce qu'il prétendait faire
        D'un Dogue de qui l'ordinaire
Etait un pain entier. Il fallait bien et beau   40
Donner cet animal au Seigneur du village.
        Lui Berger pour plus de ménage *
        Aurait deux ou trois mâtineaux *,
Qui lui dépensant moins veilleraient aux troupeaux
        Bien mieux que cette bête seule.   45
Il mangeait plus que trois : mais on ne disait pas
        Qu'il avait aussi triple gueule
        Quand les Loups livraient des combats.
Le Berger s'en défait : il prend trois chiens de taille
A lui dépenser moins, mais à fuir la bataille.   50
Le troupeau s'en sentit, et tu te sentiras
        Du choix de semblable canaille.
    Si tu fais bien, tu reviendras à moi.
    Le Grec le crut. Ceci montre aux Provinces *
Que, tout compté mieux vaut en bonne foi   55
S'abandonner à quelque puissant Roi,
Que s'appuyer de plusieurs petits princes.

FABLE XIX

L'AVANTAGE DE LA SCIENCE *

Entre deux Bourgeois d'une Ville
S'émut * jadis un différend.
L'un était pauvre, mais habile,
L'autre riche, mais ignorant.
Celui-ci sur son concurrent   5
Voulait emporter l'avantage :

Prétendait que tout homme sage
Etait tenu de l'honorer.
C'était tout homme sot ; car pourquoi révérer
Des biens dépourvus de mérite ?   10
La raison m'en semble petite.
Mon ami, disait-il souvent
                Au savant,
Vous vous croyez considérable ;
Mais, dites-moi, tenez-vous table * ?   15
Que sert à vos pareils de lire incessamment ?
Ils sont toujours logés à la troisième chambre *,
Vêtus au mois de juin comme au mois de décembre,
Ayant pour tout Laquais leur ombre seulement.
La République a bien affaire   20
De gens qui ne dépensent rien :
Je ne sais d'homme nécessaire
Que celui dont le luxe épand beaucoup de bien.
Nous en usons, Dieu sait : notre plaisir occupe
L'Artisan, le Vendeur, celui qui fait la jupe,   25
Et celle qui la porte, et vous, qui dédiez
A Messieurs les gens de Finance *
De méchants livres bien payés.
Ces mots remplis d'impertinence
Eurent le sort qu'ils méritaient.   30
L'homme lettré se tut, il avait trop à dire.
La guerre le vengea bien mieux qu'une satire.
Mars détruisit le lieu que nos gens habitaient.
L'un et l'autre quitta sa Ville.
L'ignorant resta sans asile ;   35
Il reçut partout des mépris :
L'autre reçut partout quelque faveur nouvelle :
Cela décida leur querelle.
Laissez dire les sots ; le savoir a son prix.

FABLE XX

JUPITER ET LES TONNERRES

Jupiter voyant nos fautes,
Dit un jour du haut des airs :

Remplissons de nouveaux hôtes
Les cantons * de l'Univers
Habités par cette race   5
Qui m'importune et me lasse.
Va-t'en, Mercure, aux Enfers :
Amène-moi la furie
La plus cruelle des trois *.
Race que j'ai trop chérie,   10
Tu périras cette fois.
Jupiter ne tarda guère
A modérer son transport.
O vous, Rois, qu'il voulut faire
Arbitres de notre sort,   15
Laissez entre la colère
Et l'orage qui la suit
L'intervalle d'une nuit.
Le Dieu dont l'aile est légère,
Et la langue a des douceurs,   20
Alla voir les noires Sœurs.
A Tisiphone et Mégère
Il préféra, ce dit-on,
L'impitoyable Alecton.
Ce choix la rendit si fière,   25
Qu'elle jura par Pluton
Que toute l'engeance humaine
Serait bientôt du domaine
Des déités de là-bas.
Jupiter n'approuva pas   30
Le serment de l'Euménide.
Il la renvoie, et pourtant
Il lance un foudre à l'instant
Sur certain peuple perfide.
Le tonnerre ayant pour guide   35
Le père même de ceux
Qu'il menaçait de ses feux,
Se contenta de leur crainte ;
Il n'embrasa que l'enceinte
D'un désert inhabité.   40
Tout père frappe à côté.
Qu'arriva-t-il ? Notre engeance

Prit pied sur cette indulgence.
Tout l'Olympe s'en plaignit :
Et l'assembleur de nuages *   45
Jura le Styx *, et promit
De former d'autres orages ;
Ils seraient sûrs. On sourit :
On lui dit qu'il était père,
Et qu'il laissât pour le mieux   50
A quelqu'un des autres Dieux
D'autres tonnerres à faire.
Vulcan entreprit l'affaire.
Ce Dieu remplit ses fourneaux
De deux sortes de carreaux *.   55
L'un jamais ne se fourvoie,
Et c'est celui que toujours
L'Olympe en corps nous envoie.
L'autre s'écarte en son cours ;
Ce n'est qu'aux monts qu'il en coûte ;   60
Bien souvent même il se perd,
Et ce dernier en sa route
Nous vient du seul Jupiter.

LE FAUCON ET LE CHAPON

Une traîtresse voix bien souvent vous appelle ;
      Ne vous pressez donc nullement :
Ce n'était pas un sot, non, non, et croyez-m'en,
      Que le Chien de Jean de Nivelle *.
Un citoyen du Mans, Chapon de son métier   5
      Etait sommé de comparaître
      Par-devant les lares du maître,
Au pied d'un tribunal que nous nommons foyer.
Tous les gens lui criaient pour déguiser la chose,
Petit, petit, petit : mais, loin de s'y fier,   10
Le Normand et demi * laissait les gens crier :
Serviteur, disait-il, votre appât est grossier ;

On ne m'y tient pas ; et pour cause.
Cependant un Faucon sur sa perche * voyait
    Notre Manceau qui s'enfuyait.   15
Les Chapons ont en nous fort peu de confiance,
    Soit instinct, soit expérience.
Celui-ci qui ne fut qu'avec peine attrapé,
Devait le lendemain être d'un grand soupé,
Fort à l'aise, en un plat, honneur dont la volaille   20
    Se serait passée aisément.
L'Oiseau chasseur lui dit : Ton peu d'entendement
Me rend tout étonné. Vous n'êtes que racaille,
Gens grossiers, sans esprit, à qui l'on n'apprend rien.
Pour moi, je sais chasser, et revenir au maître.   25
    Le vois-tu pas à la fenêtre ?
Il t'attend : es-tu sourd ? — Je n'entends que trop bien,
Repartit le Chapon ; mais que me veut-il dire,
Et ce beau Cuisinier armé d'un grand couteau * ?
    Reviendrais-tu pour cet appeau * :   30
    Laisse-moi fuir, cesse de rire
De l'indocilité qui me fait envoler,
Lorsque d'un ton si doux on s'en vient m'appeler.
    Si tu voyais mettre à la broche
    Tous les jours autant de Faucons   35
    Que j'y vois mettre de Chapons,
Tu ne me ferais pas un semblable reproche.

FABLE XXII

LE CHAT ET LE RAT

Quatre animaux divers, le Chat grippe-fromage,
Triste-oiseau le Hibou, Ronge-maille le Rat,
    Dame Belette au long corsage *,
    Toutes gens d'esprit scélérat,
Hantaient le tronc pourri d'un pin vieux et sauvage.   5
Tant y furent, qu'un soir à l'entour de ce pin
L'homme tendit ses rets. Le Chat de grand matin
    Sort pour aller chercher sa proie.
Les derniers traits de l'ombre empêchent qu'il ne voie

Le filet ; il y tombe, en danger de mourir ;   10
Et mon Chat de crier, et le Rat d'accourir,
L'un plein de désespoir, et l'autre plein de joie.
Il voyait dans les lacs son mortel ennemi.
          Le pauvre Chat dit : Cher ami,
          Les marques de ta bienveillance   15
          Sont communes en mon endroit :
Viens m'aider à sortir du piège où l'ignorance *
          M'a fait tomber. C'est à bon droit
Que, seul entre les tiens par amour singulière
Je t'ai toujours choyé, t'aimant comme mes yeux.   20
Je n'en ai point regret, et j'en rends grâce aux Dieux.
          J'allais leur faire ma prière ;
Comme tout dévot Chat en use les matins,
Ce réseau me retient : ma vie est en tes mains ;
Viens dissoudre ces nœuds. — Et quelle récompense   25
          En aurai-je ? reprit le Rat.
          — Je jure éternelle alliance
          Avec toi, repartit le Chat.
Dispose de ma griffe, et sois en assurance :
Envers et contre tous je te protégerai,   30
          Et la Belette mangerai
          Avec l'époux de la Chouette *.
Ils t'en veulent tous deux. Le Rat dit : Idiot !
Moi ton libérateur ? Je ne suis pas si sot.
          Puis il s'en va vers sa retraite.   35
          La Belette était près du trou.
Le Rat grimpe plus haut ; il y voit le Hibou :
Dangers de toutes parts ; le plus pressant l'emporte.
Ronge-maille retourne au Chat, et fait en sorte
Qu'il détache un chaînon, puis un autre, et puis tant 40
          Qu'il dégage enfin l'hypocrite.
          L'homme paraît en cet instant.
Les nouveaux alliés prennent tous deux la fuite.
A quelque temps de là, notre Chat vit de loin
Son Rat qui se tenait à l'erte * et sur ses gardes.   45
Ah ! mon frère, dit-il, viens m'embrasser ; ton soin
          Me fait injure ; tu regardes
          Comme ennemi ton allié.
          Penses-tu que j'aie oublié

Qu'après Dieu je te dois la vie ?   50
— Et moi, reprit le Rat, penses-tu que j'oublie
   Ton naturel ? Aucun traité
   Peut-il forcer un Chat à la reconnaissance ?
   S'assure-t-on sur l'alliance
   Qu'a faite la nécessité ?   55

FABLE XXIII

LE TORRENT ET LA RIVIÈRE

   Avec grand bruit et grand fracas
   Un Torrent tombait des montagnes :
Tout fuyait devant lui ; l'horreur suivait ses pas ;
   Il faisait trembler les campagnes.
   Nul voyageur n'osait passer   5
   Une barrière si puissante :
Un seul vit des voleurs, et se sentant presser,
Il mit entre eux et lui cette onde menaçante.
Ce n'était que menace, et bruit, sans profondeur ;
   Notre homme enfin n'eut que la peur.   10
   Ce succès lui donnant courage,
Et les mêmes voleurs le poursuivant toujours,
   Il rencontra sur son passage
   Une rivière dont le cours
Image d'un sommeil doux, paisible et tranquille   15
Lui fit croire d'abord ce trajet fort facile.
Point de bords escarpés, un sable pur et net.
   Il entre, et son cheval le met
A couvert des voleurs, mais non de l'onde noire :
   Tous deux au Styx allèrent boire ;   20
   Tous deux, à nager malheureux,
Allèrent traverser, au séjour ténébreux,
   Bien d'autres fleuves que les nôtres.
   Les gens sans bruit sont dangereux :
   Il n'en est pas ainsi des autres.   25

FABLE XXIV

L'EDUCATION

Laridon * et César, frères dont l'origine
Venait de chiens fameux, beaux, bien faits et hardis,
A deux maîtres divers échus au temps jadis,
Hantaient, l'un les forêts, et l'autre la cuisine.
Ils avaient eu d'abord chacun un autre nom ;   5
    Mais la diverse nourriture *
Fortifiant en l'un cette heureuse nature,
En l'autre l'altérant, un certain marmiton
    Nomma celui-ci Laridon :
Son frère, ayant couru mainte haute aventure,   10
Mis maint Cerf aux abois, maint Sanglier abattu,
Fut le premier César que la gent chienne ait eu.
On eut soin d'empêcher qu'une indigne maîtresse
Ne fît en ses enfants dégénérer son sang :
Laridon négligé témoignait sa tendresse   15
    A l'objet le premier passant.
    Il peupla tout de son engeance :
Tournebroches * par lui rendus communs en France
Y font un corps à part, gens fuyants les hasards,
    Peuple antipode des Césars.   20
On ne suit pas toujours ses aïeux ni son père :
Le peu de soin, le temps, tout fait qu'on dégénère :
Faute de cultiver la nature et ses dons *,
O combien de Césars deviendront Laridons !

FABLE XXV

LES DEUX CHIENS ET L'ANE MORT

    Les vertus devraient être sœurs,
    Ainsi que les vices sont frères :
Dès que l'un de ceux-ci s'empare de nos cœurs,
Tous viennent à la file, il ne s'en manque guères :

J'entends de ceux qui n'étant pas contraires   5
    Peuvent loger sous même toit.
A l'égard des vertus, rarement on les voit
Toutes en un sujet éminemment placées
Se tenir par la main sans être dispersées.
L'un est vaillant, mais prompt ; l'autre est prudent,
                           [mais froid. 10
Parmi les animaux le Chien se pique d'être
    Soigneux et fidèle à son maître ;
    Mais il est sot, il est gourmand :
Témoin ces deux mâtins qui dans l'éloignement
Virent un Ane mort qui flottait sur les ondes.   15
Le vent de plus en plus l'éloignait de nos Chiens.
Ami, dit l'un, tes yeux sont meilleurs que les miens.
Porte un peu tes regards sur ces plaines profondes.
J'y crois voir quelque chose. Est-ce un Bœuf, un Che-
                                 [val ?
    — Hé qu'importe quel animal ?   20
Dit l'un de ces mâtins ; voilà toujours curée.
Le point est de l'avoir ; car le trajet est grand ;
Et de plus il nous faut nager contre le vent.
Buvons toute cette eau ; notre gorge altérée
En viendra bien à bout : ce corps demeurera   25
    Bientôt à sec, et ce sera
    Provision pour la semaine.
Voilà mes Chiens à boire ; ils perdirent l'haleine,
    Et puis la vie ; ils firent tant
    Qu'on les vit crever à l'instant.   30
L'homme est ainsi bâti : Quand un sujet l'enflamme
L'impossibilité disparaît à son âme.
Combien fait-il de vœux, combien perd-il de pas ?
S'outrant * pour acquérir des biens ou de la gloire ?
    Si j'arrondissais mes états !   35
Si je pouvais remplir mes coffres de ducats * !
Si j'apprenais l'hébreu, les sciences, l'histoire !
    Tout cela, c'est la mer à boire * ;
    Mais rien à l'homme ne suffit :
Pour fournir aux projets que forme un seul esprit   40
Il faudrait quatre corps ; encor loin d'y suffire
A mi-chemin je crois que tous demeureraient :

Quatre Mathusalems bout à bout ne pourraient
    Mettre à fin * ce qu'un seul désire.

FABLE XXVI

DÉMOCRITE ET LES ABDÉRITAINS

Que j'ai toujours haï les pensers du vulgaire * !
Qu'il me semble profane, injuste, et téméraire ;
Mettant de faux milieux * entre la chose et lui,
Et mesurant par soi ce qu'il voit en autrui !
Le maître d'Epicure en fit l'apprentissage.   5
Son pays le crut fou : Petits esprits ! mais quoi ?
    Aucun n'est prophète chez soi.
Ces gens étaient les fous, Démocrite le sage.
L'erreur alla si loin qu'Abdère * députa
    Vers Hippocrate, et l'invita,   10
    Par lettres et par ambassade,
A venir rétablir la raison du malade.
Notre concitoyen, disaient-ils en pleurant,
Perd l'esprit : la lecture a gâté Démocrite.
Nous l'estimerions plus s'il était ignorant *.   15
Aucun nombre, dit-il, les mondes ne limite * :
    Peut-être même ils sont remplis
    De Démocrites infinis.
Non content de ce songe il y joint les atomes,
Enfants d'un cerveau creux, invisibles fantômes ;   20
Et, mesurant les cieux sans bouger d'ici-bas,
Il connaît l'univers et ne se connaît pas.
Un temps fut qu'il savait accorder * les débats ;
    Maintenant il parle à lui-même.
Venez, divin mortel ; sa folie est extrême.   25
Hippocrate n'eut pas trop de foi pour ces gens :
Cependant il partit : Et voyez, je vous prie,
    Quelles rencontres dans la vie
Le sort cause ; Hippocrate arriva dans le temps
Que celui qu'on disait n'avoir raison ni sens   30
    Cherchait dans l'homme et dans la bête
Quel siège a la raison, soit le cœur, soit la tête.

Sous un ombrage épais, assis près d'un ruisseau *,
    Les labyrinthes d'un cerveau
L'occupaient. Il avait à ses pieds maint volume,   35
Et ne vit presque pas son ami s'avancer,
    Attaché selon sa coutume.
Leur compliment fut court, ainsi qu'on peut penser.
Le sage est ménager du temps et des paroles.
Ayant donc mis à part les entretiens frivoles,   40
Et beaucoup raisonné sur l'homme et sur l'esprit,
    Ils tombèrent sur la morale.
    Il n'est pas besoin que j'étale
    Tout ce que l'un et l'autre dit *.
    Le récit précédent suffit   45
Pour montrer que le peuple est juge récusable.
    En quel sens est donc véritable
    Ce que j'ai lu dans certain lieu,
    Que sa voix est la voix de Dieu * ?

FABLE XXVII

LE LOUP ET LE CHASSEUR

Fureur d'accumuler, monstre de qui les yeux
Regardent comme un point tous les bienfaits des
                       [Dieux,
Te combattrai-je en vain sans cesse en cet ouvrage * ?
Quel temps demandes-tu pour suivre mes leçons ?
L'homme, sourd à ma voix comme à celle du sage,   5
Ne dira-t-il jamais : C'est assez, jouissons * ?
— Hâte-toi, mon ami, tu n'as pas tant à vivre *.
Je te rebats ce mot, car il vaut tout un livre :
Jouis. — Je le ferai. — Mais quand donc ? — Dès
                       [demain.
— Eh ! mon ami, la mort te peut prendre en chemin. 10
Jouis dès aujourd'hui * : redoute un sort semblable
A celui du Chasseur et du Loup de ma fable.
Le premier de son arc avait mis bas un daim.
Un Faon de Biche passe, et le voilà soudain
Compagnon du défunt ; tous deux gisent sur l'herbe. 15

La proie était honnête ; un Daim avec un Faon,
Tout modeste * Chasseur en eût été content :
Cependant un Sanglier, monstre énorme et superbe,
Tente encor notre archer, friand de tels morceaux.
Autre habitant du Styx : la Parque et ses ciseaux   20
Avec peine y mordaient ; la Déesse infernale
Reprit à plusieurs fois l'heure au monstre fatale.
De la force du coup pourtant il s'abattit.
C'était assez de biens ; mais quoi ? rien ne remplit
Les vastes appétits d'un faiseur * de conquêtes.   25
Dans le temps que le Porc revient à soi, l'archer
Voit le long d'un sillon une perdrix marcher,
          Surcroît chétif aux autres têtes.
De son arc toutefois il bande les ressorts.
Le sanglier, rappelant les restes de sa vie,   30
Vient à lui, le découd, meurt vengé sur son corps ;
          Et la perdrix le remercie.
Cette part du récit s'adresse au convoiteux :
L'avare aura pour lui le reste de l'exemple.
Un Loup vit, en passant, ce spectacle piteux.   35
O fortune, dit-il, je te promets un temple.
Quatre corps étendus ! que de biens ! mais pourtant
Il faut les ménager, ces rencontres * sont rares.
          (Ainsi s'excusent les avares.)
J'en aurai, dit le Loup, pour un mois, pour autant.   40
Un, deux, trois, quatre corps, ce sont quatre semaines,
          Si je sais compter, toutes pleines.
Commençons dans deux jours ; et mangeons cependant
La corde de cet arc ; il faut que l'on l'ait faite
De vrai boyau ; l'odeur me le témoigne assez.   45
          En disant ces mots, il se jette
Sur l'arc qui se détend, et fait de la sagette *
Un nouveau mort, mon Loup a les boyaux percés.
Je reviens à mon texte. Il faut que l'on jouisse ;
Témoin ces deux gloutons punis d'un sort commun ;   50
          La convoitise perdit l'un ;
          L'autre périt par l'avarice.

LIVRE NEUVIÈME

FABLE I

LE DÉPOSITAIRE INFIDÈLE

Grâce aux Filles de Mémoire *,
J'ai chanté des animaux ;
Peut-être d'autres Héros
M'auraient acquis moins de gloire.
Le Loup en langue des Dieux *   5
Parle au Chien dans mes ouvrages ;
Les Bêtes à qui mieux mieux
Y font divers * personnages ;
Les uns fous, les autres sages,
De telle sorte pourtant   10
Que les fous vont l'emportant ;
La mesure en est plus pleine.
Je mets aussi sur la Scène
Des Trompeurs, des Scélérats,
Des Tyrans et des Ingrats,   15
Mainte imprudente pécore *,
Force Sots, force Flatteurs ;
Je pourrais y joindre encore
Des légions de menteurs :
Tout homme ment, dit le Sage *.   20
S'il n'y mettait seulement
Que les gens du bas étage,

On pourrait aucunement *
Souffrir ce défaut aux hommes ;
Mais que tous tant que nous sommes   25
Nous mentions, grand et petit,
Si quelque autre l'avait dit,
Je soutiendrais le contraire ;
Et même qui mentirait
Comme Esope et comme Homère,   30
Un vrai menteur ne serait.
Le doux charme de maint songe
Par leur bel art inventé,
Sous les habits du mensonge
Nous offre la vérité.   35
L'un et l'autre a fait un livre
Que je tiens digne de vivre
Sans fin, et plus, s'il se peut :
Comme eux ne ment pas qui veut.
Mais mentir comme sut faire   40
Un certain Dépositaire,
Payé par son propre mot,
Est d'un méchant et d'un sot.
Voici le fait. Un trafiquant de Perse,
Chez son voisin, s'en allant en commerce,   45
Mit en dépôt un cent * de fer un jour.
Mon fer, dit-il, quand il fut de retour.
— Votre fer ? Il n'est plus. J'ai regret de vous dire
    Qu'un Rat l'a mangé tout entier.
J'en ai grondé mes gens : mais qu'y faire ? un Grenier 50
A toujours quelque trou. Le trafiquant admire
Un tel prodige, et feint de le croire pourtant.
Au bout de quelques jours, il détourne l'enfant
Du perfide voisin ; puis à souper convie
Le père qui s'excuse, et lui dit en pleurant :   55
    Dispensez-moi, je vous supplie :
    Tous plaisirs pour moi sont perdus.
    J'aimais un fils plus que ma vie ;
Je n'ai que lui ; que dis-je ? hélas ! je ne l'ai plus.
On me l'a dérobé. Plaignez mon infortune.   60
Le Marchand repartit : Hier au soir sur la brune
Un chat-huant s'en vint votre fils enlever.

Vers un vieux bâtiment je le lui vis porter.
Le père dit : Comment voulez-vous que je croie
Qu'un hibou pût jamais emporter cette proie ?   65
Mon fils en un besoin eût pris le Chat-huant.
— Je ne vous dirai point, reprit l'autre, comment ;
Mais enfin je l'ai vu, vu de mes yeux ; vous dis-je,
    Et ne vois rien qui vous oblige
D'en douter un moment après ce que je dis.   70
    Faut-il que vous trouviez étrange
    Que les Chats-huants d'un pays
Où le quintal de fer par un seul Rat se mange,
Enlèvent un garçon pesant un demi-cent ?
L'autre vit où tendait cette feinte aventure :   75
    Il rendit le fer au Marchand,
    Qui lui rendit sa géniture.
Même dispute avint entre deux voyageurs.
    L'un d'eux était de ces conteurs
Qui n'ont jamais rien vu qu'avec un microscope.   80
Tout est Géant chez eux. Ecoutez-les, l'Europe,
Comme l'Afrique aura des monstres à foison.
Celui-ci se croyait l'hyperbole permise.
J'ai vu, dit-il, un chou plus grand qu'une maison.
— Et moi, dit l'autre, un pot aussi grand qu'une Eglise. 85
Le premier se moquant, l'autre reprit : Tout doux ;
    On le fit pour cuire vos choux.
L'homme au pot fut plaisant ; l'homme au fer fut habile.
Quand l'absurde est outré, l'on lui fait trop d'honneur
De vouloir par raison combattre son erreur * ;   90
Enchérir est plus court, sans s'échauffer la bile.

FABLE II

LES DEUX PIGEONS

    Deux Pigeons s'aimaient d'amour tendre.
    L'un d'eux s'ennuyant au logis
    Fut assez fou pour entreprendre
    Un voyage en lointain pays.
    L'autre lui dit * : Qu'allez-vous faire ?   5

Voulez-vous quitter votre frère ?
L'absence est le plus grand des maux :
Non pas pour vous, cruel. Au moins, que les travaux,
     Les dangers, les soins du voyage,
     Changent un peu votre courage *.   10
Encor si la saison s'avançait davantage !
Attendez les zéphyrs *. Qui vous presse ? Un corbeau
Tout à l'heure annonçait malheur à quelque oiseau.
Je ne songerai plus que rencontre funeste,
Que Faucons, que réseaux. Hélas, dirai-je, il pleut :   15
     Mon frère a-t-il tout ce qu'il veut,
     Bon soupé, bon gîte, et le reste ?
     Ce discours ébranla le cœur
     De notre imprudent voyageur ;
Mais le désir de voir * et l'humeur inquiète *   20
L'emportèrent enfin. Il dit : Ne pleurez point :
Trois jours au plus rendront mon âme satisfaite ;
Je reviendrai dans peu conter de point en point
     Mes aventures * à mon frère.
Je le désennuierai : quiconque ne voit guère   25
N'a guère à dire aussi *. Mon voyage dépeint
     Vous sera d'un plaisir extrême *.
Je dirai : J'étais là ; telle chose m'avint ;
     Vous y croirez être vous-même.
A ces mots en pleurant ils se dirent adieu.   30
Le voyageur s'éloigne ; et voilà qu'un nuage
L'oblige de chercher retraite en quelque lieu.
Un seul arbre s'offrit, tel encor que l'orage
Maltraita le Pigeon en dépit du feuillage.
L'air devenu serein, il part tout morfondu,   35
Sèche du mieux qu'il peut son corps chargé de pluie,
Dans un champ à l'écart voit du blé répandu,
Voit un pigeon auprès ; cela lui donne envie :
Il y vole, il est pris : ce blé couvrait d'un las *,
     Les menteurs et traîtres appas.   40
Le las était usé ! si bien que de son aile,
De ses pieds, de son bec, l'oiseau le rompt enfin.
Quelque plume y périt ; et le pis du destin
Fut qu'un certain Vautour à la serre cruelle
Vit notre malheureux, qui, traînant la ficelle   45

Et les morceaux du las qui l'avait attrapé,
    Semblait un forçat échappé.
Le vautour s'en allait le lier *, quand des nues
Fond à son tour un Aigle aux ailes étendues.
Le Pigeon profita du conflit des voleurs,   50
S'envola, s'abattit auprès d'une masure,
    Crut, pour ce coup, que ses malheurs
    Finiraient par cette aventure ;
Mais un fripon d'enfant, cet âge est sans pitié,
Prit sa fronde et, du coup, tua plus d'à moitié   55
    La volatile malheureuse,
  Qui, maudissant sa curiosité,
    Traînant l'aile et tirant le pié,
    Demi-morte et demi-boiteuse,
    Droit au logis s'en retourna.   60
    Que bien, que mal, elle arriva
    Sans autre aventure fâcheuse.
Voilà nos gens rejoints ; et je laisse à juger
De combien de plaisirs ils payèrent leurs peines.
Amants, heureux amants, voulez-vous voyager ?   65
    Que ce soit aux rives prochaines ;
Soyez-vous l'un à l'autre un monde toujours beau,
    Toujours divers, toujours nouveau ;
Tenez-vous lieu de tout, comptez pour rien le reste ;
J'ai quelquefois aimé ! je n'aurais pas alors   70
    Contre le Louvre et ses trésors,
Contre le firmament et sa voûte céleste,
    Changé les bois, changé les lieux
Honorés par les pas, éclairés par les yeux
    De l'aimable et jeune Bergère *   75
    Pour qui, sous le fils de Cythère *,
Je servis, engagé par mes premiers serments.
Hélas ! quand reviendront * de semblables moments ?
Faut-il que tant d'objets si doux et si charmants
Me laissent vivre au gré de mon âme inquiète * ?   80
Ah ! si mon cœur osait encor se renflammer !
Ne sentirai-je plus de charme qui m'arrête ?
    Ai-je passé le temps d'aimer ?

FABLE III

LE SINGE ET LE LÉOPARD

Le Singe avec le Léopard
Gagnaient de l'argent à la foire :
Ils affichaient chacun à part.
L'un d'eux disait : Messieurs, mon mérite et ma gloire
Sont connus en bon lieu ; le Roi m'a voulu voir * ;   5
    Et, si je meurs, il veut avoir
Un manchon de ma peau ; tant elle est bigarrée,
    Pleine de taches, marquetée,
    Et vergetée, et mouchetée.
La bigarrure plaît ; partant chacun le vit.   10
Mais ce fut bientôt fait, bientôt chacun sortit.
Le Singe de sa part disait : Venez de grâce,
Venez, Messieurs. Je fais cent tours de passe-passe.
Cette diversité dont on vous parle tant,
Mon voisin Léopard l'a sur soi seulement ;   15
Moi, je l'ai dans l'esprit : votre serviteur Gille,
    Cousin et gendre de Bertrand *,
    Singe du Pape en son vivant,
    Tout fraîchement en cette ville
Arrive en trois * bateaux exprès pour vous parler ;   20
Car il parle, on l'entend ; il sait danser, baller *,
    Faire des tours de toute sorte,
Passer en des cerceaux ; et le tout pour six blancs * !
Non, Messieurs, pour un sou ; si vous n'êtes contents,
Nous rendrons à chacun son argent à la porte.   25
Le Singe avait raison : ce n'est pas sur l'habit
Que la diversité me plaît, c'est dans l'esprit :
L'une fournit toujours * des choses agréables ;
L'autre en moins d'un moment lasse les regardants.
Oh ! que de grands seigneurs, au Léopard semblables,   30
    N'ont que l'habit pour tous talents * !

FABLE IV

LE GLAND ET LA CITROUILLE

Dieu fait bien ce qu'il fait *. Sans en chercher la preuve
En tout cet Univers, et l'aller parcourant,
    Dans les Citrouilles je la treuve.
    Un villageois, considérant
Combien ce fruit est gros et sa tige menue :   5
A quoi songeait, dit-il, l'Auteur de tout cela ?
Il a bien mal placé cette Citrouille-là !
    Hé parbleu ! Je l'aurais pendue
    A l'un des chênes que voilà.
    C'eût été justement l'affaire ;   10
    Tel fruit, tel arbre, pour bien faire.
C'est dommage, Garo *, que tu n'es point entré
Au conseil de celui que prêche ton Curé :
Tout en eût été mieux ; car pourquoi, par exemple,
Le Gland, qui n'est pas gros comme mon petit doigt, 15
    Ne pend-il pas en cet endroit ?
    Dieu s'est mépris : plus je contemple
Ces fruits ainsi placés, plus il semble à Garo
    Que l'on a fait un quiproquo.
Cette réflexion embarrassant notre homme :   20
On ne dort point, dit-il, quand on a tant d'esprit.
Sous un chêne aussitôt il va prendre son somme.
Un gland tombe : le nez du dormeur en pâtit.
Il s'éveille ; et portant la main sur son visage,
Il trouve encor le Gland pris au poil du menton.   25
Son nez meurtri le force à changer de langage ;
Oh, oh, dit-il, je saigne ! et que serait-ce donc
S'il fût tombé de l'arbre une masse plus lourde,
    Et que ce Gland eût été gourde ?
Dieu ne l'a pas voulu : sans doute il eut raison ;   30
    J'en vois bien à présent la cause.
    En louant Dieu de toute chose,
    Garo retourne à la maison.

L'ECOLIER,
LE PÉDANT ET LE MAÎTRE
D'UN JARDIN *

Certain enfant qui sentait son Collège,
Doublement sot et doublement fripon
Par le jeune âge, et par le privilège
Qu'ont les Pédants de gâter la raison,
Chez un voisin dérobait, ce dit-on,   5
Et fleurs et fruits. Ce voisin, en Automne,
Des plus beaux dons que nous offre Pomone
Avait la fleur, les autres le rebut.
Chaque saison apportait son tribut :
Car au Printemps il jouissait encore   10
Des plus beaux dons que nous présente Flore.
Un jour dans son jardin il vit notre Ecolier
Qui grimpant sans égard sur un arbre fruitier,
Gâtait jusqu'aux boutons, douce et frêle espérance,
Avant-coureurs des biens que promet l'abondance.   15
Même il ébranchait l'arbre, et fit tant à la fin
    Que le possesseur du jardin
Envoya faire plainte au maître de la Classe.
Celui-ci vint suivi d'un cortège d'enfants.
    Voilà le verger plein de gens   20
Pires que le premier. Le Pédant, de sa grâce *,
    Accrut le mal en amenant
    Cette jeunesse mal instruite * :
Le tout, à ce qu'il dit, pour faire un châtiment
Qui pût servir d'exemple, et dont toute sa suite   25
Se souvînt à jamais comme d'une leçon.
Là-dessus il cita Virgile et Cicéron,
    Avec force traits de science.
Son discours dura tant que la maudite engeance
Eut le temps de gâter en cent lieux le jardin *.   30
    Je hais les pièces d'éloquence

Hors de leur place, et qui n'ont point de fin,
    Et ne sais bête au monde pire
    Que l'Ecolier, si ce n'est le Pédant.
Le meilleur de ces deux pour voisin, à vrai dire,   35
    Ne me plairait aucunement.

FABLE VI

LE STATUAIRE
ET LA STATUE DE JUPITER

Un bloc de marbre était si beau
Qu'un Statuaire en fit l'emplette.
Qu'en fera, dit-il, mon ciseau ?
Sera-t-il Dieu, table ou cuvette ?

Il sera Dieu : même je veux
Qu'il ait en sa main un tonnerre.   5
Tremblez, humains. Faites des vœux ;
Voilà le maître de la terre.

L'artisan * exprima si bien
Le caractère de l'Idole,
Qu'on trouva qu'il ne manquait rien   10
A Jupiter que la parole.

Même l'on dit que l'ouvrier
Eut à peine achevé l'image,
Qu'on le vit frémir le premier,   15
Et redouter son propre ouvrage.

A la faiblesse du sculpteur
Le Poète autrefois n'en dut guère *,
Des dieux dont il fut l'inventeur
Craignant la haine et la colère.   20

Il était enfant en ceci :
Les enfants n'ont l'âme occupée
Que du continuel souci
Qu'on ne fâche point leur poupée.

Le cœur suit aisément l'esprit :   25
De cette source est descendue

L'erreur païenne, qui se vit
Chez tant de peuples répandue.

Ils embrassaient violemment
Les intérêts de leur chimère.   30
Pygmalion * devint amant
De la Vénus dont il fut père.

Chacun tourne en réalités,
Autant qu'il peut, ses propres songes :
L'homme est de glace aux vérités ;   35
Il est de feu pour les mensonges *.

FABLE VII

LA SOURIS MÉTAMORPHOSÉE EN FILLE

Une Souris tomba du bec d'un Chat-Huant :
    Je ne l'eusse pas ramassée ;
Mais un Bramin * le fit ; je le crois aisément :
    Chaque pays a sa pensée.
    La Souris était fort froissée :   5
    De cette sorte de prochain
Nous nous soucions peu : mais le peuple bramin
    Le traite en frère ; ils ont en tête
    Que notre âme au sortir d'un Roi,
Entre dans un ciron, ou dans telle autre bête   10
Qu'il plaît au Sort. C'est là l'un des points * de leur loi.
Pythagore * chez eux a puisé ce mystère.
Sur un tel fondement le Bramin crut bien faire
De prier un Sorcier qu'il logeât la Souris
Dans un corps qu'elle eût eu pour hôte au temps jadis.   15
    Le Sorcier en fit une fille
De l'âge de quinze ans, et telle, et si gentille,
Que le fils de Priam * pour elle aurait tenté
Plus encor qu'il ne fit pour la grecque beauté.
Le Bramin fut surpris de chose si nouvelle.   20
    Il dit à cet objet si doux :
Vous n'avez qu'à choisir ; car chacun est jaloux
    De l'honneur d'être votre époux.

    — En ce cas je donne, dit-elle,
    Ma voix au plus puissant de tous.   25
— Soleil, s'écria lors le Bramin à genoux,
    C'est toi qui seras notre gendre.
        — Non, dit-il, ce nuage épais
Est plus puissant que moi, puisqu'il cache mes traits ;
    Je vous conseille de le prendre.   30
— Hé bien, dit le Bramin au nuage volant,
Es-tu né pour ma fille ? — Hélas non ; car le vent
Me chasse à son plaisir de contrée en contrée ;
Je n'entreprendrai point sur les droits de Borée.
        Le Bramin fâché s'écria :   35
        O vent donc, puisque vent y a,
        Viens dans les bras de notre belle.
Il accourait : un mont en chemin l'arrêta.
        L'éteuf * passant à celui-là,
Il le renvoie, et dit : J'aurais une querelle   40
        Avec le Rat ; et l'offenser
Ce serait être fou, lui qui peut me percer.
        Au mot de Rat, la Damoiselle
        Ouvrit l'oreille ; il fut l'époux.
        Un Rat ! un Rat ; c'est de ces coups   45
        Qu'Amour fait, témoin telle et telle :
        Mais ceci soit dit entre nous.
On tient toujours du lieu * dont on vient. Cette Fable
Prouve assez bien ce point : mais à la voir de près,
Quelque peu de sophisme entre parmi ses traits :   50
Car quel époux n'est point au Soleil préférable
En s'y prenant ainsi ? Dirai-je qu'un géant
Est moins fort qu'une puce ? elle le mord pourtant.
Le Rat devait aussi renvoyer, pour bien faire,
        La belle au chat, le chat au chien,   55
        Le chien au loup. Par le moyen
        De cet argument circulaire,
Pilpay jusqu'au Soleil eût enfin remonté * ;
Le Soleil eût joui de la jeune beauté.
Revenons, s'il se peut, à la métempsycose :   60
Le sorcier du Bramin fit sans doute une chose
Qui, loin de la prouver, fait voir sa fausseté.
Je prends droit là-dessus contre le Bramin même :

Car il faut, selon son système,
Que l'homme, la souris, le ver, enfin chacun   65
Aille puiser son âme en un trésor commun :
    Toutes sont donc de même trempe ;
    Mais agissant diversement
    Selon l'organe * seulement
    L'une s'élève, et l'autre rampe.   70
D'où vient donc que ce corps si bien organisé
    Ne put obliger son hôtesse
De s'unir au Soleil, un Rat eut sa tendresse ?
    Tout débattu, tout bien pesé,
Les âmes des souris et les âmes des belles   75
    Sont très différentes entre elles *.
Il en faut revenir toujours à son destin,
C'est-à-dire, à la loi par le Ciel établie.
    Parlez au diable, employez la magie,
Vous ne détournerez nul être de sa fin *.   80

FABLE VIII

LE FOU QUI VEND LA SAGESSE

Jamais auprès des fous ne te mets à portée.
Je ne te puis donner un plus sage conseil.
    Il n'est enseignement pareil
A celui-là de fuir une tête éventée *.
    On en voit souvent dans les cours.   5
Le Prince y prend plaisir * ; car ils donnent toujours
Quelque trait aux fripons, aux sots, aux ridicules.
Un Fol allait criant par tous les carrefours
Qu'il vendait la Sagesse ; et les mortels crédules
De courir à l'achat : chacun fut diligent.   10
    On essuyait force grimaces ;
    Puis on avait pour son argent,
Avec un bon soufflet un fil long de deux brasses.
La plupart s'en fâchaient ; mais que leur servait-il ?
C'étaient les plus moqués ; le mieux était de rire,   15
    Ou de s'en aller, sans rien dire,
    Avec son soufflet et son fil.

De chercher du sens à la chose,
On se fût fait siffler ainsi qu'un ignorant.
    La raison est-elle garant   20
De ce que fait un fou ? Le hasard est la cause
De tout ce qui se passe en un cerveau blessé.
Du fil et du soufflet pourtant embarrassé,
Un des dupes un jour alla trouver un sage,
    Qui, sans hésiter davantage,   25
Lui dit : Ce sont ici hiéroglyphes * tout purs.
Les gens bien conseillés, et qui voudront bien faire,
Entre eux et les gens fous mettront pour l'ordinaire
La longueur de ce fil ; sinon je les tiens sûrs
    De quelque semblable caresse.   30
Vous n'êtes point trompé : ce fou vend la sagesse.

FABLE IX

L'HUÎTRE ET LES PLAIDEURS

Un jour deux Pèlerins sur le sable rencontrent
Une Huître que le flot y venait d'apporter :
Ils l'avalent des yeux, du doigt ils se la montrent ;
A l'égard de la dent il fallut contester.
L'un se baissait déjà pour amasser * la proie ;   5
L'autre le pousse, et dit : Il est bon de savoir
    Qui de nous en aura la joie.
Celui qui le premier a pu l'apercevoir
En sera le gobeur * ; l'autre le verra faire.
    — Si par là on juge l'affaire,   10
Reprit son compagnon, j'ai l'œil bon, Dieu merci.
    — Je ne l'ai pas mauvais aussi,
Dit l'autre, et je l'ai vue avant vous, sur ma vie.
— Eh bien ! vous l'avez vue, et moi je l'ai sentie *.
    Pendant tout ce bel incident,   15
Perrin Dandin * arrive : ils le prennent pour juge.
Perrin fort gravement ouvre l'Huître, et la gruge *,
    Nos deux Messieurs le regardant.
Ce repas fait, il dit d'un ton de Président :
Tenez, la cour vous donne à chacun une écaille   20

Sans dépens, et qu'en paix chacun chez soi s'en aille.
Mettez ce qu'il en coûte à plaider aujourd'hui ;
Comptez ce qu'il en reste à beaucoup de familles ;
Vous verrez que Perrin tire l'argent à lui,
Et ne laisse aux plaideurs que le sac et les quilles *.   25

FABLE X

LE LOUP ET LE CHIEN MAIGRE

Autrefois Carpillon fretin *
Eut beau prêcher, il eut beau dire ;
On le mit dans la poêle à frire.
Je fis voir que lâcher ce qu'on a dans la main,
Sous espoir de grosse aventure,   5
Est imprudence toute pure.
Le Pêcheur eut raison ; Carpillon n'eut pas tort.
Chacun dit ce qu'il peut pour défendre sa vie.
Maintenant il faut que j'appuie
Ce que j'avançai lors de quelque trait encor.   10
Certain Loup, aussi sot que le pêcheur fut sage,
Trouvant un Chien hors du village,
S'en allait l'emporter ; le Chien représenta
Sa maigreur : Jà ne plaise à votre seigneurie
De me prendre en cet état-là ;   15
Attendez, mon maître marie
Sa fille unique. Et vous jugez
Qu'étant de noce, il faut, malgré moi que j'engraisse.
Le Loup le croit *, le Loup le laisse.
Le Loup, quelques jours écoulés,   20
Revient voir si son Chien n'est point meilleur à
                                                  [prendre.
Mais le drôle était au logis.
Il dit au Loup par un treillis :
Ami, je vais sortir. Et, si tu veux attendre,
Le portier du logis et moi   25
Nous serons tout à l'heure à toi.
Ce portier du logis était un Chien énorme,

Expédiant les Loups en forme *.
Celui-ci s'en douta. Serviteur au portier,
Dit-il ; et de courir. Il était fort agile ;   30
    Mais il n'était pas fort habile * :
Ce Loup ne savait pas encor bien son métier *.

FABLE XI

RIEN DE TROP

    Je ne vois point de créature
    Se comporter modérément.
    Il est certain tempérament *
    Que le maître de la nature
Veut que l'on garde en tout. Le fait-on ? Nullement.   5
Soit en bien, soit en mal, cela n'arrive guère.
Le blé, riche présent de la blonde Cérès
Trop touffu bien souvent épuise les guérets ;
En superfluités s'épandant d'ordinaire,
    Et poussant trop abondamment,   10
    Il ôte à son fruit l'aliment.
L'arbre n'en fait pas moins ; tant le luxe sait plaire !
Pour corriger le blé, Dieu permit aux moutons
De retrancher l'excès des prodigues moissons *.
    Tout au travers ils se jetèrent,   15
    Gâtèrent tout, et tout broutèrent,
    Tant que le Ciel permit aux Loups
D'en croquer quelques-uns : ils les croquèrent tous * ;
S'ils ne le firent pas, du moins ils y tâchèrent.
    Puis le Ciel permit aux humains   20
De punir ces derniers : les humains abusèrent
    A leur tour des ordres divins.
De tous les animaux l'homme a le plus de pente
    A se porter dedans l'excès *.
    Il faudrait faire le procès   25
Aux petits comme aux grands. Il n'est âme vivante
Qui ne pèche en ceci. Rien de trop est un point
Dont on parle sans cesse, et qu'on n'observe point.

FABLE XII

LE CIERGE

C'est du séjour des Dieux que les Abeilles viennent *.
Les premières, dit-on, s'en allèrent loger
    Au mont Hymette [a], et se gorger
Des trésors qu'en ce lieu les zéphirs entretiennent.
Quand on eut des palais de ces filles du Ciel   5
Enlevé l'ambroisie en leurs chambres enclose,
    Ou, pour dire en Français la chose *,
    Après que les ruches sans miel
N'eurent plus que la Cire, on fit mainte bougie ;
    Maint Cierge aussi fut façonné.   10
Un d'eux voyant la terre en brique au feu durcie
Vaincre l'effort des ans, il eut la même envie ;
Et, nouvel Empédocle [b] aux flammes condamné,
    Par sa propre et pure folie,
Il se lança dedans. Ce fut mal raisonné ;   15
Ce Cierge ne savait grain de Philosophie.
Tout en tout est divers * : ôtez-vous de l'esprit
Qu'aucun être ait été composé sur le vôtre *.
L'Empédocle de Cire au brasier se fondit :
    Il n'était pas plus fou * que l'autre.   20

FABLE XIII

JUPITER ET LE PASSAGER

O combien le péril enrichirait les Dieux,
Si nous nous souvenions des vœux qu'il nous fait faire !

   a. « Hymette était une montagne célébrée par les poètes, située dans l'Attique, et où les Grecs recueillaient d'excellent miel. » *(Note de La Fontaine.)*
   b. « Empédocle était un philosophe ancien, qui ne pouvant comprendre les merveilles du mont Etna, se jeta dedans par une vanité ridicule, et, trouvant l'action belle, de peur d'en perdre le fruit, et que la postérité ne l'ignorât, laissa ses pantoufles au pied du mont. » *(Note de La Fontaine.)*

Mais, le péril passé, l'on ne se souvient guère
    De ce qu'on a promis aux Cieux :
On compte seulement ce qu'on doit à la terre.   5
Jupiter, dit l'impie, est un bon créancier :
    Il ne se sert jamais d'Huissier.
    — Eh ! qu'est-ce donc que le tonnerre ?
Comment appelez-vous ces avertissements ?
    Un Passager, pendant l'orage,   10
Avait voué cent bœufs au vainqueur des Titans *.
Il n'en avait pas un : vouer cent Eléphants
    N'aurait pas coûté davantage.
Il brûla quelques os quand il fut au rivage.
Au nez de Jupiter la fumée en monta.   15
Sire Jupin, dit-il, prends mon vœu, le voilà :
C'est un parfum de Bœuf que ta grandeur respire.
La fumée est ta part : je ne te dois plus rien.
    Jupiter fit semblant de rire ;
Mais après quelques jours le Dieu l'attrapa bien *,   20
    Envoyant un songe lui dire
Qu'un tel trésor était en tel lieu. L'homme au vœu
Courut au trésor comme au feu :
Il trouva des voleurs, et n'ayant dans sa bourse
    Qu'un écu pour toute ressource,   25
    Il leur promit cent talents d'or,
    Bien comptés, et d'un tel trésor :
On l'avait enterré dedans telle Bourgade.
L'endroit parut suspect aux voleurs, de façon
Qu'à notre prometteur l'un dit : Mon camarade,   30
Tu te moques de nous, meurs, et va chez Pluton
    Porter tes cent talents en don.

FABLE XIV

LE CHAT ET LE RENARD

Le Chat et le Renard, comme beaux petits saints,
    S'en allaient en pèlerinage.
C'étaient deux vrais Tartufs, deux archipatelins *,
Deux francs Patte-pelus * qui, des frais du voyage,

Croquant mainte volaille, escroquant maint fromage, 5
    S'indemnisaient à qui mieux mieux.
Le chemin était long, et partant ennuyeux,
    Pour l'accourcir ils disputèrent.
    La dispute est d'un grand secours ;
    Sans elle on dormirait toujours.   10
    Nos pèlerins s'égosillèrent.
Ayant bien disputé, l'on parla du prochain.
    Le Renard au Chat dit enfin :
    Tu prétends être fort habile :
En sais-tu tant que moi ? J'ai cent ruses au sac.   15
— Non, dit l'autre : je n'ai qu'un tour dans mon bissac,
    Mais je soutiens qu'il en vaut mille.
Eux de recommencer la dispute à l'envi,
Sur le que si, que non, tous deux étant ainsi,
    Une meute apaisa la noise *.   20
Le Chat dit au Renard : Fouille en ton sac, ami :
    Cherche en ta cervelle matoise
Un stratagème sûr. Pour moi, voici le mien.
A ces mots sur un arbre il grimpa bel et bien.
    L'autre fit cent tours inutiles,   25
Entra dans cent terriers, mit cent fois en défaut
    Tous les confrères de Brifaut *.
    Partout il tenta des asiles,
    Et ce fut partout sans succès :
La fumée y pourvut, ainsi que les bassets *.   30
Au sortir d'un Terrier, deux chiens aux pieds agiles
    L'étranglèrent du premier bond.
Le trop d'expédients peut gâter une affaire ;
On perd du temps au choix, on tente, on veut tout faire.
    N'en ayons qu'un, mais qu'il soit bon.   35

FABLE XV

LE MARI, LA FEMME ET LE VOLEUR

    Un Mari fort amoureux,
    Fort amoureux de sa Femme,

Bien qu'il fût jouissant, se croyait malheureux.
    Jamais œillade de la Dame,
    Propos flatteur et gracieux,   5
    Mot d'amitié, ni doux sourire,
    Déifiant * le pauvre Sire,
N'avaient fait soupçonner qu'il fût vraiment chéri.
    Je le crois, c'était un mari.
    Il ne tint point à l'hyménée   10
    Que content de sa destinée
    Il n'en remerciât les Dieux ;
    Mais quoi ? Si l'amour n'assaisonne
    Les plaisirs que l'hymen nous donne,
    Je ne vois pas qu'on en soit mieux.   15
Notre épouse étant donc de la sorte bâtie,
Et n'ayant caressé son mari de sa vie,
Il en faisait sa plainte une nuit. Un voleur
    Interrompit la doléance.
    La pauvre femme eut si grand'peur   20
    Qu'elle chercha quelque assurance
    Entre les bras de son époux *.
Ami Voleur, dit-il, sans toi ce bien si doux
Me serait inconnu. Prends donc en récompense
Tout ce qui peut chez nous être à ta bienséance ;   25
Prends le logis aussi. Les voleurs ne sont pas
    Gens honteux, ni fort délicats :
Celui-ci fit sa main. J'infère de ce conte
    Que la plus forte passion
C'est la peur : elle fait vaincre l'aversion,   30
Et l'amour quelquefois ; quelquefois il la dompte ;
    J'en ai pour preuve cet amant
Qui brûla sa maison pour embrasser sa Dame,
    L'emportant à travers la flamme.
    J'aime assez cet emportement ;   35
Le conte m'en a plu toujours infiniment :
    Il est bien d'une âme Espagnole *,
    Et plus grande encore que folle *.

LE TRÉSOR ET LES DEUX HOMMES

Un Homme n'ayant plus ni crédit, ni ressource,
 Et logeant le Diable * en sa bourse,
 C'est-à-dire, n'y logeant rien,
 S'imagina qu'il ferait bien
De se pendre, et finir lui-même sa misère,   5
Puisque aussi bien sans lui la faim le viendrait faire,
 Genre de mort qui ne duit * pas
A gens peu curieux de goûter le trépas.
Dans cette intention, une vieille masure
Fut la scène où devait se passer l'aventure.   10
Il y porte une corde, et veut avec un clou
Au haut d'un certain mur attacher le licou.
 La muraille, vieille et peu forte,
S'ébranle aux premiers coups, tombe avec un trésor.
Notre désespéré le ramasse, et l'emporte,   15
Laisse là le licou, s'en retourne avec l'or,
Sans compter : ronde ou non, la somme plut au sire.
Tandis que le galant à grands pas se retire,
L'homme au trésor arrive, et trouve son argent
   Absent.   20
Quoi, dit-il, sans mourir je perdrai cette somme ?
Je ne me pendrai pas ? Et vraiment si ferai,
 Ou de corde je manquerai.
Le lacs était tout prêt ; il n'y manquait qu'un homme :
Celui-ci se l'attache, et se pend bien et beau.   25
 Ce qui le consola peut-être
Fut qu'un autre eût pour lui fait les frais du cordeau.
Aussi bien que l'argent le licou * trouva maître.

L'avare rarement finit ses jours sans pleurs :
Il a le moins de part au trésor qu'il enserre,   30
 Thésaurisant pour les voleurs,
 Pour ses parents, ou pour la terre *.
Mais que dire du troc que la fortune fit ?

Ce sont là de ses traits ; elle s'en divertit *.
Plus le tour est bizarre, et plus elle est contente.   35
    Cette Déesse inconstante
    Se mit alors en l'esprit
    De voir un homme se pendre ;
    Et celui qui se pendit
    S'y devait le moins attendre.   40

FABLE XVII

LE SINGE ET LE CHAT

Bertrand avec Raton, l'un Singe et l'autre Chat,
Commensaux * d'un logis, avaient un commun Maître.
D'animaux malfaisants c'était un très bon plat * ;
Ils n'y craignaient tous deux aucun, quel qu'il pût être.
Trouvait-on quelque chose au logis de gâté,   5
L'on ne s'en prenait point aux gens du voisinage.
Bertrand dérobait tout ; Raton de son côté
Etait moins attentif aux souris qu'au fromage.
Un jour au coin du feu nos deux maîtres fripons
    Regardaient rôtir des marrons.   10
Les escroquer était une très bonne affaire :
Nos galands y voyaient double profit à faire,
Leur bien premièrement, et puis le mal d'autrui.
Bertrand dit à Raton : Frère, il faut aujourd'hui
    Que tu fasses un coup de maître.   15
Tire-moi ces marrons. Si Dieu m'avait fait naître
    Propre à tirer marrons du feu *,
    Certes marrons verraient beau jeu.
Aussitôt fait que dit : Raton * avec sa patte,
    D'une manière délicate,   20
Ecarte un peu la cendre, et retire les doigts,
    Puis les reporte à plusieurs fois ;
Tire un marron, puis deux, et puis trois en escroque.
    Et cependant * Bertrand les croque *.
Une servante vient : adieu mes gens. Raton   25
    N'était pas content, ce dit-on.
Aussi ne le sont pas la plupart de ces Princes

Qui, flattés d'un pareil emploi *,
Vont s'échauder en des Provinces
Pour le profit de quelque Roi.   30

FABLE XVIII

LE MILAN ET LE ROSSIGNOL

Après que le Milan, manifeste voleur,
Eut répandu l'alarme en tout le voisinage
Et fait crier sur lui les enfants du village,
Un Rossignol tomba dans ses mains, par malheur.
Le héraut du Printemps lui demande la vie :   5
Aussi bien que manger en qui n'a que le son ?
    Ecoutez plutôt ma chanson ;
Je vous raconterai Térée * et son envie.
— Qui, Térée ? est-ce un mets propre pour les Milans ?
— Non pas ; c'était un Roi dont les feux violents   10
Me firent ressentir leur ardeur criminelle :
Je m'en vais vous en dire une chanson si belle
Qu'elle vous ravira : mon chant plaît à chacun.
    Le Milan alors lui réplique :
Vraiment, nous voici bien : lorsque je suis à jeun,   15
    Tu me viens parler de musique.
— J'en parle bien aux rois. — Quand un roi te prendra,
    Tu peux lui conter ces merveilles.
    Pour un milan, il s'en rira :
    Ventre affamé n'a point d'oreilles *.   20

FABLE XIX

LE BERGER ET SON TROUPEAU

Quoi ? toujours il me manquera
Quelqu'un de ce peuple imbécile * !
Toujours le Loup m'en gobera !
J'aurai beau les compter : ils étaient plus de mille,
Et m'ont laissé ravir notre pauvre Robin * ;   5

Robin mouton qui par la ville
    Me suivait pour un peu de pain,
Et qui m'aurait suivi jusques au bout du monde.
Hélas ! de ma musette il entendait le son !
Il me sentait venir de cent pas à la ronde.   10
    Ah le pauvre Robin mouton !
Quand Guillot eut fini cette oraison funèbre
Et rendu de Robin la mémoire célèbre,
    Il harangua tout le troupeau,
Les chefs, la multitude, et jusqu'au moindre agneau,   15
    Les conjurant de tenir ferme :
Cela seul suffirait pour écarter les Loups.
Foi de peuple d'honneur, ils lui promirent tous
    De ne bouger non plus qu'un terme *.
Nous voulons, dirent-ils, étouffer le glouton   20
    Qui nous a pris Robin mouton.
    Chacun en répond sur sa tête.
    Guillot les crut, et leur fit fête.
    Cependant, devant qu'il fût nuit,
    Il arriva nouvel encombre,   25
Un Loup parut ; tout le troupeau s'enfuit :
Ce n'était pas un Loup, ce n'en était que l'ombre.
    Haranguez de méchants soldats,
    Ils promettront de faire rage ;
Mais au moindre danger adieu tout leur courage :   30
Votre exemple et vos cris ne les retiendront pas *.

DISCOURS A MADAME DE LA SABLIÈRE

Iris *, je vous louerais, il n'est que trop aisé ;
Mais vous avez cent fois notre encens refusé,
En cela peu semblable au reste des mortelles,
Qui veulent tous les jours des louanges nouvelles.
Pas une ne s'endort à ce bruit si flatteur,   5
Je ne les blâme point, je souffre cette humeur ;
Elle est commune aux Dieux, aux Monarques, aux
                                          [Belles *.
Ce breuvage vanté par le peuple rimeur,
Le Nectar que l'on sert au maître du Tonnerre,
Et dont nous enivrons tous les Dieux de la terre,   10

C'est la louange, Iris. Vous ne la goûtez point ;
D'autres propos chez vous récompensent ce point,
        Propos, agréables commerces,
Où le hasard * fournit cent matières diverses,
        Jusque-là qu'en votre entretien   15
La bagatelle a part : le monde n'en croit rien.
        Laissons le monde et sa croyance.
        La bagatelle, la science,
Les chimères, le rien, tout est bon. Je soutiens
        Qu'il faut de tout aux entretiens :   20
    C'est un parterre, où Flore épand ses biens ;
Sur différentes fleurs l'Abeille s'y repose,
        Et fait du miel de toute chose.
Ce fondement posé, ne trouvez pas mauvais
Qu'en ces Fables aussi j'entremêle des traits   25
        De certaine Philosophie *
        Subtile, engageante *, et hardie.
On l'appelle nouvelle. En avez-vous ou non
        Ouï parler ? Ils disent donc
        Que la bête est une machine ;   30
Qu'en elle tout se fait sans choix et par ressorts * :
Nul sentiment, point d'âme, en elle tout est corps *.
        Telle est la montre * qui chemine,
A pas toujours égaux, aveugle et sans dessein.
        Ouvrez-la, lisez dans son sein ;   35
Mainte roue y tient lieu de tout l'esprit du monde.
        La première y meut la seconde,
Une troisième suit, elle sonne à la fin.
Au dire de ces gens, la bête est toute telle :
        L'objet la frappe en un endroit ;   40
        Ce lieu frappé s'en va tout droit,
Selon nous, au voisin en porter la nouvelle.
Le sens de proche en proche aussitôt la reçoit.
L'impression se fait. Mais comment se fait-elle ?
        — Selon eux, par nécessité,   45
        Sans passion, sans volonté.
        L'animal se sent agité
    De mouvements que le vulgaire appelle
Tristesse, joie, amour, plaisir, douleur cruelle,
        Ou quelque autre de ces états.   50

Mais ce n'est point cela ; ne vous y trompez pas.
— Qu'est-ce donc ? — Une montre. — Et nous ?
              [— C'est autre chose.
Voici de la façon * que Descartes l'expose ;
Descartes, ce mortel dont on eût fait un Dieu
  Chez les Païens, et qui tient le milieu   55
Entre l'homme et l'esprit, comme entre l'huître et
              [l'homme
Le tient tel de nos gens *, franche bête de somme.
Voici, dis-je, comment raisonne cet auteur.
Sur * tous les animaux, enfants du Créateur,
J'ai le don de penser ; et je sais que je pense.   60
Or vous savez, Iris, de certaine science *,
    Que, quand la bête penserait,
    La bête ne réfléchirait
    Sur l'objet ni sur sa pensée.
Descartes va plus loin, et soutient nettement   65
    Qu'elle ne pense nullement.
    Vous n'êtes point embarrassée
De le croire, ni moi. Cependant, quand aux bois
    Le bruit des cors, celui des voix,
N'a donné nul relâche à la fuyante proie,   70
    Qu'en vain elle a mis ses efforts
    A confondre et brouiller la voie *,
L'animal chargé d'ans, vieux Cerf, et de dix cors *,
En suppose * un plus jeune, et l'oblige par force
A présenter aux chiens une nouvelle amorce.   75
Que de raisonnements pour conserver ses jours !
Le retour sur ses pas, les malices, les tours,
    Et le change *, et cent stratagèmes
Dignes des plus grands chefs, dignes d'un meilleur sort !
    On le déchire après sa mort :   80
    Ce sont tous ses honneurs suprêmes.
      Quand la Perdrix
      Voit ses petits
En danger, et n'ayant qu'une plume * nouvelle,
Qui ne peut fuir encor par les airs le trépas,   85
Elle fait la blessée, et va traînant de l'aile,
Attirant le Chasseur, et le Chien sur ses pas,
Détourne le danger, sauve ainsi sa famille ;

Et puis, quand le Chasseur croit que son Chien la pille *,
Elle lui dit adieu, prend sa volée, et rit   90
De l'Homme, qui confus des yeux en vain la suit.

    Non loin du Nord il est un monde *
    Où l'on sait que les habitants
    Vivent ainsi qu'aux premiers temps
    Dans une ignorance profonde :   95
Je parle des humains ; car quant aux animaux,
    Ils y construisent des travaux
Qui des torrents grossis arrêtent le ravage,
Et font communiquer l'un et l'autre rivage.
L'édifice résiste, et dure en son entier ;   100
Après un lit de bois, est un lit de mortier *.
Chaque Castor agit ; commune en est la tâche ;
Le vieux y fait marcher le jeune sans relâche.
Maint maître d'œuvre y court, et tient haut le bâton *.
    La république de Platon   105
    Ne serait rien que l'apprentie
    De cette famille amphibie.
Ils savent en hiver élever leurs maisons,
    Passent les étangs sur des ponts,
    Fruit de leur art, savant ouvrage ;   110
    Et nos pareils ont beau le voir,
    Jusqu'à présent tout leur savoir
    Est de passer l'onde à la nage.

Que ces Castors ne soient qu'un corps vide d'esprit,
Jamais on ne pourra m'obliger à le croire ;   115
Mais voici beaucoup plus : écoutez ce récit,
    Que je tiens d'un Roi plein de gloire.
Le défenseur du Nord * vous sera mon garant ;
Je vais citer un prince aimé de la victoire ;
Son nom seul est un mur à l'empire Ottoman ;   120
C'est le Roi polonais. Jamais un Roi ne ment.
    Il dit donc que, sur sa frontière,
Des animaux entre eux ont guerre de tout temps :
Le sang qui se transmet des pères aux enfants
    En renouvelle la matière.   125
Ces animaux, dit-il, sont germains du Renard *,
    Jamais la guerre avec tant d'art

Ne s'est faite parmi les hommes,
Non pas même au siècle où nous sommes.
Corps de garde avancé, vedettes *, espions,   130
Embuscades, partis *, et mille inventions
D'une pernicieuse et maudite science,
  Fille du Styx, et mère des héros,
    Exercent de ces animaux
    Le bon sens et l'expérience.   135
Pour chanter leurs combats, l'Achéron nous devrait
  Rendre Homère. Ah s'il le rendait,
Et qu'il rendît aussi le rival d'Epicure * !
Que dirait ce dernier sur ces exemples-ci ?
Ce que j'ai déjà dit, qu'aux bêtes la nature   140
Peut par les seuls ressorts opérer tout ceci ;
  Que la mémoire est corporelle,
Et que, pour en venir aux exemples divers *
  Que j'ai mis en jour dans ces vers,
  L'animal n'a besoin que d'elle.   145
L'objet, lorsqu'il revient, va dans son magasin
  Chercher, par le même chemin,
  L'image auparavant tracée,
Qui sur les mêmes pas revient pareillement,
  Sans le secours de la pensée,   150
  Causer un même événement *.
  Nous agissons tout autrement,
  La volonté nous détermine,
Non l'objet, ni l'instinct. Je parle, je chemine ;
  Je sens en moi certain agent ;   155
  Tout obéit dans ma machine
  A ce principe intelligent.
Il est distinct du corps, se conçoit nettement,
  Se conçoit mieux que le corps même :
De tous nos mouvements c'est l'arbitre suprême.   160
  Mais comment le corps l'entend-il ?
  C'est là le point : je vois l'outil
Obéir à la main ; mais la main, qui la guide ?
Eh ! qui guide les Cieux et leur course rapide ?   •
Quelque Ange est attaché peut-être à ces grands corps. 165
Un esprit vit en nous, et meut tous nos ressorts :
L'impression se fait *. Le moyen, je l'ignore :

On ne l'apprend qu'au sein de la Divinité ;
Et, s'il faut en parler avec sincérité,
   Descartes l'ignorait encore.   170
Nous et lui là-dessus nous sommes tous égaux.
Ce que je sais, Iris, c'est qu'en ces animaux
   Dont je viens de citer l'exemple,
Cet esprit n'agit pas, l'homme seul est son temple.
Aussi faut-il donner à l'animal un point   175
   Que la plante *, après tout, n'a point.
   Cependant la plante respire :
Mais que répondra-t-on à ce que je vais dire ?

LES DEUX RATS, LE RENARD, ET L'ŒUF

Deux Rats cherchaient leur vie ; ils trouvèrent un Œuf.
Le dîné suffisait à gens de cette espèce !   180
Il n'était pas besoin qu'ils trouvassent un Bœuf.
   Pleins d'appétit, et d'allégresse,
Ils allaient de leur œuf manger chacun sa part,
Quand un Quidam parut. C'était maître Renard ;
   Rencontre incommode et fâcheuse.   185
Car comment sauver l'œuf ? Le bien empaqueter,
Puis des pieds de devant ensemble le porter,
   Ou le rouler, ou le traîner,
C'était chose impossible autant que hasardeuse.
   Nécessité l'ingénieuse   190
   Leur fournit une invention *.
Comme ils pouvaient gagner leur habitation,
L'écornifleur * étant à demi-quart de lieue,
L'un se mit sur le dos, prit l'œuf entre ses bras,
Puis, malgré quelques heurts et quelques mauvais pas, 195
   L'autre le traîna par la queue.
Qu'on m'aille soutenir après un tel récit,
   Que les bêtes n'ont point d'esprit.
   Pour moi, si j'en étais le maître,
Je leur en donnerais aussi bien qu'aux enfants.   200
Ceux-ci pensent-ils pas dès leurs plus jeunes ans ?
Quelqu'un peut donc penser ne se pouvant connaître.
   Par un exemple tout égal,
   J'attribuerais à l'animal

Non point une raison selon notre manière,   205
Mais beaucoup plus aussi qu'un aveugle ressort :
Je subtiliserais * un morceau de matière,
Que l'on ne pourrait plus concevoir sans effort,
Quintessence d'atome, extrait de la lumière,
Je ne sais quoi plus vif et plus mobile encor   210
Que le feu : car enfin, si le bois fait la flamme,
La flamme en s'épurant peut-elle pas de l'âme
Nous donner quelque idée, et sort-il pas de l'or
Des entrailles du plomb * ? Je rendrais mon ouvrage
Capable de sentir, juger, rien davantage,   215
        Et juger imparfaitement,
Sans qu'un Singe jamais fît le moindre argument *.
        A l'égard de nous autres hommes,
Je ferais notre lot infiniment plus fort :
        Nous aurions un double trésor ;   220
L'un cette âme pareille en tout-tant que nous sommes,
        Sages, fous, enfants, idiots,
Hôtes de l'univers, sous le nom d'animaux ;
L'autre encore une autre âme, entre nous et les Anges
        Commune en un certain degré   225
        Et ce trésor à part créé
Suivrait parmi les airs les célestes phalanges,
Entrerait dans un point sans en être pressé,
Ne finirait jamais quoique ayant commencé :
        Choses réelles, quoique étranges.   230
        Tant que l'enfance durerait,
Cette fille du Ciel en nous ne paraîtrait
        Qu'une tendre et faible lumière ;
L'organe * étant plus fort, la raison percerait
        Les ténèbres de la matière,   235
        Qui toujours envelopperait
        L'autre âme, imparfaite et grossière.

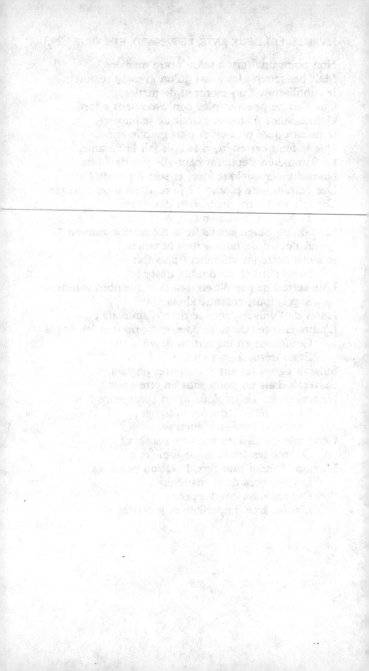

LIVRE DIXIÈME

FABLE I

L'HOMME ET LA COULEUVRE

Un Homme vit une Couleuvre *.
Ah ! méchante, dit-il, je m'en vais faire une œuvre
    Agréable à tout l'univers.
    A ces mots, l'animal pervers
    (C'est le serpent que je veux dire   5
Et non l'homme : on pourrait aisément s'y tromper),
A ces mots, le serpent, se laissant attraper,
Est pris, mis en un sac ; et, ce qui fut le pire,
On résolut sa mort, fût-il coupable ou non.
Afin de le payer toutefois de raison *,   10
    L'autre lui fit cette harangue :
Symbole des ingrats *, être bon aux méchants,
C'est être sot, meurs donc : ta colère et tes dents
Ne me nuiront jamais. Le Serpent, en sa langue,
Reprit du mieux qu'il put : S'il fallait condamner   15
    Tous les ingrats qui sont au monde,
    A qui pourrait-on pardonner ?
Toi-même tu te fais ton procès. Je me fonde
Sur tes propres leçons ; jette les yeux sur toi.
Mes jours sont en tes mains, tranche-les : ta justice,   20
C'est ton utilité, ton plaisir, ton caprice ;
    Selon ces lois, condamne-moi ;

Mais trouve bon qu'avec franchise
En mourant au moins je te dise
Que le symbole des ingrats   25
Ce n'est point le serpent, c'est l'homme. Ces paroles
Firent arrêter l'autre ; il recula d'un pas.
Enfin il repartit : Tes raisons sont frivoles :
Je pourrais décider, car ce droit * m'appartient ;
Mais rapportons-nous-en. — Soit fait, dit le reptile.   30
Une Vache était là, l'on l'appelle, elle vient ;
Le cas est proposé ; c'était chose facile :
Fallait-il pour cela, dit-elle, m'appeler ?
La Couleuvre a raison ; pourquoi dissimuler ?
Je nourris celui-ci depuis longues années ;   35
Il n'a sans mes bienfaits passé nulles journées ;
Tout n'est que pour lui seul ; mon lait et mes enfants
Le font à la maison revenir les mains pleines ;
Même j'ai rétabli sa santé, que les ans
        Avaient altérée, et mes peines   40
Ont pour but son plaisir ainsi que son besoin.
Enfin me voilà vieille ; il me laisse en un coin
Sans herbe ; s'il voulait encor me laisser paître !
Mais je suis attachée ; et si j'eusse eu pour maître
Un serpent, eût-il su jamais pousser si loin   45
L'ingratitude ? Adieu : j'ai dit ce que je pense.
L'Homme, tout étonné d'une telle sentence,
Dit au Serpent : Faut-il croire ce qu'elle dit ?
C'est une radoteuse ; elle a perdu l'esprit.
Croyons ce Bœuf. — Croyons, dit la rampante bête.   50
Ainsi dit, ainsi fait. Le Bœuf vient à pas lents.
Quand il eut ruminé tout le cas en sa tête,
        Il dit que du labeur des ans
Pour nous seuls il portait les soins * les plus pesants,
Parcourant sans cesse ce long cercle de peines *   55
Qui, revenant sur soi, ramenait dans nos plaines
Ce que Cérès nous donne, et vend aux animaux ;
        Que cette suite de travaux
Pour récompense avait, de tous tant que nous sommes,
Force coups, peu de gré ; puis, quand il était vieux,   60
On croyait l'honorer chaque fois que les hommes
Achetaient de son sang l'indulgence des Dieux.

Ainsi parla le Bœuf. L'Homme dit : Faisons taire
    Cet ennuyeux déclamateur ;
Il cherche de grands mots, et vient ici se faire,   65
    Au lieu d'arbitre, accusateur.
Je le récuse aussi. L'arbre étant pris pour juge,
Ce fut bien pis encore. Il servait de refuge
Contre le chaud, la pluie, et la fureur des vents ;
Pour nous seuls il ornait les jardins et les champs.   70
L'ombrage n'était pas le seul bien qu'il sût faire ;
Il courbait sous les fruits ; cependant pour salaire
Un rustre l'abattait, c'était là son loyer,
Quoique pendant tout l'an libéral il nous donne
Ou des fleurs au Printemps, ou du fruit en Automne ; 75
L'ombre l'Eté, l'Hiver les plaisirs du foyer.
Que ne l'émondait-on, sans prendre la cognée ?
De son tempérament il eût encor vécu.
L'Homme trouvant mauvais que l'on l'eût convaincu,
Voulut à toute force avoir cause gagnée.   80
Je suis bien bon, dit-il, d'écouter ces gens-là.
Du sac et du serpent aussitôt il donna
    Contre les murs, tant qu'il tua la bête.
    On en use ainsi chez les grands.
La raison les offense ; ils se mettent en tête   85
Que tout est né pour eux, quadrupèdes, et gens,
    Et serpents.
    Si quelqu'un desserre les dents,
C'est un sot. — J'en conviens. Mais que faut-il donc faire ?
    — Parler de loin, ou bien se taire *.   90

FABLE II

LA TORTUE ET LES DEUX CANARDS

Une Tortue était, à la tête légère,
Qui, lasse de son trou, voulut voir le pays,
Volontiers on fait cas d'une terre étrangère * :
Volontiers gens boiteux haïssent le logis.
    Deux Canards à qui la commère   5
    Communiqua ce beau dessein *,

Lui dirent qu'ils avaient de quoi la satisfaire :
        Voyez-vous ce large chemin ?
Nous vous voiturerons, par l'air, en Amérique,
        Vous verrez mainte République,   10
Maint Royaume, maint peuple, et vous profiterez
Des différentes mœurs que vous remarquerez.
Ulysse en fit autant. On ne s'attendait guère
        De voir Ulysse en cette affaire.
La Tortue écouta la proposition.   15
Marché fait, les oiseaux forgent une machine
        Pour transporter la pèlerine.
Dans la gueule en travers on lui passe un bâton.
Serrez bien, dirent-ils ; gardez de lâcher prise.
Puis chaque Canard prend ce bâton par un bout.   20
La Tortue enlevée on s'étonne partout
        De voir aller en cette guise
        L'animal lent et sa maison,
Justement au milieu de l'un et l'autre Oison.
Miracle, criait-on. Venez voir dans les nues   25
        Passer la Reine des Tortues.
— La Reine. Vraiment oui. Je la suis en effet * ;
Ne vous en moquez point. Elle eût beaucoup mieux fait
De passer son chemin sans dire aucune chose ;
Car lâchant le bâton en desserrant les dents,   30
Elle tombe, elle crève aux pieds des regardants.
Son indiscrétion de sa perte fut cause.
Imprudence, babil, et sotte vanité,
        Et vaine curiosité,
        Ont ensemble étroit parentage *.   35
        Ce sont enfants tous d'un lignage *.

FABLE III

LES POISSONS ET LE CORMORAN

Il n'était point d'étang dans tout le voisinage
Qu'un Cormoran n'eût mis à contribution.
Viviers et réservoirs lui payaient pension.
Sa cuisine allait bien : mais, lorsque le long âge

   Eut glacé le pauvre animal,   5
   La même cuisine alla mal.
Tout Cormoran se sert de pourvoyeur * lui-même.
Le nôtre, un peu trop vieux pour voir au fond des eaux,
   N'ayant ni filets ni réseaux,
   Souffrait une disette extrême.   10
Que fit-il ? Le besoin, docteur en stratagème *,
  Lui fournit celui-ci. Sur le bord d'un Etang
   Cormoran vit une Ecrevisse.
Ma commère, dit-il, allez tout à l'instant
   Porter un avis important   15
   A ce peuple. Il faut qu'il périsse :
Le maître de ce lieu dans huit jours pêchera.
   L'Ecrevisse en hâte s'en va
   Conter le cas : grande est l'émute *.
   On court, on s'assemble, on députe 20
  A l'Oiseau : Seigneur Cormoran,
D'où vous vient cet avis ? Quel est votre garant ?
   Etes-vous sûr de cette affaire ?
N'y savez-vous remède ? Et qu'est-il bon de faire ?
— Changer de lieu, dit-il. — Comment le ferons-nous ? 25
— N'en soyez point en soin : je vous porterai tous,
   L'un après l'autre, en ma retraite.
Nul que Dieu seul et moi n'en connaît les chemins :
   Il n'est demeure plus secrète.
Un Vivier que nature y creusa de ses mains, 30
   Inconnu des traîtres humains,
   Sauvera votre république.
   On le crut. Le peuple aquatique
   L'un après l'autre fut porté
   Sous ce rocher peu fréquenté.   35
   Là Cormoran le bon apôtre *,
   Les ayant mis en un endroit
   Transparent, peu creux, fort étroit,
Vous les prenait sans peine, un jour l'un, un jour l'autre.
   Il leur apprit à leurs dépens   40
Que l'on ne doit jamais avoir de confiance
   En ceux qui sont mangeurs de gens.
Ils y perdirent peu, puisque l'humaine engeance *
En aurait aussi bien croqué sa bonne part ;

Qu'importe qui vous mange ? homme ou loup * ; toute
[panse 45
    Me paraît une à cet égard ;
    Un jour plus tôt, un jour plus tard,
    Ce n'est pas grande différence.

FABLE IV

L'ENFOUISSEUR ET SON COMPÈRE

    Un Pinsemaille * avait tant amassé
    Qu'il ne savait où loger sa finance *.
L'avarice, compagne et sœur de l'ignorance,
    Le rendait fort embarrassé
    Dans le choix d'un dépositaire ;   5
Car il en voulait un, et voici sa raison :
L'objet tente ; il faudra que ce monceau s'altère,
    Si je le laisse à la maison ;
Moi-même de mon bien je serai le larron.
Le larron : Quoi jouir *, c'est se voler soi-même !   10
    Mon ami, j'ai pitié de ton erreur extrême ;
    Apprends de moi cette leçon :
Le bien n'est bien qu'en tant que l'on s'en peut défaire.
Sans cela c'est un mal. Veux-tu le réserver
Pour un âge et des temps qui n'en ont plus que faire ?   15
La peine d'acquérir, le soin de conserver,
Otent le prix à l'or, qu'on croit si nécessaire.
    Pour se décharger d'un tel soin,
Notre homme eût pu trouver des gens sûrs au besoin ;
Il aima mieux la terre, et prenant son compère,   20
Celui-ci l'aide. Ils vont enfouir le trésor.
Au bout de quelque temps, l'homme va voir son or :
    Il ne retrouva que le gîte.
Soupçonnant à bon droit le compère, il va vite
Lui dire : Apprêtez-vous ; car il me reste encor   25
Quelques deniers : je veux les joindre à l'autre masse.
Le compère aussitôt va remettre en sa place
    L'argent volé, prétendant bien
Tout reprendre à la fois sans qu'il y manquât rien.

Mais, pour ce coup, l'autre fut sage :   30
Il retint tout chez lui, résolu de jouir,
    Plus n'entasser, plus n'enfouir ;
Et le pauvre voleur, ne trouvant plus son gage,
    Pensa tomber de sa hauteur.
Il n'est pas malaisé de tromper un trompeur *.   35

FABLE V

LE LOUP ET LES BERGERS

Un Loup rempli d'humanité
(S'il en est de tels dans le monde)
Fit un jour sur sa cruauté,
Quoiqu'il ne l'exerçât que par nécessité,
    Une réflexion profonde.   5
Je suis haï, dit-il, et de qui ? De chacun.
    Le Loup est l'ennemi commun :
Chiens, chasseurs, villageois, s'assemblent pour sa perte.
Jupiter est là-haut étourdi de leurs cris ;
C'est par là que de loups l'Angleterre est déserte :   10
    On y mit notre tête à prix *.
    Il n'est hobereau qui ne fasse
    Contre nous tels bans * publier ;
    Il n'est marmot osant crier
Que du Loup aussitôt sa mère ne menace *.   15
    Le tout pour un Ane rogneux *,
Pour un Mouton pourri *, pour quelque Chien har-
                                            [gneux,
    Dont j'aurai passé mon envie.
Eh bien, ne mangeons plus de chose ayant eu vie ;
Paissons l'herbe, broutons ; mourons de faim plutôt.   20
    Est-ce une chose si cruelle ?
Vaut-il mieux s'attirer la haine universelle ?
Disant ces mots il vit des Bergers pour leur rôt
    Mangeants un agneau cuit en broche.
    Oh, oh, dit-il, je me reproche   25

Le sang de cette gent. Voilà ses gardiens
    S'en repaissants, eux et leurs chiens ;
    Et moi, Loup, j'en ferai scrupule ?
Non, par tous les Dieux. Non. Je serais ridicule.
    Thibaut l'agnelet * passera   30
    Sans qu'à la broche je le mette ;
Et non seulement lui, mais la mère qu'il tette,
    Et le père qui l'engendra.
Ce Loup avait raison *. Est-il dit qu'on nous voie
    Faire festin de toute proie,   35
Manger les animaux, et nous les réduirons
Aux mets de l'âge d'or autant que nous pourrons ?
    Ils n'auront ni croc * ni marmite ?
    Bergers, bergers, le loup n'a tort
    Que quand il n'est pas le plus fort * :   40
    Voulez-vous qu'il vive en ermite ?

FABLE VI

L'ARAIGNÉE ET L'HIRONDELLE

O Jupiter, qui sus de ton cerveau,
Par un secret d'accouchement nouveau,
Tirer Pallas *, jadis mon ennemie,
Entends ma plainte une fois en ta vie.
Progné * me vient enlever les morceaux ;   5
Caracolant, frisant l'air et les eaux,
Elle me prend mes mouches à ma porte :
Miennes je puis les dire ; et mon réseau
En serait plein sans ce maudit oiseau :
Je l'ai tissu * de matière assez forte.   10
    Ainsi, d'un discours insolent,
Se plaignait l'Araignée autrefois tapissière,
    Et qui, lors étant filandière,
Prétendait enlacer tout insecte volant.
La sœur de Philomèle, attentive à sa proie,   15
Malgré le bestion happait mouches dans l'air,
Pour ses petits, pour elle, impitoyable joie,

Que ses enfants gloutons, d'un bec toujours ouvert,
D'un ton demi-formé, bégayante couvée,
Demandaient par des cris encore mal entendus.   20
    La pauvre Aragne n'ayant plus
Que la tête et les pieds, artisans superflus,
    Se vit elle-même enlevée.
L'Hirondelle, en passant, emporta toile, et tout,
    Et l'animal pendant au bout.   25
Jupin pour chaque état mit deux tables au monde.
L'adroit, le vigilant, et le fort * sont assis
    A la première ; et les petits
    Mangent leur reste à la seconde.

FABLE VII

LA PERDRIX ET LES COQS

Parmi de certains Coqs incivils, peu galants,
    Toujours en noise et turbulents,
    Une Perdrix était nourrie.
    Son sexe et l'hospitalité,
De la part de ces Coqs peuple à l'amour porté *   5
Lui faisaient espérer beaucoup d'honnêteté :
Ils feraient les honneurs de la ménagerie *.
Ce peuple cependant, fort souvent en furie,
Pour la Dame étrangère ayant peu de respect,
Lui donnait fort souvent d'horribles coups de bec.   10
    D'abord elle en fut affligée ;
Mais sitôt qu'elle eut vu cette troupe enragée
S'entre-battre elle-même, et se percer les flancs,
Elle se consola : Ce sont leurs mœurs, dit-elle,
Ne les accusons point ; plaignons plutôt ces gens.   15
    Jupiter sur un seul modèle
    N'a pas formé tous les esprits * :
Il est des naturels de Coqs et de Perdrix.
S'il dépendait de moi, je passerais ma vie
    En plus honnête compagnie.   20
Le maître de ces lieux en ordonne autrement.
    Il nous prend avec des tonnelles *,

Nous loge avec des Coqs, et nous coupe les ailes :
C'est de l'homme * qu'il faut se plaindre seulement.

LE CHIEN A QUI ON A COUPÉ
LES OREILLES

Qu'ai-je fait pour me voir ainsi
Mutilé par mon propre maître ?
Le bel état où me voici !
Devant les autres Chiens oserai-je paraître ?
O rois des animaux, ou plutôt leurs tyrans *,   5
Qui vous ferait choses pareilles ?
Ainsi criait Mouflar, jeune dogue ; et les gens
Peu touchés de ses cris douloureux et perçants,
Venaient de lui couper sans pitié les oreilles.
Mouflar y croyait perdre ; il vit avec le temps   10
Qu'il y gagnait beaucoup ; car étant de nature
A piller ses pareils, mainte mésaventure
L'aurait fait retourner chez lui
Avec cette partie en cent lieux altérée :
Chien hargneux a toujours l'oreille déchirée.   15
Le moins qu'on peut laisser de prise aux dents d'autrui
C'est le mieux *. Quand on n'a qu'un endroit à défendre,
On le munit * de peur d'esclandre * :
Témoin maître Mouflar armé d'un gorgerin *,
Du reste ayant d'oreille autant que sur ma main ;   20
Un Loup n'eût su par où le prendre.

LE BERGER ET LE ROI

Deux démons * à leur gré partagent notre vie,
Et de son patrimoine ont chassé la raison.
Je ne vois point de cœur qui ne leur sacrifie.
Si vous me demandez leur état et leur nom,

J'appelle l'un Amour *, et l'autre Ambition *.   5
Cette dernière étend le plus loin son empire ;
    Car même elle entre dans l'amour.
Je le ferais bien voir ; mais mon but est de dire
Comme un Roi fit venir un Berger à sa Cour.
Le conte est du bon temps, non du siècle où nous
                                          [sommes *. 10
Ce Roi vit un troupeau qui couvrait tous les champs,
Bien broutant, en bon corps *, rapportant tous les ans,
Grâce aux soins du Berger, de très notables sommes.
Le Berger plut au Roi par ces soins diligents.
Tu mérites, dit-il, d'être Pasteur de gens * ;   15
Laisse là tes moutons, viens conduire des hommes.
    Je te fais Juge Souverain.
Voilà notre Berger la balance à la main.
Quoiqu'il n'eût guère vu d'autres gens qu'un Hermite,
Son troupeau, ses mâtins, le loup, et puis c'est tout,   20
Il avait du bon sens ; le reste vient ensuite.
    Bref, il en vint fort bien à bout.
L'Hermite son voisin accourut pour lui dire :
Veillé-je ? et n'est-ce point un songe que je vois ?
Vous favori ! vous grand ! Défiez-vous des Rois :   25
Leur faveur est glissante, on s'y trompe ; et le pire
C'est qu'il en coûte cher ; de pareilles erreurs
Ne produisent jamais que d'illustres malheurs *.
Vous ne connaissez pas l'attrait qui vous engage.
Je vous parle en ami. Craignez tout. L'autre rit,   30
    Et notre Hermite poursuivit :
Voyez combien déjà la Cour vous rend peu sage.
Je crois voir cet Aveugle à qui dans un voyage
    Un serpent engourdi de froid
Vint s'offrir sous la main : il le prit pour un fouet.   35
Le sien s'était perdu, tombant de sa ceinture.
Il rendait grâce au Ciel de l'heureuse aventure,
Quand un passant cria : Que tenez-vous, ô Dieux !
Jetez cet animal traître et pernicieux,
Ce Serpent. — C'est un fouet. — C'est un Serpent,
                                          [vous dis-je. 40
A me tant tourmenter quel intérêt m'oblige ?
Prétendez-vous garder ce trésor ? — Pourquoi non ?

Mon fouet était usé ; j'en retrouve un fort bon ;
    Vous n'en parlez que par envie.
    L'aveugle enfin ne le crut pas ;   45
    Il en perdit bientôt la vie.
L'animal dégourdi piqua son homme au bras.
    Quant à vous, j'ose vous prédire
Qu'il vous arrivera quelque chose de pire.
— Eh ! que me saurait-il arriver que la mort ?   50
— Mille dégoûts viendront, dit le Prophète Hermite.
Il en vint en effet ; l'Hermite n'eut pas tort.
Mainte peste de Cour fit tant, par maint ressort,
Que la candeur du Juge, ainsi que son mérite,
Furent suspects au Prince. On cabale, on suscite   55
Accusateurs, et gens grevés * par ses arrêts.
De nos biens, dirent-ils, il s'est fait un Palais.
Le Prince voulut voir ces richesses immenses ;
Il ne trouva partout que médiocrité,
Louanges du désert et de la pauvreté * ;   60
    C'étaient là ses magnificences.
Son fait, dit-on, consiste en des pierres de prix.
Un grand coffre en est plein, fermé de dix serrures.
Lui-même ouvrit ce coffre, et rendit bien surpris
    Tous les machineurs * d'impostures.   65
Le coffre étant ouvert, on y vit des lambeaux,
    L'habit d'un gardeur de troupeaux,
Petit chapeau, jupon *, panetière *, houlette,
    Et, je pense, aussi sa musette *.
Doux trésors, ce dit-il, chers gages, qui jamais   70
N'attirâtes sur vous l'envie et le mensonge,
Je vous reprends ; sortons de ces riches Palais
    Comme l'on sortirait d'un songe.
Sire, pardonnez-moi cette exclamation.
J'avais prévu ma chute en montant sur le faîte.   75
Je m'y suis trop complu ; mais qui n'a dans la tête
    Un petit grain d'ambition ?

FABLE X

LES POISSONS
ET LE BERGER QUI JOUE DE LA FLÛTE

Tircis *, qui pour la seule Annette
Faisait résonner les accords
D'une voix et d'une musette
Capables de toucher les morts,
Chantait un jour le long des bords   5
D'une onde arrosant des prairies,
Dont Zéphire habitait les campagnes fleuries.
Annette cependant à la ligne pêchait ;
        Mais nul poisson ne s'approchait.
        La Bergère perdait ses peines.   10
        Le Berger qui par ses chansons,
        Eût attiré des inhumaines,
    Crut, et crut mal, attirer des poissons *.
Il leur chanta ceci : Citoyens de cette onde,
Laissez votre Naïade en sa grotte profonde.   15
Venez voir un objet mille fois plus charmant.
Ne craignez point d'entrer aux prisons de la Belle :
        Ce n'est qu'à nous qu'elle est cruelle :
        Vous serez traités doucement,
        On n'en veut point à votre vie :   20
Un vivier vous attend, plus clair que fin cristal *.
Et, quand à quelques-uns l'appât serait fatal,
Mourir des mains d'Annette est un sort que j'envie.
Ce discours éloquent ne fit pas grand effet :
L'auditoire était sourd aussi bien que muet.   25
Tircis eut beau prêcher : ses paroles miellées
        S'en étant aux vents envolées,
Il tendit un long rets. Voilà les poissons pris,
Voilà les poissons mis aux pieds de la Bergère.
O vous Pasteurs d'humains et non pas de brebis,   30
Rois, qui croyez gagner par raisons * les esprits
        D'une multitude étrangère,

Ce n'est jamais par là que l'on en vient à bout ;
   Il y faut une autre manière :
Servez-vous de vos rets, la puissance fait tout.   35

FABLE XI

LES DEUX PERROQUETS, LE ROI
ET SON FILS

Deux Perroquets, l'un père et l'autre fils,
Du rôt d'un Roi faisaient leur ordinaire.
Deux demi-dieux, l'un fils et l'autre père,
De ces oiseaux faisaient leurs favoris.
L'âge liait une amitié sincère   5
Entre ces gens : les deux pères s'aimaient ;
Les deux enfants, malgré leur cœur frivole,
L'un avec l'autre aussi s'accoutumaient,
Nourris * ensemble, et compagnons d'école.
C'était beaucoup d'honneur au jeune Perroquet ;   10
Car l'enfant était Prince, et son père Monarque.
Par le tempérament que lui donna la Parque,
Il aimait les oiseaux. Un Moineau fort coquet,
Et le plus amoureux de toute la Province,
Faisait aussi sa part des délices du Prince.   15
Ces deux rivaux un jour ensemble se jouants,
   Comme il arrive aux jeunes gens,
   Le jeu devint une querelle.
   Le Passereau, peu circonspec,
   S'attira de tels coups de bec,   20
   Que, demi-mort et traînant l'aile,
   On crut qu'il n'en pourrait guérir
   Le Prince indigné fit mourir
   Son Perroquet. Le bruit en vint au père.
L'infortuné vieillard crie et se désespère,   25
   Le tout en vain ; ses cris sont superflus ;
   L'oiseau parleur est déjà dans la barque * ;
   Pour dire mieux, l'Oiseau ne parlant plus
   Fait qu'en fureur sur le fils du Monarque
Son père s'en va fondre, et lui crève les yeux.   30

Il se sauve aussitôt, et choisit pour asile
   Le haut d'un Pin. Là dans le sein des Dieux *
Il goûte sa vengeance en lieu sûr et tranquille.
Le Roi lui-même y court, et dit pour l'attirer :
Ami, reviens chez moi : que nous sert de pleurer ?   35
Haine, vengeance, et deuil, laissons tout à la porte.
     Je suis contraint de déclarer,
     Encor que ma douleur soit forte,
Que le tort vient de nous : mon fils fut l'agresseur.
Mon fils ! non. C'est le sort qui du coup est l'auteur. 40
La Parque avait écrit de tout temps en son livre
Que l'un de nos enfants devait cesser de vivre,
     L'autre de voir, par ce malheur.
Consolons-nous tous deux, et reviens dans ta cage.
     Le Perroquet dit : Sire Roi,   45
     Crois-tu qu'après un tel outrage
     Je me doive fier à toi ?
Tu m'allègues le sort : prétends-tu par ta foi
Me leurrer de l'appât d'un profane * langage ?
Mais que la providence ou bien que le destin   50
     Règle les affaires du monde
Il est écrit là-haut qu'au faîte de ce pin
     Ou dans quelque Forêt profonde,
J'achèverai mes jours loin du fatal objet *
     Qui doit t'être un juste sujet   55
De haine et de fureur. Je sais que la vengeance
Est un morceau de Roi, car vous vivez en Dieux.
     Tu veux oublier cette offense :
Je le crois : cependant il me faut pour le mieux
     Eviter ta main et tes yeux *.   60
Sire Roi mon ami, va-t'en, tu perds ta peine ;
     Ne me parle point de retour ;
L'absence est aussi bien un remède à la haine
     Qu'un appareil contre l'amour.

FABLE XII

LA LIONNE ET L'OURSE

Mère Lionne avait perdu son fan *.
Un chasseur l'avait pris. La pauvre infortunée
    Poussait un tel rugissement
Que toute la Forêt était importunée.
    La nuit ni son obscurité,   5
    Son silence et ses autres charmes,
De la Reine des bois n'arrêtait les vacarmes
Nul animal n'était du sommeil visité *.
    L'Ourse enfin lui dit : Ma commère,
    Un mot sans plus ; tous les enfants   10
    Qui sont passés entre vos dents
    N'avaient-ils ni père ni mère ?
    — Ils en avaient. — S'il est ainsi,
Et qu'aucun de leur mort n'ait nos têtes rompues,
    Si tant de mères se sont tues,   15
    Que ne vous taisez-vous aussi ?
    — Moi me taire ! moi, malheureuse !
Ah j'ai perdu mon fils ! Il me faudra traîner
    Une vieillesse douloureuse !
— Dites-moi, qui vous force à vous y condamner ?   20
— Hélas ! c'est le Destin * qui me hait. Ces paroles
Ont été de tout temps en la bouche de tous.
Misérables humains, ceci s'adresse à vous :
Je n'entends résonner que des plaintes frivoles.
Quiconque en pareil cas se croit haï des Cieux,   25
Qu'il considère Hécube *, il rendra grâce aux Dieux.

FABLE XIII

LES DEUX AVENTURIERS
ET LE TALISMAN

Aucun chemin de fleurs ne conduit à la gloire.
Je n'en veux pour témoin qu'Hercule et ses travaux.
  Ce Dieu n'a guère de rivaux :
J'en vois peu dans la Fable, encor moins dans l'Histoire.
En voici pourtant un que de vieux Talismans   5
Firent chercher fortune au pays des Romans.
  Il voyageait de compagnie.
Son camarade et lui trouvèrent un poteau
  Ayant au haut cet écriteau :
Seigneur aventurier, s'il te prend quelque envie 10
De voir ce que n'a vu nul Chevalier errant,
  Tu n'as qu'à passer ce torrent ;
Puis, prenant dans tes bras un Eléphant de pierre
  Que tu verras couché par terre,
Le porter, d'une haleine, au sommet de ce mont, 15
Qui menace les Cieux de son superbe front.
L'un des deux chevaliers saigna du nez *. Si l'onde
  Est rapide autant que profonde,
Dit-il, et supposé qu'on la puisse passer,
Pourquoi de l'Eléphant s'aller embarrasser ? 20
  Quelle ridicule entreprise !
Le sage l'aura fait par tel art et de guise
Qu'on le pourra porter peut-être quatre pas ;
Mais jusqu'au haut du mont, d'une haleine, il n'est pas
Au pouvoir d'un mortel, à moins que la figure 25
Ne soit d'un Eléphant nain, pygmée, avorton,
  Propre à mettre au bout d'un bâton :
Auquel cas, où l'honneur d'une telle aventure ?
On nous veut attraper dedans cette écriture :
Ce sera quelque énigme à tromper un enfant. 30
C'est pourquoi je vous laisse avec votre Eléphant.
Le raisonneur parti, l'aventureux se lance,

Les yeux clos, à travers cette eau.
    Ni profondeur ni violence
Ne purent l'arrêter, et, selon l'écriteau,   35
Il vit son Eléphant couché sur l'autre rive.
Il le prend, il l'emporte, au haut du mont arrive,
Rencontre une esplanade, et puis une cité.
Un cri par l'Eléphant est aussitôt jeté :
    Le peuple aussitôt sort en armes.   40
Tout autre Aventurier au bruit de ces alarmes
Aurait fui : celui-ci loin de tourner le dos
Veut vendre au moins sa vie, et mourir en Héros.
Il fut tout étonné d'ouïr cette cohorte
Le proclamer Monarque au lieu de son Roi mort.   45
Il ne se fit prier que de la bonne sorte,
Encor que le fardeau fût, dit-il, un peu fort.
Sixte * en disait autant quand on le fit saint Père.
    (Serait-ce bien une misère
    Que d'être Pape ou d'être Roi * ?)   50
On reconnut bientôt son peu de bonne foi.
Fortune aveugle suit aveugle hardiesse.
Le sage quelquefois fait bien d'exécuter,
Avant que de donner le temps à la sagesse
D'envisager le fait, et sans la consulter *.   55

FABLE XIV

DISCOURS A MONSIEUR LE DUC
DE LA ROCHEFOUCAULD

Je me suis souvent dit, voyant de quelle sorte
    L'homme agit et qu'il se comporte
En mille occasions, comme les animaux * :
Le Roi * de ces gens-là n'a pas moins de défauts
    Que ses sujets, et la nature   5
    A mis dans chaque créature
Quelque grain d'une masse où puisent les esprits :
J'entends les esprits corps, et pétris de matière *.
    Je vais prouver ce que je dis.
A l'heure de l'affût, soit lorsque la lumière   10

Précipite ses traits dans l'humide séjour,
Soit lorsque le Soleil rentre dans sa carrière,
Et que, n'étant plus nuit, il n'est pas encor jour,
Au bord de quelque bois sur un arbre je grimpe ;
Et nouveau Jupiter du haut de cet Olympe,   15
    Je foudroie, à discrétion,
    Un lapin qui n'y pensait guère.
Je vois fuir aussitôt toute la nation
    Des lapins qui sur la bruyère,
    L'œil éveillé, l'oreille au guet,   20
S'égayaient, et de thym parfumaient leur banquet.
    Le bruit du coup fait que la bande
    S'en va chercher sa sûreté
    Dans la souterraine cité ;
Mais le danger s'oublie, et cette peur si grande   25
S'évanouit bientôt. Je revois les lapins
Plus gais qu'auparavant revenir sous mes mains.
Ne reconnaît-on pas en cela les humains ?
    Dispersés par quelque orage,
    A peine ils touchent le port   30
    Qu'ils vont hasarder encor
    Même vent, même naufrage.
    Vrais lapins, on les revoit
    Sous les mains de la fortune *.
Joignons à cet exemple une chose commune.   35
Quand des chiens étrangers passent par quelque endroit,
    Qui n'est pas de leur détroit *,
    Je laisse à penser quelle fête.
    Les chiens du lieu n'ayants en tête
Qu'un intérêt de gueule, à cris, à coups de dents,   40
    Vous accompagnent ces passants
    Jusqu'aux confins du territoire.
Un intérêt de biens, de grandeur, et de gloire,
Aux Gouverneurs d'Etats, à certains courtisans,
A gens de tous métiers en fait tout autant faire.   45
    On nous voit tous, pour l'ordinaire,
Piller le survenant, nous jeter sur sa peau.
La coquette et l'auteur sont de ce caractère ;
    Malheur à l'écrivain nouveau.
Le moins de gens qu'on peut à l'entour du gâteau,   50

C'est le droit du jeu *, c'est l'affaire.
Cent exemples pourraient appuyer mon discours * ;
　　Mais les ouvrages les plus courts
Sont toujours les meilleurs. En cela j'ai pour guides
Tous les maîtres de l'art, et tiens qu'il faut laisser   55
Dans les plus beaux sujets quelque chose à penser :
　　Ainsi ce discours doit cesser.
Vous qui m'avez donné ce qu'il a de solide,
Et dont la modestie égale la grandeur,
Qui ne pûtes jamais écouter sans pudeur   60
　　La louange la plus permise,
　　La plus juste et la mieux acquise,
Vous enfin dont à peine ai-je encore obtenu
Que votre nom reçût ici quelques hommages *,
Du temps et des censeurs défendant mes ouvrages,   65
Comme un nom qui, des ans et des peuples connu,
Fait honneur à la France, en grands noms plus féconde
　　Qu'aucun climat de l'Univers,
Permettez-moi du moins d'apprendre à tout le monde
Que vous m'avez donné le sujet de ces Vers.   70

FABLE XV

LE MARCHAND, LE GENTILHOMME,
LE PÂTRE ET LE FILS DE ROI

　　Quatre chercheurs de nouveaux mondes,
Presque nus échappés à la fureur des ondes,
Un Trafiquant, un Noble, un Pâtre, un Fils de Roi,
　　Réduits au sort de Bélisaire [a],
　　Demandaient aux passants de quoi   5
　　Pouvoir soulager leur misère.
De raconter quel sort les avait assemblés,
Quoique sous divers points * tous quatre ils fussent nés,
　　C'est un récit de longue haleine.

a. « Bélisaire était un grand capitaine, qui ayant commandé les Armées de l'Empereur et perdu les bonnes grâces de son Maître, tomba dans un tel point de misère, qu'il demandait l'aumône sur les grands chemins. » *(Note de La Fontaine.)*

Ils s'assirent enfin au bord d'une fontaine.   10
Là le conseil se tint entre les pauvres gens.
Le Prince s'étendit sur le malheur des grands.
Le Pâtre fut d'avis qu'éloignant la pensée
          De leur aventure * passée,
Chacun fît de son mieux et s'appliquât au soin   15
          De pourvoir au commun besoin.
La plainte *, ajouta-t-il, guérit-elle son homme ?
Travaillons ! c'est de quoi nous mener jusqu'à
                                                   [Rome.
Un Pâtre ainsi parler ! Ainsi parler ; croit-on
Que le Ciel n'ait donné qu'aux têtes couronnées   20
          De l'esprit et de la raison *,
Et que de tout berger, comme de tout mouton,
Les connaissances soient bornées ?
L'avis de celui-ci fut d'abord trouvé bon
Par les trois échoués au bord de l'Amérique.   25
L'un (c'était le Marchand) savait l'arithmétique :
A tant par mois, dit-il, j'en donnerai leçon.
          — J'enseignerai la politique,
Reprit le Fils de Roi. Le Noble poursuivit :
Moi, je sais le blason ; j'en veux tenir école :   30
Comme si devers l'Inde *, on eût eu dans l'esprit
La sotte vanité de ce jargon frivole.
Le Pâtre dit : Amis, vous parlez bien ; mais quoi !
Le mois a trente jours ; jusqu'à cette échéance
          Jeûnerons-nous, par votre foi ?   35
          Vous me donnez une espérance
Belle, mais éloignée ; et cependant j'ai faim *.
Qui pourvoira de nous au dîner de demain ?
          Ou plutôt sur quelle assurance
Fondez-vous, dites-moi, le souper d'aujourd'hui ?   40
          Avant tout autre, c'est celui
          Dont il s'agit : votre science
Est courte là-dessus : ma main y suppléera.
          A ces mots, le Pâtre s'en va
Dans un bois : il y fit des fagots dont la vente   45
Pendant cette journée et pendant la suivante,
Empêcha qu'un long jeûne à la fin ne fît tant
Qu'ils allassent là-bas * exercer leur talent.

Je conclus de cette aventure
Qu'il ne faut pas tant d'art pour conserver ses jours,   50
     Et grâce aux dons de la nature,
La main * est le plus sûr et le plus prompt secours.

LIVRE ONZIÈME

FABLE I

LE LION

Sultan Léopard autrefois
    Eut, ce dit-on, par mainte aubaine *,
Force bœufs dans ses prés, force cerfs dans ses bois,
    Force moutons parmi la plaine.
Il naquit un Lion dans la forêt prochaine.   5
Après les compliments et d'une et d'autre part,
    Comme entre grands il se pratique,
Le Sultan fit venir son Vizir le Renard,
    Vieux routier *, et bon politique.
Tu crains, ce lui dit-il, Lionceau mon voisin ;   10
    Son père est mort, que peut-il faire ?
    Plains plutôt le pauvre orphelin.
    Il a chez lui plus d'une affaire,
    Et devra beaucoup au destin
S'il garde ce qu'il a, sans tenter de conquête.   15
    Le Renard dit, branlant la tête :
Tels orphelins, Seigneur, ne me font point pitié :
Il faut de celui-ci conserver l'amitié,
    Ou s'efforcer de le détruire,
    Avant que la griffe et la dent   20
Lui soit crue, et qu'il soit en état de nous nuire.
    N'y perdez pas un seul moment.

J'ai fait son horoscope : il croîtra par la guerre * ;
    Ce sera le meilleur Lion
    Pour ses amis qui soit sur terre :   25
    Tâchez donc d'en être, sinon
Tâchez de l'affaiblir. La harangue fut vaine.
Le Sultan dormait lors ; et dedans son domaine
Chacun dormait * aussi, bêtes, gens : tant qu'enfin
Le Lionceau devient vrai Lion. Le tocsin   30
Sonne aussitôt sur lui, l'alarme se promène
    De toutes parts ; et le Vizir,
Consulté là-dessus dit avec un soupir :
Pourquoi l'irritez-vous ? La chose est sans remède.
En vain nous appelons mille gens à notre aide :   35
Plus ils sont, plus il coûte ; et je ne les tiens bons
    Qu'à manger leur part des moutons.
Apaisez le Lion : seul il passe en puissance
Ce monde d'alliés vivants sur notre bien.
Le Lion en a trois qui ne lui coûtent rien,   40
Son courage, sa force, avec sa vigilance.
Jetez-lui promptement sous la griffe un mouton :
S'il n'en est pas content, jetez-en davantage.
Joignez-y quelque bœuf : choisissez pour ce don
    Tout le plus gras du pâturage.   45
Sauvez le reste ainsi. Ce conseil ne plut pas.
    Il en prit mal ; et force états
    Voisins du Sultan en pâtirent :
    Nul n'y gagna, tous y perdirent.
    Quoi que fît ce monde ennemi,   50
    Celui qu'ils craignaient fut le maître.
Proposez-vous d'avoir le Lion pour ami,
    Si vous voulez le laisser craître *.

FABLE II

LES DIEUX VOULANT INSTRUIRE
UN FILS DE JUPITER
*POUR MONSEIGNEUR LE DUC DU MAINE **

Jupiter eut un fils, qui, se sentant du lieu
    Dont il tirait son origine,
    Avait l'âme toute divine.

L'enfance n'aime rien : celle du jeune Dieu
  Faisait sa principale affaire   5
  Des doux soins d'aimer et de plaire.
  En lui l'amour et la raison
Devancèrent le temps, dont les ailes légères
N'amènent que trop tôt, hélas ! chaque saison.
Flore aux regards riants, aux charmantes manières,   10
Toucha d'abord le cœur du jeune Olympien.
Ce que la passion peut inspirer d'adresse,
Sentiments délicats et remplis de tendresse,
Pleurs, soupirs, tout en fut : bref, il n'oublia rien.
Le fils de Jupiter devait par sa naissance   15
Avoir un autre esprit, et d'autres dons des Cieux,
  Que les enfants des autres Dieux.
Il semblait qu'il n'agît que par réminiscence ★,
Et qu'il eût autrefois fait le métier d'amant,
  Tant il le fit parfaitement.   20
Jupiter cependant voulut le faire instruire.
Il assembla les Dieux, et dit : J'ai su conduire
Seul et sans compagnon jusqu'ici l'Univers,
  Mais il est des emplois divers
  Qu'aux nouveaux Dieux je distribue.   25
Sur cet enfant chéri j'ai donc jeté la vue :
C'est mon sang ; tout est plein déjà de ses Autels.
Afin de mériter le rang des immortels,
Il faut qu'il sache tout. Le maître du Tonnerre
Eut à peine achevé, que chacun applaudit.   30
Pour savoir tout, l'enfant n'avait que trop d'esprit.
  Je veux, dit le Dieu de la guerre,
  Lui montrer moi-même cet art
  Par qui maints héros ont eu part
Aux honneurs de l'Olympe et grossi cet empire.   35
  — Je serai son maître de lyre,
  Dit le blond et docte Apollon.
— Et moi, reprit Hercule à la peau de Lion,
  Son maître à surmonter les vices,
A dompter les transports, monstres empoisonneurs,   40
Comme Hydres renaissants sans cesse dans les cœurs ★ :
  Ennemi des molles délices,

Il apprendra de moi les sentiers peu battus
Qui mènent aux honneurs sur les pas des vertus.
    Quand ce vint au Dieu de Cythère,   45
    Il dit qu'il lui montrerait tout.
L'Amour avait raison : de quoi ne vient à bout
    L'esprit joint au désir de plaire ?

FABLE III

LE FERMIER, LE CHIEN ET LE RENARD

Le Loup et le Renard sont d'étranges voisins :
Je ne bâtirai point autour de leur demeure.
    Ce dernier guettait à toute heure
Les poules d'un Fermier ; et quoique des plus fins,
Il n'avait pu donner d'atteinte à la volaille.   5
D'une part l'appétit, de l'autre le danger,
N'étaient pas au compère un embarras léger.
    Hé quoi ! dit-il, cette canaille
    Se moque impunément de moi ?
    Je vais, je viens, je me travaille *,   10
J'imagine cent tours ; le rustre, en paix chez soi,
Vous fait argent de tout, convertit en monnoie
Ses chapons, sa poulaille * ; il en a même au croc * :
Et moi, maître passé, quand j'attrape un vieux coq *,
    Je suis au comble de la joie !   15
Pourquoi sire Jupin m'a-t-il donc appelé
Au métier de Renard ? Je jure les puissances
De l'Olympe et du Styx *, il en sera parlé.
    Roulant en son cœur ces vengeances,
Il choisit une nuit libérale en pavots *.   20
Chacun était plongé dans un profond repos ;
Le maître du logis, les valets, le chien même,
Poules, poulets, chapons, tout dormait *. Le Fermier,
    Laissant ouvert son poulailler,
    Commit une sottise extrême.   25
Le voleur tourne tant qu'il entre au lieu guetté,
Le dépeuple, remplit de meurtres la cité :

Les marques de sa cruauté
Parurent avec l'Aube : on vit un étalage
    De corps sanglants et de carnage.   30
    Peu s'en fallut que le Soleil
Ne rebroussât d'horreur vers le manoir liquide *.
    Tel, et d'un spectacle pareil,
Apollon irrité contre le fier Atride *
Joncha son camp de morts : on vit presque détruit 35
L'ost des Grecs, et ce fut l'ouvrage d'une nuit.
    Tel encore autour de sa tente
    Ajax, à l'âme impatiente,
De moutons et de boucs fit un vaste débris,
Croyant tuer en eux son concurrent Ulysse   40
    Et les auteurs de l'injustice
    Par qui l'autre emporta le prix.
Le Renard autre Ajax * aux volailles funeste,
Emporte ce qu'il peut, laisse étendu le reste.
Le Maître ne trouva de recours qu'à crier   45
Contre ses gens, son chien, c'est l'ordinaire usage.
Ah ! maudit animal, qui n'es bon qu'à noyer,
Que n'avertissais-tu dès l'abord du carnage ?
— Que ne l'évitiez-vous ? c'eût été plus tôt fait :
Si vous, maître et fermier, à qui touche le fait, 50
Dormez sans avoir soin que la porte soit close,
Voulez-vous que moi chien qui n'ai rien à la chose,
Sans aucun intérêt je perde le repos ?
    Ce Chien parlait très à propos :
    Son raisonnement pouvait être   55
    Fort bon dans la bouche d'un Maître ;
    Mais, n'étant que d'un simple chien,
    On trouva qu'il ne valait rien *.
    On vous sangla le pauvre drille *.
Toi donc, qui que tu sois, ô père de famille *   60
(Et je ne t'ai jamais envié cet honneur),
T'attendre aux yeux d'autrui quand tu dors, c'est erreur.
Couche-toi le dernier, et vois fermer ta porte.
    Que si quelque affaire t'importe,
    Ne la fais point par procureur *.   65

FABLE IV

LE SONGE D'UN HABITANT DU MOGOL

Jadis certain Mogol * vit en songe un Vizir
Aux champs Elysiens possesseur d'un plaisir
Aussi pur qu'infini, tant en prix qu'en durée ;
Le même songeur vit en une autre contrée
    Un Ermite entouré de feux,   5
Qui touchait de pitié même les malheureux.
Le cas parut étrange, et contre l'ordinaire :
Minos * en ces deux morts semblait s'être mépris.
Le dormeur s'éveilla, tant il en fut surpris.
Dans ce songe pourtant soupçonnant du mystère,   10
    Il se fit expliquer l'affaire.
L'interprète lui dit : Ne vous étonnez point ;
Votre songe a du sens ; et, si j'ai sur ce point
    Acquis tant soit peu d'habitude,
C'est un avis des Dieux. Pendant l'humain séjour,   15
Ce Vizir quelquefois cherchait la solitude ;
Cet Ermite aux Vizirs allait faire sa cour.

Si j'osais ajouter au mot de l'interprète,
J'inspirerais ici l'amour de la retraite :
Elle offre à ses amants des biens sans embarras,   20
Biens purs, présents du Ciel, qui naissent sous les pas.
Solitude où je trouve une douceur secrète,
Lieux que j'aimai toujours, ne pourrai-je jamais,
Loin du monde et du bruit, goûter l'ombre et le frais * ?
Oh ! qui m'arrêtera sous vos sombres asiles !   25
Quand pourront les neuf Sœurs *, loin des cours et des
                                  [villes,
M'occuper tout entier, et m'apprendre des Cieux
Les divers mouvements inconnus à nos yeux,
Les noms et les vertus de ces clartés errantes *
Par qui sont nos destins et nos mœurs différentes !   30
Que si je ne suis né pour de si grands projets,
Du moins que les ruisseaux m'offrent de doux objets !

Que je peigne en mes Vers quelque rive fleurie !
La Parque à filets d'or n'ourdira * point ma vie ;
Je ne dormirai point sous de riches lambris ;   35
Mais voit-on que le somme en perde de son prix ?
En est-il moins profond, et moins plein de délices ?
Je lui voue au désert de nouveaux sacrifices.
Quand le moment viendra d'aller trouver les morts,
J'aurai vécu sans soins, et mourrai sans remords *.   40

FABLE V

LE LION, LE SINGE ET LES DEUX ANES

Le Lion, pour bien gouverner,
Voulant apprendre la morale,
Se fit un beau jour amener
Le Singe maître ès arts * chez la gent animale.
La première leçon que donna le Régent *   5
Fut celle-ci : Grand Roi, pour régner sagement,
    Il faut que tout Prince préfère
Le zèle de l'Etat à certain mouvement
        Qu'on appelle communément
        Amour-propre * ; car c'est le père,   10
        C'est l'auteur de tous les défauts
        Que l'on remarque aux animaux.
Vouloir que de tout point ce sentiment vous quitte,
        Ce n'est pas chose si petite
        Qu'on en vienne à bout en un jour :   15
C'est beaucoup de pouvoir modérer cet amour.
        Par là, votre personne auguste
        N'admettra jamais rien * en soi
        De ridicule ni d'injuste.
        — Donne-moi, repartit le Roi,   20
        Des exemples de l'un et l'autre.
        – Toute espèce, dit le docteur,
        (Et je commence par la nôtre)
Toute profession s'estime dans son cœur,
        Traite les autres d'ignorantes,   25
        Les qualifie impertinentes,

Et semblables discours qui ne nous coûtent rien.
L'amour-propre, au rebours, fait qu'au degré suprême
On porte ses pareils ; car c'est un bon moyen
    De s'élever aussi soi-même.   30
De tout ce que dessus j'argumente très bien
Qu'ici-bas maint talent n'est que pure grimace,
Cabale, et certain art de se faire valoir,
Mieux su des ignorants que des gens de savoir.
    L'autre jour, suivant à la trace   35
Deux Anes qui, prenant tour à tour l'encensoir
Se louaient tour à tour, comme c'est la manière,
J'ouïs que l'un des deux disait à son confrère :
Seigneur, trouvez-vous pas bien injuste et bien sot
L'homme, cet animal si parfait ? Il profane   40
    Notre auguste nom, traitant d'âne
Quiconque est ignorant, d'esprit lourd, idiot :
    Il abuse encore d'un mot,
Et traite notre rire, et nos discours de braire.
Les humains sont plaisants de prétendre exceller   45
Par-dessus nous ; non, non ; c'est à vous de parler,
    A leurs Orateurs de se taire :
Voilà les vrais braillards * ; mais laissons là ces gens :
    Vous m'entendez, je vous entends :
    Il suffit ; et quant aux merveilles   50
Dont votre divin chant vient frapper les oreilles,
Philomèle * est au prix novice dans cet Art :
Vous surpassez Lambert *. L'autre Baudet repart :
Seigneur, j'admire en vous des qualités pareilles.
Ces Anes, non contents de s'être ainsi grattés *,   55
    S'en allèrent dans les Cités
L'un l'autre se prôner : chacun d'eux croyait faire,
En prisant ses pareils, une fort bonne affaire,
Prétendant que l'honneur en reviendrait sur lui.
    J'en connais beaucoup aujourd'hui,   60
Non parmi les baudets, mais parmi les puissances *
Que le Ciel voulut mettre en de plus hauts degrés,
Qui changeraient entre eux les simples excellences,
    S'ils osaient, en des majestés.
J'en dis peut-être plus qu'il ne faut, et suppose   65
Que votre majesté gardera le secret.

Elle avait souhaité d'apprendre quelque trait
    Qui lui fît voir entre autre chose
L'amour-propre donnant du ridicule aux gens.
L'injuste aura son tour : il y faut plus de temps.   70
Ainsi parla ce Singe. On ne m'a pas su dire
S'il traita l'autre point ; car il est délicat ;
Et notre maître ès Arts, qui n'était pas un fat,
Regardait * ce Lion comme un terrible sire.

FABLE VI

LE LOUP ET LE RENARD

Mais d'où vient qu'au Renard Esope accorde un point ?
C'est d'exceller en tours pleins de matoiserie *.
J'en cherche la raison, et ne la trouve point.
Quand le Loup a besoin de défendre sa vie,
    Ou d'attaquer celle d'autrui,   5
    N'en sait-il pas autant que lui ?
Je crois qu'il en sait plus ; et j'oserais peut-être
Avec quelque raison contredire mon maître.
Voici pourtant un cas où tout l'honneur échut
A l'hôte des terriers. Un soir il aperçut   10
La Lune au fond d'un puits : l'orbiculaire * image
    Lui parut un ample fromage.
    Deux seaux alternativement
    Puisaient le liquide élément :
Notre Renard, pressé par une faim canine,   15
S'accommode en celui qu'au haut de la machine
    L'autre seau tenait suspendu.
    Voilà l'animal descendu,
    Tiré d'erreur, mais fort en peine,
    Et voyant sa perte prochaine.   20
Car comment remonter, si quelque autre affamé,
    De la même image charmé,
    Et succédant à sa misère,
Par le même chemin ne le tirait d'affaire ?
Deux jours s'étaient passés sans qu'aucun vînt au puits.   25
Le temps qui toujours marche avait pendant deux nuits

Echancré selon l'ordinaire
De l'astre au front d'argent la face circulaire.
   Sire Renard était désespéré.
   Compère Loup, le gosier altéré,   30
   Passe par là ; l'autre dit : Camarade,
Je veux vous régaler ; voyez-vous cet objet ?
C'est un fromage exquis. Le dieu Faune * l'a fait,
   La vache Io * donna le lait.
   Jupiter, s'il était malade,   35
Reprendrait l'appétit en tâtant d'un tel mets.
   J'en ai mangé cette échancrure,
Le reste vous sera suffisante pâture.
Descendez dans un seau que j'ai mis là exprès.
Bien qu'au moins mal qu'il pût il ajustât l'histoire,   40
   Le Loup fut un sot de le croire.
Il descend, et son poids, emportant l'autre part,
   Reguinde en haut maître Renard.
Ne nous en moquons point : nous nous laissons séduire *
   Sur aussi peu de fondement ;   45
   Et chacun croit fort aisément
   Ce qu'il craint et ce qu'il désire.

FABLE VII

LE PAYSAN DU DANUBE

Il ne faut point juger des gens sur l'apparence *.
Le conseil en est bon ; mais il n'est pas nouveau.
   Jadis l'erreur du Souriceau *
Me servit à prouver le discours que j'avance.
   J'ai, pour le fonder à présent,   5
Le bon Socrate, Esope *, et certain Paysan
Des rives du Danube, homme dont Marc-Aurèle
   Nous fait un portrait fort fidèle.
On connaît les premiers : quant à l'autre, voici
   Le personnage en raccourci.   10
Son menton nourrissait une barbe touffue,
   Toute sa personne velue

Représentait un Ours, mais un Ours mal léché.
Sous un sourcil épais il avait l'œil caché,
Le regard de travers, nez tortu, grosse lèvre,   15
    Portait sayon * de poil de chèvre,
    Et ceinture de joncs marins.
Cet homme ainsi bâti fut député des Villes
Que lave le Danube : il n'était point d'asiles
    Où l'avarice * des Romains   20
Ne pénétrât alors, et ne portât les mains.
Le député vint donc, et fit cette harangue :
Romains, et vous, Sénat, assis pour m'écouter,
Je supplie avant tout les Dieux de m'assister :
Veuillent les Immortels, conducteurs de ma langue,   25
Que je ne dise rien qui doive être repris.
Sans leur aide, il ne peut entrer dans les esprits
    Que tout mal et toute injustice * :
Faute d'y recourir, on viole leurs lois.
Témoin nous, que punit la Romaine avarice :   30
Rome est par nos forfaits, plus que par ses exploits,
    L'instrument de notre supplice.
Craignez, Romains, craignez que le Ciel quelque jour
Ne transporte chez vous les pleurs et la misère ;
Et mettant en nos mains par un juste retour   35
Les armes dont se sert sa vengeance sévère,
    Il ne vous fasse en sa colère
    Nos esclaves à votre tour.
Et pourquoi sommes-nous les vôtres ? Qu'on me die
En quoi vous valez mieux que cent peuples divers.   40
Quel droit vous a rendus maîtres de l'Univers * ?
Pourquoi venir troubler une innocente vie ?
Nous cultivions en paix d'heureux champs, et nos mains
Etaient propres aux Arts ainsi qu'au labourage :
    Qu'avez-vous appris aux Germains ?   45
    Ils ont l'adresse et le courage ;
    S'ils avaient eu l'avidité,
    Comme vous, et la violence,
Peut-être en votre place ils auraient la puissance,
Et sauraient en user sans inhumanité.   50
Celle que vos Préteurs * ont sur nous exercée
    N'entre qu'à peine en la pensée.

La majesté de vos Autels
Elle-même en est offensée ;
Car sachez que les immortels   55
Ont les regards sur nous. Grâces à vos exemples,
Ils n'ont devant les yeux que des objets d'horreur,
De mépris d'eux, et de leurs Temples,
D'avarice qui va jusques à la fureur.
Rien ne suffit aux gens qui nous viennent de Rome ;   60
La terre, et le travail de l'homme
Font pour les assouvir des efforts superflus.
Retirez-les : on ne veut plus
Cultiver pour eux les campagnes ;
Nous quittons les cités, nous fuyons aux montagnes ; 65
Nous laissons nos chères compagnes ;
Nous ne conversons * plus qu'avec des Ours affreux,
Découragés de mettre au jour des malheureux,
Et de peupler pour Rome un pays qu'elle opprime.
Quant à nos enfants déjà nés,   70
Nous souhaitons de voir leurs jours bientôt bornés :
Vos préteurs au malheur nous font joindre le crime.
Retirez-les : ils ne nous apprendront
Que la mollesse et que le vice ;
Les Germains comme eux deviendront   75
Gens de rapine et d'avarice.
C'est tout ce que j'ai vu dans Rome à mon abord :
N'a-t-on point de présent à faire ?
Point de pourpre à donner ? C'est en vain qu'on espère
Quelque refuge aux lois : encor leur ministère   80
A-t-il mille longueurs. Ce discours, un peu fort
Doit commencer à vous déplaire.
Je finis. Punissez de mort
Une plainte un peu trop sincère.
A ces mots, il se couche et chacun étonné   85
Admire le grand cœur, le bon sens, l'éloquence,
Du sauvage ainsi prosterné.
On le créa Patrice * ; et ce fut la vengeance
Qu'on crut qu'un tel discours méritait. On choisit
D'autres préteurs, et par écrit   90
Le Sénat demanda ce qu'avait dit cet homme,
Pour servir de modèle aux parleurs à venir.

On ne sut pas longtemps à Rome
Cette éloquence entretenir *.

FABLE VIII

LE VIEILLARD
ET LES TROIS JEUNES HOMMES

Un octogénaire plantait *.
Passe encor de bâtir ; mais planter à cet âge !
Disaient trois jouvenceaux, enfants du voisinage ;
    Assurément il radotait.
    Car, au nom des Dieux, je vous prie,   5
Quel fruit de ce labeur pouvez-vous recueillir ?
Autant qu'un Patriarche il vous faudrait vieillir.
    A quoi bon charger votre vie
Des soins d'un avenir qui n'est pas fait pour vous * ?
Ne songez désormais qu'à vos erreurs passées :   10
Quittez le long espoir et les vastes pensées ;
    Tout cela ne convient qu'à nous.
    — Il ne convient pas à vous-mêmes,
Repartit le Vieillard. Tout établissement *
Vient tard et dure peu. La main des Parques blêmes   15
De vos jours et des miens se joue également.
Nos termes sont pareils par leur courte durée.
Qui de nous des clartés de la voûte azurée
Doit jouir le dernier ? Est-il aucun moment
Qui vous puisse assurer d'un second seulement ?   20
Mes arrière-neveux * me devront cet ombrage :
    Eh bien défendez-vous au Sage
De se donner des soins pour le plaisir d'autrui ?
Cela même est un fruit que je goûte aujourd'hui :
J'en puis jouir * demain, et quelques jours encore ; 25
    Je puis enfin compter l'Aurore
    Plus d'une fois sur vos tombeaux.
Le Vieillard eut raison ; l'un des trois jouvenceaux
Se noya dès le port allant à l'Amérique ;
L'autre, afin de monter aux grandes dignités,   30
Dans les emplois de Mars servant la République,

Par un coup imprévu vit ses jours emportés.
   Le troisième tomba d'un arbre
     Que lui-même il voulut enter * ;
Et pleurés * du Vieillard, il grava sur leur marbre   35
   Ce que je viens de raconter.

FABLE IX

LES SOURIS ET LE CHAT-HUANT

   Il ne faut jamais dire aux gens :
Ecoutez un bon mot, oyez une merveille.
   Savez-vous si les écoutants
En feront une estime à la vôtre pareille ?
Voici pourtant un cas qui peut être excepté :   5
Je le maintiens prodige, et tel que d'une fable
Il a l'air et les traits, encor que véritable *.
On abattit un pin pour son antiquité,
Vieux Palais d'un hibou, triste et sombre retraite
De l'oiseau qu'Atropos prend pour son interprète.   10
Dans son tronc caverneux, et miné par le temps,
   Logeaient, entre autres habitants,
Force Souris sans pieds, toutes rondes de graisse.
L'Oiseau les nourrissait parmi des tas de blé,
Et de son bec avait leur troupeau mutilé ;   15
Cet Oiseau raisonnait, il faut qu'on le confesse.
En son temps aux Souris le compagnon chassa.
Les premières qu'il prit du logis échappées,
Pour y remédier, le drôle estropia
Tout ce qu'il prit ensuite. Et leurs jambes coupées   20
Firent qu'il les mangeait à sa commodité,
   Aujourd'hui l'une, et demain l'autre.
Tout manger à la fois, l'impossibilité
S'y trouvait, joint aussi le soin de sa santé.
Sa prévoyance allait aussi loin que la nôtre :   25
   Elle allait jusqu'à leur porter
   Vivres et grains pour subsister *.
   Puis, qu'un Cartésien s'obstine
A traiter ce Hibou de montre et de machine !

Quel ressort lui pouvait donner   30
Le conseil de tronquer un peuple mis en mue ?
   Si ce n'est pas là raisonner,
   La raison m'est chose inconnue.
   Voyez que d'arguments * il fit :
   Quand ce peuple est pris, il s'enfuit :   35
Donc il faut le croquer aussitôt qu'on le happe.
Tout : il est impossible. Et puis, pour le besoin
N'en dois-je pas garder ? Donc il faut avoir soin
   De le nourrir sans qu'il échappe.
Mais comment ? Otons-lui les pieds. Or, trouvez-moi 40
Chose par les humains à sa fin mieux conduite *.
Quel autre art de penser Aristote et sa suite *
   Enseignent-ils, par votre foi ?

Ceci n'est point une fable ; et la chose, quoique merveilleuse et presque incroyable, est véritablement arrivée. J'ai peut-être porté trop loin la prévoyance de ce Hibou ; car je ne prétends pas établir dans les bêtes un progrès de raisonnement tel que celui-ci ; mais ces exagérations sont permises à la poésie, surtout dans la manière d'écrire dont je me sers.

EPILOGUE

C'est ainsi que ma Muse, aux bords d'une onde pure,
   Traduisait en langue des Dieux *
   Tout ce que disent sous les cieux
Tant d'êtres empruntant la voix de la nature.
   Trucheman de peuples divers,   5
Je les faisais servir d'Acteurs en mon ouvrage ;
   Car tout parle dans l'Univers ;
   Il n'est rien qui n'ait son langage.
Plus éloquents chez eux qu'ils ne sont dans mes Vers,
Si ceux que j'introduis me trouvent peu fidèle,   10
Si mon œuvre n'est pas un assez bon modèle,
   J'ai du moins ouvert le chemin :
D'autres pourront y mettre une dernière main.
Favoris des neuf Sœurs, achevez l'entreprise :

Donnez mainte leçon que j'ai sans doute omise ;   15
Sous ces inventions il faut l'envelopper :
Mais vous n'avez que trop de quoi vous occuper :
Pendant le doux emploi de ma Muse innocente,
Louis dompte l'Europe, et d'une main puissante ★
Il conduit à leur fin les plus nobles projets   20
    Qu'ait jamais formés un Monarque.
Favoris des neuf Sœurs, ce sont là des sujets
    Vainqueurs du temps et de la Parque.

LIVRE DOUZIÈME

A MONSEIGNEUR
LE DUC DE BOURGOGNE [1]

MONSEIGNEUR,

Je ne puis employer pour mes Fables de protection qui me soit plus glorieuse que la vôtre. Ce goût exquis et ce jugement si solide que vous faites paraître dans toutes choses au-delà d'un âge où à peine les autres Princes sont-ils touchés de ce qui les environne avec le plus d'éclat, tout cela, joint au devoir de vous obéir et à la passion de vous plaire, m'a obligé de vous présenter un Ouvrage dont l'original a été l'admiration de tous les siècles aussi bien que celle de tous les sages. Vous m'avez même ordonné de continuer ; et, si vous me permettez de le dire, il y a des sujets dont je vous suis redevable [2] et où vous avez jeté des grâces qui ont été admirées de tout le monde. Nous n'avons plus besoin de consulter ni Apollon ni les Muses, ni aucune des Divinités du Parnasse : elles se rencontrent toutes dans les présents que vous a faits la Nature, et dans cette science de bien juger des Ouvrages de l'esprit, à quoi vous joignez déjà celle de connaître toutes les règles qui y conviennent. Les Fables d'Esope sont une ample matière pour ces talents ; elles embrassent toutes sortes d'événements et de caractères. Ces mensonges sont proprement une manière d'histoire où on ne flatte personne. Ce ne sont pas choses de peu d'importance que ces sujets. Les Animaux sont les précepteurs des Hommes dans mon Ouvrage. Je ne m'étendrai pas davantage là-dessus : vous voyez mieux que moi le profit qu'on en peut tirer. Si vous vous connaissez maintenant en Orateurs et en Poëtes, vous vous connaîtrez encore mieux quelque jour en bon Politiques et en bons Généraux d'Armée ; et vous vous tromperez aussi peu au choix des Personnes qu'au mérite des Actions. Je ne suis pas d'un âge à espérer d'en être témoin. Il faut que je me contente de travailler sous vos ordres. L'envie de vous plaire me tiendra lieu d'une imagination que les ans ont affaiblie. Quand vous souhaiterez quelque Fable, je la trouverai dans ce fonds-là. Je voudrais bien que vous y puissiez trouver des louanges dignes du Monarque qui fait maintenant le destin de tant de Peuples et de Nations, et qui rend toutes les parties du Monde attentives à ses Conquêtes, à ses Victoires, et à la Paix [3] qui semble se rapprocher, et dont il impose les conditions avec toute la modération [4] que peuvent souhaiter nos Ennemis. Je me le figure comme un Conquérant qui veut mettre des bornes à sa Gloire et à sa Puissance, et de qui on pourrait dire, à meilleur titre qu'on ne l'a dit d'Alexandre, qu'il va tenir les Etats de l'Univers, en obligeant les Ministres de tant de Princes de s'assembler pour terminer une guerre qui ne peut être que ruineuse à leurs Maîtres. Ce sont des sujets au-dessus de nos paroles : je les laisse à de meilleures Plumes que la mienne, et suis avec un profond respect,

MONSEIGNEUR,
Votre très humble, très obéissant,
et très fidèle serviteur,

DE LA FONTAINE.

FABLE I

LES COMPAGNONS D'ULYSSE
A MONSEIGNEUR LE DUC DE BOURGOGNE

Prince, l'unique objet du soin des Immortels,
Souffrez que mon encens parfume vos Autels.
Je vous offre un peu tard ces Présents de ma Muse ;
Les ans et les travaux me serviront d'excuse :
Mon esprit diminue, au lieu qu'à chaque instant   5
On aperçoit le vôtre aller en augmentant.
Il ne va pas, il court, il semble avoir des ailes.
Le Héros * dont il tient des qualités si belles
Dans le métier de Mars brûle d'en faire autant :
Il ne tient pas à lui que, forçant la victoire,   10
    Il ne marche à pas de géant
    Dans la carrière de la Gloire.
Quelque Dieu le retient : c'est notre Souverain,
Lui qu'un mois a rendu maître et vainqueur du Rhin ;
Cette rapidité fut alors nécessaire :   15
Peut-être elle serait aujourd'hui téméraire.
Je m'en tais ; aussi bien les Ris et les Amours
Ne sont pas soupçonnés d'aimer les longs discours.
De ces sortes de Dieux votre Cour se compose.
Ils ne vous quittent point. Ce n'est pas qu'après tout   20
D'autres Divinités n'y tiennent le haut bout :
Le sens et la raison y règlent toute chose.
Consultez ces derniers sur un fait où les Grecs,
    Imprudents et peu circonspects,
    S'abandonnèrent à des charmes   25
Qui métamorphosaient en bêtes les humains.
Les Compagnons d'Ulysse, après dix ans d'alarmes,
Erraient au gré du vent, de leur sort incertains.
    Ils abordèrent un rivage
    Où la fille du Dieu du jour,   30
    Circé, tenait alors sa Cour.
    Elle leur fit prendre un breuvage

Délicieux, mais plein d'un funeste poison.
      D'abord ils perdent la raison ;
Quelques moments après, leur corps et leur visage   35
Prennent l'air et les traits d'animaux différents.
Les voilà devenus Ours, Lions, Eléphants ;
      Les uns sous une masse énorme,
      Les autres sous une autre forme ;
Il s'en vit de petits, *exemplum, ut talpa* *.   40
      Le seul Ulysse en échappa.
Il sut se défier de la liqueur traîtresse.
      Comme il joignait à la sagesse
La mine d'un Héros et le doux entretien,
      Il fit tant que l'Enchanteresse   45
Prit un autre poison peu différent du sien.
Une Déesse dit tout ce qu'elle a dans l'âme :
      Celle-ci déclara sa flamme.
Ulysse était trop fin pour ne pas profiter
      D'une pareille conjoncture.   50
Il obtint qu'on rendrait à ces Grecs leur figure.
Mais la voudront-ils bien, dit la Nymphe, accepter ?
Allez le proposer de ce pas à la troupe.
Ulysse y court, et dit : L'empoisonneuse coupe
A son remède encore ; et je viens vous l'offrir :   55
Chers amis, voulez-vous hommes redevenir ?
      On vous rend déjà la parole.
      Le Lion dit, pensant rugir :
      Je n'ai pas la tête si folle ;
Moi renoncer aux dons que je viens d'acquérir ?   60
J'ai griffe et dent, et mets en pièces qui m'attaque.
Je suis Roi : deviendrai-je un Citadin d'Ithaque ?
Tu me rendras peut-être encor simple Soldat :
      Je ne veux point changer d'état.
Ulysse du Lion court à l'Ours : Eh ! mon frère,   65
Comme te voilà fait ! je t'ai vu si joli !
      — Ah ! vraiment nous y voici,
      Reprit l'Ours à sa manière.
Comme me voilà fait ? comme doit être un ours.
Qui t'a dit qu'une forme est plus belle qu'une autre ?   70
   Est-ce à la tienne à juger de la nôtre ?
Je me rapporte aux yeux d'une Ourse mes amours.

Te déplais-je ? va-t'en, suis ta route et me laisse :
Je vis libre, content, sans nul soin qui me presse ;
  Et te dis tout net et tout plat * :   75
  Je ne veux point changer d'état.
Le prince grec au Loup va proposer l'affaire ;
Il lui dit, au hasard * d'un semblable refus :
   Camarade, je suis confus
   Qu'une jeune et belle Bergère   80
  Conte aux échos les appétits gloutons
  Qui t'ont fait manger ses moutons.
Autrefois on t'eût vu sauver sa bergerie :
   Tu menais une honnête vie.
   Quitte ces bois, et redeviens,   85
   Au lieu de loup, homme de bien.
— En est-il ? dit le Loup. Pour moi, je n'en vois guère.
Tu t'en viens me traiter de bête carnassière :
Toi qui parles, qu'es-tu ? N'auriez-vous pas sans moi
Mangé ces animaux que plaint tout le Village ? 90
   Si j'étais Homme, par ta foi,
   Aimerais-je moins le carnage ?
Pour un mot quelquefois vous vous étranglez tous :
Ne vous êtes-vous pas l'un à l'autre des Loups * ?
Tout bien considéré, je te soutiens en somme 95
   Que scélérat pour scélérat,
   Il vaut mieux être un Loup qu'un Homme :
   Je ne veux point changer d'état.
Ulysse fit à tous une même semonce *,
   Chacun d'eux fit même réponse,   100
   Autant le grand que le petit.
La liberté, les bois, suivre leur appétit,
  C'était leurs délices suprêmes :
Tous renonçaient au lôs * des belles actions.
Ils croyaient s'affranchir suivants * leurs passions, 105
  Ils étaient esclaves d'eux-mêmes.
Prince, j'aurais voulu vous choisir un sujet
Où je pusse mêler le plaisant à l'utile :
   C'était sans doute un beau projet
   Si ce choix eût été facile.   110
Les compagnons d'Ulysse enfin se sont offerts.
Ils ont force pareils en ce bas Univers :

Gens à qui j'impose pour peine
Votre censure et votre haine.

FABLE II

LE CHAT ET LES DEUX MOINEAUX
A MONSEIGNEUR LE DUC DE BOURGOGNE

Un Chat contemporain d'un fort jeune Moineau
Fut logé près de lui dès l'âge du berceau ;
La Cage et le Panier avaient mêmes Pénates.
Le Chat était souvent agacé par l'Oiseau :
L'un s'escrimait du bec, l'autre jouait des pattes.   5
Ce dernier toutefois épargnait son ami.
    Ne le corrigeant qu'à demi
    Il se fût fait un grand scrupule
    D'armer de pointes sa férule *.
    Le Passereau moins circonspec,   10
    Lui donnait force coups de bec.
    En sage et discrète * personne,
    Maître Chat excusait ces jeux :
Entre amis, il ne faut jamais qu'on s'abandonne
    Aux traits d'un courroux sérieux.   15
Comme ils se connaissaient tous deux dès leur bas âge,
Une longue habitude en paix les maintenait ;
Jamais en vrai combat le jeu ne se tournait ;
    Quand un Moineau du voisinage
S'en vint les visiter, et se fit compagnon   20
Du pétulant Pierrot et du sage Raton.
Entre les deux oiseaux, il arriva querelle ;
    Et Raton de prendre parti.
Cet inconnu, dit-il, nous la vient donner belle
    D'insulter ainsi notre ami !   25
Le Moineau du voisin viendra manger * le nôtre ?
Non, de par tous les Chats ! Entrant lors au combat,
Il croque l'étranger. Vraiment, dit maître Chat,
Les Moineaux ont un goût exquis et délicat !
Cette réflexion fit aussi croquer l'autre.   30
Quelle Morale puis-je inférer de ce fait ?

Sans cela toute Fable est un œuvre imparfait.
J'en crois voir quelques traits ; mais leur ombre m'abuse,
Prince, vous les aurez incontinent trouvés :
Ce sont des jeux * pour vous, et non point pour ma
[Muse ; 35
Elle et ses Sœurs n'ont pas l'esprit que vous avez.

FABLE III

DU THÉSAURISEUR ET DU SINGE

Un Homme accumulait. On sait que cette erreur
    Va souvent jusqu'à la fureur *.
Celui-ci ne songeait que Ducats et Pistoles.
Quand ces biens sont oisifs, je tiens qu'ils sont frivoles.
    Pour sûreté de son Trésor,   5
Notre Avare habitait un lieu dont Amphitrite *
Défendait aux voleurs de toutes parts l'abord.
Là d'une volupté selon moi fort petite,
Et selon lui fort grande, il entassait toujours :
    Il passait les nuits et les jours   10
A compter, calculer, supputer sans relâche,
Calculant, supputant, comptant comme à la tâche :
Car il trouvait toujours du mécompte à son fait.
Un gros Singe plus sage, à mon sens, que son maître,
Jetait quelque Doublon toujours par la fenêtre,   15
    Et rendait le compte imparfait :
    La chambre, bien cadenassée,
Permettait de laisser l'argent sur le comptoir.
Un beau jour dom Bertrand * se mit dans la pensée
D'en faire un sacrifice au liquide manoir *.   20
    Quant à moi, lorsque je compare
Les plaisirs de ce Singe à ceux de cet Avare,
Je ne sais bonnement auxquels donner le prix.
Dom Bertrand gagnerait près de certains esprits ;
Les raisons en seraient trop longues à déduire.   25
Un jour donc l'animal, qui ne songeait qu'à nuire,
Détachait du monceau, tantôt quelque Doublon,

Un Jacobus, un Ducaton,
    Et puis quelque Noble à la rose * ;
Eprouvait son adresse et sa force à jeter   30
Ces morceaux de métal qui se font souhaiter
    Par les humains sur toute chose.
S'il n'avait entendu son Compteur à la fin
    Mettre la clef dans la serrure,
Les Ducats auraient tous pris le même chemin,   35
    Et couru la même aventure ;
Il les aurait fait tous voler jusqu'au dernier
Dans le gouffre enrichi par maint et maint naufrage *.
Dieu veuille préserver maint et maint Financier
    Qui n'en fait pas meilleur usage.   40

FABLE IV

LES DEUX CHÈVRES

    Dès que les Chèvres ont brouté,
    Certain esprit de liberté *
Leur fait chercher fortune ; elles vont en voyage
    Vers les endroits du pâturage
    Les moins fréquentés des humains.   5
Là s'il est quelque lieu sans route et sans chemins,
Un rocher, quelque mont pendant en précipices,
C'est où ces Dames vont promener leurs caprices * ;
Rien ne peut arrêter cet animal grimpant.
    Deux Chèvres donc s'émancipant,   10
    Toutes deux ayant patte blanche,
Quittèrent les bas prés, chacune de sa part.
L'une vers l'autre allait pour quelque bon hasard.
Un ruisseau se rencontre, et pour pont une planche.
Deux Belettes à peine auraient passé de front   15
    Sur ce pont ;
D'ailleurs, l'onde rapide et le ruisseau profond
Devaient faire trembler de peur ces Amazones.
Malgré tant de dangers, l'une de ces personnes
Pose un pied sur la planche, et l'autre en fait autant.   20
Je m'imagine voir avec Louis le Grand

Philippe Quatre qui s'avance
Dans l'île de la Conférence *.
Ainsi s'avançaient pas à pas,
Nez à nez, nos Aventurières,   25
Qui, toutes deux étant fort fières,
Vers le milieu du pont ne se voulurent pas
L'une à l'autre céder. Elles avaient la gloire
De compter dans leur race (à ce que dit l'Histoire)
L'une certaine Chèvre au mérite sans pair   30
Dont Polyphème fit présent à Galatée,
Et l'autre la chèvre Amalthée *,
Par qui fut nourri Jupiter.
Faute de reculer, leur chute fut commune ;
Toutes deux tombèrent dans l'eau.   35
Cet accident n'est pas nouveau
Dans le chemin de la Fortune.

A MONSEIGNEUR LE DUC DE BOURGOGNE,

*qui avait demandé à M. de La Fontaine
une fable qui fût nommée* Le Chat et la Souris.

Pour plaire au jeune Prince à qui la Renommée
    Destine un Temple en mes Ecrits,
Comment composerai-je une Fable nommée
    Le Chat et la Souris ?

Dois-je représenter dans ces Vers une Belle   5
Qui, douce en apparence, et toutefois cruelle,
Va se jouant des cœurs que ses charmes ont pris
    Comme le Chat de la Souris ?

Prendrai-je pour sujet les jeux de la Fortune * ?
Rien ne lui convient mieux, et c'est chose commune   10
Que de lui voir traiter ceux qu'on croit ses amis
    Comme le Chat fait la Souris,

Introduirai-je un Roi qu'entre ses favoris
Elle respecte seul, Roi qui fixe sa roue *,
Qui n'est point empêché * d'un monde d'Ennemis,   15
Et qui des plus puissants, quand il lui plaît, se joue
    Comme le Chat de la Souris ?

Mais insensiblement, dans le tour que j'ai pris,
Mon dessein se rencontre ; et si je ne m'abuse,
Je pourrais tout gâter par de plus longs récits.   20
Le jeune Prince alors se jouerait de ma Muse
     Comme le Chat de la Souris.

FABLE V

LE VIEUX CHAT ET LA JEUNE SOURIS

Une jeune Souris de peu d'expérience
Crut fléchir un vieux Chat, implorant sa clémence,
Et payant de raisons le Raminagrobis * :
     Laissez-moi vivre : une Souris
     De ma taille et de ma dépense   5
     Est-elle à charge en ce logis ?
     Affamerais-je, à votre avis,
     L'Hôte et l'Hôtesse, et tout leur monde ?
     D'un grain de blé je me nourris ;
     Une noix me rend toute ronde.   10
A présent je suis maigre ; attendez quelque temps.
Réservez ce repas à messieurs vos Enfants.
Ainsi parlait au Chat la Souris attrapée.
     L'autre lui dit : Tu t'es trompée.
Est-ce à moi que l'on tient de semblables discours ?   15
Tu gagnerais autant de parler à des sourds.
Chat, et vieux, pardonner ? cela n'arrive guères.
     Selon ces lois, descends là-bas *,
     Meurs, et va-t'en, tout de ce pas,
     Haranguer les sœurs Filandières *.   20
Mes Enfants trouveront assez d'autres repas.
     Il tint parole ; Et pour ma Fable
Voici le sens moral qui peut y convenir :
La jeunesse se flatte, et croit tout obtenir ;
     La vieillesse est impitoyable.   25

FABLE VI

LE CERF MALADE

En pays pleins * de Cerfs un Cerf tomba malade.
    Incontinent maint camarade
Accourt à son grabat le voir, le secourir,
Le consoler du moins : multitude importune.
    Eh ! Messieurs, laissez-moi mourir.   5
    Permettez qu'en forme commune
La Parque m'expédie, et finissez vos pleurs.
    Point du tout : les Consolateurs
De ce triste devoir tout au long s'acquittèrent ;
    Quand il plut à Dieu s'en allèrent.   10
    Ce ne fut pas sans boire un coup,
C'est-à-dire sans prendre un droit de pâturage.
Tout se mit à brouter les bois du voisinage.
La pitance du Cerf en déchut * de beaucoup ;
    Il ne trouva plus rien à frire.   15
    D'un mal il tomba dans un pire,
    Et se vit réduit à la fin
    A jeûner et mourir de faim.
    Il en coûte à qui vous réclame,
    Médecins du corps et de l'âme.   20
    O temps, ô mœurs * ! J'ai beau crier,
    Tout le monde se fait payer.

FABLE VII

LA CHAUVE-SOURIS, LE BUISSON
ET LE CANARD

Le Buisson, le Canard, et la Chauve-Souris,
    Voyant tous trois qu'en leur pays
    Ils faisaient petite fortune,
Vont trafiquer au loin, et font bourse commune.
Ils avaient des Comptoirs, des Facteurs *, des Agents 5

Non moins soigneux qu'intelligents,
Des Registres exacts de mise et de recette.
    Tout allait bien ; quand leur emplette,
    En passant par certains endroits
    Remplis d'écueils, et fort étroits,   10
    Et de Trajet très difficile,
Alla tout emballée au fond des magasins
    Qui du Tartare sont voisins.
Notre Trio poussa maint regret inutile ;
    Ou plutôt il n'en poussa point,   15
Le plus petit Marchand est savant sur ce point ;
Pour sauver son crédit, il faut cacher sa perte *.
Celle que par malheur nos gens avaient soufferte
Ne put se réparer : le cas fut découvert.
Les voilà sans crédit, sans argent, sans ressource,   20
    Prêts à porter le bonnet vert *.
    Aucun ne leur ouvrit sa bourse.
Et le sort principal *, et les gros intérêts,
    Et les Sergents *, et les procès,
    Et le créancier à la porte,   25
    Dès devant la pointe du jour,
N'occupaient le Trio qu'à chercher maint détour
    Pour contenter cette cohorte.
Le Buisson accrochait les passants à tous coups.
Messieurs, leur disait-il, de grâce, apprenez-nous   30
    En quel lieu sont les marchandises
    Que certains gouffres nous ont prises.
Le plongeon * sous les eaux s'en allait les chercher.
L'oiseau Chauve-Souris n'osait plus approcher
    Pendant le jour nulle demeure :   35
    Suivi de Sergents à toute heure,
    En des trous il s'allait cacher.
Je connais maint detteur * qui n'est ni Souris-Chauve,
Ni Buisson, ni Canard, ni dans tel cas tombé,
Mais simple grand Seigneur, qui tous les jours se sauve   40
    Par un escalier dérobé.

FABLE VIII

LA QUERELLE
DES CHIENS ET DES CHATS
ET CELLE
DES CHATS ET DES SOURIS

La Discorde a toujours régné dans l'Univers ;
Notre monde en fournit mille exemples divers :
Chez nous cette Déesse a plus d'un Tributaire.
    Commençons par les Eléments :
Vous serez étonnés de voir qu'à tous moments   5
    Ils seront appointés contraire *.
    Outre ces quatre potentats,
    Combien d'êtres de tous états
    Se font une guerre * éternelle !
Autrefois un logis plein de Chiens et de Chats,   10
Par cent Arrêts rendus en forme solennelle,
    Vit terminer tous leurs débats.
Le Maître ayant réglé leurs emplois, leurs Repas,
Et menacé du fouet quiconque aurait querelle,
Ces animaux vivaient entr'eux comme cousins.   15
Cette union si douce, et presque fraternelle,
    Edifiait tous les voisins.
Enfin elle cessa. Quelque plat de potage,
Quelque os par préférence à quelqu'un d'eux donné,
Fit que l'autre parti s'en vint tout forcené   20
    Représenter * un tel outrage.
J'ai vu des chroniqueurs attribuer le cas
Aux passe-droits qu'avait une chienne en gésine.
    Quoi qu'il en soit, cet altercas *
Mit en combustion la salle et la cuisine ;   25
Chacun se déclara pour son Chat, pour son Chien.
On fit un Règlement dont les Chats se plaignirent,
    Et tout le quartier étourdirent.
Leur Avocat disait qu'il fallait be! et bien
Recourir aux Arrêts. En vain ils les cherchèrent.   30
Dans un coin où d'abord leurs Agents les cachèrent,

Les Souris enfin les mangèrent.
Autre procès nouveau : Le peuple Souriquois *
En pâtit. Maint vieux Chat, fin, subtil, et narquois *,
Et d'ailleurs en voulant à toute cette race,   35
    Les guetta, les prit, fit main basse *.
Le Maître du logis ne s'en trouva que mieux.
J'en reviens à mon dire. On ne voit, sous les Cieux
Nul animal, nul être, aucune Créature,
Qui n'ait son opposé : c'est la loi de Nature *.   40
D'en chercher la raison, ce sont soins superflus.
Dieu fit bien ce qu'il fit *, et je n'en sais pas plus.
  Ce que je sais, c'est qu'aux grosses paroles
On en vient sur un rien, plus des trois quarts du temps.
Humains, il vous faudrait encore à soixante ans   45
    Renvoyer chez les Barbacoles *.

FABLE IX

LE LOUP ET LE RENARD

D'où vient que personne en la vie
N'est satisfait de son état ?
Tel voudrait bien être Soldat
A qui le Soldat porte envie *.

Certain Renard voulut, dit-on,   5
Se faire Loup. Hé ! qui peut dire
Que pour le métier de Mouton
Jamais aucun Loup ne soupire ?

Ce qui m'étonne est qu'à huit ans
Un Prince en Fable ait mis la chose,   10
Pendant que sous mes cheveux blancs
Je fabrique à force de temps
Des Vers moins sensés que sa Prose.

Les traits dans sa Fable semés
Ne sont en l'ouvrage du poète *   15
Ni tous, ni si bien exprimés.
Sa louange en est plus complète.

De la chanter sur la Musette,
C'est mon talent ; mais je m'attends
Que mon Héros, dans peu de temps,   20
Me fera prendre la trompette *.

Je ne suis pas grand Prophète ;
Cependant je lis dans les Cieux
Que bientôt ses faits glorieux
Demanderont plusieurs Homères ;   25
Et ce temps-ci n'en produit guères.
Laissant à part tous ces mystères,
Essayons de conter la Fable avec succès.

Le Renard dit au Loup : Notre cher, pour tous mets
J'ai souvent un vieux Coq, ou de maigres Poulets ;   30
    C'est une viande qui me lasse.
Tu fais meilleure chère avec moins de hasard.
J'approche des maisons, tu te tiens à l'écart.
Apprends-moi ton métier, Camarade, de grâce ;
    Rends-moi le premier de ma race   35
Qui fournisse son croc * de quelque Mouton gras :
Tu ne me mettras point au nombre des ingrats.
— Je le veux, dit le Loup ; il m'est mort un mien frère :
Allons prendre sa peau, tu t'en revêtiras.
Il vint, et le Loup dit : Voici comme il faut faire,   40
Si tu veux écarter les Mâtins du troupeau.
    Le Renard, ayant mis la peau,
Répétait les leçons que lui donnait son maître.
D'abord il s'y prit mal, puis un peu mieux, puis bien ;
    Puis enfin il n'y manqua rien.   45
A peine il fut instruit autant qu'il pouvait l'être,
Qu'un Troupeau s'approcha. Le nouveau Loup y court
Et répand la terreur dans les lieux d'alentour.
    Tel, vêtu des armes d'Achille,
Patrocle * mit l'alarme au Camp et dans la Ville :   50
Mères, Brus et Vieillards au Temple couraient tous.
L'ost au Peuple bêlant * crut voir cinquante Loups.
Chien, Berger, et Troupeau, tout fuit vers le Village,
Et laisse seulement une Brebis pour gage.
Le larron s'en saisit. A quelque pas de là   55
Il entendit chanter un Coq du voisinage.

Le Disciple aussitôt droit au Coq s'en alla,
    Jetant bas sa robe de classe,
Oubliant les Brebis, les leçons, le Régent *,
    Et courant d'un pas diligent.   60
    Que sert-il qu'on se contrefasse ?
Prétendre ainsi changer est une illusion :
    L'on reprend sa première trace
    A la première occasion *.
    De votre esprit, que nul autre n'égale,   65
Prince, ma Muse tient tout entier ce projet :
    Vous m'avez donné le sujet,
    Le dialogue, et la morale.

FABLE X

L'ECREVISSE ET SA FILLE

Les Sages quelquefois, ainsi que l'Ecrevisse,
Marchent à reculons, tournent le dos au port.
C'est l'art des Matelots ; c'est aussi l'artifice
De ceux qui, pour couvrir quelque puissant effort,
Envisagent un point directement contraire,   5
Et font vers ce lieu-là courir leur adversaire.
Mon sujet est petit, cet accessoire * est grand.
Je pourrais l'appliquer à certain Conquérant
Qui tout seul déconcerte une Ligue à cent têtes *.
Ce qu'il n'entreprend pas, et ce qu'il entreprend,   10
N'est d'abord qu'un secret, puis devient des conquêtes.
En vain l'on a les yeux sur ce qu'il veut cacher ;
Ce sont arrêts du sort qu'on ne peut empêcher :
Le torrent, à la fin, devient insurmontable.
Cent dieux sont impuissants contre un seul Jupiter *. 15
LOUIS et le Destin me semblent de concert
Entraîner l'Univers. Venons à notre Fable.

Mère Ecrevisse un jour à sa Fille disait :
Comme tu vas, bon Dieu ! ne peux-tu marcher droit ?
— Et comme vous allez vous-même ! dit la fille.   20
Puis-je autrement marcher que ne fait ma famille ?
Veut-on que j'aille droit quand on y va tortu ?

Elle avait raison ; la vertu
De tout exemple domestique
Est universelle, et s'applique   25
En bien, en mal, en tout ; fait des sages, des sots :
Beaucoup plus de ceux-ci. Quant à tourner le dos
A son but, j'y reviens * ; la méthode en est bonne,
Surtout au métier de Bellone * ;
Mais il faut le faire à propos *.   30

FABLE XI

L'AIGLE ET LA PIE

L'Aigle, Reine des airs, avec Margot la Pie,
Différentes d'humeur, de langage, et d'esprit
Et d'habit,
Traversaient un bout de prairie.
Le hasard les assemble en un coin détourné.   5
L'Agasse * eut peur ; mais l'Aigle, ayant fort bien dîné,
La rassure, et lui dit : Allons de compagnie ;
Si le Maître des Dieux assez souvent s'ennuie,
Lui qui gouverne l'Univers,
J'en puis bien faire autant, moi qu'on sait qui le sers. 10
Entretenez-moi donc, et sans cérémonie.
Caquet-bon-bec * alors de jaser au plus dru,
Sur ceci, sur cela, sur tout. L'homme d'Horace *,
Disant le bien, le mal, à travers champs, n'eût su
Ce qu'en fait de babil y savait notre Agasse.   15
Elle offre d'avertir de tout ce qui se passe,
Sautant, allant de place en place,
Bon espion, Dieu sait. Son offre ayant déplu,
L'Aigle lui dit tout en colère :
Ne quittez point votre séjour,   20
Caquet-bon-bec, ma mie : adieu. Je n'ai que faire
D'une babillarde à ma Cour :
C'est un fort méchant caractère.
Margot ne demandait pas mieux.
Ce n'est pas ce qu'on croit, que d'entrer chez
[les Dieux * : 25

Cet honneur a souvent de mortelles angoisses.
Rediseurs *, Espions, gens à l'air gracieux,
Au cœur tout différent, s'y rendent odieux,
Quoiqu'ainsi que la Pie il faille dans ces lieux
      Porter habit de deux paroisses *.   30

FABLE XII

LE MILAN, LE ROI ET LE CHASSEUR [a]
A SON ALTESSE SÉRÉNISSIME
MONSEIGNEUR LE PRINCE DE CONTI *

Comme les Dieux sont bons, ils veulent que les Rois
      Le soient aussi : c'est l'indulgence
      Qui fait le plus beau de leurs droits,
      Non les douceurs de la vengeance * :
Prince, c'est votre avis. On sait que le courroux   5
S'éteint en votre cœur sitôt qu'on l'y voit naître.
      Achille qui du sien ne put se rendre maître,
      Fut par là moins Héros que vous.
Ce titre n'appartient [b] qu'à ceux d'entre les hommes
Qui, comme en l'âge d'or, font cent biens ici-bas.   10
Peu de Grands sont nés tels en cet âge où nous sommes,
L'Univers leur sait gré du mal qu'ils ne font pas [c] *.
      Loin que vous suiviez ces exemples,
Mille actes généreux vous promettent des Temples.
Apollon, Citoyen de ces Augustes lieux,   15
Prétend y célébrer votre nom sur sa Lyre.
Je sais qu'on vous attend dans le Palais des Dieux :
Un siècle de séjour doit ici [d] * vous suffire.
Hymen veut séjourner tout un siècle chez vous.
      Puissent ses [e] plaisirs les plus doux   20
      Vous composer des destinées
      Par ce temps à peine bornées !
Et la Princesse et vous n'en méritez pas moins :
      J'en prends ses charmes pour témoins ;
      Pour témoins j'en prends les merveilles   25
Par qui le Ciel, pour vous prodigue en ses présents,
De [f] qualités qui n'ont qu'en vous seuls leurs pareilles

Voulut orner vos ^g jeunes ans.
Bourbon * de son esprit ces grâces ^h assaisonne,
    Le Ciel joignit en sa personne   30
    Ce qui sait se faire estimer
    A ce qui sait se faire aimer ⁱ.
Il ne m'appartient pas d'étaler votre joie ^j ;
    Je me tais donc, et vais rimer
    Ce que fit un Oiseau de proie ^k.   35
Un Milan, de son nid antique possesseur,
    Etant pris vif par un Chasseur,
D'en faire au Prince un don cet homme se propose.
La rareté du fait donnait prix à la chose,
L'Oiseau, par le Chasseur humblement présenté,   40
    Si ce conte n'est apocryphe,
    Va tout droit imprimer sa griffe
    Sur le nez de sa Majesté.
— Quoi ! sur le nez du Roi ? — Du Roi même en
                         [personne.
— Il n'avait donc alors ni Sceptre ni Couronne ^l ?   45
— Quand il en aurait eu, ç'aurait été tout un :
Le nez Royal fut pris comme un nez du commun.
Dire des Courtisans les clameurs et la peine
Serait se consumer en efforts impuissants.
Le Roi n'éclata point : les cris sont indécents   50
    A la Majesté Souveraine.
L'Oiseau garda son poste : on ne put seulement
    Hâter son départ d'un moment.
Son Maître le rappelle, et crie, et se tourmente,
Lui présente le leurre *, et le poing * ; mais en vain ^m. 55
    On crut que jusqu'au lendemain
    Le ⁿ maudit animal à la serre insolente
    Nicherait là malgré le bruit
Et sur le nez sacré voudrait passer la nuit.
Tâcher de l'en tirer irritait son caprice.   60
Il quitte enfin le Roi, qui dit : Laissez aller
Ce Milan, et celui qui m'a cru régaler.
Ils se sont acquittés tous deux de leur office,
L'un en Milan, et l'autre en Citoyen des bois :
Pour moi, qui sais comment doivent agir les Rois, 65
    Je les affranchis du supplice.

Et la Cour d'admirer. Les Courtisans ravis,
Elèvent de tels faits °, par eux si mal suivis :
Bien peu, même des Rois, prendraient un tel modèle ;
    Et le Veneur l'échappa belle,   70
Coupable seulement, tant lui que l'animal,
D'ignorer le danger d'approcher trop du Maître *.
    Ils n'avaient appris à connaître
Que les hôtes des bois : était-ce un si grand mal ?
Pilpay fait près du Gange arriver l'aventure ᴾ.   75
    Là, nulle humaine Créature
Ne touche aux animaux pour leur sang épancher.
Le Roi même ferait scrupule d'y toucher.
Savons-nous, disent-ils, si cet Oiseau de proie
    N'était point au siège de Troie ?   80
Peut-être y tint-il lieu d'un Prince ou d'un Héros �q
    Des plus huppés et des plus hauts :
Ce qu'il fut autrefois il pourra l'être encore.
    Nous croyons, après * Pythagore,
Qu'avec les Animaux de forme nous changeons :   85
    Tantôt Milans, tantôt Pigeons,
    Tantôt Humains, puis Volatilles *
    Ayant dans les airs leurs familles.

    Comme l'on conte en deux façons
L'accident du Chasseur, voici l'autre manière.   90
Un certain Fauconnier ayant pris, ce dit-on,
A la chasse un Milan (ce qui n'arrive guère),
    En voulut au Roi faire un don,
    Comme de chose singulière.
Ce cas n'arrive pas quelquefois en cent ans ;   95
C'est le *non plus ultra* de la Fauconnerie.
Ce chasseur perce donc un gros de Courtisans,
Plein de zèle, échauffé, s'il le fut de sa vie.
    Par ce parangon * des présents
    Il croyait sa fortune faite :   100
    Quand l'Animal porte-sonnette *,
    Sauvage encore et tout grossier,
    Avec ses ongles tout d'acier,
Prend le nez du Chasseur, happe le pauvre sire ʳ :
    Lui de crier ; chacun de rire,   105

Monarque et Courtisans. Qui n'eût ri ? Quant à moi,
Je n'en eusse quitté ma part pour un empire.
    Qu'un Pape rie, en bonne foi
Je ne l'ose assurer ; mais je tiendrais un Roi
    Bien malheureux, s'il n'osait rire :   110
C'est le plaisir des Dieux ^s *. Malgré son noir souci,
Jupiter et le Peuple Immortel rit aussi.
Il en fit des éclats, à ce que dit l'Histoire,
Quand Vulcain, clopinant, lui vint donner à boire.
Que le peuple immortel se montrât sage ou non,   115
J'ai changé mon sujet avec juste raison ;
    Car, puisqu'il s'agit de morale,
Que nous eût du Chasseur l'aventure fatale
Enseigné de nouveau ? L'on a vu de tout temps
Plus de sots Fauconniers que de rois indulgents.   120

FABLE XIII

LE RENARD,
LES MOUCHES ET LE HÉRISSON

Aux traces de son sang, un vieux hôte des bois,
    Renard fin, subtil et matois,
Blessé par des Chasseurs, et tombé dans la fange,
    Autrefois attira ce parasite ailé
        Que nous avons mouche appelé *.   5
Il accusait les Dieux, et trouvait fort étrange
    Que le Sort à tel point le voulût affliger,
        Et le fît aux Mouches manger.
Quoi ! se jeter sur moi, sur moi le plus habile
    De tous les Hôtes des Forêts !   10
Depuis quand les Renards sont-ils un si bon mets ?
Et que me sert ma queue ? Est-ce un poids inutile * ?
Va ! le Ciel te confonde, animal importun.
    Que ne vis-tu sur le commun ?
    Un Hérisson du voisinage,   15
    Dans mes vers nouveau personnage,
Voulut le délivrer de l'importunité

   Du Peuple plein d'avidité :
Je les vais de mes dards enfiler par centaines,
Voisin Renard, dit-il, et terminer tes peines.   20
— Garde-t'en bien, dit l'autre, ami ; ne le fais pas ;
Laisse-les, je te prie, achever leurs repas.
Ces animaux sont soûls ; une troupe nouvelle
Viendrait fondre sur moi, plus âpre et plus cruelle.
Nous ne trouvons que trop de mangeurs ici-bas :   25
Ceux-ci sont courtisans, ceux-là sont magistrats.
Aristote appliquait cet apologue aux hommes.
      Les exemples en sont communs,
      Surtout au pays où nous sommes.
Plus telles gens sont pleins, moins ils sont importuns.   30

                            FABLE XIV

                      L'AMOUR ET LA FOLIE

      Tout est mystère dans l'Amour,
Ses flèches, son Carquois, son Flambeau, son
                                           [Enfance *.
      Ce n'est pas l'ouvrage d'un jour
      Que d'épuiser cette Science.
Je ne prétends donc point tout expliquer ici.   5
Mon but est seulement de dire, à ma manière,
      Comment l'Aveugle que voici
(C'est un Dieu), comment, dis-je, il perdit la lumière ;
Quelle suite eut ce mal, qui peut-être est un bien * ;
J'en fais juge un Amant, et ne décide rien.   10
La Folie et l'Amour jouaient un jour ensemble.
Celui-ci n'était pas encor privé des yeux.
Une dispute vint : l'Amour veut qu'on assemble
      Là-dessus le Conseil des Dieux.
      L'autre n'eut pas la patience ;   15
   Elle lui donne un coup si furieux,
      Qu'il en perd la clarté des Cieux.
      Vénus en demande vengeance.
Femme et mère, il suffit pour juger de ses cris :
      Les Dieux en furent étourdis,   20

Et Jupiter, et Némésis *,
Et les Juges d'Enfer, enfin toute la bande.
Elle représenta l'énormité du cas.
Son fils, sans un bâton, ne pouvait faire un pas :
Nulle peine n'était pour ce crime assez grande.   25
Le dommage devait être aussi réparé.
    Quand on eut bien considéré
L'intérêt du Public, celui de la Partie *,
Le résultat * enfin de la suprême Cour
    Fut de condamner la Folie   30
    A servir de guide à l'Amour *.

FABLE XV

LE CORBEAU, LA GAZELLE, LA TORTUE
ET LE RAT
A MADAME DE LA SABLIÈRE

Je vous gardais un Temple dans mes vers * :
Il n'eût fini qu'avecque l'Univers.
Déjà ma main en fondait la durée
Sur ce bel Art qu'ont les Dieux inventé,
Et sur le nom de la Divinité   5
Que dans ce Temple on aurait adorée.
Sur le portail j'aurais ces mots écrits
PALAIS SACRÉ DE LA DÉESSE IRIS * ;
Non celle-là qu'a Junon à ses gages ;
Car Junon même et le Maître des Dieux   10
Serviraient l'autre, et seraient glorieux
Du seul honneur de porter ses messages.
L'Apothéose à la voûte eût paru ;
Là, tout l'Olympe en pompe eût été vu
Plaçant Iris sous un Dais de lumière.   15
Les murs auraient amplement contenu
Toute sa vie, agréable matière,
Mais peu féconde en ces événements
Qui des Etats font les renversements.
Au fond du Temple eût été son image,   20
Avec ses traits, son souris, ses appas,

Son art de plaire et de n'y penser pas,
Ses agréments à qui tout rend hommage.
J'aurais fait voir à ses pieds des mortels
Et des Héros, des demi-Dieux encore,   25
Même des Dieux ; ce que le Monde adore
Vient quelquefois parfumer ses Autels.
J'eusse en ses yeux fait briller de son âme
Tous les trésors, quoique imparfaitement :
Car ce cœur vif et tendre infiniment,   30
Pour ses amis et non point autrement,
Car cet esprit, qui, né du Firmament,
A beauté d'homme avec grâces de femme,
Ne se peut pas, comme on veut, exprimer.
O vous, Iris, qui savez tout charmer,   35
Qui savez plaire en un degré suprême,
Vous que l'on aime à l'égal de soi-même
(Ceci soit dit sans nul soupçon d'amour ;
Car c'est un mot banni de votre Cour ;
Laissons-le donc), agréez que ma Muse   40
Achève un jour cette ébauche confuse.
J'en ai placé l'idée et le projet,
Pour plus de grâce, au devant d'un sujet *
Où l'amitié donne de telles marques,
Et d'un tel prix, que leur simple récit   45
Peut quelque temps amuser votre esprit.
Non que ceci se passe entre Monarques :
Ce que chez vous nous voyons estimer
N'est pas un Roi qui ne sait point aimer :
C'est un Mortel qui sait mettre * sa vie   50
Pour son ami. J'en vois peu de si bons.
Quatre animaux, vivants de compagnie,
Vont aux humains en donner des leçons.

La Gazelle, le Rat, le Corbeau, la Tortue,
Vivaient ensemble unis : douce société.   55
Le choix d'une demeure aux humains inconnue
        Assurait leur félicité.
Mais quoi ! l'homme découvre enfin toutes retraites.
        Soyez au milieu des déserts,
        Au fond des eaux, en haut des airs,   60

Vous n'éviterez point ses embûches secrètes.
La Gazelle s'allait ébattre innocemment,
    Quand un chien, maudit instrument
    Du plaisir barbare des hommes,
Vint sur l'herbe éventer les traces de ses pas.   65
Elle fuit, et le Rat à l'heure du repas
Dit aux amis restants : D'où vient que nous ne sommes
    Aujourd'hui que trois conviés ?
La Gazelle déjà nous a-t-elle oubliés ?
    A ces paroles, la Tortue   70
    S'écrie, et dit : Ah ! si j'étais
    Comme un Corbeau d'ailes pourvue,
    Tout de ce pas je m'en irais
    Apprendre au moins quelle contrée,
    Quel accident tient arrêtée   75
    Notre compagne au pied léger :
Car, à l'égard du cœur, il en faut mieux juger.
    Le Corbeau part à tire d'aile :
Il aperçoit de loin l'imprudente Gazelle
    Prise au piège, et se tourmentant.   80
Il retourne avertir les autres à l'instant.
Car de lui demander quand, pourquoi, ni comment
    Ce malheur est tombé sur elle,
Et perdre en vains discours cet utile moment,
    Comme eût fait un Maître d'Ecole *,   85
    Il avait trop de jugement.
    Le Corbeau donc vole et revole.
    Sur son rapport, les trois amis
    Tiennent conseil. Deux sont d'avis
    De se transporter sans remise   90
    Aux lieux où la Gazelle est prise.
L'autre, dit le Corbeau, gardera le logis :
Avec son marcher lent, quand arriverait-elle ?
    Après la mort de la Gazelle.
Ces mots à peine dits, ils s'en vont secourir   95
    Leur chère et fidèle Compagne,
    Pauvre Chevrette de montagne.
    La Tortue y voulut courir :
    La voilà comme eux en campagne,
Maudissant ses pieds courts avec juste raison,   100

Et la nécessité de porter sa maison.
Rongemaille (le Rat eut à bon droit ce nom)
Coupe les nœuds du lacs : on peut penser la joie.
Le Chasseur vient et dit : Qui m'a ravi ma proie ?
Rongemaille, à ces mots, se retire en un trou,   105
Le Corbeau sur un arbre, en un bois la Gazelle ;
          Et le Chasseur, à demi fou
          De n'en avoir nulle nouvelle,
Aperçoit la Tortue, et retient son courroux.
          D'où vient, dit-il, que je m'effraie ?   110
Je veux qu'à mon souper celle-ci me défraie.
Il la mit dans son sac. Elle eût payé pour tous,
Si le Corbeau n'en eût averti la Chevrette.
          Celle-ci, quittant sa retraite,
Contrefait la boiteuse, et vient se présenter.   115
          L'homme de suivre, et de jeter
Tout ce qui lui pesait : si bien que Rongemaille
Autour des nœuds du sac tant opère et travaille
          Qu'il délivre encor l'autre sœur,
Sur qui s'était fondé * le souper du Chasseur.   120

Pilpay conte qu'ainsi la chose s'est passée.
Pour peu que je voulusse invoquer Apollon,
J'en ferais, pour vous plaire, un Ouvrage aussi long
          Que l'Iliade ou l'Odyssée.
Rongemaille ferait le principal héros,   125
Quoiqu'à vrai dire ici chacun soit nécessaire.
Portemaison l'Infante y tient de tels propos
          Que Monsieur du Corbeau va faire
Office d'Espion, et puis de Messager.
La Gazelle a d'ailleurs l'adresse d'engager   130
Le Chasseur à donner du temps à Rongemaille.
          Ainsi chacun en son endroit
          S'entremet, agit, et travaille.
A qui donner le prix ? Au cœur * si l'on m'en croit.

FABLE XVI

LA FORÊT ET LE BÛCHERON

Un Bûcheron venait de rompre ou d'égarer
Le bois dont il avait emmanché sa cognée.
Cette perte ne put sitôt se réparer
Que la Forêt n'en fût quelque temps épargnée.
    L'Homme enfin la prie humblement   5
    De lui laisser tout doucement
    Emporter une unique branche,
    Afin de faire un autre manche.
Il irait employer ailleurs son gagne-pain * ;
Il laisserait debout maint chêne et maint sapin   10
Dont chacun respectait la vieillesse et les charmes.
L'innocente Forêt lui fournit d'autres armes.
Elle en eut du regret. Il emmanche son fer.
    Le misérable ne s'en sert
    Qu'à dépouiller sa bienfaitrice   15
    De ses principaux ornements.
    Elle gémit à tous moments :
    Son propre don fait son supplice.

Voilà le train du Monde et de ses Sectateurs :
On s'y sert du bienfait contre les bienfaiteurs *.   20
Je suis las d'en parler ; mais que de doux ombrages
    Soient exposés à ces outrages,
    Qui ne se plaindrait là-dessus ?
Hélas ! j'ai beau crier et me rendre incommode :
    L'ingratitude et les abus *   25
    N'en seront pas moins à la mode.

FABLE XVII

LE RENARD, LE LOUP ET LE CHEVAL

Un Renard, jeune encor, quoique des plus madrés,
Vit le premier Cheval qu'il eût vu de sa vie.

Il dit à certain Loup, franc novice : Accourez :
    Un animal paît dans nos prés,
Beau, grand : j'en ai la vue encor toute ravie.   5
— Est-il plus fort que nous ? dit le Loup en riant.
    Fais-moi son Portrait, je te prie.
— Si j'étais quelque Peintre ou quelque Etudiant,
Repartit le Renard, j'avancerais la joie
    Que vous aurez en le voyant.   10
Mais venez. Que sait-on ? peut-être est-ce une proie
    Que la Fortune nous envoie.
Ils vont ; et le Cheval, qu'à l'herbe on avait mis,
Assez peu curieux de semblables amis,
Fut presque sur le point d'enfiler la venelle *.   15
Seigneur, dit le Renard, vos humbles serviteurs
Apprendraient volontiers comment on vous appelle.
Le Cheval, qui n'était dépourvu de cervelle,
Leur dit : Lisez mon nom, vous le pouvez, Messieurs :
Mon Cordonnier l'a mis autour de ma semelle.   20
Le Renard s'excusa sur son peu de savoir.
Mes parents, reprit-il, ne m'ont point fait instruire ;
Ils sont pauvres et n'ont qu'un trou pour tout avoir.
Ceux du Loup, gros Messieurs, l'ont fait apprendre à
                                [lire.
    Le Loup, par ce discours flatté,   25
    S'approcha ; mais sa vanité
Lui coûta quatre dents : le Cheval lui desserre
Un coup ; et haut le pied *. Voilà mon Loup par terre
    Mal en point, sanglant et gâté.
Frère, dit le Renard, ceci nous justifie   30
    Ce que m'ont dit des gens d'esprit :
Cet animal vous a sur la mâchoire écrit
Que de tout inconnu le Sage se méfie *.

FABLE XVIII

LE RENARD ET LES POULETS D'INDE

    Contre les assauts d'un Renard
Un arbre à des Dindons servait de citadelle.

Le perfide ayant fait tout le tour du rempart,
        Et vu chacun en sentinelle,
S'écria : Quoi ! Ces gens se moqueront de moi !   5
Eux seuls seront exempts de la commune loi !
Non, par tous les Dieux, non. Il accomplit son dire.
La lune, alors luisant, semblait, contre le sire,
Vouloir favoriser la dindonnière gent.
Lui, qui n'était novice au métier d'assiégeant,   10
Eut recours à son sac de ruses scélérates,
Feignit vouloir gravir, se guinda sur ses pattes,
Puis contrefit le mort, puis le ressuscité.
        Harlequin n'eût exécuté
        Tant de différents personnages.   15
Il élevait sa queue, il la faisait briller,
        Et cent mille autres badinages.
Pendant quoi nul Dindon n'eût osé sommeiller :
        L'ennemi les lassait en leur tenant la vue
        Sur même objet toujours tendue.   20
Les pauvres gens étant à la longue éblouis
Toujours il en tombait quelqu'un : autant de pris,
Autant de mis à part ; près de moitié succombe.
Le compagnon les porte en son garde-manger.
Le trop d'attention qu'on a pour le danger   25
        Fait le plus souvent qu'on y tombe.

FABLE XIX

LE SINGE

        Il est un Singe dans Paris
        A qui l'on avait donné femme.
        Singe en effet d'aucuns maris,
        Il la battait : la pauvre Dame
En a tant soupiré qu'enfin elle n'est plus.   5
        Leur fils se plaint d'étrange sorte,
        Il éclate en cris superflus :
        Le père en rit ; sa femme est morte.
        Il a déjà d'autres amours
        Que l'on croit qu'il battra toujours.   10

Il hante la taverne et souvent il s'enivre.
N'attendez rien de bon du Peuple imitateur,
　　　Qu'il soit Singe ou qu'il fasse un Livre :
　　　La pire espèce *, c'est l'Auteur.

FABLE XX

LE PHILOSOPHE SCYTHE

Un Philosophe austère, et né dans la Scythie *,
Se proposant de suivre une plus douce vie,
Voyagea chez les Grecs, et vit en certains lieux
Un sage assez semblable au vieillard de Virgile *,
Homme égalant les Rois, homme approchant des Dieux,　5
Et comme ces derniers satisfait et tranquille.
Son bonheur consistait aux beautés d'un Jardin *.
Le Scythe l'y trouva, qui la serpe à la main,
De ses arbres à fruit retranchait l'inutile,
Ebranchait *, émondait *, ôtait ceci, cela,　　　　　　　10
　　　Corrigeant partout la Nature,
Excessive à payer ses soins avec usure.
　　　Le Scythe alors lui demanda :
Pourquoi cette ruine : Etait-il d'homme sage
De mutiler ainsi ces pauvres habitants ?　　　　　　　15
Quittez-moi votre serpe, instrument de dommage ;
　　　Laissez agir la faux du temps :
Ils iront aussi tôt border le noir rivage.
— J'ôte le superflu, dit l'autre, et l'abattant,
　　　Le reste en profite d'autant.　　　　　　　　　20
Le Scythe, retourné dans sa triste demeure,
Prend la serpe à son tour, coupe et taille à toute heure ;
Conseille à ses voisins, prescrit à ses amis
　　　Un universel abatis.
Il ôte de chez lui les branches les plus belles,　　　25
Il tronque son Verger contre toute raison,
　　　Sans observer temps ni saison,
　　　Lunes ni vieilles ni nouvelles.
Tout languit et tout meurt. Ce Scythe exprime bien
　　　Un indiscret * Stoïcien :　　　　　　　　　30

Celui-ci retranche de l'âme
Désirs et passions, le bon et le mauvais,
   Jusqu'aux plus innocents souhaits.
Contre de telles gens, quant à moi, je réclame.
Ils ôtent à nos cœurs le principal ressort ;   35
Ils font cesser de vivre avant que l'on soit mort *.

FABLE XXI

L'ELÉPHANT ET LE SINGE DE JUPITER

Autrefois l'Eléphant et le Rhinocéros,
En dispute du pas et des droits de l'Empire,
Voulurent terminer la querelle en champ clos.
Le jour en était pris, quand quelqu'un vint leur dire
   Que le Singe de Jupiter,   5
Portant un Caducée *, avait paru dans l'air.
Ce Singe avait nom Gille *, à ce que dit l'Histoire.
   Aussitôt l'Eléphant de croire
   Qu'en qualité d'Ambassadeur
   Il venait trouver sa Grandeur.   10
   Tout fier de ce sujet de gloire,
Il attend maître Gille, et le trouve un peu lent
   A lui présenter sa créance *.
   Maître Gille enfin, en passant,
   Va saluer son Excellence.   15
L'autre était préparé sur la légation * ;
   Mais pas un mot : l'attention
Qu'il croyait que les Dieux eussent à sa querelle
N'agitait pas encor chez eux cette nouvelle.
   Qu'importe à ceux du Firmament   20
   Qu'on soit Mouche ou bien Eléphant ?
Il se vit donc réduit à commencer lui-même :
Mon cousin * Jupiter, dit-il, verra dans peu
Un assez beau combat, de son Trône suprême.
   Toute sa Cour verra beau jeu.   25
— Quel combat ? dit le Singe avec un front sévère.
L'Eléphant repartit : Quoi ! vous ne savez pas
Que le Rhinocéros me dispute le pas ;

Qu'Eléphantide a guerre avecque Rhinocère * ?
Vous connaissez ces lieux, ils ont quelque renom.   30
— Vraiment je suis ravi d'en apprendre le nom,
Repartit Maître Gille : on ne s'entretient guère
De semblables sujets dans nos vastes Lambris.
        L'Eléphant, honteux et surpris,
Lui dit : Et parmi nous que venez-vous donc faire ?   35
— Partager un brin d'herbe entre quelques Fourmis :
Nous avons soin de tout. Et quant à votre affaire,
On n'en dit rien encor dans le conseil des Dieux :
Les petits et les grands sont égaux à leurs yeux.

FABLE XXII

UN FOU ET UN SAGE

Certain Fou poursuivait à coups de pierre un Sage.
Le Sage se retourne et lui dit : Mon ami,
C'est fort bien fait à toi ; reçois cet écu-ci :
Tu fatigues assez pour gagner davantage.
Toute peine, dit-on, est digne de loyer *.   5
Vois cet homme qui passe ; il a de quoi payer.
Adresse-lui tes dons, ils auront leur salaire.
Amorcé par le gain, notre Fou s'en va faire
        Même insulte à l'autre Bourgeois.
On ne le paya pas en argent cette fois.   10
Maint estafier * accourt ; on vous happe notre homme,
        On vous l'échine, on vous l'assomme.
    Auprès des Rois il est de pareils fous :
    A vos dépens ils font rire le Maître.
    Pour réprimer leur babil, irez-vous   15
    Les maltraiter ? Vous n'êtes pas peut-être
    Assez puissant. Il faut les engager
    A s'adresser à qui peut se venger.

FABLE XXIII

LE RENARD ANGLAIS
A MADAME HARVEY *

Le bon cœur est chez vous compagnon du bon sens
Avec cent qualités trop longues à déduire *,
Une noblesse d'âme, un talent pour conduire
    Et les affaires et les gens,
Une humeur franche et libre, et le don d'être amie   5
Malgré Jupiter * même et les temps orageux.
Tout cela méritait un éloge pompeux ;
Il en eût été moins selon votre génie :
La pompe vous déplaît, l'éloge vous ennuie.
J'ai donc fait celui-ci court et simple. Je veux   10
    Y coudre encore un mot ou deux
    En faveur de votre patrie :
Vous l'aimez. Les Anglais pensent profondément ;
Leur esprit, en cela, suit leur tempérament.
Creusant dans les sujets, et forts d'expériences,   15
Ils étendent partout l'empire des Sciences *.
Je ne dis point ceci pour vous faire ma cour.
Vos gens à pénétrer * l'emportent sur les autres ;
    Même les Chiens de leur séjour
    Ont meilleur nez que n'ont les nôtres.   20
Vos Renards sont plus fins. Je m'en vais le prouver
    Par un d'eux, qui, pour se sauver
    Mit en usage un stratagème
Non encor pratiqué, des mieux imaginés.
Le scélérat, réduit en un péril extrême,   25
Et presque mis à bout par ces Chiens au bon nez,
    Passa près d'un patibulaire *.
    Là, des animaux ravissants,
Blaireaux, Renards, Hiboux, race encline à mal faire,
Pour l'exemple pendus, instruisaient les passants.   30
Leur confrère aux abois entre ces morts s'arrange.
Je crois voir Annibal * qui, pressé des Romains,

Met leurs chefs en défaut, ou leur donne le change *,
Et sait en vieux Renard s'échapper de leurs mains.
    Les clefs * de Meute, parvenues   35
A l'endroit où pour mort le traître se pendit,
Remplirent l'air de cris : leur maître les rompit *,
Bien que de leurs abois ils perçassent les nues.
Il ne put soupçonner ce tour assez plaisant.
Quelque terrier, dit-il, a sauvé mon galant,   40
Mes chiens n'appellent point au-delà des colonnes
    Où sont tant d'honnêtes personnes.
Il y viendra, le drôle ! Il y vint, à son dam.
    Voilà maint basset clabaudant ;
Voilà notre Renard au charnier se guindant.   45
Maître pendu croyait qu'il en irait de même
Que le Jour qu'il tendît de semblables panneaux ;
Mais le pauvret, ce coup, y laissa ses houseaux *.
Tant il est vrai qu'il faut changer de stratagème.
Le Chasseur, pour trouver sa propre sûreté,   50
N'aurait pas cependant un tel tour inventé ;
Non point par peu d'esprit ; est-il quelqu'un qui nie
Que tout Anglais n'en ait bonne provision ?
    Mais le peu d'amour pour la vie
    Leur nuit en mainte occasion.   55

    Je reviens à vous, non pour dire
    D'autres traits sur votre sujet
    Trop abondant pour ma Lyre :
    Peu de nos chants, peu de nos Vers,
Par un encens flatteur amusent l'Univers   60
Et se font écouter des nations étranges *.
    Votre Prince * vous dit un jour
    Qu'il aimait mieux un trait d'amour
    Que quatre pages de louanges.
Agréez seulement le don que je vous fais   65
    Des derniers efforts de ma Muse.
    C'est peu de chose ; elle est confuse
    De ces Ouvrages imparfaits.
    Cependant ne pourriez-vous faire
    Que le même hommage pût plaire   70
A celle qui remplit vos climats d'habitants

Tirés de l'Ile de Cythère * ?
Vous voyez par là que j'entends
Mazarin *, des Amours Déesse tutélaire.

FABLE XXIV

DAPHNIS ET ALCIMADURE
IMITATION DE THÉOCRITE

*A MADAME DE LA MÉSANGÈRE ***

Aimable fille d'une mère
A qui seule aujourd'hui mille cœurs font la cour,
Sans ceux que l'amitié rend soigneux de vous plaire,
Et quelques-uns encor que vous garde l'Amour,
  Je ne puis * qu'en cette Préface   5
  Je ne partage entre elle et vous
Un peu de cet encens qu'on recueille au Parnasse,
Et que j'ai le secret de rendre exquis et doux.
  Je vous dirai donc... Mais tout dire,
  Ce serait trop ; il faut choisir,   10
  Ménageant ma voix et ma Lyre,
Qui bientôt vont manquer de force et de loisir.
Je louerai seulement un cœur, plein de tendresse,
Ces nobles sentiments, ces grâces, cet esprit :
Vous n'auriez en cela ni Maître ni Maîtresse,   15
Sans celle dont sur vous l'éloge rejaillit.
  Gardez d'environner ces roses
  De trop d'épines, si jamais
  L'Amour vous dit les mêmes choses :
  Il les dit mieux que je ne fais ;   20
Aussi sait-il punir ceux qui ferment l'oreille
  A ses conseils. Vous l'allez voir.

  Jadis une jeune merveille
Méprisait de ce Dieu le souverain pouvoir :
  On l'appelait Alcimadure :   25
Fier et farouche objet, toujours courant aux bois,
Toujours sautant aux prés, dansant sur la verdure,
  Et ne connaissant autres lois
Que son caprice ; au reste, égalant les plus belles,

Et surpassant les plus cruelles ;   30
N'ayant trait qui ne plût, pas même en ses rigueurs :
Quelle l'eût-on trouvée au fort de ses faveurs !
Le jeune et beau Daphnis, Berger de noble race,
L'aima pour son malheur : jamais la moindre grâce
Ni le moindre regard, le moindre mot enfin,   35
Ne lui fut accordé par ce cœur inhumain.
Las de continuer une poursuite vaine,
    Il ne songea plus qu'à mourir ;
    Le désespoir le fit courir
    A la porte de l'Inhumaine.   40
Hélas ! ce fut aux vents qu'il raconta sa peine ;
    On ne daigna lui faire ouvrir
Cette maison fatale, où parmi ses Compagnes,
L'Ingrate, pour le jour de sa nativité *,
    Joignait aux fleurs de sa beauté   45
Les trésors des jardins et des vertes campagnes.
J'espérais, cria-t-il, expirer à vos yeux ;
    Mais je vous suis trop odieux,
Et ne m'étonne pas qu'ainsi que tout le reste
Vous me refusiez même un plaisir si funeste.   50
Mon père, après ma mort, et je l'en ai chargé,
    Doit mettre à vos pieds l'héritage
    Que votre cœur a négligé.
Je veux que l'on y joigne aussi le pâturage,
    Tous mes troupeaux, avec mon chien,   55
    Et que du reste de mon bien
    Mes Compagnons fondent un Temple
    Où votre image se contemple,
Renouvelants de fleurs l'Autel à tout moment.
J'aurai près de ce temple un simple monument ;   60
    On gravera sur la bordure :
Daphnis mourut d'amour. Passant, arrête-toi ;
Pleure, et dis : « *Celui-ci succomba sous la loi*
    De la cruelle Alcimadure. »
A ces mots, par la Parque il se sentit atteint.   65
Il aurait poursuivi ; la douleur le prévint.
Son ingrate sortit triomphante et parée.
On voulut, mais en vain, l'arrêter un moment
Pour donner quelques pleurs au sort de son amant :

Elle insulta toujours au fils de Cythérée,   70
Menant dès ce soir même, au mépris de ses lois,
Ses compagnes danser autour de sa statue.
Le dieu tomba sur elle et l'accabla du poids :
    Une voix sortit de la nue,
Echo redit ces mots dans les airs épandus :   75
Que tout aime à présent : l'insensible n'est plus.
Cependant de Daphnis l'Ombre au Styx descendue
Frémit et s'étonna la voyant accourir.
Tout l'Erèbe entendit cette Belle homicide
S'excuser au Berger, qui ne daigna l'ouïr   80
Non plus qu'Ajax Ulysse, et Didon son perfide *.

FABLE XXV

PHILÉMON ET BAUCIS
SUJET TIRÉ DES MÉTAMORPHOSES D'OVIDE

A MONSEIGNEUR LE DUC DE VENDÔME *

Ni l'or ni la grandeur ne nous rendent heureux ;
Ces deux Divinités n'accordent à nos vœux
Que des biens peu certains, qu'un plaisir peu tran-
                             [quille :
Des soucis dévorants c'est l'éternel asile ;
Véritables Vautours, que le fils de Japet *   5
Représente, enchaîné sur son triste sommet.
L'humble toit est exempt d'un tribut si funeste :
Le sage y vit en paix, et méprise le reste ;
Content de ces douceurs, errant parmi les bois,
Il regarde à ses pieds les favoris des Rois ;   10
Il lit au front de ceux qu'un vain luxe environne
Que la Fortune vend ce qu'on croit qu'elle donne.
Approche-t-il du but, quitte-t-il ce séjour,
Rien ne trouble sa fin : c'est le soir d'un beau jour.
Philémon et Baucis nous en offrent l'exemple :   15
Tous deux virent changer leur Cabane en un Temple.
Hyménée et l'Amour, par des désirs constants,
Avaient uni leurs cœurs dès leur plus doux Printemps.
Ni le temps ni l'hymen n'éteignirent leur flamme ;

Clothon * prenait plaisir à filer cette trame.   20
Ils surent cultiver, sans se voir assistés,
Leur enclos et leur champ par deux fois vingt Etés.
Eux seuls ils composaient toute leur République :
Heureux de ne devoir à pas un domestique
Le plaisir ou le gré * des soins qu'ils se rendaient !   25
Tout vieillit : sur leur front les rides s'étendaient ;
L'amitié modéra leurs feux sans les détruire,
Et par des traits d'amour * sut encor se produire.
Ils habitaient un bourg plein de gens dont le cœur
Joignait aux duretés un sentiment moqueur.   30
Jupiter résolut d'abolir cette engeance.
Il part avec son fils, le Dieu de l'Eloquence ;
Tous deux en Pèlerins vont visiter ces lieux :
Mille logis y sont, un seul ne s'ouvre aux Dieux.
Prêts enfin à quitter un séjour si profane,   35
Ils virent à l'écart une étroite cabane,
Demeure hospitalière, humble et chaste maison.
Mercure frappe : on ouvre ; aussitôt Philémon
Vient au-devant des dieux, et leur tient ce langage :
Vous me semblez tous deux fatigués du voyage,   40
Reposez-vous. Usez du peu que nous avons ;
L'aide des Dieux a fait que nous le conservons ;
Usez-en ; saluez ces Pénates d'argile :
Jamais le Ciel ne fut aux humains si facile
Que quand Jupiter même était de simple bois ;   45
Depuis qu'on l'a fait d'or, il est sourd à nos voix.
Baucis, ne tardez point : faites tiédir cette onde ;
Encor que le pouvoir au désir ne réponde,
Nos Hôtes agréeront les soins qui leur sont dus.
Quelques restes de feu sous la cendre épandus   50
D'un souffle haletant par Baucis s'allumèrent :
Des branches de bois sec aussitôt s'enflammèrent.
L'onde tiède, on lava les pieds des Voyageurs.
Philémon les pria d'excuser ces longueurs ;
Et, pour tromper l'ennui d'une attente importune,   55
Il entretint les Dieux, non point sur la Fortune,
Sur ses jeux, sur la pompe et la grandeur des rois,
Mais sur ce que les champs, les vergers et les bois
Ont de plus innocent, de plus doux, de plus rare.

Cependant par Baucis le festin se prépare.   60
La table où l'on servit le champêtre repas
Fut d'ais non façonnés à l'aide du compas :
Encore assure-t-on, si l'histoire en est crue,
Qu'en un de ses supports le temps l'avait rompue.
Baucis en égala les appuis chancelants   65
Du débris d'un vieux vase, autre injure des ans.
Un tapis tout usé couvrit deux escabelles * :
Il ne servait pourtant qu'aux fêtes solennelles.
Le linge orné de fleurs fut couvert, pour tous mets,
D'un peu de lait, de fruits, et des dons de Cérès *.   70
Les divins Voyageurs, altérés de leur course,
Mêlaient au vin grossier le cristal d'une source.
Plus le vase versait, moins il s'allait vidant :
Philémon reconnut ce miracle évident ;
Baucis n'en fit pas moins : tous deux s'agenouillèrent ;   75
A ce signe d'abord leurs yeux se dessillèrent.
Jupiter leur parut avec ces noirs sourcis
Qui font trembler les Cieux sur leurs Pôles assis.
Grand Dieu, dit Philémon, excusez notre faute :
Quels humains auraient cru recevoir un tel Hôte ?   80
Ces mets, nous l'avouons, sont peu délicieux :
Mais, quand nous serions Rois, que donner à des Dieux ?
C'est le cœur * qui fait tout : que la terre et que l'onde
Apprêtent un repas pour les Maîtres du monde ;
Ils lui préféreront les seuls présents du cœur.   85
Baucis sort à ces mots pour réparer l'erreur.
Dans le verger courait une perdrix privée,
Et par de tendres soins dès l'enfance élevée ;
Elle en veut faire un mets, et la poursuit en vain :
La volatille * échappe à sa tremblante main ;   90
Entre les pieds des Dieux elle cherche un asile.
Ce recours à l'oiseau ne fut pas inutile :
Jupiter intercède. Et déjà les vallons
Voyaient l'ombre en croissant tomber du haut des
                                                    [monts *.
Les Dieux sortent enfin, et font sortir leurs Hôtes.   95
De ce Bourg, dit Jupin, je veux punir les fautes :
Suivez-nous. Toi, Mercure, appelle les vapeurs.
O gens durs ! vous n'ouvrez vos logis ni vos cœurs !

Il dit : et les Autans troublent déjà la plaine.
Nos deux Epoux suivaient, ne marchant qu'avec
[peine ; 100
Un appui de roseau soulageait leurs vieux ans :
Moitié secours des Dieux, moitié peur, se hâtans,
Sur un mont assez proche enfin ils arrivèrent ;
A leurs pieds aussitôt cent nuages crevèrent.
Des ministres du Dieu les escadrons flottants   105
Entraînèrent, sans choix, animaux, habitants,
Arbres, maisons, vergers, toute cette demeure ;
Sans vestige du Bourg, tout disparut sur l'heure.
Les vieillards déploraient ces sévères destins.
Les animaux périr ! car encor les humains,   110
Tous avaient dû * tomber sous les célestes armes.
Baucis en répandit en secret quelques larmes.
Cependant l'humble Toit devient Temple, et ses murs
Changent leur frêle enduit aux marbres les plus durs.
De pilastres massifs les cloisons revêtues   115
En moins de deux instants s'élèvent jusqu'aux nues ;
Le chaume devient or ; tout brille en ce pourpris * ;
Tous ces événements sont peints sur le lambris *.
Loin, bien loin les tableaux de Zeuxis et d'Apelle * !
Ceux-ci furent tracés d'une main immortelle.   120
Nos deux Epoux, surpris, étonnés, confondus,
Se crurent, par miracle, en l'Olympe rendus.
Vous comblez, dirent-ils, vos moindres créatures ;
Aurions-nous bien le cœur et les mains assez pures
Pour présider ici sur les honneurs divins,   125
Et Prêtres vous offrir les vœux des Pèlerins ?
Jupiter exauça leur prière innocente.
Hélas ! dit Philémon, si votre main puissante
Voulait favoriser jusqu'au bout deux mortels,
Ensemble nous mourrions en servant vos Autels :   130
Clothon ferait d'un coup ce double sacrifice ;
D'autres mains nous rendraient un vain et triste
[office :
Je ne pleurerais point celle-ci, ni ses yeux
Ne troubleraient non plus de leurs larmes ces lieux.
Jupiter à ce vœu fut encor favorable.   135
Mais oserai-je dire un fait presque incroyable ?
Un jour qu'assis tous deux dans le sacré parvis

Ils contaient cette histoire aux pèlerins ravis,
La troupe, à l'entour d'eux, debout prêtait l'oreille ;
Philémon leur disait : Ce lieu plein de merveille   140
N'a pas toujours servi de Temple aux Immortels :
Un Bourg était autour, ennemi des Autels,
Gens barbares, gens durs, habitacle d'impies ;
Du céleste courroux tous furent les hosties *.
Il ne resta que nous d'un si triste débris :   145
Vous en verrez tantôt la suite en nos lambris ;
Jupiter l'y peignit. En contant ces Annales,
Philémon regardait Baucis par intervalles ;
Elle devenait arbre, et lui tendait les bras ;
Il veut lui tendre aussi les siens, et ne peut pas.   150
Il veut parler, l'écorce a sa langue pressée.
L'un et l'autre se dit adieu de la pensée :
Le corps n'est tantôt plus que feuillage et que bois.
D'étonnement la Troupe, ainsi qu'eux, perd la voix,
Même instant, même sort à leur fin les entraîne ;   155
Baucis devient Tilleul, Philémon devient Chêne.
On les va voir encore, afin de mériter
Les douceurs qu'en hymen Amour leur fit goûter :
Ils courbent sous le poids des offrandes sans nombre.
Pour peu que des Epoux séjournent sous leur ombre,   160
Ils s'aiment jusqu'au bout, malgré l'effort des ans.
Ah ! si... Mais autre part j'ai porté mes présents *.
Célébrons seulement cette Métamorphose.
Des fidèles témoins m'ayant conté la chose,
Clio * me conseilla de l'étendre en ces Vers,   165
Qui pourront quelque jour l'apprendre à l'Univers :
Quelque jour on verra chez les Races futures
Sous l'appui d'un grand nom passer ces Aventures.
Vendôme, consentez au los * que j'en attends !
Faites-moi triompher de l'Envie et du Temps ;   170
Enchaînez ces démons, que sur nous ils n'attentent,
Ennemis des Héros et de ceux qui les chantent.
Je voudrais pouvoir dire en un style assez haut
Qu'ayant mille vertus vous n'avez nul défaut.
Toutes les célébrer serait œuvre infinie ;   175
L'entreprise demande un plus vaste génie :
Car quel mérite enfin ne vous fait estimer ?
Sans parler de celui qui force à vous aimer ?

Vous joignez à ces dons l'amour des beaux Ouvrages,
Vous y joignez un goût plus sûr que nos suffrages :   180
Don du Ciel, qui peut seul tenir lieu des présents
Que nous font à regret le travail et les ans.
Peu de gens élevés, peu d'autres encor même,
Font voir par ces faveurs que Jupiter les aime.
Si quelque enfant des Dieux les possède, c'est vous ;   185
Je l'ose dans ces Vers soutenir devant tous.
Clio, sur son giron, à l'exemple d'Homère,
Vient de les retoucher, attentive à vous plaire :
On dit qu'elle et ses sœurs, par l'ordre d'Apollon,
Transportent dans Anet * tout le sacré Vallon :   190
Je le crois. Puissions-nous chanter sous les ombrages
Des arbres dont ce lieu va border ses rivages !
Puissent-ils tout d'un coup élever leurs sourcis *,
Comme on vit autrefois Philémon et Baucis !

FABLE XXVI

LA MATRONE D'EPHÈSE

S'il est un conte usé, commun et rebattu,
C'est celui qu'en ces vers j'accommode à ma guise.
      — Et pourquoi donc le choisis-tu ?
      Qui t'engage à cette entreprise ?
N'a-t-elle point déjà produit assez d'écrits ?   5
      Quelle grâce aura ta Matrone
      Au prix de celle de Pétrone ?
Comment la rendras-tu nouvelle à nos esprits ?
— Sans répondre aux censeurs, car c'est chose infinie,
Voyons si dans mes vers je l'aurai rajeunie.   10

      Dans Ephèse, il fut autrefois
Une dame en sagesse et vertus sans égale,
      Et selon la commune voix
Ayant su raffiner sur l'amour conjugale.
Il n'était bruit que d'elle et de sa chasteté :   15

On l'allait voir par rareté :
C'était l'honneur du sexe : heureuse sa patrie :
Chaque mère à sa bru l'alléguait pour patron * ;
Chaque époux la prônait à sa femme chérie ;
D'elle descendent ceux de la prudoterie *,   20
    Antique et célèbre maison.
    Son mari l'aimait d'amour folle.
    Il mourut. De dire comment,
    Ce serait un détail frivole ;
    Il mourut, et son testament   25
N'était plein que de legs qui l'auraient consolée,
Si les biens réparaient la perte d'un mari
    Amoureux autant que chéri.
Mainte veuve pourtant fait la déchevelée *,
Qui n'abandonne pas le soin du demeurant *,   30
Et du bien qu'elle aura fait le compte en pleurant.
Celle-ci par ses cris mettait tout en alarme ;
    Celle-ci faisait un vacarme,
Un bruit, et des regrets à percer tous les cœurs ;
    Bien qu'on sache qu'en ces malheurs   35
De quelque désespoir qu'une âme soit atteinte,
La douleur est toujours moins forte que la plainte,
Toujours un peu de faste entre parmi les pleurs.
Chacun fit son devoir de dire à l'affligée
Que tout a sa mesure, et que de tels regrets   40
    Pourraient pécher par leur excès :
Chacun rendit par là sa douleur rengrégée *.
Enfin ne voulant plus jouir de la clarté
    Que son époux avait perdue,
Elle entre dans sa tombe, en ferme volonté   45
D'accompagner cette ombre aux enfers descendue.
Et voyez ce que peut l'excessive amitié.
(Ce mouvement aussi va jusqu'à la folie) :
Une esclave en ce lieu la suivit par pitié,
    Prête à mourir de compagnie.   50
Prête, je m'entends bien ; c'est-à-dire en un mot
N'ayant examiné qu'à demi ce complot,
Et jusques à l'effet courageuse et hardie.
L'esclave avec la dame avait été nourrie.
Toutes deux s'entraimaient, et cette passion   55

Etait crue avec l'âge au cœur des deux femelles :
Le monde entier à peine eût fourni deux modèles
    D'une telle inclination.

Comme l'esclave avait plus de sens que la dame,
Elle laissa passer les premiers mouvements,   60
Puis tâcha, mais en vain, de remettre cette âme
Dans l'ordinaire train des communs sentiments.
Aux consolations la veuve inaccessible
S'appliquait seulement à tout moyen possible
De suivre le défunt aux noirs et tristes lieux :   65
Le fer aurait été le plus court et le mieux,
Mais la dame voulait paître encore ses yeux
    Du trésor qu'enfermait la bière,
    Froide dépouille et pourtant chère.
    C'était là le seul aliment   70
    Qu'elle prît en ce monument.
    La faim donc fut celle des portes
    Qu'entre d'autres de tant de sortes,
Notre veuve choisit pour sortir d'ici-bas.
Un jour se passe, et deux sans autre nourriture   75
Que ses fréquents soupirs, que ses fréquents hélas,
    Qu'un inutile et long murmure
Contre les Dieux, le sort, et toute la nature.
    Enfin sa douleur n'omit rien,
    Si la douleur doit s'exprimer si bien.   80
Encore un autre mort faisait sa résidence
Non loin de ce tombeau, mais bien différemment,
    Car il n'avait pour monument
    Que le dessous d'une potence.
Pour exemple aux voleurs on l'avait là laissé.   85
    Un soldat bien récompensé
    Le gardait avec vigilance.
    Il était dit par ordonnance
Que si d'autres voleurs, un parent, un ami
L'enlevaient, le soldat nonchalant, endormi,   90
    Remplirait aussitôt sa place,
    C'était trop de sévérité ;
    Mais la publique utilité
Défendait que l'on fît au garde aucune grâce.

Pendant la nuit il vit aux fentes du tombeau   95
Briller quelque clarté, spectacle assez nouveau.
Curieux, il y court, entend de loin la dame
    Remplissant l'air de ses clameurs.
Il entre, est étonné, demande à cette femme,
    Pourquoi ces cris, pourquoi ces pleurs,   100
    Pourquoi cette triste musique,
Pourquoi cette maison noire et mélancolique.
Occupée à ses pleurs à peine elle entendit
    Toutes ces demandes frivoles,
    Le mort pour elle y répondit ;   105
    Cet objet sans autres paroles
    Disait assez par quel malheur
La dame s'enterrait ainsi toute vivante.
Nous avons fait serment, ajouta la suivante,
De nous laisser mourir de faim et de douleur.   110
Encor que le soldat fût mauvais orateur,
Il leur fit concevoir ce que c'est que la vie.
La dame cette fois eut de l'attention ;
    Et déjà l'autre passion
    Se trouvait un peu ralentie.   115
Le temps avait agi. Si la foi du serment,
Poursuivit le soldat, vous défend l'aliment,
    Voyez-moi manger seulement,
Vous n'en mourrez pas moins. Un tel tempérament
    Ne déplut pas aux deux femelles :   120
    Conclusion qu'il obtint d'elles
Une permission d'apporter son soupé ;
Ce qu'il fit ; et l'esclave eut le cœur fort tenté
De renoncer dès lors à la cruelle envie
    De tenir au mort compagnie.   125
Madame, ce dit-elle, un penser m'est venu :
Qu'importe à votre époux que vous cessiez de vivre ?
Croyez-vous que lui-même il fût homme à vous sui-
                                                         [vre
Si par votre trépas vous l'aviez prévenu ?
Non Madame, il voudrait achever sa carrière.   130
La nôtre sera longue encor si nous voulons.
Se faut-il à vingt ans enfermer dans la bière ?
Nous aurons tout loisir d'habiter ces maisons.

On ne meurt que trop tôt ; qui nous presse * ? atten-
                                              [dons ;
Quant à moi je voudrais ne mourir que ridée.   135
Voulez-vous emporter vos appas chez les morts ?
Que vous servira-t-il d'en être regardée ?
          Tantôt en voyant les trésors
Dont le Ciel prit plaisir d'orner votre visage,
          Je disais : hélas ! c'est dommage,   140
Nous-mêmes nous allons enterrer tout cela.
A ce discours flatteur la dame s'éveilla.
Le Dieu qui fait aimer prit son temps ; il tira
Deux traits de son carquois ; de l'un il entama
Le soldat jusqu'au vif ; l'autre effleura la dame :   145
Jeune et belle elle avait sous ses pleurs de l'éclat,
          Et des gens de goût délicat
Auraient bien pu l'aimer, et même étant leur femme *.
Le garde en fut épris : les pleurs et la pitié,
          Sorte d'amour ayant ses charmes,   150
Tout y fit : une belle, alors qu'elle est en larmes
          En est plus belle de moitié.
Voilà donc notre veuve écoutant la louange,
Poison qui de l'amour est le premier degré ;
          La voilà qui trouve à son gré   155
Celui qui le lui donne ; il fait tant qu'elle mange,
Il fait tant que de plaire, et se rend en effet
Plus digne d'être aimé que le mort le mieux fait.
          Il fait tant enfin qu'elle change ;
Et toujours par degrés, comme l'on peut penser :   160
De l'un à l'autre il fait cette femme passer ;
          Je ne le trouve pas étrange.
Elle écoute un Amant, elle en fait un Mari ;
Le tout au nez du mort qu'elle avait tant chéri.
Pendant cet hyménée un voleur se hasarde   165
D'enlever le dépôt commis aux soins du garde.
Il en entend le bruit ; il y court à grands pas ;
          Mais en vain, la chose était faite.
Il revient au tombeau conter son embarras,
          Ne sachant où trouver retraite.   170
L'Esclave alors lui dit le voyant éperdu :
          L'on vous a pris votre pendu ?

Les lois ne vous feront, dites-vous, nulle grâce ?
Si Madame y consent j'y remédierai bien.
    Mettons notre mort en la place,   175
    Les passants n'y connaîtront rien.
La Dame y consentit. O volages femelles !
La femme est toujours femme ; il en est qui sont belles,
    Il en est qui ne le sont pas.
    S'il en était d'assez fidèles,   180
    Elles auraient assez d'appas.

Prudes vous vous devez défier de vos forces.
Ne vous vantez de rien. Si votre intention
    Est de résister aux amorces,
La nôtre est bonne aussi ; mais l'exécution   185
Nous trompe également ; témoin cette Matrone.
    Et n'en déplaise au bon Pétrone,
Ce n'était pas un fait tellement merveilleux
Qu'il en dût proposer l'exemple à nos neveux.
Cette veuve n'eut tort qu'au bruit qu'on lui vit faire ; 190
Qu'au dessein de mourir, mal conçu, mal formé ;
    Car de mettre au patibulaire,
    Le corps d'un mari tant aimé,
Ce n'était pas peut-être une si grande affaire.
Cela lui sauvait l'autre ; et tout considéré,   195
Mieux vaut goujat * debout qu'Empereur enterré.

FABLE XXVII

BELPHÉGOR
NOUVELLE TIRÉE DE MACHIAVEL

Un jour Satan, Monarque des enfers,
Faisait passer ses sujets en revue.
Là confondus tous les états divers,
Princes et Rois, et la tourbe menue,
Jetaient maint pleur, poussaient maint et maint cri,   5
Tant que Satan en était étourdi.

Il demandait en passant à chaque âme :
Qui t'a jetée en l'éternelle flamme ?
L'une disait : hélas c'est mon mari ;
L'autre aussitôt répondait : c'est ma femme.   10
Tant et tant fut ce discours répété,
Qu'enfin Satan dit en plein consistoire :
Si ces gens-ci disent la vérité
Il est aisé d'augmenter notre gloire.
Nous n'avons donc qu'à le vérifier.   15
Pour cet effet, il nous faut envoyer
Quelque démon plein d'art et de prudence ;
Qui non content d'observer avec soin
Tous les hymens dont il sera témoin,
Y joigne aussi sa propre expérience.   20
Le Prince ayant proposé sa sentence,
Le noir Sénat suivit tout d'une voix.
De Belphégor aussitôt on fit choix.
Ce diable était tout yeux et tout oreilles,
Grand éplucheur, clairvoyant à merveilles,   25
Capable enfin de pénétrer dans tout,
Et de pousser l'examen jusqu'au bout.
Pour subvenir aux frais de l'entreprise,
On lui donna mainte et mainte remise,
Toutes à vue *, et qu'en lieux différents   30
Il pût toucher par des correspondants.
Quant au surplus, les fortunes humaines,
Les biens, les maux, les plaisirs et les peines,
Bref ce qui suit notre condition,
Fut une annexe à sa légation.   35
Il se pouvait tirer d'affliction,
Par ses bons tours et par son industrie,
Mais non mourir, ni revoir sa patrie,
Qu'il n'eût ici consumé certain temps :
Sa mission devait durer dix ans.   40
Le voilà donc qui traverse et qui passe
Ce que le Ciel voulut mettre d'espace
Entre ce monde et l'éternelle nuit ;
Il n'en mit guère, un moment y conduit.
Notre démon s'établit à Florence,   45
Ville pour lors de luxe et de dépense.

Même il la crut propre pour le trafic.
Là sous le nom du seigneur Roderic,
Il se logea, meubla, comme un riche homme ;
Grosse maison, grand train, nombre de gens ;   50
Anticipant tous les jours sur la somme
Qu'il ne devait consumer qu'en dix ans.
On s'étonnait d'une telle bombance.
Il tenait table, avait de tous côtés
Gens à ses frais, soit pour ses voluptés,   55
Soit pour le faste et la magnificence.
L'un des plaisirs où plus il dépensa
Fut la louange : Apollon l'encensa * ;
Car il est maître en l'art de flatterie.
Diable n'eut onc tant d'honneurs en sa vie.   60
Son cœur devint le but de tous les traits
Qu'amour lançait : il n'était point de belle
Qui n'employât ce qu'elle avait d'attraits
Pour le gagner, tant sauvage fût-elle :
Car de trouver une seule rebelle,   65
Ce n'est la mode à gens de qui la main
Par les présents s'aplanit tout chemin.
C'est un ressort en tous desseins utile.
Je l'ai jà dit *, et le redis encor ;
Je ne connais d'autre premier mobile *   70
Dans l'Univers, que l'argent et que l'or.
Notre envoyé cependant tenait compte
De chaque hymen, en journaux différents ;
L'un, des époux satisfaits et contents,
Si peu rempli que le diable en eut honte.   75
L'autre journal incontinent fut plein.
A Belphégor il ne restait enfin
Que d'éprouver la chose par lui-même *.
Certaine fille à Florence était lors ;
Belle, et bien faite, et peu d'autres trésors ;   80
Noble d'ailleurs, mais d'un orgueil extrême ;
Et d'autant plus que de quelque vertu
Un tel orgueil paraissait revêtu.
Pour Roderic on en fit la demande.
Le Père dit que Madame Honnesta,   85
C'était son nom, avait eu jusques là

Force partis ; mais que parmi la bande
Il pourrait bien Roderic préférer,
Et demandait temps pour délibérer.
On en convient. Le poursuivant s'applique   90
A gagner celle où ses vœux s'adressaient.
Fêtes et bals, sérénades, musique,
Cadeaux *, festins, bien fort appetissaient,
Altéraient fort le fonds de l'ambassade.
Il n'y plaint rien, en use en grand Seigneur,   95
S'épuise en dons : l'autre se persuade
Qu'elle lui fait encor beaucoup d'honneur.
Conclusion, qu'après force prières,
Et des façons de toutes les manières,
Il eut un oui de Madame Honnesta.   100
Auparavant le Notaire y passa :
Dont Belphégor se moquant en son âme :
Hé quoi, dit-il, on acquiert une femme
Comme un château ! Ces gens ont tout gâté.
Il eut raison : ôtez d'entre les hommes   105
La simple foi, le meilleur est ôté.
Nous nous jetons, pauvres gens que nous sommes,
Dans les procès en prenant le revers *.
Les si, les cas, les contrats sont la porte
Par où la noise entra dans l'univers :   110
N'espérons pas que jamais elle en sorte.
Solennités et lois n'empêchent pas
Qu'avec l'hymen amour n'ait des débats.
C'est le cœur seul qui peut rendre tranquille.
Le cœur * fait tout, le reste est inutile.   115
Qu'ainsi ne soit *, voyons d'autres états.
Chez les amis tout s'excuse, tout passe ;
Chez les Amants tout plaît, tout est parfait ;
Chez les Epoux tout ennuie et tout lasse.
Le devoir nuit : chacun est ainsi fait.   120
Mais, dira-t-on, n'est-il en nulles guises
D'heureux ménage ? Après mûr examen,
J'appelle un bon, voire un parfait hymen,
Quand les conjoints se souffrent leurs sottises.
Sur ce point-là c'est assez raisonné :   125
Dès que chez lui le Diable eut amené

Son épousée, il jugea par lui-même
Ce qu'est l'hymen avec un tel démon :
Toujours débats, toujours quelque sermon
Plein de sottise en un degré suprême.   130
Le bruit fut tel que Madame Honnesta
Plus d'une fois les voisins éveilla :
Plus d'une fois on courut à la noise :
Il lui fallait quelque simple bourgeoise,
Ce disait-elle : un petit trafiquant   135
Traiter ainsi les filles de mon rang !
Méritait-il femme si vertueuse ?
Sur mon devoir je suis trop scrupuleuse :
J'en ai regret et si je faisais bien...
Il n'est pas sûr qu'Honnesta ne fît rien :   140
Ces prudes-là nous en font bien accroire.
Nos deux Epoux, à ce que dit l'histoire,
Sans disputer n'étaient pas un moment.
Souvent leur guerre avait pour fondement
Le jeu, la jupe ou quelque ameublement,   145
D'été, d'hiver, d'entre-temps, bref un monde
D'inventions propres à tout gâter.
Le pauvre diable eut lieu de regretter
De l'autre enfer la demeure profonde.
Pour comble enfin Roderic épousa   150
La parenté de Madame Honnesta,
Ayant sans cesse et le père et la mère,
Et la grand'sœur avec le petit frère ;
De ses deniers mariant la grand'sœur,
Et du petit payant le précepteur.   155
Je n'ai pas dit la principale cause
De sa ruine infaillible accident ;
Et j'oubliais qu'il eut un intendant.
Un intendant ? Qu'est-ce que cette chose ?
Je définis cet être un animal   160
Qui comme on dit sait pêcher en eau trouble,
Et plus le bien de son maître va mal,
Plus le sien croît, plus son profit redouble ;
Tant qu'aisément lui-même achèterait
Ce qui de net au Seigneur resterait :   165
Dont par raison bien et dûment déduite

On pourrait voir chaque chose réduite
En son état, s'il arrivait qu'un jour
L'autre devînt l'Intendant à son tour,
Car regagnant ce qu'il eut étant maître,   170
Ils reprendraient tous deux leur premier être.
Le seul recours du pauvre Roderic,
Son seul espoir, était certain trafic
Qu'il prétendait devoir remplir sa bourse,
Espoir douteux, incertaine ressource.   175
Il était dit que tout serait fatal
A notre époux, ainsi tout alla mal.
Ses agents tels que la plupart des nôtres,
En abusaient : il perdit un vaisseau,
Et vit aller le commerce à vau-l'eau,   180
Trompé des uns, mal servi par les autres.
Il emprunta. Quand ce vint à payer,
Et qu'à sa porte il vit le créancier,
Force lui fut d'esquiver par la fuite,
Gagnant les champs, où de l'âpre poursuite   185
Il se sauva chez un certain fermier,
En certain coin remparé de fumier.
A Matheo, c'était le nom du Sire,
Sans tant tourner il dit ce qu'il était ;
Qu'un double mal chez lui le tourmentait,   190
Ses créanciers et sa femme encor pire :
Qu'il n'y savait remède que d'entrer
Au corps des gens, et de s'y remparer,
D'y tenir bon : irait-on là le prendre ?
Dame Honnesta viendrait-elle y prôner   195
Qu'elle a regret de se bien gouverner ?
Chose ennuyeuse et qu'il est las d'entendre.
Que de ces corps trois fois il sortirait
Sitôt que lui Matheo l'en prierait ;
Trois fois sans plus et ce pour récompense   200
De l'avoir mis à couvert des Sergens.
Tout aussitôt l'Ambassadeur commence
Avec grand bruit d'entrer au corps des gens.
Ce que le sien, ouvrage fantastique *,
Devint alors, l'histoire n'en dit rien.   205
Son coup d'essai fut une fille unique

Où le galant se trouvait assez bien ;
Mais Matheo moyennant grosse somme
L'en fit sortir au premier mot qu'il dit.
C'était à Naples, il se transporte à Rome ;   210
Saisit un corps : Matheo l'en bannit,
Le chasse encore : autre somme nouvelle.
Trois fois enfin, toujours d'un corps femelle,
Remarquez bien, notre Diable sortit.
Le Roi de Naples avait lors une fille,   215
Honneur du sexe, espoir de sa famille ;
Maint jeune prince était son poursuivant.
Là d'Honnesta Belphégor se sauvant,
On ne le put tirer de cet asile.
Il n'était bruit aux champs comme à la ville   220
Que d'un manant qui chassait les esprits.
Cent mille écus d'abord lui sont promis.
Bien affligé de manquer cette somme
(Car ces trois fois l'empêchaient d'espérer
Que Belphégor se laissât conjurer)   225
Il la refuse : il se dit un pauvre homme,
Pauvre pécheur, qui sans savoir comment,
Sans dons du Ciel, par hasard seulement,
De quelques corps a chassé quelque Diable,
Apparemment chétif, et misérable,   230
Et ne connaît celui-ci nullement.
Il a beau dire ; on le force, on l'amène,
On le menace, on lui dit que sous peine
D'être pendu, d'être mis haut et court
En un gibet, il faut que sa puissance   235
Se manifeste avant la fin du jour.
Dès l'heure même on vous met en présence
Notre Démon et son Conjurateur.
D'un tel combat le Prince est spectateur.
Chacun y court : n'est fils de bonne mère   240
Qui pour le voir ne quitte toute affaire.
D'un côté sont le gibet et la hart,
Cent mille écus bien comptés d'autre part.
Matheo tremble, et lorgne la finance.
L'esprit malin voyant sa contenance,   245
Riait sous cape, alléguait les trois fois ;

Dont Matheo suait en son harnois,
Pressait, priait, conjurait avec larmes.
Le tout en vain : plus il est en alarmes,
Plus l'autre rit. Enfin le manant dit   250
Que sur ce Diable il n'avait nul crédit.
On vous le happe et mène à la potence.
Comme il allait haranguer l'assistance,
Nécessité lui suggéra ce tour :
Il dit tout bas qu'on battît le tambour,   255
Ce qui fut fait ; de quoi l'esprit immonde
Un peu surpris au manant demanda :
Pourquoi ce bruit ? coquin, qu'entends-je là ?
L'autre répond : C'est Madame Honnesta
Qui vous réclame, et va par tout le monde   260
Cherchant l'époux que le Ciel lui donna.
Incontinent le Diable décampa,
S'enfuit au fond des enfers et conta
Tout le succès qu'avait eu son voyage :
Sire, dit-il, le nœud du mariage   265
Damne aussi dru qu'aucuns autres états.
Votre grandeur voit tomber ici-bas,
Non par flocons, mais menu comme pluie,
Ceux que l'hymen fait de sa confrérie,
J'ai par moi-même examiné le cas.   270
Non que de soi la chose ne soit bonne :
Elle eut jadis un plus heureux destin ;
Mais comment tout se corrompt à la fin,
Plus beau fleuron n'est en votre couronne.
Satan le crut : il fut récompensé ;   275
Encore qu'il eût son retour avancé ;
Car qu'eût-il fait ? Ce n'était pas merveilles
Qu'ayant sans cesse un Diable à ses oreilles,
Toujours le même et toujours sur un ton,
Il fût contraint d'enfiler la venelle ★ ;   280
Dans les enfers encore en chante-t-on ;
L'autre peine est à mon sens plus cruelle.
Je voudrais voir quelque Saint y durer.
Elle eût à Job fait tourner la cervelle.
De tout ceci que prétends-je inférer ?   285
Premièrement je ne sais pire chose

Que de changer son logis en prison * ;
En second lieu si par quelque raison
Votre ascendant à l'hymen vous expose,
N'épousez point d'Honnesta s'il se peut ;   290
N'a pas pourtant une Honnesta qui veut.

FABLE XXVIII

LES FILLES DE MINÉE
SUJET TIRÉ DES MÉTAMORPHOSES D'OVIDE

Je chante dans ces vers les filles de Minée,
Troupe aux arts de Pallas * dès l'enfance adonnée,
Et de qui le travail fit entrer en courroux
Bacchus, à juste droit de ses honneurs jaloux.
Tout Dieu veut aux humains se faire reconnaître :   5
On ne voit point les champs répondre aux soins du
[maître,
Si dans les jours sacrés, autour de ses guérets,
Il ne marche en triomphe à l'honneur de Cérès *.
La Grèce était en jeux pour le fils de Sémèle * ;
Seules on vit trois sœurs condamner ce saint zèle.   10
Alcithoé, l'aînée, ayant pris ses fuseaux,
Dit aux autres : Quoi donc ! toujours des dieux nou-
[veaux !
L'Olympe ne peut plus contenir tant de têtes,
Ni l'an fournir de jours assez pour tant de fêtes *.
Je ne dis rien des vœux dus aux travaux divers   15
De ce Dieu qui purgea de monstres l'univers :
Mais à quoi sert Bacchus, qu'à causer des querelles ?
Affaiblir les plus sains ? enlaidir les plus belles ?
Souvent mener au Styx par de tristes chemins ?
Et nous irions chommer la peste des humains ?   20
Pour moi, j'ai résolu de poursuivre ma tâche.
Se donne qui voudra ce jour-ci du relâche :
Ces mains n'en prendront point. Je suis encor d'avis
Que nous rendions le temps moins long par des récits :

Toutes trois, tour à tour, racontons quelque histoire   25
Je pourrais retrouver sans peine en ma mémoire
Du monarque des Dieux les divers changements ;
Mais, comme chacun sait tous ces événements,
Disons ce que l'amour inspire à nos pareilles,
Non toutefois qu'il faille, en contant ses merveilles,   30
Accoutumer nos cœurs à goûter son poison ;
Car, ainsi que Bacchus, il trouble la raison ★ :
Récitons-nous les maux que ses biens nous attirent.
Alcithoé se tut, et ses sœurs applaudirent.
Après quelques moments, haussant un peu la voix :   35
Dans Thèbes, reprit-elle, on conte qu'autrefois
Deux jeunes cœurs s'aimaient d'une égale tendresse :
Pirame, c'est l'amant, eut Thisbé pour maîtresse.
Jamais couple ne fut si bien assorti qu'eux :
L'un bien fait, l'autre belle, agréables tous deux,   40
Tous deux dignes de plaire, ils s'aimèrent sans peine ;
D'autant plus tôt épris, qu'une invincible haine
Divisant leurs parents ces deux amants unit,
Et concourut aux traits dont l'Amour se servit.
Le hasard, non le choix, avait rendu voisines   45
Leurs maisons, où régnaient ces guerres intestines :
Ce fut un avantage à leurs désirs naissants.
Le cours en commença par des jeux innocents :
La première étincelle eut embrasé leur âme,
Qu'ils ignoraient encor ce que c'était que flamme.   50
Chacun favorisait leurs transports mutuels,
Mais c'était à l'insu de leurs parents cruels.
La défense est un charme : on dit qu'elle assaisonne
Les plaisirs, et surtout ceux que l'amour nous donne ★.
D'un des logis à l'autre, elle instruisit du moins   55
Nos amants à se dire avec signes leurs soins.
Ce léger réconfort ne les put satisfaire ;
Il fallut recourir à quelque autre mystère.
Un vieux mur entr'ouvert séparait leurs maisons ;
Le temps avait miné ses antiques cloisons :   60
Là souvent de leurs maux ils déploraient la cause ;
Les paroles passaient, mais c'était peu de chose.
Se plaignant d'un tel sort, Pirame dit un jour :
Chère Thisbé, le Ciel veut qu'on s'aide en amour ;

Nous avons à nous voir une peine infinie :   65
Fuyons de nos parents l'injuste tyrannie.
J'en ai d'autres en Grèce ; ils se tiendront heureux
Que vous daigniez chercher un asile chez eux ;
Leur amitié, leurs biens, leur pouvoir, tout m'invite
A prendre le parti dont je vous sollicite.   70
C'est votre seul repos qui me le fait choisir,
Car je n'ose parler, hélas ! de mon désir.
Faut-il à votre gloire en faire un sacrifice,
De crainte de vains bruits faut-il que je languisse ?
Ordonnez, j'y consens ; tout me semblera doux ;   75
Je vous aime, Thisbé, moins pour moi que pour vous.
— J'en pourrais dire autant, lui repartit l'Amante :
Votre amour étant pure, encor que véhémente,
Je vous suivrai partout ; notre commun repos
Me doit mettre au-dessus de tous les vains propos ;   80
Tant que de ma vertu je serai satisfaite,
Je rirai des discours d'une langue indiscrète,
Et m'abandonnerai sans crainte à votre ardeur,
Contente que je suis des soins de ma pudeur.
Jugez ce que sentit Pirame à ces paroles ;   85
Je n'en fais point ici de peintures frivoles :
Suppléez au peu d'art que le Ciel mit en moi ;
Vous-mêmes peignez-vous cet Amant hors de soi.
Demain, dit-il, il faut sortir avant l'Aurore ;
N'attendez point les traits que son char fait éclore.   90
Trouvez-vous aux degrés du Terme * de Cérès ;
Là, nous nous attendrons : le rivage est tout près,
Une barque est au bord ; les rameurs, le vent même.
Tout pour notre départ montre une hâte extrême ;
L'augure en est heureux, notre sort va changer ;   95
Et les Dieux sont pour nous, si je sais bien juger.
Thisbé consent à tout ; elle en donne pour gage
Deux baisers, par le mur arrêtés au passage,
Heureux mur ! tu devais servir mieux leur désir :
Ils n'obtinrent de toi qu'une ombre de plaisir.   100
Le lendemain Thisbé sort, et prévient Pirame ;
L'impatience, hélas ! maîtresse de son âme,
La fait arriver seule et sans guide aux degrés.
L'ombre et le jour luttaient dans les champs azurés.

Une lionne vient, monstre imprimant la crainte ;   105
D'un carnage récent sa gueule est toute teinte.
Thisbé fuit ; et son voile, emporté par les airs,
Source d'un sort cruel, tombe dans ces déserts.
La lionne le voit, le souille, le déchire ;
Et, l'ayant teint de sang, aux forêts se retire.   110
Thisbé s'était cachée en un buisson épais.
Pirame arrive, et voit ces vestiges tout frais :
O dieux ! que devient-il ? Un froid court dans ses veines ;
Il aperçoit le voile étendu dans ces plaines ;
Il se lève ; et le sang, joint aux traces des pas,   115
L'empêche de douter d'un funeste trépas.
Thisbé ! s'écria-t-il, Thisbé, je t'ai perdue !
Te voilà, par ma faute, aux Enfers descendue !
Je l'ai voulu : c'est moi qui suis le monstre affreux
Par qui tu t'en vas voir le séjour ténébreux :   120
Attends-moi, je te vais rejoindre aux rives sombres ;
Mais m'oserai-je à toi présenter chez les ombres ?
Jouis au moins du sang que je te vais offrir,
Malheureux de n'avoir qu'une mort à souffrir.
Il dit, et d'un poignard coupe aussitôt sa trame.   125
Thisbé vient ; Thisbé voit tomber son cher Pirame.
Que devient-elle aussi ? Tout lui manque à la fois,
Le sens et les esprits, aussi bien que la voix.
Elle revient enfin ; Clothon *, pour l'amour d'elle,
Laisse à Pirame ouvrir sa mourante prunelle.   130
Il ne regarde point la lumière des cieux ;
Sur Thisbé seulement il tourne encor les yeux.
Il voudrait lui parler, sa langue est retenue :
Il témoigne mourir content de l'avoir vue.
Thisbé prend le poignard ; et, découvrant son sein :   135
Je n'accuserai point, dit-elle, ton dessein,
Bien moins encor l'erreur de ton âme alarmée :
Ce serait t'accuser de m'avoir trop aimée.
Je ne t'aime pas moins : tu vas voir que mon cœur
N'a, non plus que le tien, mérité son malheur.   140
Cher Amant ! reçois donc ce triste sacrifice.
Sa main et le poignard font alors leur office ;
Elle tombe, et, tombant range ses vêtements :
Dernier trait de pudeur même aux derniers moments.

Les Nymphes d'alentour lui donnèrent des larmes,   145
Et du sang des Amants teignirent par des charmes
Le fruit d'un mûrier proche, et blanc jusqu'à ce jour,
Eternel monument d'un si parfait amour.
Cette histoire attendrit les filles de Minée.
L'une accusait l'Amant, l'autre la Destinée ;   150
Et toute d'une voix conclurent que nos cœurs
De cette passion devraient être vainqueurs :
Elle meurt quelquefois avant qu'être contente ;
L'est-elle, elle devient aussitôt languissante ;
Sans l'hymen on n'en doit recueillir aucun fruit,   155
Et cependant l'hymen est ce qui la détruit *.
Il y joint, dit Clymène, une âpre jalousie,
Poison le plus cruel dont l'âme soit saisie :
Je n'en veux pour témoin que l'erreur de Procris.
Alcithoé ma sœur, attachant vos esprits,   160
Des tragiques amours vous a conté l'élite :
Celles que je vais dire ont aussi leur mérite.
J'accourcirai le temps, ainsi qu'elle, à mon tour.
Peu s'en faut que Phébus ne partage le jour ;
A ses rayons perçants opposons quelques voiles.   165
Voyons combien nos mains ont avancé nos toiles :
Je veux que, sur la mienne, avant que d'être au soir,
Un progrès tout nouveau se fasse apercevoir.
Cependant donnez-moi quelque heure de silence :
Ne vous rebutez point de mon peu d'éloquence ;   170
Souffrez-en les défauts, et songez seulement
Au fruit qu'on peut tirer de cet événement.

Céphale aimait Procris ; il était aimé d'elle :
Chacun se proposait leur hymen pour modèle.
Ce qu'Amour fait sentir de piquant et de doux   175
Comblait abondamment les vœux de ces Epoux.
Ils ne s'aimaient que trop ! leurs soins et leur tendresse
Approchaient des transports d'Amant et de Maîtresse.
Le Ciel même envia cette félicité :
Céphale eut à combattre une Divinité.   180
Il était jeune et beau ; l'Aurore en fut charmée,
N'étant pas à ces biens chez elle accoutumée.
Nos belles cacheraient un pareil sentiment :

Chez les Divinités on en use autrement.
Celle-ci déclara ses pensers à Céphale ;   185
Il eut beau lui parler de la foi conjugale ;
Les jeunes Déités qui n'ont qu'un vieil Epoux
Ne se soumettent point à ces lois comme nous :
La Déesse enleva ce Héros si fidèle.
De modérer ces feux il pria l'Immortelle :   190
Elle le fit ; l'amour devint simple amitié.
Retournez, dit l'Aurore, avec votre moitié ;
Je ne troublerai plus votre ardeur ni la sienne :
Recevez seulement ces marques de la mienne.
(C'était un javelot toujours sûr de ses coups.)   195
Un jour cette Procris qui ne vit que pour vous
Fera le désespoir de votre âme charmée,
Et vous aurez regret de l'avoir tant aimée.
Tout oracle est douteux, et porte un double sens :
Celui-ci mit d'abord notre Epoux en suspens.   200
J'aurai regret aux vœux que j'ai formés pour elle !
Et comment ? n'est-ce point qu'elle m'est infidèle ?
Ah ! finissent mes jours plutôt que de le voir !
Eprouvons toutefois ce que peut son devoir.
Des Mages aussitôt consultant la science,   205
D'un feint adolescent il prend la ressemblance,
S'en va trouver Procris, élève jusqu'aux Cieux
Ses beautés, qu'il soutient être dignes des Dieux ;
Joint les pleurs aux soupirs, comme un Amant sait faire,
Et ne peut s'éclaircir par cet art ordinaire.   210
Il fallut recourir à ce qui porte coup,
Aux présents : il offrit, donna, promit beaucoup,
Promit tant, que Procris lui parut incertaine *,
Toute chose a son prix. Voilà Céphale en peine :
Il renonce aux cités, s'en va dans les forêts,   215
Conte aux vents, conte aux bois ses déplaisirs secrets,
S'imagine en chassant dissiper son martyre.
C'était pendant ces mois où le chaud qu'on respire
Oblige d'implorer l'haleine des Zéphirs.
Doux Vents, s'écriait-il, prêtez-moi des soupirs !   220
Venez, légers Démons par qui nos champs fleurissent ;
Aure *, fais-les venir ; je sais qu'ils t'obéissent :
Ton emploi dans ces lieux est de tout ranimer.

On l'entendit : on crut qu'il venait de nommer
Quelque objet de ses vœux, autre que son Epouse.   225
Elle en est avertie ; et la voilà jalouse.
Maint voisin charitable entretient ses ennuis.
Je ne le puis plus voir, dit-elle, que les nuits !
Il aime donc cette Aure, et me quitte pour elle ?
— Nous vous plaignons ; il l'aime, et sans cesse il
                                          [l'appelle :   230
Les échos de ces lieux n'ont plus d'autres emplois
Que celui d'enseigner le nom d'Aure à nos bois ;
Dans tous les environs le nom d'Aure résonne.
Profitez d'un avis qu'en passant on vous donne :
L'intérêt qu'on y prend est de vous obliger.   235
Elle en profite, hélas ! et ne fait qu'y songer.
Les Amants sont toujours de légère croyance.
S'ils pouvaient conserver un rayon de prudence *,
(Je demande un grand point, la prudence en amours)
Ils seraient aux rapports insensibles et sourds ;   240
Notre Epouse ne fut l'une ni l'autre chose.
Elle se lève un jour ; et lorsque tout repose,
Que de l'aube au teint frais la charmante douceur
Force tout au sommeil, hormis quelque chasseur,
Elle cherche Céphale : un bois l'offre à sa vue.   245
Il invoquait déjà cette Aure prétendue :
Viens me voir, disait-il, chère Déesse, accours !
Je n'en puis plus, je meurs ; fais que par ton secours
La peine que je sens se trouve soulagée.
L'épouse se prétend par ces mots outragée :   250
Elle croit y trouver, non le sens qu'ils cachaient,
Mais celui seulement que ses soupçons cherchaient.
O triste jalousie ! ô passion amère !
Fille d'un fol amour, que l'erreur a pour mère !
Ce qu'on voit par tes yeux cause assez d'embarras   255
Sans voir encor par eux ce que l'on ne voit pas !
Procris s'était cachée en la même retraite
Qu'un faon de biche avait pour demeure secrète.
Il en sort ; et le bruit trompe aussitôt l'Epoux.
Céphale prend le dard toujours sûr de ses coups,   260
Le lance en cet endroit, et perce sa jalouse :
Malheureux assassin d'une si chère Epouse !

Un cri lui fait d'abord soupçonner quelque erreur ;
Il accourt, voit sa faute ; et, tout plein de fureur,
Du même javelot il veut s'ôter la vie *.   265
L'Aurore et les Destins arrêtent cette envie ;
Cet office lui fut plus cruel qu'indulgent :
L'infortuné Mari sans cesse s'affligeant
Eût accru par ses pleurs le nombre des fontaines,
Si la déesse enfin, pour terminer ses peines,   270
N'eût obtenu du Sort que l'on tranchât ses jours :
Triste fin d'un hymen bien divers en son cours !
Fuyons ce nœud, mes sœurs, je ne puis trop le dire :
Jugez par le meilleur quel peut être le pire.
S'il ne nous est permis d'aimer que sous ses lois,   275
N'aimons point. Ce dessein fut pris par toutes trois.
Toutes trois, pour chasser de si tristes pensées,
A revoir leur travail se montrent empressées.
Clymène, en un tissu riche, pénible et grand,
Avait presque achevé le fameux différend   280
D'entre le Dieu des eaux et Pallas la savante.
On voyait en lointain une ville naissante,
L'honneur de la nommer, entre eux deux contesté,
Dépendait du présent de chaque déité.
Neptune fit le sien d'un symbole de guerre :   285
Un coup de son trident fit sortir de la terre
Un animal fougueux, un Coursier plein d'ardeur :
Chacun de ce présent admirait la grandeur.
Minerve l'effaça, donnant à la contrée
L'Olivier, qui de paix est la marque assurée.   290
Elle emporta le prix, et nomma la cité :
Athène offrit ses vœux à cette Déité ;
Pour les lui présenter on choisit cent pucelles,
Toutes sachant broder, aussi sages que belles.
Les premières portaient force présents divers ;   295
Tout le reste entourait la déesse aux yeux pers ;
Avec un doux souris elle acceptait l'hommage.
Clymène ayant enfin reployé son ouvrage,
La jeune Iris commence en ces mots son récit :

Rarement pour les pleurs mon talent réussit ;   300
Je suivrai toutefois la matière imposée.

Télamon pour Cloris avait l'âme embrasée,
Cloris pour Télamon brûlait de son côté.
La naissance, l'esprit, les grâces, la beauté,
Tout se trouvait en eux, hormis ce que les hommes   305
Font marcher avant tout dans ce siècle où nous
                                              [sommes :
Ce sont les biens, c'est l'or, mérite universel.
Ces Amants, quoique épris d'un désir mutuel,
N'osaient au blond Hymen sacrifier encore,
Faute de ce métal que tout le monde adore.   310
Amour s'en passerait ; l'autre état ne le peut :
Soit raison, soit abus, le Sort ainsi le veut.
Cette loi, qui corrompt les douceurs de la vie,
Fut par le jeune Amant d'une autre erreur suivie.
Le Démon des Combats vint troubler l'Univers :   315
Un Pays contesté par des Peuples divers
Engagea Télamon dans un dur exercice ;
Il quitta pour un temps l'amoureuse milice.
Cloris y consentit, mais non pas sans douleur :
Il voulut mériter son estime et son cœur.   320
Pendant que ses exploits terminent la querelle,
Un parent de Cloris meurt, et laisse à la belle
D'amples possessions et d'immenses trésors.
Il habitait les lieux où Mars régnait alors.
La belle s'y transporte ; et partout révérée,   325
Partout des deux partis Cloris considérée,
Voit de ses propres yeux les champs où Télamon
Venait de consacrer un trophée à son nom.
Lui de sa part accourt ; et, tout couvert de gloire,
Il offre à ses amours les fruits de sa victoire.   330
Leur rencontre se fit non loin de l'élément *
Qui doit être évité de tout heureux amant.
Dès ce jour l'âge d'or les eût joints sans mystère ;
L'âge de fer en tout a coutume d'en faire.
Cloris ne voulut donc couronner tous ces biens   335
Qu'au sein de sa patrie, et de l'aveu des siens.
Tout chemin, hors la mer, allongeant leur souffrance,
Ils commettent aux flots cette douce espérance.
Zéphyre les suivait quand, presque en arrivant,
Un pirate survient, prend le dessus du vent *,   340

Les attaque, les bat. En vain, par sa vaillance,
Télamon jusqu'au bout porte la résistance :
Après un long combat son parti fut défait,
Lui pris ; et ses efforts n'eurent pour tout effet
Qu'un esclavage indigne. O Dieux ! qui l'eût pu
                                                [croire ? 345
Le sort, sans respecter ni son sang ni sa gloire,
Ni son bonheur prochain, ni les vœux de Cloris,
Le fit être forçat aussitôt qu'il fut pris.
Le Destin ne fut pas à Cloris si contraire.
Un célèbre Marchand l'achète du Corsaire :   350
Il l'emmène ; et bientôt la Belle, malgré soi,
Au milieu de ses fers range tout sous sa loi.
L'Epouse du Marchand la voit avec tendresse.
Ils en font leur Compagne, et leur fils sa Maîtresse.
Chacun veut cet hymen : Cloris à leurs désirs   355
Répondait seulement par de profonds soupirs.
Damon, c'était ce fils, lui tient ce doux langage :
Vous soupirez toujours, toujours votre visage
Baigné de pleurs nous marque un déplaisir secret.
Qu'avez-vous ? vos beaux yeux verraient-ils à regret 360
Ce que peuvent leurs traits et l'excès de ma flamme ?
Rien ne vous force ici ; découvrez-nous votre âme :
Cloris, c'est moi qui suis l'esclave, et non pas vous.
Ces lieux, à votre gré, n'ont-ils rien d'assez doux ?
Parlez ; nous sommes prêts à changer de demeure :   365
Mes parents m'ont promis de partir tout à l'heure.
Regrettez-vous les biens que vous avez perdus ?
Tout le nôtre est à vous ; ne le dédaignez plus.
J'en sais qui l'agréeraient ; j'ai su plaire à plus d'une ;
Pour vous, vous méritez toute une autre fortune *   370
Quelle que soit la nôtre, usez-en ; vous voyez
Ce que nous possédons, et nous-même à vos pieds.
Ainsi parle Damon ; et Cloris tout en larmes
Lui répond en ces mots, accompagnés de charmes :
Vos moindres qualités, et cet heureux séjour   375
Même aux filles des Dieux donneraient de l'amour ;
Jugez donc si Cloris, esclave et malheureuse,
Voit l'offre de ces biens d'une âme dédaigneuse.
Je sais quel est leur prix : mais de les accepter,

Je ne puis ; et voudrais vous pouvoir écouter ;   380
Ce qui me le défend, ce n'est point l'esclavage :
Si toujours la naissance éleva mon courage,
Je me vois, grâce aux Dieux, en des mains où je puis
Garder ces sentiments malgré tous mes ennuis ;
Je puis même avouer (hélas ! faut-il le dire ?)   385
Qu'un autre a sur mon cœur conservé son empire.
Je chéris un Amant, ou mort, ou dans les fers ;
Je prétends le chérir encor dans les enfers.
Pourriez-vous estimer le cœur d'une inconstante ?
Je ne suis déjà plus aimable ni charmante ;   390
Cloris n'a plus ces traits que l'on trouvait si doux,
Et doublement esclave est indigne de vous.
Touché de ce discours, Damon prend congé d'elle.
Fuyons, dit-il en soi ; j'oublierai cette Belle :
Tout passe, et même un jour ses larmes passeront :   395
Voyons ce que l'absence et le temps produiront.
A ces mots il s'embarque ; et, quittant le rivage,
Il court de mer en mer, aborde en lieu sauvage,
Trouve des malheureux de leurs fers échappés,
Et sur le bord d'un bois à chasser occupés.   400
Télamon, de ce nombre, avait brisé sa chaîne :
Aux regards de Damon il se présente à peine,
Que son air, sa fierté, son esprit, tout enfin
Fait qu'à l'abord Damon admire son destin ;
Puis le plaint, puis l'emmène, et puis lui dit sa
[flamme.   405
D'une Esclave, dit-il, je n'ai pu toucher l'âme :
Elle chérit un mort ! Un mort ! ce qui n'est plus
L'emporte dans son cœur ! mes vœux sont superflus.
Là-dessus, de Cloris il lui fait la peinture.
Télamon dans son âme admire l'aventure,   410
Dissimule, et se laisse emmener au séjour
Où Cloris lui conserve un si parfait amour.
Comme il voulait cacher avec soin sa fortune,
Nulle peine pour lui n'était vile et commune.
On apprend leur retour et leur débarquement ;   415
Cloris, se présentant à l'un et l'autre Amant,
Reconnaît Télamon sous un faix qui l'accable.
Ses chagrins le rendaient pourtant méconnaissable ;

Un œil indifférent à le voir eût erré,
Tant la peine et l'amour l'avaient défiguré !   420
Le fardeau qu'il portait ne fut qu'un vain obstacle,
Cloris le reconnaît, et tombe à ce spectacle :
Elle perd tous ses sens et de honte et d'amour.
Télamon, d'autre part, tombe presque à son tour.
On demande à Cloris la cause de sa peine :   425
Elle la dit ; ce fut sans s'attirer la haine.
Son récit ingénu redoubla la pitié
Dans des cœurs prévenus d'une juste amitié.
Damon dit que son zèle avait changé de face *.
On le crut. Cependant, quoi qu'on dise et qu'on fasse,   430
D'un triomphe si doux l'honneur et le plaisir
Ne se perd qu'en laissant des restes de désir.
On crut pourtant Damon. Il restreignit son zèle
A sceller de l'Hymen une union si belle ;
Et, par un sentiment à qui rien n'est égal,   435
Il pria ses parents de doter son rival :
Il l'obtint, renonçant dès lors à l'Hyménée.
Le soir étant venu de l'heureuse journée,
Les noces se faisaient à l'ombre d'un ormeau ;
L'enfant d'un voisin vit s'y percher un corbeau :   440
Il fait partir de l'arc une flèche maudite,
Perce les deux époux d'une atteinte subite.
Cloris mourut du coup, non sans que son Amant
Attirât ses regards en ce dernier moment.
Il s'écrie, en voyant finir ses destinées :   445
Quoi ! la Parque a tranché le cours de ses années !
Dieux, qui l'avez voulu, ne suffisait-il pas
Que la haine du Sort avançât mon trépas ?
En achevant ces mots, il acheva de vivre :
Son amour, non le coup, l'obligea de la suivre :   450
Blessé légèrement, il passa chez les morts :
Le Styx vit nos Epoux accourir sur ses bords.
Même accident finit leurs précieuses trames ;
Même tombe eut leurs corps, même séjour leurs âmes.
Quelques-uns ont écrit (mais ce fait est peu sûr)   455
Que chacun d'eux devint statue et marbre dur :
Le couple infortuné face à face repose.
Je ne garantis point cette métamorphose :

On en doute. — On la croit plus que vous ne pensez,
Dit Climène ; et, cherchant dans les siècles passés   460
Quelque exemple d'amour et de vertu parfaite,
Tout ceci me fut dit par un sage Interprète.
J'admirai, je plaignis ces Amants malheureux :
On les allait unir ; tout concourait pour eux ;
Ils touchaient au moment ; l'attente en était sûre :   465
Hélas ! il n'en est point de telle en la nature ;
Sur le point de jouir tout s'enfuit de nos mains :
Les Dieux se font un jeu de l'espoir des humains.
— Laissons, reprit Iris, cette triste pensée.
La Fête est vers sa fin, grâce au Ciel, avancée ;   470
Et nous avons passé tout ce temps en récits
Capables d'affliger les moins sombres esprits :
Effaçons, s'il se peut, leur image funeste.
Je prétends de ce jour mieux employer le reste,
Et dire un changement, non de corps, mais de cœur.   475
Le miracle en est grand ; Amour en fut l'auteur :
Il en fait tous les jours de diverse manière ;
Je changerai de style en changeant de matière.

Zoon plaisait aux yeux ; mais ce n'est pas assez :
      Son peu d'esprit, son humeur sombre,   480
      Rendaient ces talents mal placés.
Il fuyait les cités, il ne cherchait que l'ombre,
Vivait parmi les bois, concitoyen des ours.
Et passait sans aimer les plus beaux de ses jours.
Nous avons condamné l'amour, m'allez-vous dire :   485
J'en blâme en nous l'excès ; mais je n'approuve pas
      Qu'insensible aux plus doux appas
      Jamais un homme ne soupire.
Hé quoi ! ce long repos est-il d'un si grand prix ?
Les morts sont donc heureux ? Ce n'est pas mon avis :   490
Je veux des passions ; et si l'état le pire
      Est le néant, je ne sais point
De néant plus complet qu'un cœur froid à ce point.
Zoon n'aimant donc rien, ne s'aimant pas lui-même,
Vit Iole endormie, et le voilà frappé :   495
      Voilà son cœur développé *.
      Amour, par son savoir suprême,

Ne l'eut pas fait amant, qu'il en fit un héros.
Zoon rend grâce au Dieu qui troublait son repos :
Il regarde en tremblant cette jeune merveille.   500
    A la fin Iole s'éveille ;
    Surprise et dans l'étonnement,
    Elle veut fuir, mais son Amant
    L'arrête, et lui tient ce langage :
Rare et charmant objet, pourquoi me fuyez-vous ?   505
Je ne suis plus celui qu'on trouvait si sauvage :
C'est l'effet de vos traits, aussi puissants que doux ;
Ils m'ont l'âme et l'esprit et la raison donnée *.
    Souffrez que, vivant sous vos lois,
J'emploie à vous servir des biens que je vous dois.   510
Iole, à ce discours encor plus étonnée,
Rougit, et sans répondre elle court au hameau,
Et raconte à chacun ce miracle nouveau.
Ses compagnes d'abord s'assemblent autour d'elle :
Zoon suit en triomphe, et chacun applaudit.   515
Je ne vous dirai point, mes sœurs, tout ce qu'il fit,
    Ni ses soins pour plaire à la belle :
Leur hymen se conclut. Un Satrape voisin,
    Le propre jour de cette fête,
    Enlève à Zoon sa conquête :   520
On ne soupçonnait point qu'il eût un tel dessein.
Zoon accourt au bruit, recouvre ce cher gage,
Poursuit le ravisseur, et le joint et l'engage
    En un combat de main à main.
Iole en est le prix aussi bien que le juge.   525
Le Satrape, vaincu, trouve encor du refuge
    En la bonté de son rival.
Hélas ! cette bonté lui devint inutile ;
Il mourut du regret de cet hymen fatal :
Aux plus infortunés la tombe sert d'asile.   530
Il prit pour héritière, en finissant ses jours,
Iole, qui mouilla de pleurs son mausolée.
Que sert-il d'être plaint quand l'âme est envolée ?
Ce Satrape eût mieux fait d'oublier ses amours.
La jeune Iris à peine achevait cette histoire ;   535
Et ses sœurs avouaient qu'un chemin à la gloire,
C'est l'amour : on fait tout pour se voir estimé ;

Est-il quelque chemin plus court pour être aimé ?
Quel charme de s'ouïr louer par une bouche
Qui même sans s'ouvrir nous enchante et nous touche 540
Ainsi disaient ces Sœurs. Un orage soudain
Jette un secret remords dans leur profane sein.
Bacchus entre, et sa cour, confus et long cortège :
Où sont, dit-il, ces Sœurs à la main sacrilège ?
Que Pallas les défende, et vienne en leur faveur   545
Opposer son Ægide * à ma juste fureur :
Rien ne m'empêchera de punir leur offense.
Voyez : et qu'on se rie après de ma puissance !
Il n'eut pas dit, qu'on vit trois monstres au plancher,
Ailés, noirs et velus, en un coin s'attacher.   550
On cherche les trois Sœurs ; on n'en voit nulle trace :
Leurs métiers sont brisés ; on élève en leur place
Une Chapelle au Dieu, père du vrai Nectar.
Pallas a beau se plaindre, elle a beau prendre part
Au destin de ces Sœurs par elle protégées ;   555
Quand quelque dieu, voyant ses bontés négligées,
Nous fait sentir son ire, un autre n'y peut rien :
L'Olympe s'entretient en paix par ce moyen.
Profitons, s'il se peut, d'un si fameux exemple :
Chommons : c'est faire assez qu'aller de Temple en
                                              [Temple 560
Rendre à chaque immortel les vœux qui lui sont dus :
Les jours donnés aux Dieux ne sont jamais perdus.

FABLE XXIX

LE JUGE ARBITRE, L'HOSPITALIER
ET LE SOLITAIRE

Trois Saints, également jaloux de leur salut,
Portés d'un même esprit, tendaient à même but.
Ils s'y prirent tous trois par des routes diverses :
Tous chemins vont à Rome : ainsi nos Concurrents
Crurent pouvoir choisir des sentiers différents.   5

L'un, touché des soucis, des longueurs, des traverses,
Qu'en apanage on voit aux Procès attachés
S'offrit de les juger sans récompense aucune,
Peu soigneux d'établir ici-bas sa fortune.
Depuis qu'il est des Lois, l'Homme, pour ses péchés, 10
Se condamne à plaider la moitié de sa vie.
La moitié ? les trois quarts, et bien souvent le tout.
Le Conciliateur crut qu'il viendrait à bout
De guérir cette folle et détestable envie.
Le second de nos Saints choisit les Hôpitaux *.   15
Je le loue ; et le soin de soulager ces maux
Est une charité que je préfère aux autres.
Les Malades d'alors, étant tels que les nôtres,
Donnaient de l'exercice au pauvre Hospitalier ;
Chagrins, impatients, et se plaignant sans cesse :   20
    Il a pour tels et tels un soin particulier ;
        Ce sont ses amis ; il nous laisse.
Ces plaintes n'étaient rien au prix de l'embarras
Où se trouva réduit l'appointeur * de débats :
Aucun n'était content ; la sentence arbitrale   25
        A nul des deux ne convenait :
        Jamais le Juge ne tenait
        A leur gré la balance égale.
De semblables discours rebutaient l'Appointeur :
Il court aux Hôpitaux, va voir leur Directeur :   30
Tous deux ne recueillant que plainte et que murmure,
Affligés, et contraints de quitter ces emplois,
Vont confier leur peine au silence des bois.
Là, sous d'âpres rochers, près d'une source pure,
Lieu respecté des vents, ignoré du Soleil,   35
Ils trouvent l'autre Saint, lui demandent conseil.
Il faut, dit leur ami, le prendre de soi-même.
        Qui mieux que vous sait vos besoins ?
Apprendre à se connaître est le premier des soins
Qu'impose à tous mortels la Majesté suprême.   40
Vous êtes-vous connus dans le monde habité ?
L'on ne le peut qu'aux lieux pleins de tranquillité :
Chercher ailleurs ce bien est une erreur extrême.
        Troublez l'eau : vous y voyez-vous ?
Agitez celle-ci. — Comment nous verrions-nous ?   45

     La vase est un épais nuage
Qu'aux effets du cristal nous venons d'opposer.
— Mes Frères, dit le Saint, laissez-la reposer,
     Vous verrez alors votre image.
Pour vous mieux contempler demeurez au désert.   50
     Ainsi parla le Solitaire.
Il fut cru ; l'on suivit ce conseil salutaire.
Ce n'est pas qu'un emploi ne doive être souffert.
Puisqu'on plaide, et qu'on meurt, et qu'on devient
                                    [malade,
Il faut des Médecins, il faut des Avocats.   55
Ces secours, grâce à Dieu, ne nous manqueront pas :
Les honneurs et le gain, tout me le persuade.
Cependant on s'oublie en ces communs besoins.
O vous dont le Public emporte tous les soins,
     Magistrats, Princes et Ministres,   60
Vous que doivent troubler mille accidents sinistres,
Que le malheur abat, que le bonheur corrompt,
Vous ne vous voyez point, vous ne voyez personne.
Si quelque bon moment à ces pensers vous donne,
     Quelque flatteur vous interrompt.   65
Cette leçon sera la fin de ces Ouvrages :
Puisse-t-elle être utile aux siècles à venir !
Je la présente aux Rois, je la propose aux Sages :
     Par où saurais-je mieux finir ?

APPENDICE

**FABLES PARUES DU VIVANT
DE LA FONTAINE,
MAIS NON RECUEILLIES
DANS LE LIVRE DES *FABLES***

LE SOLEIL ET LES GRENOUILLES

Les Filles du limon tiraient du Roi des Astres
  Assistance et protection.
Guerre ni pauvreté, ni semblables désastres
Ne pouvaient approcher de cette Nation.
Elle faisait valoir en cent lieux son empire.   5
Les reines des étangs, Grenouilles veux-je dire,
  Car que coûte-t-il d'appeler
  Les choses par noms honorables * ?
Contre leur bienfaiteur osèrent cabaler,
  Et devinrent insupportables.   10
L'imprudence, l'orgueil, et l'oubli des bienfaits *,
  Enfants de la bonne fortune,
Firent bientôt crier cette troupe importune ;
  On ne pouvait dormir en paix :
  Si l'on eût cru leur murmure,   15
  Elles auraient par leurs cris
  Soulevé grands et petits
  Contre l'œil de la Nature.
Le Soleil, à leur dire, allait tout consumer ;
  Il fallait promptement s'armer,   20
  Et lever des troupes puissantes.
  Aussitôt qu'il faisait un pas,
   Ambassades Croassantes
  Allaient dans tous les Etats.
  A les ouïr, tout le monde,   25
  Toute la machine ronde

Roulait sur les intérêts
De quatre méchants marais.
Cette plainte téméraire
Dure toujours ; et pourtant   30
Grenouilles devraient se taire,
Et ne murmurer pas tant :
Car si le Soleil se pique,
Il le leur fera sentir ;
La République aquatique   35
Pourrait bien s'en repentir.

LE RENARD ET L'ECUREUIL

Il ne se faut jamais moquer des misérables,
Car qui peut s'assurer d'être toujours heureux ?
    Le sage Esope dans ses fables
    Nous en donne un exemple ou deux *.
Je ne les cite point, et certaine chronique   5
    M'en fournit un plus authentique.
Le Renard se moquait un jour de l'Ecureuil
Qu'il voyait assailli d'une forte tempête :
Te voilà, disait-il, prêt d'entrer au cercueil
Et de ta queue en vain tu te couvres la tête.   10
    Plus tu t'es approché du faîte *,
Plus l'orage te trouve en butte à tous ses coups.
Tu cherchais les lieux hauts et voisins de la foudre :
Voilà ce qui t'en prend ; moi qui cherche des trous,
Je ris en attendant que tu sois mis en poudre.   15
    Tandis qu'ainsi le Renard se gabait *,
      Il prenait maint pauvre poulet
        Au gobet * ;
Lorsque l'ire du Ciel à l'Ecureuil pardonne :
      Il n'éclaire plus, ni ne tonne ;   20
    L'orage cesse : et le beau temps venu
      Un Chasseur ayant aperçu
Le train de ce Renard autour de sa tanière :
      Tu paieras, dit-il, mes poulets.
      Aussitôt nombre de bassets   25
      Vous fait déloger le Compère.

L'Ecureuil l'aperçoit qui fuit
Devant la meute qui le suit.
Ce plaisir ne lui dure guère,
Car bientôt il le voit aux portes du trépas.   30
Il le voit ; mais il n'en rit pas,
Instruit par sa propre misère.

LA LIGUE DES RATS

Une Souris craignait un Chat
Qui dès longtemps la guettait au passage.
Que faire en cet état ? Elle, prudente et sage,
Consulte son Voisin : c'était un maître Rat,
    Dont la rateuse * Seigneurie   5
S'était logée en bonne Hôtellerie,
Et qui cent fois s'était vanté, dit-on,
    De ne craindre de Chat ou Chatte
    Ni coup de dent, ni coup de patte.
Dame Souris, lui dit ce fanfaron,   10
    Ma foi, quoi que je fasse,
Seul, je ne puis chasser le Chat qui vous menace ;
Mais assemblant tous les Rats d'alentour,
Je lui pourrai jouer d'un mauvais tour.
La Souris fait une humble révérence ;   15
    Et le Rat court en diligence
A l'Office, qu'on nomme autrement la Dépense,
    Où maints Rats assemblés
Faisaient, aux frais de l'Hôte, une entière bombance.
    Il arrive les sens troublés,   20
    Et les poumons tout essoufflés
Qu'avez-vous donc ? lui dit un de ces Rats. Parlez.
— En deux mots, répond-il, ce qui fait mon voyage,
C'est qu'il faut promptement secourir la Souris,
    Car Raminagrobis   25
    Fait en tous lieux un étrange ravage.

Ce Chat, le plus diable des Chats,
S'il manque de Souris, voudra manger des Rats.
Chacun dit : Il est vrai. Sus, sus, courons aux armes.
Quelques Rates, dit-on, répandirent des larmes.   30
N'importe, rien n'arrête un si noble projet ;
       Chacun se met en équipage ;
Chacun met dans son sac un morceau de fromage,
Chacun promet enfin de risquer le paquet.
       Ils allaient tous comme à la fête,   35
       L'esprit content, le cœur joyeux.
       Cependant le Chat, plus fin qu'eux,
   Tenait déjà la Souris par la tête.
       Ils s'avancèrent à grands pas
       Pour secourir leur bonne Amie.   40
       Mais le Chat, qui n'en démord pas,
Gronde et marche au-devant de la troupe ennemie.
       A ce bruit, nos très prudents Rats,
       Craignant mauvaise destinée,
Font, sans pousser plus loin leur prétendu fracas,   45
       Une retraite fortunée.
       Chaque Rat rentre dans son trou ;
Et si quelqu'un en sort, gare encor le Matou.

NOTES

A Monseigneur le Dauphin.

1. *Dauphin* : Louis, fils de Louis XIV et de Marie-Thérèse, sept ans en 1668.

2. *Anciens* : Socrate.

3. *celui* : Le Président de Périgny, précepteur du Dauphin de 1666 à sa mort, en 1670. Bossuet le remplaça.

4. *Province* : Campagne de Flandre en 1667.

5. *autre* : Campagne de Franche-Comté, début février 1668.

6. *Alexandre* : La fable IV, 12 aide à relire cet éloge.

Préface

1. *Éloquence* : L'avocat Patru (1604-1681), orateur à l'éloquence stricte, qui inséra trois brèves fables en prose dans ses *Lettres à Olinde*, datées de 1659.

2. *brèveté* : Brièveté n'est pas encore généralisé.

3. *lacédémoniennes* : Spartiates, et donc laconiques (VI, 1, v. 14).

4. *livrées* : « Les anciens chevaliers qui paraissaient dans les tournois se faisaient distinguer par les livrées de leurs dames qu'ils portaient » (Fur.).

5. *Platon* : Voir *Phédon*, 60b-61b.

6. *Musique* : Ce qui relève des Muses.

7. *tempérament* : Un moyen terme.

8. *Avienus* : Avianus. De cet auteur, plusieurs recueils présentaient 42 fables composées entre le IIIe et le Ve siècle dans le style de Babrias (Voir VI, 1).

9. *gens* : Corrozet, Haudent, Guéroult, Philibert Hégémon... Marot, Régnier... A lire la fin de la phrase, sans doute des auteurs médiévaux.

10. *récompense* : En compensation.

11. *Térence* : La Fontaine avait adapté *L'Eunuque*.

12. *Quintilien* : *Institution oratoire*, IV, 2, 116.

13. *honorable* : Platon, dans *La République*, critique Homère, mais il ne propose pas son bannissement. Sans nommer Esope, il dit qu'il

faut « veiller sur les auteurs de fables et s'ils en font de bonnes les adopter, de mauvaises les rejeter ». *République*, II, 377, c.

14. *fin* : Voir *Le Renard et le Bouc*, III, 5.

15. *Prométhée* : L'idée vient d'Horace, *Odes*, I, 16, v. 13-16.

16. *petit Monde* : « Notre microcosme, *id est* petit monde, c'est l'homme ». Rabelais *Tiers livre*, 4. Cette idée grecque (Démocrite d'Abdère) a connu, en contexte chrétien, une grande fortune du XIIᵉ siècle à la Renaissance. Le XVIIᵉ siècle la connaît, mais s'en éloigne. La Fontaine est au point de passage d'une *épistémé* à une autre. Chez lui, conviction et humour s'associent sans doute pour fonder philosophiquement les *Fables*.

17. *Plantes* : Sur ce point, Aristote est muet. S'agit-il ici d'Aristote ou d'un Aristote mettant en catégorie et tronquant, l'Aristote qu'évoque *Les Souris et le Chat-Huant* (XI, 9, v. 42), ou Sganarelle, au début de *Dom Juan* ? La Fontaine vise sans doute moins Aristote qu'un certain pédantisme, mortel pour la pensée jouissive et féconde, et contraire au Platon des dialogues divers.

18. *Horace* : *Épître aux Pisons*, v. 149-150.

19. *Planude* : De ce moine byzantin du XIVᵉ siècle, l'historien Méziriac (1632) avait critiqué la *Vie d'Esope*, que proposaient de nombreux recueils ésopiques depuis deux siècles. La Fontaine suivit Planude.

20. *spécieux* : « Qui a belle apparence, surtout en matière de raisonnement » (Fur.)

La vie d'Esope le Phrygien

1. *tradition* : Dix-neuf siècles entre Esope et Planude...

2. *Rome* : En 753 av. J.-C.

3. *accommoder* : Lui fournir.

4. *dînée* : « Dîner : prendre son repas vers le milieu du jour » (Fur.).

5. *livre* : La taxe d'un sou par livre payée.

6. *payer* : Sans rien lui demander.

7. *apparence* : Cela paraissait impossible.

8. *bonne* : Sans préparer quelque bonne vengeance.

9. *pièces* : Tours.

10. *discrétion* : Discernement.

11. *Second* : Second service.

12. *bout* : A la place d'honneur.

13. *pots* : Voir VI, 12, v. 2.

14. *défaite* : Moyen de s'en sortir.

15. *Denys* : Planude en fait un roi de Byzance, mais l'histoire l'ignore.

16. *mains* : Approuver. Plus naïf que La Fontaine, Méziriac croyait en la moralité systématique des maîtres : « C'est chose assurée que ce fut Iadmon qui affranchit Esope, soit qu'il voulût ainsi le récompenser du bon et loyal service qu'il lui avait rendu, soit qu'il eût honte de le tenir plus longtemps pour esclave, le voyant pourvu de toutes les belles qualités qui rendent un homme digne de commander, plutôt que de servir » (*Vie d'Esope*, IV).

17. *Crésus* : Problème : Ce roi serait mort en 546, mais, à lire La

Fontaine, Esope serait né entre 552 et 549 av. J.-C., « vers la cinquante-septième olympiade ».

18. *dénoncer :* « Faire savoir par un acte ou cri public ce qu'on veut faire connaître au peuple, aux étrangers » (Fur.).

19. *faisaient :* Voir III, 13.

20. *soudre :* Résoudre.

21. *hannir :* « L'Académie en écrivant hennir dit qu'il faut prononcer hannir » (Rich.).

22. *cédule :* « Petit morceau de papier où l'on écrit quelque chose pour servir de mémoire » (Fur.).

23. *Rhodopé :* Hérodote (II, 134) nie que la courtisane Rhodopis ait bâti pour Esope la pyramide de Mykérinos, mais il soutient qu'elle aurait été esclave avec lui.

24. *rien :* Le Chameau et les Bâtons flottants, IV, 10.

25. *l'autre :* La Grenouille et le Rat, IV, 11.

26. *Jupiter :* L'Aigle et l'Escarbot, II, 9.

LIVRE I

La Cigale et la Fourmi

Esope, *La Cigale et les Fourmis, la Fourmi et le Hanneton.* Acte capital de La Fontaine : placer cette fable en tête.

v. 10, *subsister :* Voir l'ultime fable du second recueil, v. 27. Quand la Fourmi use d'une occasion pour rire d'un pitoyable autrui, le Chat-Huant organise une domination continue, en tronquant des pieds, comme, dans un autre ordre, les cartésiens qui nient qu'il pense... Faute de la Cigale : « Pour sauver son crédit, il faut cacher sa perte » (XII, 7, v. 17).

v. 14, *l'Oût :* Moisson du mois d'août.

v. 22, *maintenant :* Pas de morale. Pour Esope, *La Cigale et les Fourmis* montre qu'en toute affaire « il faut se garder de la négligence, si l'on veut éviter le chagrin et le danger ». La Fontaine se tait. Au lecteur de tirer « raisonnements et conséquences » (*Préface*, p. 49)... Début d'hypothèse : l'amour-propre, « le plus grand de tous les flatteurs » (La Rochefoucauld), mène peut-être Cigale et Fourmi...

« Maintenant » prépare « Tenait en son bec ».

Le Corbeau et le Renard

Esope, même titre. Phèdre, I, 13.

Retournement : à la Fourmi qui avait peut-être et ne montrait rien, se substitue le Corbeau chanteur qui a et montre. A la Cigale chanteuse qui n'avait rien et finit humiliée, se substitue le Renard qui n'avait rien, mais obtient, par le langage, le fromage. En retournant une mauvaise donne, à la fin, le Renard peut rire comme la Fourmi. Quand on lie ces fables, on lit qu'il n'est pas nécessaire, contrairement à la leçon ésopique, de travailler pour manger. Il suffit de tenir le langage – ce que tient le fabuliste –, et de ne pas chanter à contretemps – ce que La Fontaine, par détours, veut réussir. Affaire de tactique. Cette fable met en péril la morale qu'on aurait tirée de la première. Elle interroge aussi sur les raisons et la possibilité du chant.

v. 6, *beau* : A lire avec « belle voix », « belle taille » à la fable suivante, « charge si belle », et « aussi puissant que beau » en 4 et 5. Isotopie de la beauté attirante, mais dangereuse. « Le beau souvent nous détruit » (VI, 9, v. 22). Renversement en I, 11.

v. 7, *ramage* : Chant d'oiseau, spécialement dans les rameaux.

v. 9, *Phénix* : Oiseau au plumage magnifique, dont les traditions n'évoquent pas le chant, et qui renaît toujours de ses cendres. Sous l'amour-propre se tient le désir – premier pour La Fontaine (I, 1 et I, 15/16) – de ne pas mourir.

La Grenouille qui se veut faire aussi grosse que le Bœuf

Esope, Phèdre (I, 24) et Horace (*Satires*, II, 3, v. 314-320).

Sans flatteur, séduite par un signe de puissance, la Grenouille se flatte et suscite un public (sa sœur). Quand le Corbeau ne faisait qu'ouvrir « un large bec », elle s'enfle, crève, perd tout.

v. 4, *Envieuse* : Observer le passage du besoin (« dépourvue »), au désir gourmand (« alléché »), puis à l'envie. Ensuite, avec la gloire de « sonner sa sonnette », passage du besoin au songe, des choses aux signes, puis au « rien », pourtant tout, comme le montre *Le Loup et le Chien*.

v. 9, *pécore* : Du latin populaire *pecora*, tête de bétail. « Bête, stupide, qui a du mal à concevoir quelque chose » (Fur.). Au XVIIe siècle, « chétif » a le sens moderne de maigre, faible, mais il garde celui de vil (*captivus*).

Les deux Mulets

Phèdre, même titre.

Deux Mulets, dont l'un finit percé, suivent deux Grenouilles, dont l'une finit crevée. L'amour-propre, qui fait arborer des signes de domination et approcher certains dominants, tue deux fois.

v. 3, *charge* : Poids et emploi acheté.

Le Loup et le Chien

Esope, *L'Ane sauvage et l'Ane domestique*, *Le Loup et le Chien*, mais surtout Phèdre, III, 7.

Le Mulet, glorieux de « sa charge » finit « malade ». Le Loup, lucide, refuse d'être lié à un dominant. Il est donc possible, pour qui le veut et accepte de n'avoir « que les os et la peau », de ne pas finir tenu, maintenu.

v. 3, *puissant* : « Vigoureux, fort gras » (Fur.). Le sens moderne (capable de dominer) est présent.

v. 4, *poli* : Double fascination du Loup : le lustre du poil et l'air presque urbain du chien.

v. 17, *Cancres* : Miséreux.

v. 17, *haires* : Ceux qui portent la haire. Misérables.

v. 19, *lippée* : « Vieux mot qui ne se dit pas seul, et qui n'entre que dans le burlesque ; il signifie bouchée, repas » (Rich.).

v. 24, *Portants, mendiants* : En 1679, l'Académie rendra invariable le participe présent.

v. 27, *reliefs* : Voir I, 9, v. 4.

v. 39, *sorte :* Voir IV, 13, v. 24-25, mais voir aussi XII, I, v. 102 et XII, 4, v. 2.

La Génisse, la Chèvre et la Brebis, en société avec le Lion.
Phèdre, I, 5.
« Société » est capital. Le Loup, solitaire et autonome, refusait d'être lié à un maître. Des faibles font ici société avec un puissant dangereux. Or, l'addition des faiblesses ne sauve pas de la force. Face aux tyrans, la prudence, c'est, d'abord, l'écart.

v. 2, *voisinage :* Voir I, 1, v. 8.
v. 15, *fort :* Voir I, 10, v. 1.

La Besace
Avianus, *La Guenon et Jupiter.* Esope, *Les deux Besaces.*
Renversement. Loin d'être Lion, Jupiter – lumière et père – réunit ses créatures pour les améliorer selon leur désir. L'amour-propre les aveuglant, elles refusent. Un maître n'est donc pas toujours un « ennemi » (VI, 8, v. 15), mais comment peut-il aider ses dominés ? Et comment devenir maître pour aider ? Problème d'éducateur et d'Hirondelle (Voir I, 8) que résout le fabuliste (I, 11, 12).

v. 4, *peur :* Garantie à opposer au discours du Lion précédent.
v. 6, *cause :* Le Singe, censé très laid, doit avoir maints sujets de plainte.
v. 11, *portrait :* Voir *L'Homme et son image.* Comment créer une image qui force à se voir ?
v. 32, *Besaciers :* Absent des dictionnaires du XVIIᵉ siècle, ce mot apparaît en 1762 dans celui de l'Académie.

L'Hirondelle et les petits Oiseaux
Non Esope, mais la *Mythologica aesopica Neveleti,* 1660, p. 500.
Bien qu'elle ait « beaucoup retenu », l'Hirondelle ne peut éviter aux Oisillons d'être « esclaves retenus ». Est-il impossible d'éduquer autrui ? Et si l'Hirondelle avait conté une fable (cf. VIII, 4) ?

v. 25, *chènevière :* Champ de chanvre.
v. 32, *canton :* Coin de pays.
v. 42, *reginglettes :* Piège employé autour de Château-Thierry.
v. 53, *Cassandre :* Cassandre, sans être écoutée, annonce des catastrophes aux Troyens.
v. 55, *prit :* Adaptation probable de « mal leur en prit ».

Le Rat de ville et le Rat des champs
Horace, *Satires* (II, 6, v. 79-117).
Après une double image des difficultés d'éduquer, retour aux tactiques des faibles face aux puissants dangereux, et donc à l'écart (voir I, 5). Ici, le « bruit » tient le rôle du « rien » qui avertit.

v. 25, *interrompre :* Dans *Psyché,* les quatre amis se réunissent à Versailles « parce qu'on ne les viendrait point interrompre » (p. 127). Principe d'une nécessaire continuité du plaisir, comme un flux. Comme chez Lucrèce, la rupture implique le trouble (v. 11), ou la mort (I, 22, v. 21).

Le Loup et L'agneau
    Esope et Phèdre (I,1).
    Double renvoi aux fables 9 et 6. Le pays des champs, malgré la
pastorale, n'est pas sans trouble. Le bruit, devenu Loup, y survient.
L'Agneau subit alors pire malheur que la Génisse, la Chèvre et la
Brebis. Quant au Loup, à la différence du Lion, il veut que sa
victime avoue qu'il a raison de lui nuire. L'Agneau en répondant
— ce qui pourrait faire le jeu du Loup — sait refuser. Défense
inutile puisqu'il meurt. Défense admirable, comme celle de Fouquet (voir *O.D.*, p. 532), puisqu'elle empêche le Loup de jouir de sa
bonne conscience et l'oblige à se cacher — donc à se révéler — « au
fond des forêts ».

    v. 13, *vas :* Archaïsme en 1668.

L'Homme et son image
    Récit de La Fontaine.
    Au centre du livre, La Rochefoucauld, l'Homme, l'image. Après
l'onde pure, le canal. Après le Loup, le « livre des Maximes » qui,
mieux que Jupiter (I, 7), contraint l'Homme. Par inclusion, voisinage et différence, cette louange des *Maximes* suggère comment La
Fontaine veut employer les fables qui ne sont pas que beauté (la
gaieté, les grâces...), et qui obligent à se voir, mais aussi à voir
l'univers. Logiquement, la fable suivante montre comment une
fable montre.

    v. 7, *Dames :* Périphrase précieuse.
    v. 10, *femmes :* « Il lui présente aux yeux un miroir qu'elle porte
pendu à sa ceinture » (Corneille, *La Place royale*, II, 2).
    v. 13, *aventure :* Même mot et même rime qu'à la fable précé-
dente, avec retournement : Le Loup « cherchait aventure »,
l'Homme refuse l'aventure. L'Homme, ici, est la proie.

Le Dragon à plusieurs têtes, et le Dragon à plusieurs queues
    Louis Garon, *Le Chasse-ennui, ou l'Honnête Entretien des bonnes
compagnies, divisé en cinq centuries,* 2ᵉ centurie, LV, 1628.
    Comparaison d'efficacité entre deux dominants politiques réels.
Le Chiaoux soutient son dire par une fable. L'Allemand, finalement
se tait. Cette fable et la suivante sont liées par l'état du centre de
l'Europe : les Turcs menacent gravement l'Empire (bataille du
Saint-Gothard (1664) où était un contingent français).

    v. 8, *Chiaoux :* « Officier de la Porte du grand Seigneur, qui fait
office d'huissier. Le grand Seigneur a coutume d'en envoyer
quelqu'un de ce rang pour envoyer en ambassade vers les autres
princes » (Fur.).

Les Voleurs et l'Ane
    Esope, *Le Lion, l'Ours et le Renard,* mais surtout Haudent (*D'un
Mulet et de deux Viateurs*) et Corrozet (*De deux Compagnons et d'un
Ane*).
    La fable précédente peut laisser croire que les parties se jouent à
deux et qu'un acteur peut être absolument le plus fort. Or, dans le

monde, les parties sont ouvertes, à trois, à quatre... Un nouveau venu, momentanément plus fort, peut surgir, et prendre. De plus, qui aurait cru La Fontaine partisan du Turc, lit ici que ce dernier est voleur. Le bon maître, s'il existe, n'est pas le grand Seigneur.

v. 9, *Transylvain* : On se bat en Transylvanie où les Turcs ont poussé à l'élection d'un prince.

v. 13, *quart* : un quatrième.

Simonide préservé par les Dieux

Phèdre, IV, 24. Quintilien, *Institution oratoire*, livre XI, II, 11-17. Les plus puissants ce sont les Dieux, mais, sur terre, compte la puissance d'une maîtresse et d'un Roi, gens qu'on doit donc louer. Cependant, plutôt que de louer les Grands par crainte, il serait bon d'établir avec eux une relation d'échange égal. S'ils admettaient la valeur de leurs laudateurs (les poètes), ceux-ci loueraient sincèrement la leur. Reviendrait le temps où, sans cruelle relation de pouvoir, le Parnasse et l'Olympe étaient « frères et bons amis ». En poursuivant sa méditation sur la puissance, par sa défense du Parnasse, La Fontaine critique la politique culturelle louisquatorzienne, et par là, sa domination, qui n'est pas d'un Dieu préservateur.

v. 3, *Malherbe* : Malherbe, que La Fontaine vénère (III, 1), n'a rien écrit de tel.

v. 8, *Simonide* : Poète lyrique grec (518-468).

v. 23, *talent* : Monnaie de grande valeur.

v. 34, *gré* : Récompense.

v. 61, *texte* : Voir les six premiers vers.

v. 63, *Melpomène* : Muse de la tragédie, mais ici, comme souvent, de la poésie en général.

La Mort et le Malheureux, La Mort et le Bûcheron.

Pour la première fable, Sénèque (*Lettres à Lucilius*, CI), et Montaigne (*Essais*, II, XXXVII) ; pour la seconde, Esope, *Le Vieillard et la Mort.*

Deux hommes préservés par eux-mêmes, finalement : on pourrait bien « manquer » en louant la Mort, puisque, même malheureux, on redoute cette puissance absolue ici-bas. Pour l'homme, mieux vaut l'écarter.

En l'écartant toujours, cependant, il risque de tout subir. La crainte de la Mort est la ressource des négateurs, comme le fisc, les soldats, ou les grands, ou même la femme (cf. I, 17) et les enfants, tant de dominants qu'évoquent *La Mort et le Bûcheron* et le livre depuis la Fourmi. La « devise des hommes » maintient sous leur prise. Refusant de mourir, le Loup (I, 5) courrait-il « encor » ?

Prose entre les deux fables :

générale : Indication énigmatique, comme pour pousser aux raisonnements, selon un procédé employé à la fin du premier livre des *Contes*, et, de nouveau, pour présenter *Le Songe de Vaux* (*O.D.*, p. 78). En soulignant la différence d'origine, l'opposition général/particulier et la valeur d'Esope, La Fontaine montre la diversité de son dessein et ses préférences. De plus, en taisant la différence de sens entre ses fables, obliquement il invite peut-être à la lire : la seconde fable, politique, montre les implications désespérantes de la « devise des hommes ».

quelqu'un : Peut-être Patru (Cf. début de la *Préface*), qui avait traduit *Le Vieillard et la Mort* dans ses *Lettres à Olinde*.

traits : Voir *La Mort et le Bûcheron*, v. 15-16.

La Mort et le Bûcheron

v. 8 : *machine ronde* : Expression burlesque pour la terre.

v. 10, *soldats* : Au XVIIᵉ siècle, les armées, qui voyagent, vivent souvent de rapines. L'autorité loge des soldats chez l'habitant pour briser les révoltes.

L'Homme entre deux âges et ses deux Maîtresses

Esope, *Le Grison et ses Maîtresses*, Phèdre, *L'Homme aux deux Amies*.

Quand on est à l'aise et libre, mieux vaut ne pas s'embarrasser de maîtres négateurs, qui peuvent être des maîtresses, assez redoutables pour empêcher de vivre « à sa façon » ! Les éviter suppose d'acquérir — peut-être par expérience — un savoir.

v. 1, *moyen âge* : *Aetatis mediae quemdam*, début de la fable de Phèdre.

v. 9, *adresser* : Bien choisir. Pareil vers concerne aussi les deux fables précédentes, histoires d'appels mal adressés.

v. 16, *testonnant* : « Peigner les cheveux, les friser, les accommoder avec soin... il vieillit » (Académie). Le vers suivant semble indiquer que l'opacité du mot pouvait suggérer testons (monnaie), voire tétons...

Le Renard et la Cigogne

Plutarque, *Propos de table* (I, 1), et Phèdre (I, 26).

« L'homme de moyen âge » a acquis le savoir nécessaire pour discerner, être prudent, et éviter ainsi d'être pris. Par vanité et appétit, le Renard ignore ce que peut faire la Cigogne. Manque de savoir, de discernement et donc de prudence : il finit « honteux ».

v. 4, *galand* : Ce galand offrant « régal » est un rusé compère (cf. I, 14, v. 24). Le sens amoureux du mot (qui recherche les aventures avec des « poules »...) n'est sans doute pas absent (voir aussi II, 2, v. 10).

v. 4, *besogne* : Mot vieilli au XVIIᵉ au sens de chose nécessaire.

v. 5, *brouet* : « Se dit aussi d'un méchant potage » (Fur.). Richelet donne ce mot pour vieillot et provincial.

v. 25, *Honteux* : Pour l'inversion de la position du Renard, voir I, 2, v. 17-18.

L'Enfant et le Maître d'école

Au XVIIᵉ siècle, apparemment, *L'Enfant au bain* d'Esope, était inconnu. La Fontaine a pu s'inspirer, en transposant, de saint Augustin « Lettre CLXVII à saint Jérôme), de Rabelais (*Gargantua*, I, 42), d'une fable de Lockman...

Pour discerner et être prudent suffit-il d'avoir du savoir ? Le Maître d'école, parce qu'il veut l'étaler, emploie mal le sien. D'une fable à l'autre, on lit que la vanité nuit souvent et que le discernement, employant dans l'occasion un savoir précis du monde, est nécessaire au « trompeur » comme au sauveur savant.

v. 12, *babouin* : Un garnement qui babille. Ici, celui qui traite autrui de « babouin » est justement le « babillard »...

v. 20, *censeur* : Critique malveillant, mais aussi détenteur d'un droit de censure.

v. 20, *pédant* : Péjorativement, maître d'école. Voir IX, 5.

Le Coq et la Perle

Phèdre, III, 12. La Fontaine a inventé le second récit quand Phèdre concluait : *Hoc illis narro, qui me non intelligunt.*

A cause du Pédant, faut-il condamner le savoir acquis sans expérience ? Le Coq et l'ignorant, qui n'usent pas au mieux de ce qu'ils ont trouvé, témoignent du contraire. Oblique défense de l'utilité de lire, singulièrement les *Fables*.

v. 1, *détourna* : Mettre à part, dérober.

Les Frelons et les Mouches à miel

Phèdre, III, 13.

« Une Abeille fort prudente » (absente chez Phèdre), parce qu'elle connaît son espèce et les Frelons, et qu'elle accepte, sans vanité, de leur être un moment comparée, invente une tactique pour que la Guêpe discerne à qui le miel doit être adjugé. La prudence, parfois inventive, sauvegarde ceux qui risquent d'être grugés. Des juges défendant les victimes potentielles facilitent son action, mais ils manquent chez nous.

v. 4, *s'opposant* : « Langage juridique : Formant opposition ».

v. 5, *traduisit* : On renvoya la cause avec intention de retarder l'arrêt.

v. 9, *tannée* : « Roux fort brun » (Fur.).

v. 11, *enseignes* : Marques distinctives.

v. 22, *l'Ours* : Image de Rabelais (*Tiers livre*, XLII) pour les retards de justice.

v. 23, *interlocutoires* : Contredits : « Ecritures par lesquelles on contredit les pièces produites par la partie adverse » (Rich.). « Interlocutoires : terme de Palais, sentence ou arrêt qui, ne jugeant pas une affaire au fond, ordonne qu'on prouvera quelque incident par titres ou par témoins » (Fur.).

v. 38, *plaideurs* : La Fontaine en fera *L'Huître et les Plaideurs*.

Le Chêne et le Roseau

Esope, *Le Roseau et l'Olivier*.

Sur la « machine ronde », entre ciel et « empire des morts », comme existent et courent des puissances « redoutables » (l'enfant du « Nord » plus terrible que la « bise ») et comme on peut douter que les juges ou les puissances intermédiaires défendent par « bon naturel » les faibles, ceux-ci doivent être prudents, et donc avoir un savoir précis du monde et d'eux, discerner, et, sans vanité nourrie d'amour-propre, en gardant leurs distances avec qui peut les maintenir, inventer comment s'adapter à ce qui accourt. Si la mort reste sûre, mieux que les puissants d'apparence (le Chêne, ou Fouquet), ils ont chance de survivre aux « coups ».

On n'en finit pas de lire ce qui mène cette fable au bout du premier livre où l'on croit pouvoir suivre, parmi tant de plis, ce discours de La Fontaine : « Je pourrais être Cigale, mais connaissant la Fourmi, la bise, et moi, je suis plutôt Roseau. Cigale, on devient la proie niée de tout maître possible, même infime. Roseau, on s'adapte au monde, sans vanité, et on évite ainsi d'être pris, même par qui est ou semble être absolument puissant. Sans vouloir nier personne, en bon maître qui cherche à sauver, en me souvenant des échecs de Jupiter et de l'Hirondelle, j'enseigne souplement, en roseau, voire par le roseau, à être roseau : mon texte plie, mais ne rompt pas. Ainsi font et se font les fables. »

v. 3, *Roitelet :* Très petit oiseau et, originellement, très petit roi.

v. 10, *Zéphyr :* Si l'Aquilon est le vent violent du Nord, le Zéphyr est le vent d'ouest doux, et il désigne poétiquement la brise printannière.

v. 12, *voisinage :* Isotopie à suivre depuis 1, v. 8 et 6, v. 2.

v. 32, *Morts :* Virgile, *Énéide* (IV, v. 445-446). Chez Virgile, le Chêne ne tombe pas. Ces vers définissent l'espace où se déploiera l'« ample comédie » : le monde entre le Ciel (puissance absolue et intentions incertaines quoique probablement bonnes), et l'Empire des Morts, absolument redoutable, mais avec qui on doit — et on peut — vivre.

LIVRE II

Contre ceux qui ont le goût difficile

Phèdre (IV, 7). Aux Argonautes, qu'évoquait le premier récit de Phèdre, La Fontaine substitue l'entrée des Grecs dans Troie, et il ajoute un second récit, issu de la pastorale, qui rappelle un passage de *L'Astrée* (partie V, livre IX). En ce début de livre, après avoir placé la scène des *Fables* entre le « Ciel » et « l'Empire des morts », il situe leur style entre épopée et pastorale, non comme une moyenne, mais comme un ensemble divers de déplacements. Simultanément, il propose deux cas de prudence audacieuse, corrigeant ainsi la leçon du Roseau qui pourrait rendre lâche. Plier n'interdit pas d'oser. Témoins les Grecs, Alcippe, et le « dessein très dangereux » du fabuliste, peut-être assez subtil pour accrocher un grelot — son œuvre — « au cou de Rodilard » (II, 2).

v. 1, *Calliope :* Muse de l'épopée, genre majeur.

v. 3, *Esope :* Mensonges, pour fictions (voir v. 6, *Préface* p. 46, *Le Dépositaire infidèle*, IX, 1). Première occurrence, face à la tradition épique, du nom d'Esope dans une fable. Esope, comme oracle et comme interprète, revient en fin de livre.

v. 12, *parlantes :* Voir *Préface*, p. 50.

v. 18, *Troyens :* Les vers 18-31 sont inspirés de l'*Enéide*, II, 13-20,

260-264. Virgile (comme Homère) ne montre pas Ajax et Diomède dans le cheval. Cette altération peut traduire le choix d'insister sur l'impétueuse audace qu'aime La Fontaine (IX, 15, v. 35-39), et que n'avait pas le Roseau.

v. 36, *étranges* : voir I, 12, v. 12. Manifeste souci de composition par livres : les trois fables que cite celle-ci sont du premier livre.

v. 46, *rime* : la rime priant/Amant à cause du *i*. La rime paroles/saules est aussi douteuse.

Conseil tenu par les Rats
Abstemius, *Des Rats voulant mettre une sonnette au Chat.*

v. 1, *Rodilardus* : Nom provenant sans doute de Rabelais (*Quart livre*, LXVII).

v. 2, *déconfiture* : « Déroute générale d'une armée » (Fur.). Mot devenu burlesque.

Le Loup plaidant contre le Renard par-devant le Singe
Phèdre, I, 10.

v. 3, *appelé* : Cité en jugement.

v. 8, *Justice* : Séance d'un parlement en présence du roi.

v. 17, *pervers* : Cette fable juridique prolonge la fable 21 du premier livre, mais, cette fois, devant un juge clairvoyant, les deux plaignants sont également « pervers ». Ensuite, les deux Taureaux sont également redoutables aux Grenouilles. La Chauve-Souris affronte enfin deux puissants qui peuvent également lui nuire. Inutile de se perdre à distinguer le mal du mal.

19. *censurer* : Nouvelle prise de distance face aux censeurs (cf. I, mais surtout II, 1, v. 51). S'ils prétendaient interrompre un récit au nom d'une esthétique, ils voudraient maintenant en interrompre un autre au nom d'une cohérence logique. La Fontaine n'en a cure : les fables et le réel sont étranges, et leur étrangeté les rapproche (Voir aussi I, 12, v. 12).

Les deux Taureaux et une Grenouille
Phèdre, I, 30.

v. 5, *croassant* : Coassant ? Peut-être une confusion de La Fontaine.

La Chauve-Souris et les deux Belettes
Esope, *La Chauve-Souris et les Belettes.*

v. 15, *raison* : A « la raison du plus fort » (I, 10), il paraît donc possible d'échapper.

v. 31, *écharpe* : « On s'en sert souvent pour distinguer les partis » (Fur.), en particulier lors de la Fronde, ou au temps des ligueurs.

L'Oiseau blessé d'une flèche
Esope, *L'Aigle frappé d'une flèche.*

v. 1, *empennée* : Garnie de plumes.

v. 7, *pitié* : Depuis la fable 3, monde sans pitié de pervers, de ruses et, ici, de tragédie. La Fontaine prépare un double retourne-

ment, en montrant la force possible des faibles et, surtout, l'hospitalité, puis la charité, ceci sans illusion car un bienfait détruit parfois
le bienfaiteur (II, 7).

v. 9, *Japet* : Père de Prométhée qui a créé le genre humain.

La Lice et sa Compagne
Phèdre, I, 19.

v. 1, *Lice* : Femelle d'un chien de chasse.

v. 4, *hutte* : Geste d'hospitalité à lire avec celui de l'Escarbot (II,
8).

v. 15, *regrette* : Vers qui peut commenter aussi la fable précédente
et préparer, par renversement, les fables 11 et 12.

L'Aigle et l'Escarbot
Esope, *L'Aigle et l'Escarbot.*

v. 3, *Escarbot* : Espèce de scarabée.

v. 21, *ménage* : Désordre.

v. 31, *Ganymède* : L'aigle de Jupiter emporta Ganymède, futur
échanson des dieux.

Le Lion et le Moucheron
Esope, *Le Cousin et le Lion.*

v. 1, *terre* : « Va-t'en à la malheure, excrément de la terre »
(Malherbe, *Prophétie du Dieu de Seine,* stances contre Concini).

v. 7, *puissant* : Voir I, 5, v. 3.

v. 12, *abord* : Prise de contact avec l'ennemi.

v. 13, *temps* : Choisit le moment favorable.

L'Ane chargé d'éponges et l'Ane chargé de sel
Esope, *L'Ane qui porte du sel.* Esope présentait un âne portant du
sel puis de l'éponge, mais La Fontaine, en suivant Faërne ou Verdizotti, présente deux ânes. Dès lors, il ne conseille pas d'éviter de
s'imiter, mais d'éviter l'imitation systématique d'autrui. Ce conseil,
riche de sens pour son entreprise poétique et pour l'emploi des
fables, crée une tension productive avec la suite : faut-il toujours
agir comme le Rat et la Colombe ?

v. 6, *bouteilles* : Expression proverbiale : prenait son temps.

v. 21, *Epongier* : Mot créé par La Fontaine, comme — semble-t-il
— « nagées » au v. 17.

v. 22, *autrui* : Allusion aux moutons de Panurge. Rabelais, *Quart
livre,* VIII.

v. 25, *d'autant* : Burent autant les uns que les autres, et beaucoup.

v. 26, *raison* : Burent avec elle et autant qu'elle.

Le Lion et le Rat, La Colombe et la Fourmi
Esope, *Le Lion et le Rat reconnaissant, La Fourmi et la Colombe.*
Une illustre épître de Marot *(A son ami Lyons)* traite le premier
sujet.

v. 7, *Roi* : Appliquant la leçon de la fable 10, ce Roi n'agit pas
« de même sorte » que celui de la fable 9 (v. 5).

v. 9, *perdu* : Vers à rapprocher particulièrement des fables 6 et 7.

v. 13, *rets* : Filets. A partir de « Rat », la fable entière joue sur les
r (Rois/Montra, Cru, Forêts, rets... rage).

v. 24, *charité* : La plus grande des vertus théologales. A l'épicurisme,
La Fontaine ajoute cet élément essentiel du christianisme. Distinction
entre les deux récits : le Lion évite de tuer le Rat parce qu'il est
vraiment le Roi qu'il doit être, mais la Colombe sauve activement la
Fourmi par pur souci de la sauver. D'un côté, fondement d'une éthique
souhaitable du rapport vertical dominant/dominé, de l'autre fondement d'une éthique souhaitable du rapport horizontal à autrui. La
proximité des récits interroge : le Roi peut-il être charitable ?

L'Astrologue qui se laisse tomber dans un puits
    Esope, *L'Astronome*, sans doute à travers le pseudo-Babrias et
Faërne.

v. 11, *siens* : Homère ne parle pas de ce Livre, mais les références
antiques abondent.

v. 12, *que* : Qu'est-ce d'autre que...

v. 14, *hasard* : Voir v. 29 de la fable précédente. D'une fable à
l'autre, l'existence du hasard — sottement niée par l'Astrologue
— contribue à justifier la charité qui accroît les chances d'être aidé
dans les occasions imprévisibles. Chez La Fontaine, l'éthique (ici
chrétienne) s'appuie sur la physique (ici d'origine épicurienne).

v. 26, *incapables* : Thématique épicurienne. A rapprocher du v. 8
de la fable suivante.

v. 41, *souffleurs* : « Chercheurs de pierre philosophale » (Fur.).

v. 44, *Spéculateur* : « Celui qui s'attache à la contemplation des
choses relevées et difficiles » (Rich.).

v. 44, *boire* : L'Anier et un grison, parce qu'ils imitaient sottement,
buvaient (II, 10, v. 25). L'Astrologue boit parce qu'une fausse théorie
lui fait oublier le monde. Inversement, parce qu'elle connaît le monde
et autrui, la Colombe qui buvait évite à la Fourmi de boire...

v. 47, *danger* : Au contraire, le Lièvre qui suit, même hors de
danger, a la fièvre.

Le Lièvre et les Grenouilles
    Esope, *Les Lièvres et les Grenouilles*.

v. 16, *guet* : A ce guet inutilement troublant s'oppose l'efficace
« sentinelle » du Coq (II, 15, v. 1).

v. 17, *douteux* : « La crainte le ronge ».

v. 18, *fièvre* : La Fontaine, qui avait esquissé ce vers dans
L'Eunuque (II, 4, v. 646), le réemploiera partiellement en VIII, 11,
v. 30.

v. 32, *vois* : Le Lièvre finit par voir quand l'Astrologue, qu'une
théorie détournait, n'a jamais rien vu.

Le Coq et le Renard
    Non Esope et ses suiveurs, mais une facétie du Pogge, puis Gué-
roult (*Premier livre des Emblèmes*, Lyon 1550, p. 8).

v. 8, *postes* : « Chaque poste est d'une lieue et demie ou de deux lieues » (Fur.).

v. 10, *crainte* : Le Renard prétend rendre inutile la crainte qui rongeait le Lièvre, mais craindre est nécessaire pour survivre. Le Coq, qui ne « bâille pas aux chimères » et ne se gâche pas la vie, fait bien d'être en « sentinelle » car, si le Lion et surtout la Colombe œuvrent vraiment pour la paix, le « baiser d'amour fraternelle » du Renard, apparemment chrétien, demeure dangereux.

v. 12, *feux* : Feux de joie et feux d'artifice.

v. 21, *m'assure* : J'en suis sûr.

v. 28, *haut* : S'enfuit.

Le Corbeau voulant imiter l'Aigle
Esope, *L'Aigle, le Choucas et le Berger*.

v. I, *Jupiter* : Voir 8, v. 14.

v. 4, *faire* : Voir 10, v. 33-34.

v. 15, *fromage* : Voir I, 2.

v. 18, *Polyphème* : Le cyclope Polyphème est hirsute (Ovide, *Métamorphoses*, XIII, XIV).

v. 23, *mesurer* : Cette leçon vaut pour 10 et pour 17 qui forme diptyque avec cette seizième fable. Inflexion : si en 13-14-15, le conseil était de bien mesurer le monde et donc autrui, il s'agit surtout, en 16-17, de bien se mesurer, puis, en 18-19, de bien mesurer le naturel d'autrui, ce qui permet à un certain père de bien tester (20), et à Esope de bien lire.

v. 27, *Moucheron* : Image fréquente, par exemple chez Rabelais (V, 12). Voir aussi *Le Lion et le Moucheron*, v. 34.

Le Paon se plaignant à Junon
Phèdre, III, 18.

v. 1, *Junon* : Le paon est oiseau de Junon, épouse de Jupiter, qui mène autrement les créatures (Voir *La Besace* ou même *Les Grenouilles qui demandent un Roi*).

v. 13, *nué* : « Nuancé ».

v. 14, *panades* : « Qui te pavanes ».

v. 25, *ramage* : Voir I, 2, 7, puis 11.

La Chatte métamorphosée en Femme
Esope, *La Chatte et Aphrodite*. Grande différence : « Une chatte, s'étant éprise d'un beau jeune homme, pria Aphrodite de la métamorphoser en femme » (Traduction Emile Chambry).

v. 16, *hypocondre* : Fou.

v. 17, *amadoue* : Caresser doucement les chats, selon Richelet, et aussi flatter les personnes.

v. 24, *aventure* : Son essai.

v. 29, *amorce* : Cela la tenta toujours.

v. 32, *pli* : Souvenir d'Horace (*Epîtres*, livre I, 2, v. 69-70). Autre souvenir des *Epîtres* aux derniers vers de cette fable (I, 10, v. 24-25).

v. 39, *embâtonnés* : Armés d'un bâton.

Le Lion et l'Ane chassant
Esope, *Le Lion et l'Ane chassant de compagnie.* Phèdre, I, 11.

v. 2, *giboyer* : « Mot qui ne se dit qu'en riant et dans le burlesque. Il veut dire chasser » (Rich.).

v. 5, *affaire* : Voir V, 19. Efficacité du maître, opposé au mari inefficace (II, 18) qui oublie la nature de sa femme.

v. 7, *Stentor* : Dans l'*Iliade*, Grec à la voix très forte.

v. 22, *effrayé* : Grâce à sa connaissance d'autrui, ce Lion évite l'erreur initiale du Lièvre (14) et sait effrayer son gibier qu'une juste connaissance de l'Ane aurait sauvé. S'il faut savoir craindre pour survivre (15), il ne faut pas toujours craindre pour jouir (14) et même pour vivre puisque la crainte mal fondée peut faire prendre.

v. 25. *fanfaron* : Jeu sur fanfare (l'Ane sert presque de fanfare) et fanfaron (vantard).

Testament expliqué par Esope
Phèdre, IV, 5.

v. 1, *Esope* : Des « mensonges d'Esope » amis des vers, le livre conduit à Esope montreur de vérité. Mesurant, comme le père (ou Junon, ou le Lion...), la nature d'autrui, sachant lire, comprenant, comme Ulysse, que parfois les détours valent mieux que les droites, « l'Oracle de la Grèce » débrouille un cas plus embrouillé que celui qu'affronta le Singe (II, 3). Loin d'interrompre en censeur (II, 1-3) au nom d'une règle formelle, ou de vouloir répartir comme les « Avocats » au nom d'une simplification arithmétique, il favorise un mouvement d'échange qui tient compte de la diversité des êtres et satisfait finalement chacun. Modèle possible de bon maître, il n'est pourtant ni le roi (souvent Lion tueur), ni l'Aréopage [souvent aveugle (III, 4)], ni le père (bienveillant chez La Fontaine). Seul, Esope a cependant sa parole et surtout l'apologue pour instruire, comme Malherbe (III, 1)...

v. 4, *Aréopage :* Tribunal d'Athènes fameux pour sa sagesse.

v. 4, *essai :* Exemple.

v. 12, *municipales :* De la ville.

v. 16, *contingente :* La part qui lui revient.

v. 22, *chacune :* Archaïsme du langage du Palais.

v. 28, *consultée :* Consulter : « demander avis à des gens sages et expérimentés » (Fur.).

v. 31, *bonnet :* Ils reconnaissent ne rien comprendre... Parmi d'autres, les avocats portent « un bonnet à quatre cornes » (Rich.).

v. 36, *traité :* Contrat.

v. 37, *volonté :* « Les promesses payables à volonté sont à tous moments exigibles » (Fur.).

v. 41, *maisons de bouteille :* « Petite maison de campagne où l'on est visité souvent de ses amis » (Acad.).

v. 45, *bouche :* Esclaves qui travaillent pour « la goinfrerie ».

v. 59, *estimation :* Chacune prend une part selon son goût en admettant l'estimation faite.

v. 92, *gens :* Voir le choix initial du fabuliste « contre ceux qui ont le goût difficile » et la fin de II, 2. Voir aussi III, 1.

LIVRE III

Le Meunier, son fils et l'Ane

Anecdote dans la *Vie de Monsieur de Malherbe* par Racan (éditée en 1651, mais on n'a d'exemplaire que de 1672). Récit interne chez Faërne, le Pogge, Verdizotti...

Adressée à Maucroix (A.M. D.M.) qui hésita entre mariage et canonicat avant 1647, cette fable paraît ancienne, comme le jugeait Brossette en 1716, même si La Fontaine la remania pour ce livre. Proposant une leçon d'indépendance, elle prolonge les fables encadrant le livre II, et prépare, par renversement, la réflexion sur la solidarité nécessaire entre membres d'un corps politique (III, 2). Montrant surtout un usage des fables pour ouvrir l'esprit d'autrui, elle forme diptyque avec *Les Membres et l'Estomac* où Ménénius use du pouvoir d'une fable pour calmer le peuple en lui montrant « un certain côté » du Sénat seulement : méthode proche des « fourbes » (III, 3)...

v. 3, *moissonner* : Voir Du Lorens (*Satires* XXIII, 1646, p. 181) : « Or ce champ ne se peut moissonner/Que d'autres après nous n'y trouvent à glaner ».

v. 5, *feinte* : Fiction (II, 1, v. 6).

v. 23, *buter* : « Viser à un but » (Fur.).

v. 75, *chanson* : « Adieu, cruelle Jeanne ; /Si vous ne m'aimez pas,/Je monte sur mon âne,/Pour galoper au trépas./Courez, ne bronchez pas,/Nicolas ;/Surtout n'en revenez pas. » Première édition connue : 1703.

v. 80, *bien* : Dans l'État, chacun peut-il agit « à sa tête » ? Problème de la fable suivante. Méthode : La Fontaine salue l'emploi malherbien d'une fable, puis s'en distingue en donnant à penser avec d'autres fables. Il avait ainsi salué La Rochefoucauld (I, 11) pour s'en distinguer (12, puis 13...). Il pose son œuvre en associant fidélité aux « maîtres » et écart.

Les Membres et l'Estomac

Esope, *L'Estomac et les Pieds*, Tite-Live, *Histoire romaine*, II, 32, Rabelais, *Tiers Livre*, III et IV...

v. 1, *devais* : J'aurais dû.

v. 2, *Ouvrage* : L'ensemble des *Fables* (Voir XII, 29, v. 66), ou ce livre. En tout cas, manière polie de souligner une irrévérence et une pensée.

v. 3, *côté* : Il en est donc un autre. La Fontaine s'écarte de Ménénius et fait voir le risque du « pouvoir des fables ». A rapprocher du vers 41.

v. 16, *en* : De la nourriture.

v. 24, *Royale* : La grandeur Royale n'est pas le Roi (voir 4). A un dominant partiellement parasite (le Sénat), Ménénius substitue le modèle louable d'un dominant qui organise et favorise un échange équilibré. L'apologue permet ce truquage. Ainsi, tout en critiquant obliquement son roi, La Fontaine fonde son usage des fables en faisant voir un usage qui ne « fait voir » qu'« un certain côté », qui lui paraît sans doute politiquement nécessaire.

v. 30, *maintient* : Fait vivre.

v. 33, *Ménénius* : Consul en 503 av. J.-C.

Le Loup devenu Berger

Verdizotti : *Le Loup et le Berger*.

Cette fable aide à lire la précédente comme un *Sénat devenu estomac*. « D'un certain côté », Ménénius est un fourbe qui réussit, mais les *Fables* le font voir...

v. 3, *Renard* : Réemploi d'une expression proverbiale : « coudre la peau du renard à celle du lion : user de finesse » (Fur.).

v. 5 : *hoqueton* : Veste de paysan.

v. 16 : *musette* : Voir Cornemuse, v. 7.

Les Grenouilles qui demandent un Roi

Phèdre, I, 2.

v. 14, *Soliveau* : Pièce de bois qu'on pose sur les poutres.

v. 15, *gravité* : Ce roi est lourd et sérieux.

v. 26, *Grue* : Avec « croque », « tue », et « gobe », La Fontaine refait « Grue » et remplace ainsi l'Hydre qu'introduisait Phèdre.

v. 32, *dû* : Vous auriez dû.

v. 37, *pire* : Tout roi n'est pas la « grandeur Royale » que louait la fable 2, mais les sottes Grenouilles peuvent-elles agir à leur tête comme le Meunier ou Racan ? Un fondement du pouvoir cruel n'est-il pas la sottise des faibles ?

Le Renard et le Bouc

Esope, *Le Renard et le Bouc*. Voir *Préface*, p. 48. A rapprocher de *Le Loup et le Renard* (XI, 6).

v. 1, *Capitaine* : Chef d'armée dans la langue classique.

v. 4, *tromperie* : Au contraire du Loup (III, 3, voir v. 3 et 31), fourbe qui échoue, et moins cruellement que la Chatte (III, 6), fourbe qui réussit, mais que dénoncent l'univers et la fable.

v. 7, *en* : De l'eau, voir.

v. 17, *il* : Cela.

v. 31 *fin* : Cela vaut particulièrement pour cette fable et celles qui l'encadrent.

L'Aigle, la Laie et la Chatte

Phèdre, II, 4.

v. 4, *tripotage* : Petites affaires.

v. 8, *possible* : Peut-être.

v. 19, *gésine* : En couche. Mot déjà vieilli en 1668.

v. 40, *adresse* : Si elle n'est pas trahie par la « voix » (III, 3, v. 23).

v. 42, *Pandore* : Tous les maux sortirent de la boîte de Pandore pour punir les hommes d'avoir reçu le feu volé par Prométhée. En montrant une origine des pires malheurs humains, le livre III atteint un point extrême dans sa méditation sur l'illusion (feinte, fable, tromperie, fourberie). Il se retourne alors en faisant voir que certaines choses sont bien ce qu'elles sont (L'Ivrogne est ivrogne, les maux sont des maux, le Loup est loup... Les Loups sont des loups).

L'Ivrogne et sa Femme
Esope, *La Femme et l'Ivrogne*.

v. 15, *luminaire* : « Terme d'Eglise. Torches, cierges et flambeaux qui servent à l'enterrement d'une personne et qu'on met autour du corps ou de sa représentation » (Rich.).

v. 17, *Alecton* : Une des trois Furies.

v. 18, *contrefaisant* : Voir III, 3, v. 24. Nouvel échec de la volonté de tromper, non par insuffisance du trompeur, mais par impossibilité de changer la nature des êtres. Cet ivrogne reste ivrogne malgré sa femme devenue Alecton.

v. 20, *chaudeau* : « Bouillon qu'on porte aux mariés le lendemain de leurs noces » (Fur.).

v. 24, *cellerière* : Religieuse gérant les provisions d'un couvent.

La Goutte et l'Araignée
Une lettre de Pétrarque à Jean Colonna (III, 13). Cette histoire apparaît en divers recueils au XVIᵉ siècle : *Aesopi phrygi vita et fabulae* de Gerber (1535), *Narrationes Aesopicae* de Camerarius (1570)...

v. 1, *l'Enfer* : Voir 7, v. 22. L'Enfer fait passer d'une fable à l'autre. De même, la Goutte, placée entre l'Ivrogne et un glouton (9).

v. 6, *étrètes* : Etroites.

v. 10, *tirez* : Choisissez une bûchette.

v. 11, *Aragne* : Vieux mot pour araignée.

v. 15, *lot* : Comme dans le *Testament expliqué par Esope*, un choix qui convient apparemment au désir se révèle moins bon qu'un choix qui le contredit.

v. 15, *piquet* : S'y établit.

v. 32, *houer* : Travailler la terre à la houe.

Le Loup et la Cigogne
Esope, *Le Loup et le Héron*, Phèdre, I, 8.

v. 1, *gloutonnement* : « Loup » est dans « glouton ». Illusion de la Cigogne : croire que le Loup puisse n'être pas loup (Cf. 3, puis 13) et agir selon cette illusion.

v. 2 : *frairie* : « Régal, et bonne chère qu'on fait avec ses amis » (Rich.).

v. 9, *Opératrice* : Féminin d'opérateur. « Sorte de médecin chimique, qui ordinairement vend, ou fait vendre du baume et d'autres sortes de drogues sur un théâtre dans les places publiques des villages » (Rich.). Médecin populaire, ici efficace, au contraire des Médecins de la fable précédente.

Le Lion abattu par l'Homme
Esope, *L'Homme et le Lion voyageant de compagnie*.

v. 9, *déçus* : Trompés.

v. 10, *feindre* : Voir 1, v. 5. Illusion de l'homme : croire que sa feinte est la chose et donc que le Lion peut ne pas être le Lion terrible.

.

v. 12, *peindre* : Cette rime finale prépare la fable suivante. Quand on ne peut « atteindre », plutôt que de se « plaindre », mieux vaut « feindre », et donc « peindre » pour soi (raisins « trop verts ») un réel qui permet de jouir. Si « feindre » déçoit l'homme, cela le sauve peut-être d'une image exacte qui le ferait se « plaindre ».

Le Renard et les Raisins
Esope, *Le Renard et les Raisins*, Phèdre, IV, 3.

v. 1, *Normand* : Le Gascon fanfaronne (cf. III, 10), le Normand se tire d'affaire souplement. L'un et l'autre, mais diversement, produisent une image feinte du réel.
v. 3, *apparemment* : Visiblement, manifestement. Cf. III, 13, v. 3.
v. 7, *goujat* : « Valet de soldat » (Fur.).

Le Cygne et le Cuisinier
Esope, *Le Cygne pris pour l'Oie*, Faërne, Verdizotti (pour le début et la fin).

v. 1, *ménagerie* : « C'est un lieu rempli de plusieurs sortes de volatiles et de quadrupèdes. » A propos de la Ménagerie de Versailles, *Psyché*, *O.D.*, p. 128.
v. 7, *galeries* : « Galerie, lieu couvert d'une maison, qui est d'ordinaire sur les ailes et où on se promène » (Fur.).
v. 10, *envies* : Voir le Renard précédent et les *Géorgiques* (I, v. 383-387).
v. 17, *chanteur* : « Ce n'est pas, ajouta Lycidas, que tous les cygnes chantent en mourant. Bien que cette tradition soit fort ancienne parmi les poètes »... *Le Songe de Vaux*, *O.D.*, p. 100.
v. 21, *rien* : Pas d'illlusion : Le « doux parler » ne sauve pas toujours (Cf. *La Cigale et la Fourmi*, *Le Milan et le Rossignol*, ou, plus près, mais avec un grand écart, *Les Loups et les Brebis*).

Les Loups et les Brebis
Esope, *Les Loups et les Moutons* (Cf. *Vie d'Esope le Phrygien*).
Après l'espérance, retour à l'ordinaire guerre.

v. 3, *apparemment* : Voir 11, v. 3. Les Brebis oublient qu'elles ne peuvent « atteindre » à ce qui est excellent apparemment. Au lieu d'admettre le réel, quitte à créer une « feinte » pour le tolérer, elles le croient conforme à leur désir.
v. 8, *tremblant* : Voir II, 14, v. 8. Si le Coq (II, 15) refusait tout « baiser d'amour fraternelle » avec le Renard, les Brebis passent accord avec les Loups pour jouir sans peur. Illusion : avec le temps, les « Louvats » (jeunes loups) deviennent « Loups parfaits ».

Le Lion devenu vieux
Phèdre, I, 21.
Voir *Le Loup devenu Berger* : on est ce qu'on est, mais le temps rend autre. Voir *Le Lion abattu par l'Homme* : dans la « feinte » seulement, le Lion est « abattu par l'homme », mais le temps finit par le soumettre vraiment aux « atteintes » de l'Ane. Voir *Les Loups et les Brebis* : si le temps rend les Louvats « Loups parfaits », il fait du Lion la victime de l'Ane.

v. 2, *prouesse* : Bravoure.

Philomèle et Progné
Esope, *Le Rossignol et l'Hirondelle*, Babrias, Ovide, *Métamorphoses* (VI, 412-674), mais aussi Maynard *(Ode à M. de Racan)*, Racan *(La Venue du Printemps)*...
Térée, roi de Thrace, ayant violé Philomèle dans un bois, lui coupa la langue, puis l'enferma. Sa sœur, Progné, la libéra, puis la vengea en régalant Térée, son mari, de son fils Itys. Térée voulut se venger, mais il fut métamorphosé en épervier, Progné en hirondelle, Philomèle en rossignol.

v. 24, *davantage* : Malgré le temps (mille ans), Philomèle ne croit pas que les hommes aient changé. L'exemple heureux de l'autre chanteur (Le Cygne, III, 12) ne la fait pas tomber dans l'illusion des Brebis. « Loin des Villes », elle évite qui peut être « sans foi ».

La Femme noyée
Marie de France (*Ysopets*, XCVI), le Pogge, Faërne, Verdizotti...

v. 4, *joie* : Valorisation des femmes qui condamne le geste de Térée et suggère que Philomèle n'a pas entièrement raison de fuir les hommes.
v. 13, *disgrâce* : Malheur.
v. 33, *par-delà* : Voir *L'Ivrogne et sa Femme* (III, 7). Paradoxe de ce « défaut » : en refusant toujours d'être ce qu'on voudrait qu'il soit, le contradicteur est toujours ce qu'il est.

La Belette entrée dans un grenier.
Esope, *Le Renard au ventre gonflé*, Horace, *Epîtres* (I, 7, v. 29-33).

v. 5, *lie* : « On dit proverbialement *faire chère lie* pour dire faire grande chère » (Fur.).
v. 6, *vie* : Voir *Le Rat de ville et le Rat des champs* (I, 9, v. 7).
v. 9, *maflue* : Les dictionnaires du temps donnent « maflé » : « Qui a le visage plein et large, ou la taille grossière. Les femmes goulues en peu de temps deviennent grossières et maflées » (Fur.).
v. 18, *sortir* : Jeu sur la métamorphose et le temps : la Belette maflue doit rebrousser en arrière et redevenir fluette.
v. 21, *vôtres* : Possible allusion aux financiers que Colbert tenta de pourchasser après l'arrestation de Fouquet.

Le Chat et un vieux Rat
Esope, *Les Chats et les Rats*, Phèdre, IV, 2. La Fontaine mélange les deux fables.

v. 2, *Rodilard* : Cf. II, 2. Face au premier Rodilard, le Conseil des Rats voulait agir, mais échouait car nul ne se dévouait pour sauver les autres. Face au second, le peuple Rat, sans rien tenter, subit toutes les fourberies. Pratiquement, puisque l'action collective lucide et l'audace sont impossibles, il reste à chercher seul sa « sûreté ». (L'ultime fable du livre IV, souligne encore l'intérêt de la méfiance, mais montre une mère mettant son expérience au service de ses enfants.)
v. 2, *Alexandre* : Autre image négative d'Alexandre en IV, 12.

v. 35, *Mitis* : En latin, doux.

v. 36, *affine* : « Se dit figurément en morale des niais qu'on rend plus fins en leur faisant quelque tromperie » (Fur.).

v. 43, *routier* : Vocabulaire militaire (cf., v. 32). « Ce capitaine est un vieux routier » (Fur.).

v. 43, *plus* : Voir Esope (II, 20) et l'indépendance d'esprit enseignée par Malherbe (III, 1). Précision : dans la guerre où vit le monde, pour déjouer les fourbes, cette indépendance doit être fondée sur un savoir d'expérience, celui du « vieux routier ». Question : comment obtenir ce savoir quand on est jeune et sans souffrir ? En lisant les « jeux innocents d'une fable ». Voir IV, 1, vers 5-11.

v. 49, *sac* : Pour ce Rat, Rodilard ne peut devenir autre. C'est un chat fourbe, comme l'Ivrogne est un ivrogne, les Loups des loups, les gens contredisants des gens contredisants...

LIVRE IV

Le Lion amoureux

Esope, *Le Lion amoureux et le Laboureur*

Adresse, *Sévigné* : Fille de l'épistolière qui favorisa les premiers succès de La Fontaine. Connue pour sa froide beauté, en janvier 1669, à vingt-trois ans (très tard), elle épousa François de Grignan.

v. 9, *étrange* : Extraordinaire, voire anormal (cf. VII, 5, v. 34). A opposer aux « Maîtres » de III, 1, ainsi qu'à l'Alouette et aux Maîtres ordonnateurs des dernières fables du livre. Psyché (1669) médite sur cet « étrange maître », et par lui, sur Louis XIV (Voir aussi l'*Epilogue* du premier recueil).

v. 11, *coups* : souhait capital : la fable permet d'éviter de « perdre sa queue à la bataille » (III, 18, v. 44).

v. 14, *souffrir* : Autre avantage de la fable : éviter les « coups » de la vérité. Double leçon lucrétienne : le « *Suave mari magno* » (voir la fable suivante) et la poésie comme miel adoucissant. (*De natura rerum*, II, v. 1, et début de IV).

v. 24, *hure* : « Tête d'un sanglier, d'un ours, d'un loup, et autres bêtes mordantes... Se dit au figuré d'une tête mal peignée, des cheveux rudes, droits, et mal en ordre » (Fur.).

v. 60, *prudence* : Voir III, 18, 50. La prudence, que fonde la méfiance, aide à vivre sûrement, mais l'amour la détruit : cet « étrange maître » fait excéder toute limite, comme l'ambition et la mer.

Le Berger et la Mer

Esope, *Le Berger et la Mer*. Pour le thème de la mer redoutable, voir Lucrèce (II, 1-2), Horace (*Odes*, I, 1, v. 11-14)... L'amour aveugle le Lion, la mer déçoit le Berger. « Et l'amour et la mer ont l'amer pour partage » (Marbeuf, *Recueil des vers*, 1628).

v. 2, *Amphitrite* : Déesse de la mer.

v. 4, *sûre* : Voir II, 18, v. 53 et IV, 1, v. 60.

v. 12, *Tircis* : Bergers virgiliens (*Bucoliques*, VII).

v. 27, *ambition* : Etymologiquement, le fait d'aller à l'entour (*ambire*). La « condition » est ce qui est fondé (*condere*).

La Mouche et la Fourmi
   Phèdre, IV, 25.

   v. 8, *devant* : Avant. Voir v. 24.

   v. 19, *Mouches* : « Mouche : un petit morceau de taffetas ou de velours noirs que les dames mettent sur leur visage par ornement ou pour faire paraître leur teint plus blanc » (Fur.).

   v. 36, *parasites* : Etymologiquement, celui qui mange à côté, comme le Lièvre suivant. Voir aussi VIII, 10, v. 46 et XII, 13, v. 4.

   v. 40, *Mouchards* : Espions.

   v. 50, *travailler* : Le Berger ambitieux croyait s'enrichir par la mer. La glorieuse « fille de l'air » se croyait admirée pour toucher aux puissants. La Fourmi sait que le travail fonde sa sûreté et que le parasite, en l'obligeant au babil, lui fait perdre beaucoup. Question de Jardinier : faut-il toujours chasser tout parasite ?

Le Jardinier et son Seigneur
   Invention de La Fontaine qui s'aide peut-être de Camerarius (*Mala mutata pejoribus*, in *Narrationes Aesopica*, Leipzig, 1570).

   v. 2, *Demi Bourgeois, demi Manant* : Vivant partie en ville, partie aux champs. Pour ce jardinier, les limites sont incertaines. Elles sont ouvertes au Lièvre léger. Soudain, pourtant, il refuse le parasite. Il en appelle au Seigneur qui met son ordre et accroît donc furieusement le désordre.

   v. 10, *Seigneur* : Le noble seul peut chasser.

   v. 11, *goulée* : Grosse bouchée.

   v. 27, *mouchoir* : Elle l'a sur sa gorge (*Le Tartuffe*, III, 2, v. 859).

   v. 31, *cuisine* : Expression de Rabelais (*Gargantua*, XI et *Quart-livre*, X).

   v. 35, *famille* : Tous ceux qui l'accompagnent.

   v. 42, *étonné* : Epouvanté.

   v. 48, *lance* : Mot de chasseur. Faire sortir une bête d'un gîte après l'avoir quêtée (cherchée avec des chiens).

   v. 53, *Prince* : Vieux proverbe : « Ce sont jeux de prince, ils plaisent à ceux qui les font. »

   v. 61, *terres* : Par ambition, gloire, ou refus de toute perte, le Berger, la Mouche, ou le Jardinier font même erreur : ils contactent ce qui dépasse leur mesure. L'Ane, qui se juge mal, s'expose aussi en approchant son maître. Heureux s'il n'avait pu le connaître, que par récit, « lui ni ses coups » (IV, 1) !

L'Ane et le petit Chien
   Esope (même titre).

   v. 4, *galant* : Aux fables 6, 7, 8, 9 et 10, comédies des sots voulant dangereusement passer pour mieux que ce qu'ils sont.

Le Combat des Rats et des Belettes
   Esope (même titre) et Phèdre (IV, 6).

   v. 24, *Méridarpax* : Voleur de morceaux ; Psicarpax, voleur de miettes ; Artapax, voleur de pain. La Fontaine crée Artapax et tire le reste de la *Batrachomyomachie*, épopée parodique antique qui, avec la *Galéomyomachie* (Combat des Belettes et des Chats), accompagnait souvent les recueils ésopiques.

v. 30, *fort* : Au plus vite.

v. 53, *retardement* : Voir *Le Cerf se voyant dans l'eau*, VI, 9.

Le Singe et le Dauphin
Esope (même titre).

v. 10, *Pline* : *Histoire naturelle*, IX, 8.

v. 18, *renomme* : Arion. Il chanta quand des marins le menacèrent et un dauphin, charmé par sa musique, le sauva.

v. 26, *Juge-Maire* : Officier de justice.

v. 36, *Vaugirard* : Au XVIIᵉ siècle, village près de Paris.

L'Homme et l'Idole de Bois
Esope, *L'Homme qui a brisé une statue.*

v. 2, *oreilles* : *Psaumes*, CXX, 6.

v. 3, *Merveilles* : Voir *Le Berger et la Mer*, v. 30.

v. 7, *Idole* : Le genre du mot n'est pas stable au XVIIᵉ siècle.

v. 21, *stupides* : Voir les fables voisines : de même que le Singe n'est pas Homme et que le Geai n'est pas le Paon, l'Idole n'est pas un Dieu.

v. 22, *bâton* : Voir *L'Ane et le petit Chien*, v. 27.

Le Geai paré des plumes du Paon
Esope, *Les Choucas et les Oiseaux*, Phèdre, I, 3.

v. 1, *plumage* : Voir le « plumail » des Rats, 6, v. 37.

v. 3, *panada* : Voir II, 17, v. 14.

v. 6, *joué* : Voir le rire du Dauphin, 7, v. 39.

v. 14, *affaires* : Voir, 12, vers 74.

Le Chameau et les Bâtons flottants
Esope, *Le Chameau vu pour la première fois* et *Les Voyageurs et les Broussailles*.

v. 4, *Dromadaire* : Distinction chameau/dromadaire incertaine au XVIIᵉ siècle.

v. 14, *brûlot* : Embarcation servant à incendier des bateaux ennemis.

v. 19, *rien* : Voir le Singe, l'Idole, le Geai, les Grands de la fable 14, le plaisir de la vengeance qui n'est « rien » (dernier mot de la fable 13), et, immédiatement, les plaisirs touristiques (Fable suivante, v. 14-19).

La Grenouille et le Rat
Inflexion du livre : deux fables longues suivent des brèves montrant d'apparentes grandeurs réduites. La Grenouille profite des désirs que crée la distance pour séduire le Rat, mais un Milan réduit sa victoire à rien. Question : qu'est-ce qui fait dominer ? 11 : le désir aveugle des faibles et la force. 12, l'entente des forts et leur force. 13, la guerre entre faibles et la force. 14, la beauté apparente des grands, pas leur cervelle !

Esope, *Le Rat et la Grenouille*.

v. 1, *engeigner* : Croit piéger. Ce proverbe est dans le *Premier volume de Merlin*.

v. 14, *voyage* : Séductions dangereuses du voyage, voir IX, 2 et X, 2. Danger du voyage, voir la fable suivante.

v. 32, *nouveau* : D'un genre nouveau.

v. 45, *auteur* : Pas toujours : Alexandre refuse d'être au Lion ce que le Milan est à la Grenouille.

Tribut envoyé par les animaux à Alexandre
Gilbert Cognati, *De Jovis Ammonis oraculo, Narrationum sylva*, Bâle, 1568, p. 98.

v. 6, *Alexandre* : Cet Alexandre jette une ombre sur l'éloge de Louis XIV dans la dédicace au Dauphin, p. 42.

v. 12, *bouches* : La Renommée.

v. 15, *lige* : Liée comme vassal à suzerain.

v. 66, *croît* : Augmentation. Ce passage peut être lu avec I, 6 (comme la fable suivante avec I, 5).

v. 68, *sommiers* : « Se dit d'un cheval et d'autres bêtes de somme » (Fur.).

v. 74, *affaires* : Ici, l'alliance des forts écrase les faibles. A la fable suivante, les querelles de ces derniers les asservissent : le Cheval et le Cerf, l'un l'autre s'attaquant, ne font pas leurs affaires... Choix de La Fontaine : ne pas guerroyer contre les « plagiaires » (voir 9, v. 12-14), au risque d'être asservi...

Le Cheval s'étant voulu venger du Cerf
Aristote, *Rhétorique*, livre II, XX, 5. Phèdre, IV, 4.

v. 2, *contentait* : Horace, *Satires*, Livre I, 3, v. 100. Lucrèce, V, v. 937-938.

v. 7, *chaises* : « Voiture pour aller assis et couvert tant à la ville qu'à la campagne » (Fur.).

v. 33, *rien* : Voir 10, v. 19. Voir aussi I, 5, v. 33.

Le Renard et le Buste
Esope, *Le Renard et le Masque*, Phèdre, I, 7.

v. 2, *idolâtre* : Voir *L'Homme et l'Idole de bois*. Ici, l'apparence décevante ne révèle même pas un trésor caché...

v. 11, *cervelle* : Si leur force, leurs promesses (11), leur entente (12), la guerre des faibles (13) et leur beauté (14) font les Seigneurs puissants, ce n'est pas leur esprit.

Le Loup, la Chèvre et le Chevreau, Le Loup, la Mère et l'Enfant
Première partie du diptyque, Anonyme de Nevelet, *Le Chevreau et le Loup*. Seconde partie, Esope, *Le Loup et la Vieille*. Dans l'édition originale, une gravure de Chauveau pour l'ensemble.

Face aux Loups dangereux, mais pauvres en « cervelle », la méfiance paye. Le Biquet se sauve en repérant le faux langage d'un Loup (partie 1). Un autre Loup, pour prendre et vivre, devrait distinguer choses et mots, mais les Loups ressemblent plus aux

Bustes qu'à Socrate qui sait qu'un langage amical peut tromper (partie 2, puis fable 17). Deux limites à la puissance des Loups : la méfiance des proies possibles et leur propre manque de discernement.

v. 6, *die* : A moins qu'on ne vous le dise.

v. 7, *enseigne* : Voir I, 21, n. 4.

v. 7, *guet* : Mot de passe.

v. 10, *fortune* : Par hasard.

v. 16, *papelarde* : Hypocrite, faussement dévote.

v. 18, *coup* : Aussitôt.

v. 22, *rarement* : Voir 17, v. 14.

v. 29, *trop* : Penser à *Rien de trop* (IX, 11).

v. 34, *chape-chute* : Etymologiquement, « attendait l'aubaine d'un manteau tombé » et donc « guettait une occasion ».

v. 37, *Provende* : Nourriture d'un animal de trait ou d'une communauté monastique.

v. 52, *fourches-fières* : Fourche « de fer par un bout à deux ou trois pointes, qui sert à remuer le fumier et à autres usages » (Fur.).

v. 64, *crie* : « Beau(x) sire(s) loup(s), n'écoutez pas mère tançant son fils qui crie. »

Parole de Socrate
  Phèdre, III, 9.

v. 5, *face* : L'avant du bâtiment.

Le Vieillard et ses Enfants
  Esope, *Les Enfants désunis du Laboureur*.

v. 2, *Phrygie* : Esope.

v. 5, *ambition* : Voir Phèdre, *Epilogue* de II, v. 25-26, puis v. 7 : « Je ne veux pas flétrir les personnes, mais montrer la vie et les mœurs humaines. » « Ce n'est pas envie, mais émulation »... Ambition et gloire, ici, peuvent évoquer le début du livre (2, 3). Comme ambition et envie, d'autre part, reviennent au vers 38, cette fable paraît suggérer que La Fontaine, uni avec Esope et Phèdre, gère mieux son héritage que les enfants. Peut-être fit-il les 9 premiers vers en composant le livre IV, après les derniers qui riment uniformément.

v. 36, *rare* : Cette fable confirme Socrate (17, v. 14). Même des frères, avertis par leur père, ne sont pas des « vrais amis ».

v. 42, *reviennent* : « Terme de palais. C'est recommencer un procès » (Rich.).

L'Oracle et l'Impie
  Esope, *Le Fourbe*.

v. 3, *éclairé* : D'abord : immédiatement. « Eclairer signifie aussi épier, contrôler secrètement » (Fur.).

v. 8, *inventaire* : Selon les *Mémoires* de l'Estoile, Jodelle était « sans aucune crainte de Dieu, qu'il ne croyait que par bénéfice d'inventaire ».

v. 20, *même* : Voir *L'Œil du maître*. Si le dominant redoutable peut n'être que théâtre (14), il peut être aussi puissance forte, parce qu'il sait voir, quand l'Avare s'interdit de voir ce qu'il croit contrôler (20). Le bris aisé d'un idole (8) ne prouve pas l'impuissance des Dieux.

L'Avare qui a perdu son trésor
Esope, *L'Avare*.

v. 5, *là-bas* : Chez les morts.

v. 13, *déduit* : Plaisir.

v. 15, *chevance* : « Vieux mot et hors d'usage qui signifiait autrefois le bien d'une personne » (Fur.).

v. 28, *loin* : Voir 19, v. 20 Ne voyant plus ce qu'il a mis loin, l'Avare est sans pouvoir dessus. Entre *L'Oracle et l'Impie* et *L'Œil du maître*, l'ajout au titre d'Esope prend ainsi sens.

L'Œil du maître
Phèdre, II, 8, *Le Cerf et les Bœufs*.

v. 2, *d'abord* : Aussitôt.

v. 21, *venue* : A la fable suivante aussi, le Maître seul agit. Le Maître gère bien son pouvoir quand il agit directement, en voyant.

v. 34, *larmes* : Le cerf aux abois pleurerait.

v. 36, *s'éjouit* : Mot absent des dictionnaires du temps.

L'Alouette et ses petits avec le maître d'un champ
Aulu-Gelle, *Nuits attiques*, II, 29.

v. 1, *seul* : Ne compte que sur toi.

v. 7, *monde* : Vient de l'invocation à Vénus au début du *De natura rerum*.

v. 17, *nitée* : Nichée.

v. 21, *enfants* : Image du bon dominant, ayant l'expérience du vieux Rat (II, 18), mais servant autrui. Cette Mère répond au Père du *Lion amoureux*, à la Mère et au Vieillard de 16 et 18, et au père de cette fable (v. 57-62). A l'amour qui rend imprudent (1), le livre oppose l'amour parental. A l'« étrange maître » destructeur, il oppose les maîtres protecteurs dont l'aide efficace à leurs dominés justifie le pouvoir. Tension avec le premier vers de la fable : les petits doivent « s'attendre » à leur mère, mais La Fontaine lui-même, simultanément maître et disciple, suit la « règle » (V, 1, v. 1) fixée par M.L.C.D.B...

v. 29, *amis* : Voir 17, v. 12-14, et, par là, le thème de la réduction de l'apparente grandeur.

v. 46, *servir* : Rendre service.

LIVRE V

Le Bûcheron et Mercure
Esope, *Le Bûcheron et Hermès*. Rabelais, *Quart-livre, Prologue de l'auteur*.

M.L.C.D.B. : Peut-être le comte de Brienne qui prépara pour

1670 le *Recueil de poésies chrétiennes et diverses* où figuraient seize fables, dont celle qui finit — justement — le livre IV.

v. 3, *curieux :* Une attention trop méticuleuse.

v. 4, *ambitieux :* Horace (*Epître aux Pisons,* v. 447-448). Voir IV, 18, v. 4-6. Voir, ici, vers 19 et 66-69. Voir encore V, 21.

v. 9, *but :* Instruire.

v. 16, *Hercule :* Question lafontainienne : comment instruire sans avoir la force ?

v. 26, *Fourmi :* Fables citées : I 3 et 10, IV 3. Même procédé qu'en II, 1, v. 10-11. Même effet d'unité pour le recueil.

v. 57, *Boquillons :* Vieux mot pour bûcheron.

v. 66, *sien :* Refus de l'ambition, donc du voyage et de l'association avec plus fort que soi : le Pot de terre oublie cette leçon. Le Pêcheur, en revanche, sait être « content du sien ». Les fables 2 et 3, par rapport à ce conseil, forment diptyque.

v. 67, *sûr :* Capital pour ce livre jusqu'aux Compagnons et à l'Ane. Au monde comme au jeu, le plus sûr n'est pas l'assuré. Il s'agit d'optimiser les chances, mais sans croire à une garantie (Cf. 17 et 18).

v. 69, *Jupiter :* Double statut du Dieu : personnage parmi d'autres (v. 30) et spectateur-maître à l'œil absolu (cf. IV, 19 et 21). Simultanéité au vers 41.

Le Pot de terre et le Pot de fer

Esope, *Les Pots.* L'*Ecclésiastique,* XIII, 2-3 : « N'entrez point en société avec un plus riche que vous. Car quelle union peut-il y avoir entre un pot de terre et un pot de fer ? » (Traduction Le Maître de Sacy.)

v. 4, *sage :* Sagement.

v. 8, *débris :* Destruction.

v. 16, *d'aventure :* Par hasard (Voir I, 22, v. 4).

v. 29, *égaux :* On a suivi cette idée de I, 6 à IV, 12.

Le petit Poisson et le Pêcheur

Esope, *Le Pêcheur et le Picarel.*

v. 5, *il :* Cela.

v. 10, *le :* E atone final normalement élidé au XVIIᵉ siècle devant une voyelle.

v. 16, *Partisan :* Financier recouvrant les impôts.

v. 24, *tien :* Forme vieillie de l'impératif « tiens ».

v. 25, *sûr :* Voir 1, v. 67. « Content du sien », le Pêcheur ne veut pas perdre en distinguant : Carpe et Carpillon, également « butin », sont pour lui « en même catégorie » (18, v. 10-11)... Problème du Lièvre en 4 : comment ne pas être confondu par qui veut prendre ? Eviter d'abord d'être pris comme le petit Poisson.

Les Oreilles du Lièvre

Faërne, *Le Renard et le Singe.* Chez Faërne, le Renard fuit le pays du Lion qui exile les animaux sans queue. Le Singe a beau lui dire qu'il en a une, il part... La Fontaine (plus puissant que le Lion, mais pour instruire et plaire), supprime la queue, ajoute les oreilles, fait du Renard un Lièvre, du Singe un Grillon... D'une fable à l'autre, s'il n'y avait altération des sources, deux Renards se suivraient avec questions de queue : disgrâce ! Or, leur cas, différents, sont liés. Ils sont divers : dangereux d'être mis « en même catégorie » par un Lion, utile de l'être par la foule... Danger d'être confondu. Avantage d'être confondu. Plaisir de lire.

v. 17, *cruche* : Le Pot de terre est proche.

v. 19, *cornes* : Voir 3, 5 et, surtout 18, v. 10-11.

v. 21, *dire* : Voir 3, v. 22.

Le Renard ayant la queue coupée
Esope, *Le Renard écourté.*

v. 11, *fangeux* : Origine probable : *Le Singe et le Renard,* fable anonyme au sujet tout autre que la source de la fable précédente.

La Vieille et les deux Servantes
Esope, *La Femme et ses Servantes.* Corrozet (fable 66) au moins pour le dernier vers.

v. 2, *filandières* : Les Parques.

v. 3, *brouiller* : « Mettre les choses en désordre » (Fur.).

v. 6, *Thétis* : Thétys, déesse de la mer, et non Thétis, mère d'Achille. Orthographe habituelle de La Fontaine.

v. 6, *crins* : Cheveux. Archaïsme pour cette épithète homérique.

v. 7, *Tourets* : Rouets ? Partie de Rouets ? Dévidoirs comme on en voit sur la gravure de Chauveau dans l'édition originale ?

v. 8, *en* : Du travail.

v. 20, *grippée* : « Prendre avec rapacité comme avec une griffe ou une main crochue » (Fur.).

v. 22, *marché* : Situation. Renversements : Le Pêcheur (V, 3) préférait l'actuel au virtuel. Les Chambrières, qui confondent le Coq avec la cause réelle de leurs maux (Cf. 4), préfèrent le virtuel à l'actuel. Ce n'est pas « le plus sûr » (1, v. 67).

v. 28, *avant* : Penser au Renard précédent.

Le Satyre et le Passant
Esope, *L'Homme et le Satyre.*

v. 7, *housse* : « Couverture de tapisserie, de drap, de serge ou d'étoffe de soie qu'on met sur des chaises garnies et rembourrées » (Rich.).

v. 11, *brouet* : Voir I, 18, v. 5.

v. 14, *semondre* : Avertir.

v. 28, *froid* : Pour éviter toute « mauvaise affaire », « le plus sûr » est d'éloigner les ambigus qui prêtent à confusion. Renversement partiel dans *Le Cheval et le Loup.*

Le Cheval et le Loup
Esope, *L'Ane faisant semblant de boiter et le Loup.*

v. 8, *l'aurait* : Pour qui l'aurait...

v. 9, *hoc* : « Mot burlesque pour dire qui est sûr, qui est assuré » (Rich.).

v. 14, *Simples* : Plantes médicinales.

v. 23, *apostume* : Tumeur.

v. 32, *mandibules* : « Terme populaire qui signifie la mâchoire » (Fur.). Le Satyre, préventivement, chassait un passant peut-être double, mais le Cheval laisse approcher un fourbe certain, puis le démantibule. Deux méthodes pour s'assurer contre les maux.

v. 35, *Arboriste* : Chercheur et prescripteur de plantes médicinales. Illustration de 1, v. 66-69.

Le Laboureur et ses Enfants

v. 2, *manque* : Travailler ne risque pas de décevoir. A l'inverse des ruses du Loup, c'est « le plus sûr ».

v. 10, *l'Oût* : Voir I, 1, v. 13.

v. 15, *davantage* : Beaucoup sort de peu. En 10, peu sort de beaucoup. En 8, le Loup croyait pouvoir paraître beaucoup plus qu'il n'était.

v. 18, *trésor* : Le Loup mentait pour tromper. Le père ment pour donner « sens véritable » (10, v. 9). L'ambiguïté (cf. 7) n'est pas toujours mauvaise.

La Montagne qui accouche
Phèdre, IV, 24 ; Horace, *Epître aux Pisons*, v. 136-139...

v. 10, *Auteur* : Peut-être Chapelain, dont l'épique *Pucelle* (1656), déçut.

v. 12, *tonnerre* : Jupiter.

v. 14, *vent* : Un « trésor » sortait du « champ » travaillé (9)... Dénonçant les vaniteux discours, cette fable prépare de loin *L'Ours et les deux Compagnons*.

La Fortune et le Jeune Enfant
Esope, *L'Enfant et la Fortune.*

v. 3, *classes* : Elève d'un collège.

v. 19, *Echos* : Comprendre peut-être : « nous faisons de son nom répété l'emploi de tous échos », comme Céphale le fait du nom d'Aure (XII, 28, v. 231-232).

v. 20, *garant* : Ce n'est pas « le plus sûr » que d'être fautif, puis d'accuser la Fortune. Nos fautes sont nôtres (cf. 8 et 13).

v. 23, *Fortune* : En 10, peu sortait de beaucoup. Ici, pour se justifier de peu, on convoque beaucoup. En 10, on disait pouvoir beaucoup. Ici, on se dit irresponsable. Suite : en 12, v. 9-10, un médecin juge avoir tout réussi, mais l'autre, en accusant autrui, se juge irresponsable... Equivalentes, leurs prétendues sciences produisent « du vent ».

Les Médecins
Esope, *Le Médecin et le Malade, Le Malade et le Médecin.* En les combinant, La Fontaine fait voir simultanément la prétention et l'irresponsabilité, vues séparément en 10 puis 11.

La Poule aux œufs d'or
  Esope, *La Poule aux œufs d'or.*

v. 5, *trésor :* Voir 9, v. 18. Si le travail peut faire « accoucher » d'un trésor, la cupidité peut détruire un trésor reçu. De sa perte, impossible d'être « quitte » (11) en accusant la Fortune ou autrui (cf. 11, 12). Nos fautes sont nôtres. Elles résultent de « la sotte vanité (fable suivante) jointe avecque l'envie » (cette fable) (1, v. 19).

L'Ane portant des reliques
  Esope, *L'Ane qui porte une statue de Dieu.*

v. 3, *carrait :* « On dit [...] pour dire marcher avec affection et témoignage d'orgueil, comme font les fanfarons » (Fur.).
v. 7, *vanité :* Préparation à *L'Ane vêtu de la peau du Lion.*
v. 8, *Idole :* Mot inquiétant pour la valeur des « reliques » si l'on songe à IV, 8, ou au « vulgaire idolâtre » (IV, 14, v. 2).
v. 10, *que :* A qui.

Le Cerf et la Vigne
  Esope, *La Biche et la Vigne.*

v. 3, *couvert :* L'Ane ou le Magistrat se croyaient cachés par ce qui les couvrait. Le Cerf détruit sa protection. Par vanité et sotte envie, tous oublient leur nature ou leur position. Voir aussi la Lime, puis la Perdrix.
v. 4, *faute :* En défaut.
v. 9, *châtiment :* Le Cerf n'accuse pas la Fortune (cf. 21). Il sait sa faute.
v. 12, *pleurer :* Voir IV, 21, v. 34.

Le Serpent et la Lime
  Esope, *La Belette et la Lime* et *La Vipère et la Lime,* mais surtout Phèdre IV, 8.

v. 5, *ronger :* Le Cerf broutait sa bienfaitrice. Le Serpent ronge la Lime. Mauvais repas.
v. 11, *obole :* « En termes de médecine est un poids de dix grains » (Fur.).

Le Lièvre et la Perdrix
  Phèdre, I, 9, *Le Moineau et le Lièvre.* Les vers 1-4 étaient dans *Le Renard et l'Ecureuil* que La Fontaine, sans l'imprimer, fit en pleine affaire Fouquet (l'écureuil, emblème du Surintendant).

v. 11, *défaut :* Voir 15, v. 4. De même, pour « asile », voir v. 14. Ces fables de chasse se répondent. Le Lièvre n'est pas fautif comme le Cerf, mais il meurt comme lui. « Le plus sûr » n'est pas l'assuré. Pas de garantie (v. 24) absolue.
v. 14, *esprits :* Substances très subtiles.
v. 17, *pousse :* Poursuit.
v. 21, *vite :* Prompt, léger.
v. 25, *compté :* Mauvais calcul. La Perdrix se croyait assurée par une « garantie » (v. 24), mais, oubliant sa faiblesse et le monde

autour, elle confondait l'assuré et le probable. Le Hibou, à son tour, oubliant de se voir, compte mal (cf. 18).

L'Aigle et le Hibou

Verdizotti (*Cento favole morali*, fable IV).

v. 5, *Minerve* : La Chouette, et non le Hibou. Cette confusion suggère peut-être que la sagesse parfois se trompe (par amour des siens, qui est amour de soi, vanité...).

v. 6, *triste* : De mauvais augure.

v. 11, *catégorie* : Voir le Lion de 4, ou le Pêcheur de 3. A la fable suivante, le Lion démentirait entièrement ce propos s'il n'employait chacun de ses sujets comme un moyen de guerre. Le Hibou a tort et raison.

v. 28, *Mégère* : Une des Furies.

v. 36, *toi* : Thème de la responsabilité, manifeste depuis 11.

Le Lion s'en allant en guerre

Abstemius, *L'Ane joueur de trompette et le Lièvre estafette*.

v. 2, *Prévôts* : « Officier qui connaît des déserteurs et autres criminels et qui taxe les vivres » (Rich.). Avec le goût du Lion pour la guerre, ces « prévôts » (VIII, 14, v. 8) indiquent que ce « monarque prudent et sage », qui peut évoquer Louis XIV, n'est pas le prince idéal.

v. 4, *guise* : Son talent.

v. 19, *divers* : Cela contredit le Hibou, mais pas totalement : le Lion s'intéresse à la diversité si elle lui profite. Il ne l'aime pas.

L'Ours et les deux Compagnons

Esope, *Les Voyageurs et l'Ours*. Commynes (*Mémoires*, IV, 3) pour le marché avec le Fourreur.

v. 8, *une* : Pour ces promesses, voir *La Montagne qui accouche...* Voir aussi les derniers vers de 1. Les deux compagnons s'en allant à la chasse font l'inverse du Lion (19) qui ne garantit rien, mais prépare tout. Cependant, si la fable précédente renvoie aux premières victoires de Louis XIV, celle-ci peut suggérer le danger d'annoncer trop tôt des victoires...

v. 9, *Dindenaut* : Chez Rabelais (IV, 5-8) Dindenaut loue hyperboliquement ses moutons.

v. 10, *compte* : Ils comptent aussi mal que la Perdrix (17, v. 25), en oubliant l'altérité.

v. 15, *résoudre* : Casser, en termes de droit.

v. 16, *intérêts* : Théoriquement exigibles de l'Ours qui a empêché la conclusion du marché...

v. 19, *vent* : Retient son souffle.

v. 38, *terre* : « un tien vaut mieux que deux tu l'auras » concluait déjà *Le Petit Poisson et le Pêcheur*.

L'Ane vêtu de la Peau de Lion

En fin de livre, différente des autres finales du recueil, une fable courte, satirique, sans message positif.

Peau de Lion, peau de l'Ours : le titre lie à la longue fable précédente, ainsi qu'à l'antépénultième, où le Lion usait de l'Ane, et à *L'Ane portant des reliques* liée aussi à plusieurs fables... Le Lion revient à l'initiale de VI.

Les deux Compagnons oublient l'existence de l'altérité. L'Ane oublie sa propre nature et sa visibilité. Mais, finalement, « Jupiter n'est pas dupe » (1, v. 69). Jupiter ou le fabuliste ? Ce dernier voit et montre le « bout d'oreille » qui rend suspect jusqu'au Lion s'en allant en guerre... Lucide, il sait et avoue, quant à lui, que « les fables ne sont pas ce qu'elles semblent être » (VI, 1, v. 1). Au contraire, le faux Lion ou les fanfarons ordinaires ignorent ou cachent leur nature. Ce n'est pas « le plus sûr » que de s'ignorer ou de « mentir » (1, v. 66). Mieux vaut, peut-être, écrire des fables, et donc mentir (10, v. 8), mais sans chercher, comme un Ane, « des vains ornements l'effort ambitieux » (1, v. 4)...

v. 3, *vertu* : Sans courage. Peut annoncer la fin de VI, 1. D'autre part, si l'Ane n'est pas le Lion qui va en guerre, il semble aussi efficace (v. 4). Un Ane n'est-il pas parfois sous le Lion, comme sous l'Idole ?

v. 7, *Martin* : Martin-bâton (IV, 5, v. 27-28).

LIVRE VI

Le Pâtre et le Lion, Le Lion et le Chasseur
Esope, *Le Bouvier et le Lion*, Babrias, *Du Chasseur timide et du Pasteur*.

1, *être* : Cette distinction vaut, diversement, pour le Pâtre, le Chasseur, les deux Lions.

v. 5, *plaire* : Vers à double rappel : III, 1, v. 5 et V, 1, v. 11.

v. 13, *Grec* : De Babrias, qu'il écrivait Gabrias, le XVIIe siècle connaissait l'abrégé en quatrains fait au IXe siècle par Ignatius Diaconus ou Magister. En 1844, Boissonnade publia le texte authentique retrouvé au Mont Athos.

v. 19, *projet* : Sur le sens de ce mot entre « matière » et « dessein », voir *La Fabrique des Fables* de P. Dandrey, Klincksieck, 1991, p. 91-95.

v. 21, *près* : La Fontaine modifie beaucoup le récit d'Esope.

v. 26, *Avant que* : Possible au XVIIe quand nous dirions « avant de ».

v. 32, *mort* : Voir V, 20, v. 19.

v. 48, *tribut* : « Redevance qu'un Etat est obligé de payer à un autre en vertu de quelque traité qu'il a fait avec lui pour acheter la paix » (Fur.).

v. 57, *danger* : Songer au « dessein très dangereux » de La Fontaine (II, 1, v. 53).

Phébus et Borée
Esope, même titre.

v. 1, *Borée* : Le vent du Nord.

v. 3, *temps* : Courageux et prévoyant, ce « cavalier » (v. 20, 28) n'est pas un « Fanfaron » (1, v. 41) à « équipage cavalier » (V, 21, v. 13).

v. 5, *Iris* : L'Arc-en-Ciel.

v. 8, *douteux* : *Incertis mensibus*, Virgile, *Géorgiques*, I, v. 115.

v. 15, *Diable* : Etymologiquement, qui désunit.

v. 22, *gage* : Soufflant par gage, dans la gageure (v. 34).

v. 36, *recrée* : Revigore.

v. 37, *balandras* : Balandran chez Fur. et Rich. « Mot comique pour dire un gros manteau pour le mauvais temps » (Rich.).

v. 40, *violence* : Dénonce Fanfaron et Lion. Concerne le fabuliste qui n'a pas « les bras d'Hercule » (V, 1, v. 15) et évite les « figures violentes » (VIII, 4, 40) de l'art oratoire. Ne condamne pas l'audace avertie du cavalier. La Fontaine se veut Phébus et voyageur si prévoyant qu'il sait la vanité de croire tout prévoir.

Jupiter et le Métayer

Faërne, *Rusticus et Jupiter*, Verdizotti, *Del contadino et Giove*.

v. 1, *ferme* : Fermier et Métayer semblent confondus dans le vocabulaire classique. Ce Métayer, qui doit « en rendre tant », évoque nos fermiers.

v. 6, *frayant* : Occasionnant des frais. Seul cas de cet emploi.

v. 14, *bâillé* : Désiré avidement. Même emploi en 6, v. 24.

v. 21, *Receveur* : « Les fermiers des terres seigneuriales s'appellent receveur » (Fur.).

v. 24, *température* : « Constitution, disposition de l'air, selon qu'il est froid ou chaud, sec ou humide » (Acad.).

v. 29, *doux* : A opposer au mot de l'Ane (8, v. 15). A rapprocher du père de *La Jeune Veuve*. A suivre du « plus fait douceur » (3, v. 40) au « doucet » (5, v. 33) : efficacité de la douceur/valeur de la douceur/danger de l'apparente douceur.

v. 31, *nous* : Critique des fanfarons de l'ordre, et, peut-être, de Descartes voulant l'homme « comme maître et possesseur de la nature » (Plus lisible en IX). Si la prévoyance du « Voyageur » est possible et utile, il est vain de croire tout prévoir à propos du « temps douteux », des tourbillons (cf. Lucrèce), de l'univers, peut-être des *Fables*... Cette vanité ne légitime pas l'ignorance : retour au voyage avec le Souriceau.

Le Cochet, le Chat et le Souriceau

Verdizotti, fable 56.

v. 2, *dépourvu* : Contrairement au Voyageur de I, 2, v. 11.

v. 9, *inquiétude* : D'agitation.

v. 15, *Cochet* : « Jeune coq qui n'est pas encore châtré » (Fur.).

v. 42, *mine* : Double application, en politique, à la fable suivante.

Le Renard, le Singe, et les Animaux

Esope, *Le Renard et le Singe du Roi*.

v. 5, *chartre* : Vieux mot pour une « prison ». Sans doute un lieu clos et bien gardé.

v. 11, *Tiare* : Peut coiffer les anciens rois de Perse ou le Pape.

v. 12, *grimaceries* : Probable création lexicale de La Fontaine.

v. 24, *bâille* : Même emploi qu'en VI, 4, v. 14.

29, *même* : Sottise de Souriceau, singulièrement grave pour un roi.

Le Mulet se vantant de sa généalogie
Esope, *La Mule.*

v. 9, *moulin* : Voir V, 21, v. 10.

v. 14, *chose* : Cela commande les trois suivantes, mais se renverse en 6, 21. Désillusions du Vieillard, du Cerf puis du Lièvre devant l'échec. Sottise perpétuelle de l'Ane.

Le Vieillard et l'Ane
Phèdre, I, 15.

v. 15, *Maître* : A qui croyait sottement sa domination aimée, le malheur fait entendre la vérité de l'Ane. Ne pas en conclure que La Fontaine pense comme l'Ane (Voir 1, v. 2, puis 4, v. 29, puis 11).

Le Cerf se voyant dans l'eau
Esope, *Le Cerf à la source et le Lion.* Phèdre, I, 125.

v. 8, *ombre* : Reflet. Même emploi en 17, v. 2.

v. 22, *détruit* : Moment capital de la critique du « beau » chez La Fontaine, qui peut se suivre, au moins, depuis I, 2.

Le Lièvre et la Tortue
Esope, *La Tortue et le Lièvre.*

v. 1, *courir* : Cruel hémistiche après la mort du Cerf ! Deux fables de course avec fin tragique ou comique, progrès de sagesse (le Cerf) ou sottise peut-être maintenue.

v. 7, *ellébore* : « On dit proverbialement qu'un homme a besoin de deux grains d'ellébore pour dire qu'il est fou » (Fur.). Ici, double dose !

v. 15, *Calendes* : « Renvoyer un homme aux calendes grecques, pour dire le remettre à un temps qui ne viendra point parce que les calendes ont été de tous temps inconnues en Grèce » (Fur.).

v. 22, *lenteur* : C'est le « *Festina lente* » qu'aimait Auguste selon Suétone et Aulu-Gelle...

L'Ane et ses Maîtres
Esope, *L'Ane et le Jardinier.*

v. 9, *Corroyeur* : Il prépare les cuirs.

v. 18, *état* : Liste des officiers d'un roi ou d'un grand seigneur !

v. 30, *tête* : Cette fin rappelle *Les Grenouilles qui demandent un roi*, et des Grenouilles suivent... Or, au contraire de « tous gens » (11, v. 25) ou des « gens » (12, v. 3), celles-ci « ne raisonnent pas mal » : s'il est sot de se plaindre toujours de ses maîtres, puisque, même « ennemis » (8), ils ne le sont pas également (11), ce l'est aussi de s'en louer, quand ils sont des « tyrans » (12).

Le Soleil et les Grenouilles
Esope, *Le Soleil et les Grenouilles*, Phèdre, I, 6.

v. 3, *seul* : Voir « Le Renard seul » (6, v. 17)...

Le Villageois et le Serpent
Esope, *Le Laboureur et le Serpent*. Phèdre, IV, 20.

v. 1, *Esope* : Il dénonçait les faibles fêtant le tyran. Il dénonce ici ceux qui aident les nuisibles. Aux premiers, il conseille l'abstention. Aux seconds, l'attaque.
v. 2, *Charitable* : Suite aux fables 14, 15, 16 : risque d'assister certains malades, nécessité d'épargner autrui, nécessité du secours mutuel. On reconnaît le mouvement des fables 6, 7, 8 et 11-12 du livre II. Défiance pour l'entraide. Affirmation de sa valeur.
v. 23, *insecte* : « On a aussi appelé *insectes* les animaux qui vivent après qu'ils sont coupés en plusieurs parties, comme la grenouille qui vit sans cœur et sans tête, les lézards, serpents, vipères » (Fur.).

Le Lion malade et le Renard
Esope, *Le Lion vieilli et le Renard*.

L'Oiseleur, l'Autour et l'Alouette
Abstemius, *L'Autour poursuivant la Colombe*.

v. 6, *fantôme* : Effet du miroir aux alouettes.

Le Cheval et l'Ane
Esope, même titre.

Le Chien qui lâche sa proie pour l'ombre
Esope, *Le Chien qui portait de la viande*. Phèdre I, 4.
Après la double leçon positive des fables 15 et 16, spectacle des erreurs... A la « loi de l'univers » se confronte « chacun se trompe ici-bas ». Pas de désespoir, on peut sortir d'erreur : par son travail, grâce aux conseils du Ciel, mais sans tout en attendre, le Chartier quitte la boue et son erreur première.

Le Chartier embourbé
Esope, *Le Bouvier et Héraclès*.

v. 1, *Phaéton* : Quand il conduisit le char du Soleil, son père, il manqua brûler la terre. Jupiter le foudroya.
v. 3, *secours* : Voir 16, v. 1. Quand manque tout « humain secours », il est tentant de « courir après l'ombre » (ici, le secours systématique du Ciel). Cette fable vérifie d'abord le constat de la précédente, puis montre qu'un maître avisé aide à sortir d'erreur.
v. 7, *enrage* : Plusieurs exilés partirent là, dont Roquesante (1665) qui avait bien défendu Fouquet.
v. 10, *déteste* : « Faire des imprécations, pester » (Fur.).

Le Charlatan
Abstemius, *Hecatonmythium*, fable 133. Le Pogge, *Facetiae*, 1538, p. 485-486.

v. 6, *Passe-Cicéron* : Meilleur orateur que Cicéron.
v. 13, *passé* : Ayant passé l'examen pour être Maître.

v. 17, *Arcadie* : Roussin, cheval robuste. Arcadie, région aux ânes renommés.

v. 24, *hart* : Corde du pendu.

v. 37, *raison* : La Fontaine loue ce Charlatan qui s'« aide » en sachant « compter ». Ainsi s'éclaire le passage d'une fable à l'autre. En ce monde « douteux » (3, v. 8), les décès ont des dates hasardeuses, mais chacun mourra dans un temps dont on sait la limite extrême. Ainsi, le temps et la mort permettent de jouir, si l'on compte bien, comme le Charlatan, maître en jeux, théâtre, calcul des probabilités. Le risque pris semble ici maximum, mais il est minimum car le Charlatan tient compte du risque global. A rapprocher de *Le Vieillard et les trois jeunes Hommes*. Si du « hasard il n'est point de science », du savoir physique qu'il en a, La Fontaine tire un art de vivre et une éthique. Grande pensée épicurienne.

v. 39, *mangeants* : *La Jeune Veuve* ajoute les plaisirs de l'amour.

v. 40, *mort* : Traduction d'Horace, *Art poétique, Debemus morti*.

La Discorde

Corrozet, *Hécatongraphie, Discorde haye de Dieu*. L'allégorie de la Discorde est chez Homère, Hésiode, Virgile...

v. 2, *pomme* : Destinée à la plus belle, elle opposa Aphrodite, Héra et Athéna.

v. 18, *prévenait* : Empêchait.

v. 30, *assignée* : Voir les *Contes*. Qui « compte » mal, à l'inverse du Charlatan, se marie. Sans le mariage qui contraint, et suscite donc « l'enfer des enfers » (*La Coupe enchantée*, v. 155), la vie serait vivable. Mais, à lire *La Jeune Veuve*, l'hymen répond à certain désir... Et pourtant, l'époux de Psyché est redoutable... D'une fable à l'autre, puis à l'*Epilogue*, on pense à Panurge hésitant à se marier...

La Jeune Veuve

Abstemius, *La Femme qui pleurait son mari mourant et son père qui la consolait*.

v. 3, *Temps* : Voir ici *Le Charlatan*...

v. 27, *heure* : Très bientôt.

v. 34, *disgrâce* : Malheur.

v. 45, *Père* : Bel exemple de bon maître, favorisant les désirs de son dominé, même s'il court « après l'ombre ». Comme le Charlatan il « compte bien », mais pour aider autrui. Surtout, en aidant au retour de la danse, il s'oppose à la Fourmi qui bloquait spectaculairement tout échange, maintenait, et jouissait du malheur de la Cigale qui avait mal géré le temps. Par l'intervention discrète de ce père, le temps qui amenait la bise, ramène les plaisirs.

v. 48, *elle* : Inverse du « dansez maintenant » : question du dominé, ouverture au futur, à l'amour, au plaisir... L'*Epilogue* rappelle que l'amour est aussi un « tyran ».

Epilogue

Phèdre, *Epilogue du livre IV*.

v. 1, *carrière* : Voir VI, 10, v. 29. Le mot désigne ici les *Fables* en mouvement. Après l'ouverture heureuse du temps, La Fontaine pose, pour l'œuvre, une limite choisie. Il laisse en suspens, dans l'« attente d'autres merveilles », comme Oronte (*Le Songe de Vaux*, fin du second fragment).

v. 8, *tyran* : Voir *Le Lion amoureux*, IV, 1. Par retour, interrogation de *La Jeune Veuve*. Un problème de *Psyché* : comment Cupidon est-il amour et tyran ? Comment faire que l'obscur désir de pouvoir qui habite cet « étrange maître » soit connu et surmonté ?

v. 12, *Damon* : Maucroix ? Tallemant des Réaux appelé Damon par l'avis d'un texte de Maucroix ? Pellisson, car, dans *Psyché*, Acante, qui le représenterait, encourage Poliphile à lire son roman ? Pourquoi pas, si Socrate en eut un, le « daïmon » de La Fontaine...

LIVRE VII

Avertissement

1. *Parties* : Dans l'édition in-12 de 1668 et dans celle de 1678, les livres I-III et IV-VI formaient deux volumes.

2. *Pilpay* : La Fontaine employait *Le Livre des lumières ou la conduite des rois, composé par le sage Pilpay, indien, traduit en français par David Sahib d'Ispahan, ville capitale de la Perse*, Paris, 1644. Sahib cachait sans doute l'orientaliste Gaulmin.

3. *Locman* : Huet, mais pas l'avis « Au lecteur » du *Livre des Lumières*, l'identifiait à Esope (*Lettre-traité sur l'origine des romans*, publiée avec *Zaïde*, 1671).

A Madame de Montespan

Montespan : A 37 ans, en 1678, elle est encore la puissante maîtresse du Roi. En 1674, pourtant, avec Mme de Thiange, sa sœur, elle n'a pu forcer Lully à prendre La Fontaine pour librettiste.

v. 1, *immortels* : « Je ne sais comme ils (les Anciens) n'ont point fait descendre du ciel ces mêmes Fables, et comme ils ne leur ont point assigné un Dieu »... *Préface* de 1668, p. 48.

v. 6, *Sage* : Esope.

v. 10, *esprits* : Voir VIII, 4.

v. 14 : *Favorisez* : La Fontaine demande à Olympe d'être la bonne dominante qui protège son dominé, favorise ses jeux, l'aide à combattre le temps (L'inverse de la Fourmi initiale). Comme dans *Psyché*, mais en effaçant les obscurités du désir de pouvoir, il fait les passages entre pouvoir des fables (modèle à imiter), pouvoir de l'amour, pouvoir des puissants installés, qui sont Dieux du Ciel ou de la terre.

v. 27, *maître* : Désignant simultanément le roi et La Fontaine, « maître » a ici valeur politique et littéraire. Ce recouvrement introduit la réflexion sur pouvoir des fables et pouvoir des « Dieux », qui se définissent et s'interrogent réciproquement.

v. 31, *favori* : De La Fontaine ? De Mme de Montespan (cf. v. 14) ? Du public ?

v. 41, *vous* : Mme de La Sablière aura pourtant son temple (XII, 15).

Les Animaux malades de la Peste

Se mêlent des récits dénonçant les mauvaises confessions et des récits dénonçant les entourages royaux. Les premiers, remontant aux sermonnaires médiévaux, sont passés chez Baudoin, Haudent (*De la confession de l'Ane, du Renard et du Loup*), Guéroult... Les seconds remontent à des sources orientales (*Le Lion, ses Ministres et le Chameau* dans le *Panchatantra, Le Lion, le Corbeau, le Tigre, le Chacal et le Chameau* dans l'*Hitopadeça*...). La Fontaine a pu trouver un condensé de cette tradition dans une fable du *Livre des lumières* (p. 118-122) dont l'objet est de « faire voir comment des ministres artificieux réussissent à tourner le droit et la justice, et à fausser la conscience de leur maître ». Chez lui, cependant, le Lion manipule les courtisans... S'appuyant sur le mal, voulant seulement rétablir un ordre qui lui profite, se mêlant faussement à ses dominés, usant d'illusions, ce Lion est le type politique du maître négateur. Il est l'opposé de Charles II, roi de l'ultime fable du livre, qui détrompe son peuple, se mêle à lui, favorise de « hautes connaissances », la paix, et sait rire... En comparant Charles II (roi réel mais d'ailleurs), et le Lion (roi fictif, mais peut-être d'ici), on aperçoit le sens du livre VII, et Louis XIV sous le Lion. Plusieurs rapprochements sont d'ailleurs possibles avec des pamphlets dirigés contre le Roi pendant l'affaire Fouquet (*L'innocence persécutée, Le Livre abominable*)... Audace – prudente – de La Fontaine, et cohérence.

v. 2, *Ciel* : D'entrée de livre, l'interrogation sur le pouvoir, par le mal, implique le Ciel. Ensuite, toute la fable est descendante, du Ciel vers l'Ane, en passant par le Lion et les courtisans. *Un Animal dans la Lune*, au contraire, va des hommes au ciel des astronomes, et ouvre heureusement l'histoire. Voir *De natura rerum*, I : la superstition écrasait les hommes, mais Epicure, par sa physique, leur fait relever la tête.

v. 5, *Achéron* : Sophocle, *Œdipe-roi*, v. 30, Homère, Thucydide, Lucrèce, Virgile ont donné de fameuses descriptions de la Peste. La fable s'appuie sur ce vaste intertexte.

v. 22, *dévouements* : Sacrifice d'un particulier en faveur du groupe. La Fontaine réunit sans doute ici la *devotio* romaine (Les Decius chez Tite-Live) et le bouc émissaire des Juifs.

v. 49, *souvenance* : Mot vieilli. L'Ane est décalé, donc condamné, par son langage.

Le Mal marié

Esope, *Le Mari et la Femme acariâtre*.

Mal marié : Passage de la fable animale au conte, du politico-religieux au familial, de la Peste au mariage (*La Discorde*)... Outre la persistance du mal dans les titres, deux indices rapprochent ces textes : les « péchés » (v. 47), « du noir puis du blanc » (v. 17). L'épouse, qui s'essaye à la tyrannie, gère catastrophiquement son peu de pouvoir. Agissant à l'inverse du Lion, en multipliant les ordres contradictoires (noir puis blanc, et non blanc ou noir) et en se coupant de qui la légitime (son mari), elle perd sa position. Le mari évite de devenir son dominé, en la chassant. Gestion efficace.

Le Rat qui s'est retiré du monde

Une date dans le manuscrit Trallage : mai 1675. Le clergé régulier tentait alors de ne pas financer, par le « don gratuit », la guerre de Hollande. La Fontaine pourrait avoir inventé une fable de circonstance. Notons cependant qu'elle s'inscrit dans le livre, en évoquant un dominé potentiel (le Rat) qui évite, égoïstement, tout risque d'être pris. *La Cour du Lion* – sa symétrique par rapport à la fable double – dira un cas plus louable de dérobade. L'Ane (VII,1) n'avait pas su se dérober.

v. 2, *soins* : Soucis.

v. 34, *Dervis* : Religieux musulman appartenant à une confrérie.

Le Héron – La Fille

Le Héron : Straparole, *Les Facétieuses nuits*, VII, 1. *La Fille* : Francesco Colonna, *Le Songe de Poliphile*, et une épigramme de Martial (V, 17).

v. 6, *compère* : « Hé bonjour, mon compère le Brochet ». Voiture ouvre ainsi sa fameuse lettre de la Carpe au Brochet (CXLIII).

v. 8, *prendre* : Le Héron est en position de dominer, comme la Fille. Négligeant le temps, la diversité, l'altérité, il va mal gérer son pouvoir (cf. VII, 2).

v. 17, *Horace* : *Satires*, II, 6, v. 87. Le Rat de ville y dédaigne la chère du Rat des champs.

v. 53, *médiocres* : Ordinaires.

v. 77, *malotru* : « Terme populaire, qui se dit des gens mal faits, mal bâtis, et incommodés, soit en leur personne, soit en leur fortune » (Fur.).

Les Souhaits

Peut-être des traditions orientales qu'aurait pu transmettre Bernier (Gassendiste, ami de La Fontaine, ayant passé, jusqu'en 1669, dix ans aux Indes). Peut-être un thème des fabliaux et du folklore occidental.

v. 1, *Mogol* : « Prince mahométan qui est le plus puissant des Indes » (Fur.).

v. 3, *équipage* : « Tout le meuble d'un particulier » (Rich.).

v. 11, *Démon* : Divinité favorable.

v. 22, *Norvège* : Ce pays peut venir de l'*Hymne des Démons* de Ronsard : « On dit qu'en Norvège ils se louent à gages/ Et font comme valets des maisons les mesnages. »

v. 25, *Lapon* : Le dominant rend, à sa guise, autrui autre (VII, 1, v. 64).

v. 39, *chevance* : « Vieux mot et hors d'usage qui signifiait autrefois le bien d'une personne » (Fur.).

v. 57, *affaires* : On pense à II, 13, v. 46-48.

v. 58, *rit* : Comme la Fille ou le Héron, ces Bourgeois ont mal géré le pouvoir qui leur fut accordé, mais ils savent en rire, et devenir sages. Comme eux, les Anglais riront de leur erreur avec Charles II (17, v. 54). Bonne santé intellectuelle et morale (XII, 12, v. 105-112).

La Cour du Lion

La fable de Phèdre est fragmentaire, mais La Fontaine suit des textes qui en dérivent : le *Premier livre des emblèmes, Du Lion, du Renard et de la Brebis* par Guéroult, et surtout *Apologi Phaedrii*, I, fable 23, 1643 par Jacques Régnier.

v. 2, *maître* : Rime capitale. L'exercice de la puissance suppose la connaissance, mais la tyrannie, qui use d'illusions, d'aveux piégés (VII, 1), et même de jeux de Singe (Fagotin, v. 11), suscite les masques, qui empêchent finalement le tyran de connaître. Le bon maître veut moins connaître que faire connaître (*Un Animal dans la lune*).

v. 6, *écriture* : Une circulaire.

v. 9, *plénière* : « Les rois tenaient autrefois cour plénière, quand ils mandaient les principaux de leur Etat auprès d'eux » (Fur.).

v. 11, *Fagotin* : Singe savant qui triomphait à la foire Saint-Germain.

v. 13, *puissance* : Hors toute crise (VII, 1), préventive gestion du pouvoir.

v. 21, *colère* : Etrange absence de rime.

v. 27, *Caligula* : Quand mourut sa sœur, il fit mourir ceux qui ne pleuraient pas, mais aussi ceux qui pleuraient, puisqu'ils ne croyaient pas à la divinisation qu'il avait décrétée.

v. 32, *tire* : Sans se retirer du monde, comme le Rat, il évite le sort de l'Ane sincère. Face aux tyrans, volontiers trompeurs, il manie – mieux que le Singe – l'illusion. Les Pigeons de la fable suivante ignorent cet art : ils contribuent, comme l'Ane, mais plus naïvement encore, à rétablir la puissance des négateurs.

Les Vautours et les Pigeons

Abstemius, *Les Vautours ennemis réconciliés par les Colombes*.

v. 3, *ceux* : Les Rossignols (Voir, IX, 18, v. 5).

v. 8, *char* : Pour voyager dans les airs, Vénus se sert « de son char et de ses pigeons » (*Psyché*, I, p. 136).

v. 9, *retors* : Crochu. Vient sans doute de l'*Enéide* (VI, v. 597), comme la pluie de sang (XI, v. 729).

v. 15, *Prométhée* : Un vautour lui ronge le foie depuis qu'il a volé le feu aux dieux.

v. 20, *éprises* : Passionnées, enflammées.

v. 23, *élément* : Hypothèse : les Vautours employèrent tous les éléments (le feu, l'air, l'eau, la terre) pour s'entretuer. Georges Couton comprend : « Chaque élément (terre, eau, air) contribue à peupler les régions infernales correspondantes ».

Le Coche et la Mouche

Phèdre III, 6 et, peut-être, Abstemius, *La Mouche qui, perchée sur un quadrige, disait qu'elle soulevait de la poussière.*

v. 3, *Coche* : « Voiture posée sur quatre roues, qui est en forme de carrosse, à la réserve qu'il est plus grand et qu'il n'est point suspendu » (Fur.).

v. 13, *gloire* : La Mouche prétend avoir du pouvoir. Illusion déplaisante ! Après sept fables symétriques par rapport à la fable double, s'ouvre ici une étude de la prétention d'être le maître d'autrui et des choses. En 9 et en 10, une chute ou un heurt détruisent les illusions de la Laitière ou du Curé qui se croyaient maîtres des veaux ou du vin. Qu'est-ce qui fonde donc le pouvoir ? Le Songe (11) ? La Fortune (12, 13, 14) ? L'ancienneté (15) ? Dans le meilleur des cas, le savoir et la bienveillance (16-17).

v. 15, *Sergent* : « Grand officier dans un régiment d'infanterie, qui sert à cheval », qui « a soin de faire faire exercice à son corps, de former le bataillon, de le rallier dans une déroute, et d'en avoir soin à toutes occasions » (Fur.).

v. 32, *chassés* : La Fontaine traduit presque les quatre premiers vers de *Tibère et l'esclave trop zélé* de Phèdre (II, 5).

La Laitière et le Pot au lait

Orient : *Le Livre de Calila et Dimna*, par diverses traductions... Occident : Bonaventure des Périers (nouvelle XI), mais aussi Jacques Régnier (*Apologi Phaedrii*, I, 25)...

v. 6, *plats* : Souliers de paysan.

v. 24, *dame* : La maîtresse (d'un pouvoir illusoire, comme la Mouche).

v. 28, *farce* : On ne connaît pas cette farce, mais on peut lire dans *Gargantua* (XXXIII) : « Cette entreprise sera semblable à la farce du pot au lait. »

v. 32, *Picrochole* : Il voulait conquérir le monde (*Gargantua*, XXXIII). D'après Plutarque, Pyrrhus avait eu même projet (*Vie des hommes illustres*, XXX). Ce passage aux rois rend évident le désir de pouvoir qui habite la Laitière, comme la Mouche puis le Curé.

v. 39, *Sophi* : « Titre qu'on donne aux rois de Perse » (Rich.).

v. 43, *Jean* : Expression bien antérieure à Jean de La Fontaine.

Le Curé et le Mort

« M. de Boufflers a tué un homme après sa mort. Il était dans sa bière et en carrosse ; on le menait à une lieue de Boufflers pour l'enterrer ; son curé était avec le corps. On verse. La bière coupe le cou au pauvre curé. » Mme de Sévigné, 26 février 1672. La fable de La Fontaine, qui fut imprimée en feuille volante, fut recopiée pour Mme de Grignan dans la lettre du 9 mars.

v. 13, *leçons* : « Certains petits chapitres de l'Ecriture ou des Pères, que l'on récite ou que l'on chante à Matines » (Acad.). Les « répons » « se disent ou se chantent dans l'office de l'Eglise après les leçons ou après les chapitres » (Acad.).

v. 18, *Chouart* : Dans *Pantagruel* (XXI), Panurge dit : « Tenez (montrant sa longue braguette) voici messire Jean Chouart qui demande logis »...

v. 22, *cire* : Pour les cierges.

v. 26, *propette* : Les dictionnaires donnent propet/ proprette. Il s'agit sans doute ici de langage familier. (Richelet met « proprette » où devrait être « propet »).

v. 33, *plomb* : Dans un cercueil de plomb.

v. 38, *lait* : Ces deux fables ne font pas une fable double. Leur symétrie cache et montre une différence : Perrette tombe par sa faute (elle « saute »). Le Curé meurt par hasard (« un heurt » : première manifestation de la Fortune [11, 12, 13, 14]). D'une fable à l'autre, sans rupture, tant les choses sont liées, on glisse d'une réflexion sur la gestion (ici désastreuse) d'une position de pouvoir vers une réflexion sur la prétention (ici illusoire) d'en avoir une.

L'Homme qui court après la Fortune et l'Homme qui l'attend dans son lit

Pas de source connue.

v. 2, *lieu* : Souvenir probable du *Suave mari magno... De natura rerum*, II, premiers vers.

v. 18, *Dieux* : « Les dieux, par la nature même, jouissent de l'immortalité au milieu de la paix la plus profonde, étrangers à nos affaires dont ils sont tout à fait détachés. » *De natura rerum*, II, v. 646-647.

v. 27, *pays* : Formule proverbiale venant de saint Luc (IV, 24). Autre emploi en VIII, 26, v. 7.

v. 30, *inquiète* : L'expression revient dans *Les deux Pigeons*, v. 20.

v. 33, *avare* : Avide. Pour l'ambition, voir IV, 2.

v. 39, *lever* : Coucher et lever du Roi, grands moments pour les Courtisans.

v. 51, *Surate* : En 1668, la compagnie des Indes y installa un comptoir essentiel.

v. 55, *défier* : Quasi traduction d'Horace, *Odes*, I, 3, v. 9-12.

v. 63, *Mogol* : Voir 5, v. 1. Surate est le débouché des Etats du grand Mogol. Japon mis à part, ce parcours rappelle Bernier, qui débarqua à Surate en 1659, puis passa à Delhi où il étudia la cour du Mogol.

v. 78, *ouï-dire* : Furetière propose « ouïr dire ». Pour Richelet « oui dire » est familier.

v. 85, *conseil* : S'étant décidé contre la Fortune.

Les Deux Coqs

Esope, *Les Deux Coqs et l'Ane*.

v. 3, *Amour* : L'Amour d'Hélène et de Pâris.

v. 5, *Xanthe* : Autre nom du Scamandre qui arrosait la plaine de Troie, où les dieux mêmes se battirent.

v. 26, *coquet* : Coq coquet !

v. 30, *travaille* : Tension : le Coq est-il victime de la Fortune ou de son « travail » ? Est-il irresponsable ou responsable de la perte de son pouvoir et de sa vie ? Les deux : cette fable forme transition entre la onzième où la Fortune décide seule, et la treizième où se combinent, malgré l'avis du Trafiquant qui les sépare, savoir-faire et Fortune.

L'Ingratitude et l'Injustice des hommes envers la Fortune.
Abstemius, fable 199.

v. 5, *Atropos* : Cette Parque tranche le fil de la vie.

v. 8, *Facteurs* : « Commissionnaire de marchand, celui qui achète pour d'autres marchands des marchandises ou les vend en leur nom » (Fur.).

v. 13, *doubles ducats* : « Espèce d'or d'Espagne » (Rich.), peu employée après Louis XIII. Valeur importante.

v. 18, *savoir-faire* : Un fondement possible de sa domination apparente sur les éléments. La première Devineresse se flattera aussi sur les effets de son savoir-faire. Pas de maître efficace, cependant, sans savoir-faire (16 et 17).

v. 25, *frété* : Un vaisseau que sa cargaison rend inapte à la mer.

v. 32, *lie* : Repas joyeux. Le vieil adjectif « lie » vient de *laetus*.

v. 46, *destin* : Ce mot contribue à préparer *Les Devineresses* [jeu subtil sur le hasard (v. 1) et le destin (v. 19)].

Les Devineresses
Entre le procès de la Brinvilliers (1676) et celui de la Voisin (1679-1680), l'Affaire des Poisons révéla un monde de voyantes et de sorciers. La Fontaine projette cette matière dans cette fable qui n'est pas qu'un récit d'actualité : comme dans les fables proches, la question des fondements du pouvoir est posée. La Devineuse attire-t-elle la foule par savoir, comme elle le croyait, ou par hasard, comme il est avéré ? D'autre part, cette affaire de logis échangés prépare celle du Lapin et de la Belette. Question de la fable à deux femmes pour un « galetas » : possède-t-on ce que possède le lieu que l'on possède ? Question de la fable à deux bêtes pour un terrier : d'où vient que l'on possède un lieu ? Autre point, délicat : dans *Les Devineresses*, l'opinion n'agit-elle pas en Chat ? « Point ou peu de justice ».

v. 4, *prévention* : Jugement précipité, volontiers hostile.

v. 5, *Cabale* : Manœuvre hostile et secrète.

v. 8, *Pythonisse* : « Femme sorcière et devineresse qui prédit les choses par la suggestion de l'esprit malin » (Fur.).

v. 19, *carats* : « Les monnayeurs ont fixé à 24 carats le plus haut titre ou la plus grande perfection de l'or. Cependant, quelque soin qu'ils prennent [...] ils ne peuvent jamais l'y faire arriver. » « Proverbialement : un homme est sot à 24 carats..., il est parvenu au plus haut point de la sottise » (Fur.).

v. 31, *achalandé* : Y avait attiré la clientèle.

v. 34, *croix de par-Dieu* : « Une croix qui est au-devant de l'alphabet du livre où l'on apprend aux enfants à connaître leurs lettres. On le dit aussi de l'alphabet même et du livre qui le contient » (Fur.).

v. 38, *équipage* : Ici l'attirail d'une devine, dont le « manche de balais ».

v. 40, *métamorphose* : Les Sorciers se métamorphosent et métamorphosent (voir IX, 7, v. 13-16).

v. 42, *tapissée* : Luxe moderne : « Il n'y a pas longtemps que toutes les chambres des maisons n'étaient tapissées que de nattes » (Fur.).

v. 46, *chalandise* : Clientèle.

Le Chat, la Belette, et le petit Lapin
Pilpay, *Le Livre des lumières*, p. 251-253.

v. 20, *Royaume* : Comme dans *La Laitière*, ce passage de la propriété à la domination politique, unifie le questionnement sur le pouvoir que mène ce livre. Il s'inscrit aussi dans un débat important : le roi est-il ou non – et si oui dans quelle mesure ? – propriétaire de son royaume ?

v. 31, *Raminagrobis* : Ce « vieux mot français », selon Furetière, désigne burlesquement qui affecte d'être grave. Chez Rabelais (*Tiers livre*, XXI-XXIII), c'est un vieux Poète. Selon Voiture (lettre CLIII), c'est « le prince des chats ».

v. 33, *chattemite* : « Qui fait l'humble, le dévot, l'hypocrite pour tromper les autres » (Fur.).

v. 34, *gras* : Comme le Rat (VII, 3, v. 11), et comme Tartuffe (I, 4, v. 234 et 239-240).

v. 49, *Grippeminaud* : Archiduc des chats fourrés (voir v. 34) chez Rabelais. *Cinquième livre*, XI à XV.

La Tête et la Queue du Serpent
Esope, *La Queue et le Corps du Serpent*. Plutarque, dans la *Vie d'Agis et de Cléomène*, souligne le sens politique.

v. 8, *pas* : La préséance. Comme aux deux fables précédentes, deux personnages veulent un même lieu, ici celui du pouvoir. Questionner les prétentions à dominer (depuis VII, 8) conduit La Fontaine à mettre en scène un procès, puis un « débat » : dès qu'une prétention à dominer a des fondements incertains, des prétentions rivales surgissent.

v. 21, *puissant* : Au XVIᵉ siècle, même chez des naturalistes, la queue du Serpent passait pour mortelle.

v. 31, *guide* : Emploi normal du féminin. Cette guide aveugle, et qui vise un pouvoir négateur, s'oppose à Charles II, qui sait voir et qui dirige les Anglais vers la félicité. Ainsi, le fondement nécessaire pour toute prétention à dominer, c'est de savoir voir. Le bon dominant, lui, sait aussi faire voir.

Un Animal dans la lune
Samuel Butler conte l'anecdote dans *L'Eléphant dans la lune*, fable dirigée contre la Royal Society et publiée en 1759. La Fontaine a pu connaître le texte ou les faits, sans doute fictifs, par Saint-Evremond, installé en Angleterre.

v. 3, *Philosophe* : Si ces deux philosophes peuvent être Héraclite et Démocrite qu'opposait Montaigne (*Essais*, II, 12), l'actualité de la fable fait penser à Gassendi et à Descartes, ou à Malebranche.

v. 14, *amplement* : La Fontaine n'a pas tenu.

v. 16, *tour* : « Nos yeux [...] nous représentent le soleil et la lune dans la largeur d'un ou deux pieds : mais il ne faut pas nous imaginer, comme Epicure ou Lucrèce, qu'ils n'aient véritablement que cette largeur. » Malebranche, *De la recherche de la vérité*, I, VI, 3.

v. 18, *nature* : Vu de près, comment m'apparaîtrait le soleil ?

v. 20, *main* : La distance du soleil étant connue, Gassendi mesurait son diamètre manuellement, avec la trigonométrie et deux planchettes inégales pour faire un angle.

v. 23, *machine* : Pour tout ce qui concerne le soleil.

v. 30, *redresse* : Lucrèce signalait déjà la déformation apparente des rames dans l'eau (*De natura rerum*, IV, v. 440). Même observation chez saint Augustin, D'Urfé, Mme de Scudéry, Bossuet...

v. 47, *présageait* : Lucrèce montrait déjà que l'ignorance en physique favorise la superstition (dénoncée dans *Les Devineresses*) qu'utilisent volontiers les dominants négateurs (Voir le Lion de VII, 1).

v. 52, *verres* : Ambiguïté qui laisse entendre que Charles II, protecteur des scientifiques anglais, a su lui-même trouver l'erreur. Le bon maître corrige l'illusion quand le mauvais la multiplie.

v. 56, *gloire* : Les guerres initiales du règne furent largement victorieuses, mais, on se bat depuis 1672 et la guerre de Hollande est devenue européenne... Lorsque paraît cette fable, Louis XIV fait des propositions raisonnables, mais les traités de Nimègue ne sont pas signés. Dès 1675, Charles II avait voulu être médiateur. Conséquence de son initiative, un congrès se réunit à Nimègue en 1676. Ce monarque peut donc bien passer pour roi de la paix face au roi de la guerre (« La guerre fait sa joie et sa plus forte ardeur. » 1677, *A M. de Niert, O.D.*, p. 961).

v. 71, *paix* : Le livre va de la guerre (1, v. 6) à l'espérance de la paix.

v. 72, *rendre* : Le maître négateur rend, par la cour, « blanc ou noir », mais Charles II, par la paix, rend aux « beaux-arts ».

LIVRE VIII

La Mort et le Mourant
Abstemius, fable XCIX, *Du Vieillard voulant différer la mort.*

v. 1, *sage* : Le livre VII développait une réflexion sur l'illusion et sur les relations de pouvoir (distinction bon maître/mauvais maître, gestion du pouvoir, tactiques des dominés, fondements et limites du pouvoir...). Le livre VIII réfléchit sur l'art de vivre, en sage, pour être heureux. Question posée : comment vivre le plus heureux possible ? D'abord, savoir qu'on va mourir. Admettre sa finitude. Ensuite, vivre en Savetier plutôt qu'en Financier. Puis, chercher la paix (3-4), réduire au mieux la guerre, mais la faire contre les tyrans (4)... Surtout, – leçon ultime – « jouir » sans différer (27). La certitude de la mort n'implique pas de renoncer aux plaisirs. Elle les rend plus urgents, et ne les gêne pas, puisque le temps est infiniment divisible, qu'ils sont divers, et qu'on peut éviter l'angoisse. Ce programme exige de survivre, mais surtout d'être sage, donc savant sur le monde et sur soi – comme Démocrite, qui étudie les « laby-

rinthes d'un cerveau » (26, v. 34) – et capable d'admettre sa finitude (25), tout en sachant qu'on peut trouver de l'infini dans le fini.
Question de « morale » (26, v. 42) indissociable de la physique, pour
La Fontaine, comme pour Lucrèce.

v. 6, *moments :* Instants. Divisible en « moments », le temps
permet au sage, en une durée limitée, un nombre infini de plaisirs.
Voir XI, 8.

v. 8, *domaine :* Territoire de domination (Voir V, 4, v. 4). Pour
Tribut, voir VI, 1, v. 48. Par ces mots, la Mort apparaît comme pur
dominant négateur (Voir I, 15-16). Question : comment vivre heureux malgré cette réalité et notre impuissance ?

v. 22, *l'heure :* Presque immédiatement.

v. 25, *levé :* Sans rien préparer.

v. 27, *arrière-neveu :* Arrière-petit-fils.

v. 30, *Mort :* La Fontaine s'inspire du discours de la nature dans
le *De natura rerum,* III, v. 944-975.

v. 52, *banquet :* Voir Lucrèce, *De natura rerum,* III, v. 951, et
Horace, *Satires,* I, 1, v. 119.

v. 59, *indiscret :* Il distingue mal ce que tu es.

Le Savetier et le Financier

D'Horace (*Epîtres,* I, 7), La Fontaine tire l'avocat Philippe qui
achetait le silence d'un crieur public. Il en fait son Financier. Bonaventure des Périers (nouvelle XIX) fournit le Savetier, mais un
Savetier enrichi apparaît dans une épigramme de Maynard et l'on
peut lire, dans l'*Esope allemand* de Burkhard Waldis (éditions de
1548 à 1623), *Du Riche et du Pauvre,* récit proche de cette fable...

v. 3, *passages :* « En termes de musique se dit des intervalles ou
des consonances qui étant agréablement disposés forment une
bonne harmonie » (Fur.). La rime sages/ passages retrouve la rime
sage/ passage de la fable précédente (v. 1-4). S'il connaît les différences, le sage est l'homme du passage, dans l'existence comme en
musique, et non celui qui fixe, entasse, tronque. Sans passage,
écoulement, « onde pure », il n'est point de plaisir.

v. 4, *sages :* Sages grecs dont la liste varie. Plutarque a composé
Le Banquet des sept sages (Solon, Bias, Thalès, Anacharsis, Cléobulon, Pittacos, Cholos). Esope en est un personnage.

v. 27, *Fêtes :* Louis XIV en supprima 17 sur 55 : « Il (le nombre
des fêtes) nuisait à la fortune des particuliers en les détournant trop
souvent de leur travail. » *Mémoires,* année 1667.

Le Lion, le Loup, et le Renard

Esope, même titre.

v. 2 : *vieillesse :* Voir 1. Le dominant négateur admet d'autant
moins la mort qu'il nie autrui pour la nier (lisible depuis I,1).

v. 5, *arts :* De toutes sortes de médecines, proposant toutes sortes
de « recettes ».

v. 7, *vient :* Il lui vient.

v. 10, *daube :* Raille, dénigre. Vieux sens : « frappe ». Cette fable
introduit dans le livre la société, d'abord limitée (la cour), puis
vaste (« Toute l'Europe »). Pas de bonheur, puisqu'on n'est pas

solitaire, sans rapports pacifiques à autrui. Or, le Loup déclenche la guerre.

Le Pouvoir des fables
Ésope, *L'orateur Démade*, mais surtout Abstemius, *Proemium*.

Barillon : Cet ambassadeur (Lettres de créance du 1ᵉʳ octobre 1667), familier de Mme de La Sablière, doit inciter Charles II d'Angleterre à résister aux Communes et à Guillaume d'Orange qui veulent qu'il rompe avec la France. La situation est grave : un traité anglo-hollandais est signé le 10 janvier 1678. Toute l'Europe pourrait tomber « sur les bras » de la France. Si *Un animal dans la lune* faisait des vœux de paix, La Fontaine, sans y renoncer, demande ici que la guerre n'empire pas pour son pays, dont le roi n'est pas innocent : le Loup avait commencé par « dauber » le Renard. Louis XIV avait attaqué la Hollande. Une première nuisance peut déclencher un processus de destruction. L'ambassadeur doit tenter de l'enrayer.

v. 8, *Belette* : Voir VII, 15 (« débats » vient plutôt de VII, 16 v. 7). Décalage de niveau, mais recouvrement avec cette fable politique (v. 20, v. 47) : le conflit créé par la Belette amenait une catastrophe globale. M. de Barillon enrayera peut-être pareil processus.

v. 19, *Hydre* : Hercule vainquit l'Hydre de Lerne dont les têtes, coupées, repoussaient.

v. 30, *convient* : M. de Barillon doit apaiser quand Démade voulait la guerre contre Philippe. Guillaume d'Orange cependant peut sembler une menace pour le « peuple trop heureux » (VII, 17, v. 71) et son roi, dont M. de Barillon doit rendre l'âme « captive » (*A Mme de Montespan*, v. 8).

v. 36, *tyrannique* : Justement ce que combat La Fontaine.

v. 40, *violentes* : « Plus fait douceur que violence. » VI, 3, v. 40.

v. 42, *morts* : Prosopopée. Exemple de « figure violente ».

v. 44, *frivoles* : Quasi-traduction d'Horace, *Épîtres*, I, 1, v. 6. Voir aussi l'Hydre que combat Hercule-Louis XIV (v. 19-20).

v. 57, *son* : Mystères de Cérès à Éleusis, en Attique.

v. 64, *l'honneur* : La Fontaine n'est pas Démade. Il emploie des fables, mais pas un « trait », et il laisse au lecteur « quelque chose à penser ». « Il ouvre l'esprit » (*Le Fleuve Scamandre*, v. 14). S'il emploie le pouvoir des fables, comme Démade, et s'il en jouit, il se méfie des pièges que leur pouvoir permet (Cf. III, 2).

v. 65, *Athène* : Athènes. Tolérance pour le vers.

v. 67, *Peau d'âne* : Avec de merveilleux effets de sens, voir « Et de sa peau s'enveloppa » (3, v. 34). Perrault ne publie son conte qu'en 1694, mais ce récit était populaire.

L'Homme et la Puce
Ésope, *La Puce et l'Athlète*

v. 1, *Dieux* : Pas La Fontaine dans *Le Pouvoir des fables* (Voir v. 10-25). Parfait contraste : La Fontaine, soucieux du bonheur général, souhaite une réduction de l'énorme guerre européenne, l'Homme veut que les Dieux écrasent sa puce !

v. 7, *intriguer* : Embarrasser.

v. 12, *Hydre* : Joli renvoi à la fable précédente (v. 19-20).

v. 13, *perdes* : Si, du haut de la nue, tu n'en détruis...

Les Femmes et le Secret

Abstemius, fab. 129.

v. 4, *femmes* : Mise en péril de la misogynie d'Abstemius (Jeu comparable en III, 16).

v. 16, *indiscrète* : « Qui agit par passion, sans considérer ce qu'il dit ni ce qu'il fait », et « Qui ne sait pas garder un secret » (Fur.). Après la politique, plusieurs fables, jusqu'à la onzième, s'intéressent aux relations avec les proches (époux, convives, amis...). La discrétion, en tous ses sens, est qualité première des proches (Voir 10, v. 18).

v. 37, *cent* : En 5, petit souci faisait grand bruit. Ici, multiplication des œufs. Renversement : dans *Le Chien qui porte à son cou le dîné de son maître*, – nouvelle histoire de porteur – disparition d'un « trésor ».

Le Chien qui porte à son cou le dîné de son Maître

Sorbière, *Troisième discours sceptique*, 1656, mais l'histoire, venue d'Allemagne, est plus ancienne.

v. 5, *portait* : Voir VIII, 6, v. 2. Dangereux de faire « porter » à autrui. Les vrais amis sont au Monomotapa (11).

v. 13, *atourné* : « Vieux mot qui signifiait autrefois orner et parer une dame. Il est hors d'usage dans le sérieux » (Fur.).

v. 23, *sage* : On comprend : « Et lui, sage, il leur dit ».

v. 27, *canaille* : Doublet d'origine italienne de « chiennaille ».

v. 33, *main* : « Faire un gain, un profit injuste dans quelque emploi ou commission » (Fur.).

v. 40, *prendre* : Prendre en un repas est aussi le souci du Rieur.

Le Rieur et les Poissons

Abstemius, 128.

v. 1, *évite* : A la différence du Savetier (2, v. 17), qui rit pour le plaisir de rire, ces Rieurs « excitent le rire » pour prendre. (Voir *Préface*, p. 47.)

v. 4, *méchants* : Déplaisants.

v. 17, *Indes* : L'Amérique.

v. 31, *empire* : Le rieur, qui veut prendre, réduit l'infini au fini, l'immense au petit, l'étrange au banal. La Fontaine passe au « vaste » : de la table aux Grandes Indes, de la prise à la recherche, du singulier au pluriel, d'un moment à l'immensité du temps, de la surface à l'abîme, du connu à l'inconnu, puis à l'inconnaissable, au mystérieux. Poète, il donne le plaisir d'une ouverture infinie à la poésie des voyages, mais le Rat périra coincé pour avoir trop rêvé « le maritime empire ».

Le Rat et l'Huître

Peut-être Alciat, emblème XIV. Sans doute *Le Rat domestique et l'Ouytre*, in *Les fables d'Esope et d'autres en rimes françaises*, Haarlem, Gilles Romain, 1595.

v. 2, *sou* : Plus que rassasié.

v. 10, *canton* : « Coin, certain endroit d'un pays ou d'une ville, séparé et différent du reste » (Acad.).

v. 16, *point* : Voir Picrochole dans *Gargantua*, XXIII.

v. 33, *ignorance* : Voir l'« ignorant ami » de la fable suivante. Ici, l'ignorance nuit à l'ignorant. Là, elle nuit au proche.

v. 39, *prendre* : Même mot final qu'en VIII, 7. Renversement plaisant, qui vaut aussi pour le méchant Rieur, pris par La Fontaine.

L'Ours et l'Amateur des Jardins
  Pilpay, *Livre des lumières*, p. 135-137.

v. 3, *Bellérophon* : Haï des Dieux, il erre « rongeant son cœur et fuyant la route des hommes ». *Iliade*, VI, v. 200-202.

v. 5, *séquestrés* : Coupés du monde.

v. 16, *Pomone* : Il cultivait les fruits, les légumes et les fleurs (Flore).

v. 18, *ami* : Prépare *Les deux Amis*. Définit le proche parfait qui favorise les plaisirs, et que l'on cherche loin des cours (3), depuis « l'épouse indiscrète et peu fine » (6, v. 16).

v. 28, *Gascon* : En affectant l'assurance d'un Gascon.

v. 42, *bruit* : Sans que du bruit le gêne.

v. 45, *émoucheur* : Mot de La Fontaine. On lit chez Rabelais : « un bon esmoucheteur, qui, en esmouchetant continuellement, esmouche de son mouchet, par mousches jamais esmouché ne sera ». *Pantagruel*, XV.

v. 47, *appelé* : La Mouche et la Fourmi, v. 36.

Les deux Amis
  Pilpay, *Livre des lumières*.

v. 1, *Monomotapa* : Pays d'Afrique australe, si peu connu qu'on pouvait y placer toutes les chimères.

v. 9, *touché* : Morphée endormait ce qu'il touchait avec un pavot.

v. 21, *dormant* : Pendant que je dormais.

v. 25, *propose* : Sans prendre son lecteur par le pouvoir des fables (Cf. III, 2 et VIII, 4), La Fontaine cherche à converser avec lui (Voir début du *Discours à Mme de La Sablière*) d'égal à égal, comme entre amis.

Le Cochon, la Chèvre et le Mouton
  Esope, *Le Cochon et les Moutons*. Esope approuvait le Cochon.
  Contrastes : Pilpay/ Esope, hommes/ animaux, Monomotapa/ foire, lyrisme/ burlesque... Permanence du problème du rapport à autrui quand on souffre. Le vrai ami (du Monomotapa...) « épargne la pudeur »... Les compagnons de vie commune se plaignent des cris. Dans les deux fables, « il est bon de parler, et meilleur de se taire » (10, v. 6) : dans la première, le silence est échange délicat, mais, dans la seconde, c'est politesse pour autrui, et, finalement, moyen sage de mieux jouir.

v. 5, *Charton* : « Vieux mot qui signifiait autrefois un cocher ou celui qui menait un char ou une charrette » (Fur.).

v. 6, *Tabarin :* Comédien et auteur de théâtre de foire très populaire. Mort en 1640.

v. 14, *coi :* Voir X, 12, v. 2-8.

v. 15, *honnêtes :* « Honnête, qui a pris l'air du monde, qui sait vivre » (Fur.).

v. 32, *sage :* Un mal certain : la mort. Pour mesurer la spécificité de cette morale, voir 1, v. 5-17. *Le Vieillard et les trois jeunes Hommes* illustrera cette imprévoyance sage.

Tircis et Amarante
Pas de source connue. Une copie manuscrite datée du 11 décembre 1674.
Sillery : Nièce de La Rochefoucauld, cette Champenoise se maria le 23 mai 1675.

v. 2, *Boccace :* Depuis 1668 : huit fables dans les *Fables nouvelles* (1671), *Le Curé et le Mort* et *Le Soleil et les Grenouilles* (voir p. 407-408) (1672), mais troisième partie des *Contes* (1671) et surtout *Nouveaux contes* (1674).

v. 20, *bout :* La place d'honneur.

v. 24, *obscurs :* Pudeur de jeune fille !

v. 28, *Bergers :* Monde et langage de la pastorale. Voir II, I, v. 39-45.

v. 40, *l'amour :* Après l'amitié, voici l'incertitude amoureuse. Si l'amitié est pure félicité, l'amour, cet « étrange maître », suscite l'ambivalence, les malentendus, et déçoit souvent, malgré ses délices.

v. 41, *connaître :* « Heureux qui peut ne le connaître »... (IV, 1, v. 10).

v. 62, *prétendent :* Croient.

v. 63, *autrui :* Ceci vaut pour ce récit et le suivant (l'effort du « flatteur » aboutit au succès du Cerf). Complexité imprévisible du monde : *L'Horoscope* montrera qu'« on rencontre sa destinée/ Souvent par des chemins qu'on prend pour l'éviter ».

Les Obsèques de la Lionne
Abstemius, fable 148.

v. 6, *Province :* Son royaume.

v. 8, *Prévôts :* Voir, V, 19, v. 2. Le sens donné par Furetière (« Grand officier dans les ordres militaires, qui a le soin des cérémonies ») paraît insuffisant pour justifier le vers 11.

v. 23, *ressort :* Référence à l'idée cartésienne des animaux. Voir le *Discours à Mme de La Sablière*, et *Les Souris et le Chat-Huant*. Comparaison, valable en deux sens, entre le monde que crée le Lion et celui que crée Descartes. Pour La Fontaine, le cartésianisme, réducteur de diversité, comme Rois et Dieux, tend à mettre « en même catégorie » (V, 18) (tous les animaux sont des ressorts). C'est une pensée du monde qui convient aux maîtres négateurs. Il y a du Descartes dans le Lion, et du Lion dans Descartes que La Fontaine combat au nom de la diversité et de cette parfaite dominante qu'est Mme de La Sablière...

v. 29, *dire :* Voir VIII, 3, v. 10.

v. 53, *flattez* : Comme après *Le Corbeau et le Renard,* la fable suivante évoque la vanité, qui rend la flatterie efficace.

v. 55, *ami* : A la cour et en cette fable, ce mot prend tout autre sens qu'aux fables onze et douze.

Le Rat et l'Eléphant

Phèdre, I, 29. De cette fable antique, Le Maître de Sacy a donné une version moins vulgaire. En 1670, l'abbé de Saint-Ussans, Pierre de Saint-Glas, l'avait mise en vers et éditée.

v. 15, *étage* : Proverbial. « Un homme est sot, fou à triple étage : excessivement » (Fur.).

v. 21, *touchés* : Impressionnés.

v. 27, *grain* : « Le plus petit des poids dont on se sert pour mesurer les choses précieuses » (Fur.).

L'Horoscope

Esope, *L'Enfant et son Père.* Valère Maxime, Pline, Rabelais, Montaigne, Bernier, et d'autres, évoquent, quant à eux, l'histoire d'Eschyle.

v. 2, *éviter* : Formule cardinale pour le groupe de fables où, par hasard, rencontres, trafics, retournements, ne cesse d'arriver ce qu'on n'attendait guère. Question : quelle précaution prendre en ce monde tout en détours ? Sûrement pas réduire sa complexité au « compas » des astrologues.

v. 22, *tempérament* : A rapprocher de IX, 7, v. 79-80. Cela n'implique pourtant pas qu'il soit vain d'éduquer. Voir VIII, 24.

v. 24, *bouillons* : « On dit figurément : les bouillons de la colère » (Fur.).

v. 26, *désir* : « Le désir, enfant de la contrainte »... *Mazet de Lamporechio,* v. 24.

v. 30, *laine* : Les tapisseries.

v. 41, *ressorts* : « Ressorts se dit encore des causes inconnues par lesquelles la nature agit » (Fur.).

v. 44, *poète* : Une seule syllabe.

v. 56, *art* : Les vers suivants prolongent la critique présente dans *L'Astrologue qui se laisse tomber dans un puits* et dans *Les Devineresses.* La Fontaine s'appuie davantage ici sur la physique.

v. 62, *conjoncture* : Concours de circonstances. *Conjonction* : rapprochement apparent d'astres « dans un même degré du Zodiaque » (Fur.).

v. 75, *horoscope* : Même expression et même rime en II, 13, v. 39.

v. 76, *l'Europe* : Allusion à la guerre générale qui suit la campagne de Hollande (Voir 4).

v. 79, *point* : L'endroit où se trouve l'astre.

L'Ane et le Chien

Abstemius, 109.

v. 1, *nature* : Après la précaution contraire à la « nature » (16, v. 59) que proposent les « faiseurs d'horoscope », voici la bonne précaution contre les mauvais effets du hasard.

v. 19, *mot :* Pas un mot.

v. 19, *Arcadie :* Voir VI, 19, v. 17.

Le Bassa et le Marchand

Source inconnue.

v. 2, *Bassa :* Pacha, gouverneur de province.

v. 8, *support :* Appui.

v. 14, *parti :* « On dit aussi qu'on a joué un mauvais parti à quelqu'un, lorsqu'on l'a attrapé, qu'on lui a fait quelque vilain tour » (Fur.).

v. 15, *prévenant :* En les devançant.

v. 23, *Alexandre :* Alexandre but la potion d'un médecin qu'on lui avait dit être un empoisonneur, et il lui remit la dénonciation. (Plutarque, *Vie d'Alexandre,* XIX.)

v. 42, *ménage :* Epargne.

v. 43, *mâtineaux :* « Mâtins sont chiens de garde qu'on laisse dans les basses-cours pour aboyer » (Fur.).

v. 54, *Provinces :* Allusion probable aux Provinces-Unies qui, en 1668, ont préféré la protection de plusieurs monarques européens à celle de Louis XIV.

L'Avantage de la science

Abstemius, fable 145, *Le Riche ignare et le Pauvre savant.*

science : Dans ce monde de hasards et de retournements, si l'horoscope est inutile (16), l'entraide précieuse (17), et l'appui de quelque « puissant maître » souvent nécessaire (18), « le savoir a son prix ». Les deux dernières fables forment diptyque. De plus, *L'Avantage de la science,* par delà les fables 20-23 qui rappellent les dangers apparents ou réels du monde (connaissance que donne la science), prépare *L'Education* et surtout *Démocrite et les Abdéritains* qui ne définit plus les conditions de la sûreté mais celles, plus fondamentales, de la sagesse qui fait bien vivre.

v. 2, *S'émut :* S'éleva.

v. 15, *table :* « On dit absolument qu'un homme tient table quand il a à son ordinaire plusieurs couverts pour les étrangers et les écornifleurs » (Fur.).

v. 17, *chambre :* Au troisième étage, dans un grenier ou une mansarde.

v. 27, *Finance :* Corneille avait dédié *Le Cid* à M. de Montauron, un financier. La Fontaine avait offert *Adonis* à Fouquet.

Jupiter et les Tonnerres

Un ouvrage de science : les *Questions naturelles* de Sénèque (II, 41, 43, 44) qui distinguait trois sortes de foudres. La première, lancée par Jupiter seul, avertit heureusement. La seconde, lancée après avis des principaux dieux, punit. La troisième, après décision des divinités supérieures, anéantit. En modifiant ces considérations mythologico-physiciennes, La Fontaine lie ici « l'avantage de la science » (qui distingue entre foudres), le comportement du bon dominant (qui est père), le cheminement indirect (salvateur, quand la ligne droite est mortelle).

v. 4, *cantons* : Voir 9, v. 10.

v. 9, *trois* : Alecto, Tisiphone et Mégère.

v. 45, *nuages* : Jupiter. Epithète homérique.

v. 46, *Styx* : Serment absolument inviolable.

v. 55, *carreaux* : « Est aussi une arme de trait ou flèche carrée qu'on tire avec une arbalète. C'est par comparaison qu'on appelle carreau de la foudre le trait ou la pierre qu'on croit être dans la foudre, qui blesse et qui tue » (Fur.).

Le Faucon et le Chapon
Pilpay, *Le Livre des lumières*, p. 112-113.

v. 4, *Nivelle* : « On dit d'un homme peu complaisant qui ne fait rien de ce qu'on désire que c'est un chien de Jean de Nivelle, qui s'enfuit quand on l'appelle » (Fur.). Malgré les pressions de son père, Jean de Nivelle – ce « chien » – n'alla pas combattre Charles le Téméraire.

v. 11, *demi* : Le Mans était célèbre pour ses chapons et pour ses habitants plus méfiants encore que les Normands.

v. 14, *perche* : « Les fauconniers mettent leurs oiseaux sur la perche » (Fur.).

v. 29, *couteau* : Voir le discours du Cochon (VIII, 12, v. 18-28). Pour le Chapon, le mal n'est pas encore « certain ». Il fait donc bien en évitant tout contact avec son « maître » qui n'a rien de Jupiter – ce père – même s'il use de chemins indirects (Traîtresse Voix/foudre qui s'écarte). Le Rat, qui suit, sera aussi fort avisé, de limiter ses contacts avec le Chat. Questions de sûreté.

v. 30, *appeau* : Leurre pour oiseaux. Voir v. 12.

Le Chat et le Rat
Specimen sapientae Indorum veterum, du père Poussines, 1666, p. 608.

v. 3, *corsage* : « Terme populaire qui signifie la taille » (Fur.).

v. 17, *ignorance* : Voir 9, v. 33. Voir surtout *L'Avantage de la science*. Cette fable, plus que la précédente, montre comment celui qui sait – « soit instinct, soit expérience » – assure sa sûreté en se gardant des pièges divers.

v. 32, *Chouette* : Volontairement ou pas, la zoologie est mise à mal. Pour Furetière, « les ducs, les chats-huants et les chouettes sont des espèces de hibou ». Voir aussi les incertitudes taxinomiques en V, 18.

v. 45, *à l'erte* : Graphie proche de l'origine italienne : *Stare alle'erta*.

Le Torrent et la Rivière
Abstemius, fable 5. L'opposition Torrent/Rivière est chez Plutarque, Quinte-Curce, Boileau, Molière... Après les dangers, vite repérables, du Cuisinier pour le Chapon ou – plus subtilement – du Chat (hypocrite) pour le Rat, voici les trompeuses apparences : un danger apparent peut être imaginaire, mais une apparente sécurité peut cacher un danger réel. Pour s'assurer, la science est ici nécessaire, mais s'assurer ne suffit pas. Il faut vivre au mieux,

ce qui suppose de s'éduquer (24), de maîtriser ses désirs (25), de connaître la physique et la morale (26), et, ainsi, de jouir (27). Après la tactique (fables 20-24), l'éthique (ce qui ramène au début du livre).

L'Education

Esope, *Les deux Chiens*. Surtout, dans les *Œuvres morales* de Plutarque, *Comment il faut nourrir les enfants*, et, plus encore, les *Dits notables des Lacédémoniens*.

v. 1, *Laridon* : Prononciation française de *laridum* (lard). L'opposition Laridon/César transforme l'opposition Torrent/Rivière. Il ne s'agit plus de mesurer les dangers possibles de deux « antipodes », mais de savoir comment l'on passe de l'un à l'autre. Surtout, il ne s'agit plus d'assurer, mais d'améliorer l'existence.

v. 6, *nourriture* : « Se dit [...] en morale, de l'éducation » (Fur.).

v. 18, *Tournebroches* : On appelle Tournebroches, selon Richelet, les chiens qui font « tourner une roue, dont le mouvement sert à faire tourner une broche ». Un tel chien apparaît sur la vignette de la fable.

v. 23, *dons* : A rapprocher de VIII, 16, v. 20-22.

Les deux Chiens et l'Ane mort

Esope, *Les Chiens affamés*. Phèdre, I, 20.

Deux Chiens dans deux fables successives. L'une montre la nécessité de l'éducation par la dégénérescence qu'elle évite, l'autre suggère sa nécessité par le caractère infini du désir. Accumuler des savoirs, pourtant, n'est pas s'éduquer : « Si j'apprenais l'hébreu, les sciences, l'histoire »... La science présente un avantage (19), mais le désir de savoir peut n'être qu'une des formes du désir d'infini qui empêche, au bout du compte, qu'on jouisse. A cet usage fou du savoir, qui est aussi celui du pouvoir ou des richesses (cf. 27), s'oppose l'usage sage, celui de Démocrite et d'Hippocrate (26).

v. 34, *s'outrant* : « Outrer : signifie aussi lasser, fatiguer démesurément » (Fur.). Probable jeu de mots sur « outre ».

v. 36, *ducats* : Voir la dénonciation de la « fureur d'accumuler » à la dernière fable (et aux deux premières). Celle-ci, seule, pourrait laisser croire à la nécessité de tuer ses désirs, mais *Le Loup et le Chasseur* corrige. Le mal, ce n'est pas le désir, mais l'abandon à l'infinité du désir. On y échappe par la science, singulièrement celle de l'infini, qu'instaure Démocrite, fort occupé par « les labyrinthes d'un cerveau ». Cette physique de l'infini est nécessaire pour entreprendre une morale. Leçon épicurienne.

v. 38, *boire* : Application concrète d'une expression proverbiale.

v. 44, *fin* : Achever.

Démocrite et les Abdéritains

Un recueil apocryphe de 23 lettres d'Hippocrate ou à Hippocrate. La Fontaine a puisé dans plusieurs de ces lettres qu'il pouvait lire en diverses éditions récentes en grec ou en latin.

v. 1, *vulgaire* : Quasi-traduction d'Horace, *Odes*, III, 1, v. 1.

Horace haïssait le vulgaire, mais La Fontaine hait seulement ses « pensers ».

v. 3, *milieux* : Sens optique. Le vulgaire interpose ses préjugés, comme un verre déformant, entre le monde et lui. On pense aussi à la souris – vrai « faux milieu » – d'*Un Animal dans la lune*.

v. 9, *Abdère* : Colonie grecque de Thrace, patrie de Démocrite.

v. 15, *ignorant* : Voir *L'Avantage de la science* et 22, v. 17.

v. 16, *limite* : Théorie de l'infinité du monde qui est, avec celle des atomes, au fondement de la physique de Démocrite, Epicure et Lucrèce. La Fontaine ne cesse de tirer des conséquences éthiques et esthétiques (pour ses livres) de cette théorie.

v. 23, *accorder* : « On dit accorder un procès, un différend, pour dire le terminer à l'amiable, par consentement réciproque » (Acad.).

v. 33, *ruisseau* : Paysage favori de La Fontaine (Voir l'« onde pure » de l'*Epilogue* qui vient des *Conférences d'Hippocrate et de Démocrite* [...] de Bompart. Cependant, aux entrailles des animaux disséqués, La Fontaine substitue les « labyrinthes d'un cerveau » : unité de la physique (replis du cerveau et du ruisseau qui riment, flux...), de l'éthique (complexité de la morale) et de l'esthétique (le labyrinthe des fables...).

v. 44, *dit* : On pense à la fable précédente et, surtout, à la suivante. La morale semble sortir, de toutes parts, de la physique.

v. 49 : *Dieu* : *Vox populi, vox dei*. Cette formule, très répandue, n'a pas de source sûre.

Le Loup et le Chasseur
Pilpay, *Livre des lumières*, p. 216.

v. 3, *ouvrage* : Au livre VIII seul, voir 1, 2, 19, 25 (v. 36).

v. 6, *jouissons* : « C'est assez » renvoie à « la mer à boire » (23). « Jouissons » est, peut-être, le mot-clef de la « morale » évoquée par Démocrite et Hippocrate. C'est, aussi, le terme du livre VIII qu'ouvrait l'inévitable mort, et qui propose les conditions nécessaires pour jouir (La connaissance de la finitude, la légèreté financière, la paix, l'accord minimum avec autrui, l'amitié, la survie...). Cette dernière fable rappelle qu'il ne s'agit pas seulement de survivre, mais de bien vivre. Ludique, elle montre que le souci excessif de survivre, en empêchant toujours de jouir, tue.

v. 7, *vivre* : Renvoi à VIII, 1.

v. 11, *aujourd'hui* : Le Vieillard de XI, 8 applique cette leçon qui n'est pas vulgaire, comme l'atteste la précédente présence de Démocrite et d'Hippocrate.

v. 17, *modeste* : « Qui a de la modération, de la sagesse » (Fur.).

v. 25, *faiseur* : Expression péjorative. On pense au vers 75 de VIII, 16 et à Alexandre. « La modération est une vertu de particulier et de philosophe », et « non point de Majesté ni d'Altesse » *A M. le Prince de Conti*, *O.D.*, p. 692.

v. 38, *rencontres* : Occasions. Voir aussi 26, v. 28. Le sage tire parti des « rencontres », dues au hasard, dans ce monde divers. Les « fous », par excès de système (*L'Horoscope*), de désir (*Les deux Chiens et l'Ane mort*), ou ignorance (*Le Rat et l'Huître*), en sont victimes.

v. 47, *sagette* : Vieux mot pour flèche. Le graveur a logiquement dessiné une arbalète, et non un arc.

LIVRE IX

Le Dépositaire infidèle
  Pilpay, *Livre des lumières*, p. 137-140. Le second récit vient, sans doute, de la tradition populaire.

v. 1, *Mémoire* : Les Muses.
v. 5, *Dieux* : En vers.
v. 8, *divers* : Première apparition d'un champ lexical capital dans ce livre : sept occurrences de diversité et de ses variantes (Divers/diversement), mais aucune en VII et VIII. La Fontaine présente la diversité du monde (qui n'est pas l'incohérence) (1, 2, 3, 4...), distingue entre diversités (2/3), montre que la sottise nie toujours la diversité (1, 4... 12...), cherche les conséquences de la diversité des êtres pour qui veut instruire autrui (1... *Discours*), tente de fonder la nature de la diversité (7,12, *Discours*), met en œuvre un art divers, qui respecte la diversité, comme la conversation chez Mme de La Sablière.
v. 16, *pécore* : Voir I, 3, v. 9.
v. 20, *Sage* : Salomon. Psaumes, CXV, 11. Il y a une règle universelle, mais La Fontaine se méfie de cette universalité peut-être réductrice (v. 28). Il distingue alors divers menteurs.
v. 23, *aucunement* : En quelque façon.
v. 46, *cent* : Cent livres.
v. 90, *erreur* : Grand problème jusqu'au *Discours à Mme de La Sablière* : comment combattre l'erreur d'autrui ? Le discours « par raison » ne réussit que si l'auditeur veut l'entendre, ce qui le suppose rationnel et de bonne foi. Ce n'est pas le cas ici (ou en 18-19) : les êtres sont divers par leurs « fins » qu'on ne peut détourner (7). Pour modifier leurs actes, il faut donc inventer une tactique, comme le Trafiquant et l'Homme au pot qui font des contes. Tactique remarquable : elle maximise les gains, et minimise les pertes en évitant la violence. Cette fable propose ainsi un art de persuader par le mensonge. Le *Discours* final voudra persuader par des récits qui ont l'air de fables « encor que véritables » (XI, 9, v. 7).

Les deux Pigeons
  Pilpay, *Livre des lumières*, p. 19-27.

v. 5, *dit* : Discours « par raison ». Echec. Or, en ce cas, ce Pigeon bien intentionné ne peut « enchérir ». Seules, des expériences douloureuses convaincront l'autre. Trois moyens pour convaincre : la raison, l'expérience (qui instruira aussi Garo), la fable. Question : lorsque la raison échoue, comment, sinon par la fable, préserver autrui des malheurs où le jette le désir ?
v. 10, *courage* : Résolution.
v. 12, *zéphyrs* : Vents du printemps.
v. 20, *voir* : Voir IV, 11, v. 14-19, VIII, 9, et surtout X, 2, v. 2.

v. 20, *inquiète* : « Se dit aussi d'un homme inconstant, qui ne peut demeurer en place » (Fur.).

v. 24, *aventures* : Ce Pigeon, qui ne rend pas son monde « divers » (v. 68), est séduit par l'indéfini et la diversité apparente des pays, comme le roi qui se plaît à la diversité « sur l'habit » (IX, 3). De plus, l'anime un désir de pouvoir qu'atteste sa volonté de tenir son frère par un discours touristique... En X, 2, la Tortue veut voir l'ailleurs et être « reine ». Désir de voir et désir de pouvoir participent d'une même folie.

v. 26, *aussi* : Question : suffit-il d'arborer de la diversité pour être divers et divertissant ? Voir 3.

v. 27, *extrême* : A opposer au « plaisir extrême », choisi, que procure ce « mensonge », *Peau d'Ane* (VIII, 4, v. 68).

v. 39, *las* : Lacs. « Nœud coulant pour prendre des oiseaux, des lièvres et autres gibiers » (Acad.).

v. 48, *lier* : « On dit qu'un oiseau de proie lie le gibier pour dire qu'il l'arrête avec sa serre » (Acad.).

v. 75, *Bergère* : « Peut-on s'ennuyer en des lieux / Honorés par les pas, éclairés par les yeux / D'une aimable et vive princesse »... *A Mme la duchesse de Bouillon*, O.D., p. 577, 1671.

v. 76, *Cythère* : Ile de Vénus. Ici Vénus. Son fils est l'Amour.

v. 78, *reviendront* : Le voyage dans l'espace, qui sépare les deux amants, devient ici voyage, irréversible, dans le temps qui sépare l'être de lui-même.

v. 80, *inquiète* : Voir v. 20.

Le Singe et le Léopard
Esope, *Le Renard et la Panthère*

v. 5, *voir* : Cf. le « désir de voir » du Pigeon (v. 20). L'argument commercial se retourne. Le roi, qui fait de ses gens des « ressorts » (VIII, 14), aime cette diversité superficielle, mais d'un amour peut-être mortel.

v. 17, *Bertrand* : Voir 17, v. 1 et XII, 3, v. 19.

v. 20, *trois* : On amène la jument de Grandgousier « en trois caraques et un brigantin » (*Gargantua*, XVI).

v. 21, *baller* : Mieux que danser, agir en danseur de ballet.

v. 23, *blancs* : Trente deniers, ou deux sous et demi.

v. 28, *toujours* : Voir 2, v. 68.

v. 31, *talents* : On pense à la fin de *Le Renard et le Buste* (IV, 14).

Le Gland et la Citrouille
Cette fable trouve son origine à la foire par le *Recueil général des œuvres et fantaisies de Tabarin*. Editions multiples de 1622 à 1671. La Fontaine tire son idée de la septième demande du baron de Gratelard « si la nature fait quelque chose de mauvais ».

v. 1, *fait* : On retrouve la formule, dans un contexte plus critique, en XII, 8, v. 42. Ici, la preuve par la citrouille et la louange finale de Garo font douter que La Fontaine approuve. Le second discours du villageois, avec sa généralisation, est presque aussi sot que le premier. Garo est toujours inapte à penser la diversité qu'il veut réduire à quelque cohérence simple : comme le Descartes du *Discours*, il l'observe pour la nier.

v. 12, *Garo :* Dans *Le Pédant joué* de Cyrano de Bergerac, on voit Mathieu Gareau, venant lui-même d'un Thibau Garrau, proverbial.

L'Ecolier, le Pédant, et le Maître d'un jardin

Possible invention de La Fontaine à partir de *L'Enfant et le Maître d'école* et du *Jardinier et son Seigneur*.

jardin : D'une fable à l'autre, on passe d'un villageois à un Pédant, mais on garde les plantes, belle image de diversité féconde, massacrée ici.

v. 21, *grâce :* Sans qu'on l'en prie.

v. 23, *instruite :* Incivile et grossière.

v. 30, *jardin :* Echec du Pédant : pareil discours « par raison » (1, v. 90), même orné, n'agit pas toujours sur autrui, ce que montre le livre depuis sa première fable. Le Pédant ignore qu'on ne convainc pas « par raison » des enfants « sans pitié » (2, v. 54). L'expérience ne le corrige pas, comme elle corrigeait Garo : aveuglé par son désir de pouvoir, il veut imposer son ordre au monde et à autrui. Il se rêve en un prétoire. Comme Pygmalion, il tourne autant qu'il peut ses songes en réalités (6, v. 33-34).

Le Statuaire et la Statue de Jupiter

Pas de source définie, mais une bigarrure pour cette fable de la confusion entre choses « très différentes entre elles » (cf. 7, v. 76). Horace, *Satire VIII*, v. 1-3 pour la première strophe. Ovide, pour l'histoire de Pygmalion (*Métamorphoses*, X, 243-297). Comme dans *L'Homme et l'Idole de bois*, des auteurs bibliques et chrétiens dans l'attaque contre les dieux païens : Isaïe, Baruch, Prudence, Minutius Felix... Le *De natura rerum* (V, 1168-1239) qui montre comment les hommes ont imaginé les dieux...

v. 9, *l'artisan :* Artisan, plus qu'« artiste », insiste sur le travail effectué.

v. 18, *guère :* Ne le cède guère.

v. 31, *Pygmalion :* Pygmalion aima tant la statue qu'il avait faite qu'elle s'anima.

v. 36, *mensonges :* Voir 1. « Tout homme ment, dit le Sage. » La Fontaine observe que tout homme aime le mensonge. Ce constat amer fonde l'efficacité de la fable, mais il montre son danger, ce que souligne le texte suivant (voir v. 48-50).

La Souris métamorphosée en fille

Pilpay, *Livre des lumières*, p. 279. Après l'histoire de la statue métamorphosée en femme, cette fable est aussi une variation sur une autre fable : *La Chatte métamorphosée en femme* (II, 18).

v. 3, *Bramin :* « Prêtre de la religion des Indiens idolâtres, successeurs des anciens brachmanes » (Fur.).

v. 11, *points :* Un des articles.

v. 12, *Pythagore* : Bernier évoquait cette influence orientale dans son *Histoire de la dernière révolution des Etats du grand Mogol*, 1670.

v. 18, *Priam* : Pâris qui enleva Hélène.

v. 39, *éteuf* : La balle au jeu de Paume.

v. 48, *lieu* : « Origine, extraction, maison, famille » (Fur.).

v. 58, *remonté* : La question du « plus puissant de tous » apparaissait au livre I (12-16), qui montrait que la Mort, seule, était absolument puissante (Voir VIII, 1). Quant à l'analyse du sophisme, elle indique qu'une fable (mais pas de « vrai menteur » [1]) peut rendre le faux séduisant (Cf. III, 2). Problème (jusqu'au *Discours*) : comment trouver un discours qui, pour être efficace, ait l'air d'une « fable », mais soit « véritable » (voir XI, 9, v. 6-7) ?

v. 69, *organe* : corps.

v. 76, *elles* : Entre autres finesses, penser à la théorie cartésienne évoquée dans le *Discours à Mme de La Sablière*. Voir aussi X, 7, v. 16-18.

v. 80, *fin* : En cette fable de la métamorphose, cette formule affirme une diversité essentielle des êtres, renforce l'interrogation sur l'instruction, et prépare les trois fables suivantes : si l'on rencontre un être aux fins nuisibles, il faut se détourner de lui, le détourner de soi, et surtout ne pas l'attirer. Fuyons les fous (8), les juges (9) et les loups (10).

Le Fou qui vend la sagesse
Abstemius, 184.

v. 4, *éventée* : Eventé : « écervelé, étourdi » (Rich.).

v. 6, *plaisir* : A rapprocher du goût du roi pour le Léopard (3, v. 5).

v. 26, *hiéroglyphes* : « Figure qui contient quelque sens mystérieux » (Acad.). Le Sage est celui qui sait lire, comme Esope (II, 20), comme La Fontaine à la fable précédente, et même comme le Trafiquant (IX, 1)...

L'Huître et les Plaideurs
Boileau a publié dans ses *Epîtres* (II, v. 41-52) une fable analogue, quoique distincte d'intention. Selon Brossette, elle lui serait venue par son père, de la comédie italienne.

v. 5, *amasser* : Ramasser.

v. 9, *gobeur* : Mot probablement de La Fontaine.

v. 14, *sentie* : Les deux Pèlerins distinguent l'huître, mais ne savent pas poser une distinction entre eux et distinguer que Dandin est Dandin, juge dont la « fin » est de « gruger ». Insuffisant art d'observer et de penser : ils pratiquent, au contraire du Chien (10), une tactique qui leur fait perdre la « joie ».

v. 16, *Perrin Dandin* : Le nom vient de Rabelais (*Tiers Livre*, 41), et des *Plaideurs* de Racine.

v. 17, *gruge* : Mange. « Se dit figurément de la chicane qui consomme en peu de temps le bien d'un plaideur » (Fur.).

v. 25, *quilles* : « Donner à quelqu'un son sac et les quilles : proverbe pour dire lui donner congé et le chasser » (Rich.). Le sac peut évoquer le sac de toile contenant les pièces du procès.

Le Loup et le Chien maigre
   Esope, *Le Chien endormi et le Loup*

   v. 1, *fretin* : Voir *Le Petit Poisson et Pêcheur* (V, 3), et, par là, les fables voisines (V, 2, 4) qui évoquent l'art de survivre en s'éloignant des gens dangereux. Au contraire du petit Poisson, le Chien maigre invente un discours séduisant pour son auditeur. Il distingue ce qu'est un Loup et ses fins. Il sait voir et penser, il peut donc inventer, en mentant, une tactique pour survivre. Il n'irait pas, comme les Plaideurs, attirer un quidam dangereux. Il l'éloigne !

   v. 19, *croit* : Il tourne « en réalité ses propres songes » (6). Il distingue mal l'occasion, et perd : insuffisant « art de penser » (XI, 9, v. 41), comme celui des Plaideurs.

   v. 28, *forme* : Selon les règles de la procédure...

   v. 31, *habile* : A opposer au Trafiquant de 1, v. 88.

   v. 32, *métier* : La « fin » (7, v. 80) n'est pas le « métier », qui permet à l'être d'accomplir sa « fin ». Question : la morale lafontainienne dit-elle seulement qu'un loup doit être, avec « métier », loup ? Si l'on ne peut détourner « un être de sa fin », doit-on souhaiter que les êtres, même mauvais, poursuivent sans limites leurs fins ? Qu'un loup soit mangeur de moutons l'autorise-t-il à les manger tous ? Voir *Rien de trop*.

Rien de trop

   « Rien de trop » était inscrit au fronton du temple de Delphes. Abstemius, fable 187, *Les moutons qui tondaient les moissons de façon immodérée*. La Fontaine ne fait pas exactement une fable ici, mais un discours « par raison », appuyé d'exemples, dont il constate l'échec global (Voir 1, 89-91). Difficile d'enchérir, cependant, sinon par une fable. Voir *Le Cierge*.

   v. 3, *tempérament* : Juste mesure. Voir Horace, *Satires*, I, 1, v. 106-107.

   v. 14, *moissons* : Virgile proposait de faire brouter aux moutons une part du blé en herbe pour éviter de nuisibles excès (*Géorgiques*, I, v. 111-112).

   v. 18, *tous* : Ces loups deviennent trop loups si le loup précédent ne savait pas l'être assez.

   v. 24, *excès* : Franchissement de limites (Voir *Le Cierge*).

Le Cierge
   Abstemius, fable 54.

   v. 1, *viennent* : Voir les *Géorgiques*, IV, v. 219-221.

   v. 7, *chose* : Jeu sur l'écart des tons et sens : s'il faut distinguer ce qui est essentiellement divers, la différence des mots cache parfois l'identité des choses. Le sage distingue la bougie et la terre, mais il sait aussi voir que cierge et bougie, malgré l'écart des mots, sont même chose.

   v. 17, *divers* : Constat capital pour ce livre (cf. 1, v. 8) et l'œuvre : en unifiant totalité et diversité, il est le fondement nécessaire d'un art de penser, et donc de survivre, puis de bien vivre. Voir aussi X, 7, v. 16-17.

   v. 18, *vôtre* : A rapprocher de VIII, 26, v. 4.

v. 20, *fou* : voir 1, v.10 et le champ de la folie dans ce livre. Fou, le Cierge se trompe sur sa nature et sa tactique. Moins radicales, mais toujours plus complexes, les fables suivantes (13-16) explorent les tactiques à suivre dans les occasions diverses : faut-il toujours la même ? Faut-il toujours changer ?

Jupiter et le Passager
Esope, *Le Trompeur*.

v. 11, *Titans* : Jupiter.
v. 20, *bien* : Le Passager a la tactique du Chien maigre (10), mais il l'a une fois « de trop » car Jupiter n'est pas un Loup aux capacités de domination limitées. Loin d'adopter toujours même tactique, il faut inventer toujours, être divers « dans l'esprit » comme le Singe (3). Cependant, tenir compte de la diversité des occasions ne signifie pas multiplier au hasard les tactiques. Voir 14.

Le Chat et le Renard
Gilbert Cousin (*De Vulpe et Fele, Narrationum sylva*, p. 97), Haudent (II, 19), Jacques Régnier (I, 28)...

v. 3, *archipatelins* : Inventions de La Fontaine à partir du héros de *La Farce de maître Patelin*.
v. 4, *Patte-pelus* : « On appelle un hypocrite, un traître, patte-pelue, qui fait comme le loup qui montrait une patte de brebis pour tromper l'agneau » (Fur.).
v. 20, *noise* : Querelle.
v. 27, *Brifaut* : Chien de meute (Voir V, 17, v. 12).
v. 30, *Bassets* : Chiens bas qui visitent les terriers.

Le Mari, la Femme, et le Voleur
Pilpay, *Le Livre des lumières*, p. 259-260.

v. 7, *déifiant* : Le faisant l'égal des dieux.
v. 22, *époux* : Efficace tactique de ce mari, puis de l'Espagnol, qui n'auraient pu convaincre leurs belles « par raison » : le premier s'adapte à l'occasion et le second la fabrique.
v. 37, *Espagnole* : Le comte de Villa-Mediana fit jouer une pièce à machines devant la reine qu'il aimait. Tallemant des Réaux écrit : « Le comte en était amoureux, ou du moins par vanité, il voulait qu'on le crût, et par une galanterie bien espagnole, il fit mettre le feu à la machine où était la reine, afin de pouvoir l'embrasser impunément » (*Historiettes*, t. I, p. 187).
v. 38, *folle* : Outre l'isotopie de la folie dans le Livre IX (depuis 1), voir VIII, 15, v. 6-8. Cet Espagnol perd beaucoup par le feu, mais – à la différence du Cierge – il gagne aussi beaucoup. Généreux à la dépense, il est l'inverse d'un avare (voir 16).

Le Trésor et les deux Hommes
Gilbert Cousin, *De Paupere et Divite, Narrationum sylva*, p. 62.

v. 2, *Diable* : Locution proverbiale. Mellin de Saint-Gelais en avait tiré une épigramme.

v. 7, *duit* : Qui ne convient pas.

v. 28, *licou* : « Se dit aussi de la corde qui sert à étrangler les pendus » (Fur.).

v. 32, *terre* : Voir VIII, 27.

v. 34, *divertit* : Divertissante diversité des occasions que l'on suit depuis *Jupiter et le Passager*. L'avare, qui ne sait pas penser, ne la voit pas, ne s'y adapte pas, et meurt. Pour la Fortune, voir VII, 11, 12, 13.

Le Singe et le Chat

Simon Maioli, *Les Jours caniculaires* (1588, traduction en 1609). Philippe Deprez, *Le Théâtre des animaux*... La Fontaine semble utiliser des récits divers et cette expression : « Faire comme le Singe, tirer les marrons du feu avec la patte du Chat. »

v. 2, *Commensaux* : « Epithète qui se donne aux officiers du roi qui ont bouche à la Cour » (Fur.)

v. 3, *plat* : « On dit ironiquement quand on voit deux ou trois personnes ensemble de même génie et qui ne valent pas grand-chose : voilà un bon plat » (Acad.).

v. 17, *feu* : Pour le feu, voir 6, 12 et 15.

v. 19, *Raton* : Flatté, Raton oublie que le Singe est singe, même pour lui. Tout enflammé par ses mensonges, il met sa patte au feu, pour le profit d'un voleur, qui n'est pas « manifeste voleur » (18, v. 1).

v. 24, *cependant* : Pendant ce temps.

v. 24, *croque* : Parmi les tactiques possibles, le Singe choisit la meilleure. Bon analyste de l'occasion, il emploie au maximum sa seule différence avec le Chat : la différence d'esprit.

v. 28, *emploi* : Voir I, 4, v. 17.

Le Milan et le Rossignol

Hésiode, *Les Travaux et les Jours*, v. 202-212, Esope, *Le Rossignol et l'Epervier*.

8, *Térée* : Voir III, 15.

v. 20, *oreilles* : vieux proverbe. Voir Plutarque (*Vie de Caton l'Ancien*, 15) et Rabelais (*Quart Livre*, 63). Echec pathétique d'une proposition de récit orné de musique. Le chant n'est pas une tactique adaptée à cette occasion (voir III, 12). Il ne détourne pas le Milan de sa « fin » (7, v. 80). De même, à la fable suivante, le discours « par raison » (1, v. 90), échoue face aux mauvais soldats.

Le Berger et son Troupeau

Abstemius, fable 127.

v. 2, *imbécile* : « Faible et sans vigueur » (Fur.).

v. 5, *Robin* : Rabelais, *Quart Livre*, 6.

v. 19, *terme* : Les statues du dieu Terme bornaient les champs dans l'Antiquité.

v. 31, *pas* : La « harangue », l'exemple et les cris ne détournent pas des êtres de leurs « fins ». Des Moutons sont des moutons, comme un Milan est un milan. Le Berger devrait distinguer leur nature. Question : ne peut-on corriger des erreurs, chez autrui, quand cet autrui n'est pas Milan ou Moutons ? Ne peut-on même faire, à plusieurs, avec plaisir, mouvement vers le vrai ? Voir le *Discours* suivant.

Discours à Madame de La Sablière

S'engageant dans un important débat, où s'illustrèrent notamment le jésuite Gaston Parties avec son *Discours de la connaissance des bêtes* (1672) et l'oratorien Du Hamel dans son *De corpore animato* (1673), La Fontaine critique ici la théorie cartésienne des animaux-machines. A cette théorie, selon lui, réductrice, il oppose une diversité d'expériences qui l'aident à valider, pour l'essentiel, des idées venant de Gassendi, sans doute par l'intermédiaire de Bernier, familier de Mme de La Sablière. Descartes, personnage pourtant remarquable (v. 54-55), n'aurait pas su établir de valables distinctions. Il aurait en somme commis une erreur comparable à celles de l'Homme au Pot (1), de Garo (4), du Cierge (12), ou du Bramin qui n'a pas su prévoir que « les âmes des souris et les âmes des belles/Sont très différentes entre elles » (7, v. 75-76). Il aurait oublié que les machines et les bêtes sont, dans les faits, « très différentes entre elles ». Il aurait confondu montres et animaux en instaurant une coupure absolue de l'homme aux autres créatures. Cette erreur, sur la pensée animale, et, plus largement sur la pensée, trouverait son origine, – paradoxalement pour un philosophe (Mais Empédocle (12) se trompait bien) – dans un défaut d'« art de penser » (XI, 9, v. 42). Descartes poserait en principe que sur tous les animaux seul l'homme pense (v. 59-60). Il en déduirait que les bêtes ne pensent pas. Raisonnement formel, circulaire, qui omet, comme le fait le Pédant (5), le spectacle divers du monde, que Démocrite ne négligeait pas (VIII, 27). La Fontaine propose donc plusieurs faits, qu'il conte comme des fables, mais qu'il donne pour vrais, et qui mettent progressivement en péril la position cartésienne. Il veut montrer que si l'homme n'est pas un animal, il n'y a pas rupture absolue de l'homme aux animaux, mais une transition subtile, presque impossible à nommer. Les animaux ne seraient ni des machines, ni des hommes. Il faudrait donc, sans perdre l'unité et la diversité du vivant, subtilement distinguer. Cela suppose de savoir observer, de savoir ne pas mettre de « faux milieux entre la chose » (VIII, 17, v. 3) et soi, et donc de savoir penser, justement sur la pensée.

En précisant le passage homme/animal, La Fontaine fonde son emploi des fables : s'il y avait rupture absolue, quand elles substituent les animaux aux hommes, elles seraient des « mensonges » (voir 1, v. 34), qui mènent finalement au vrai, mais sans détenir de vérité propre. Or, dans le second recueil surtout, La Fontaine, conformément au mouvement général des idées, s'approche des sciences naturelles, et montre qu'il y a de l'homme dans l'animal, comme il y a de l'animal dans l'homme (Voir X, 14), même s'il ne faut rien confondre. Son *discours*, en illustrant, à la suite de Lucrèce, la poésie scientifique, donne ainsi un fondement plus solide aux *Fables*, et multiplie leurs possibilités. Il montre qu'elles peuvent être, sous les « habits du mensonge » (1, v. 34), vraies et guides vers le vrai, et qu'elles sont adéquates pour dire, face aux discours réducteurs, la diversité réelle et féconde de l'univers.

Le *Discours à Mme de La Sablière*, cependant, est, avant tout, un discours, et presque une utopie. Il suit la « harangue » inefficace de Robin aux moutons (19), les vaines paroles du Rossignol au Milan (18), et il précède la défense inefficace que la Couleuvre présente à l'Homme (X, 1). Loin du « manifeste voleur », du « peuple imbécile », ou de l'« animal pervers », qui se croit volontiers, selon le projet cartésien, « maître et possesseur de l'univers », il s'adresse à une destinataire qui sait entendre, apprécier, comprendre la complexité, en un débat où l'on n'est pas pressé, écrasé par l'urgence des désirs, et où l'on s'instruit sans chercher à se tromper. Avant le retour aux rapports de force, avec ses détours, sa diversité « dans l'esprit », les échanges qu'il établit, ce discours presque utopique, suggérerait ainsi, loin du vulgaire, un monde merveilleux de rapports, dont le modèle serait la conversation, diverse, adéquate à la diversité du monde, source de diversité, créatrice d'un monde « toujours beau, toujours divers, toujours nouveau » (2, v. 67-68)... Mieux que Mme de Montespan, Mme de La Sablière apparaît comme une dominante parfaite, discrète, qui protège et favorise l'éclosion de la pensée, et qui sait rendre dans son salon, loin des contraintes, ses amis « tout entiers aux beaux-arts » (VII, 17, v. 72).

v. 1, *Iris* : La messagère de Junon, l'arc-en-ciel. C'est ici Mme de La Sablière qui, depuis 1672 ou 1673, protège La Fontaine, ancien ami de son mari dont elle vit séparée. De nombreux esprits éclairés, comme Bernier, fréquentaient son salon. La Fontaine y fit des rencontres fécondes, qui lui apportèrent, en particulier, les traditions orientales et les sciences modernes.

v. 7, *Belles* : Voir I, 14, v. 1-2.

v. 14, *hasard* : Ici, les « matières diverses » fournies par le hasard, divertissent heureusement ceux qui conversent, parce qu'ils savent penser et vivre.

v. 26, *Philosphie* : Le cartésianisme.

v. 27, *engageante* : Séduisante, et, peut-être, dangereuse (Voir X, 9, v. 29).

v. 31, *ressorts* : Voir VIII, 14, v. 23.

v. 32, *corps* : A rapprocher de « Tout en tout est divers ». IX, 12, v. 17.

v. 33, *montre* : Voir Malebranche, *De la recherche de la vérité*, *Œuvres*, t. I, p. 713-718. Descartes, *Discours de la méthode*, cinquième partie : « C'est aussi une chose fort remarquable que, bien qu'il y ait plusieurs animaux qui témoignent plus d'industrie que nous en quelques-unes de leurs actions, on voit toutefois que les mêmes n'en témoignent point du tout en beaucoup d'autres : de façon que ce qu'ils font mieux que nous ne prouve pas qu'ils ont de l'esprit ; car, à ce compte, ils en auraient plus qu'aucun de nous, et feraient mieux en toute chose ; mais plutôt qu'ils n'en ont point, et que c'est la nature qui agit en eux, selon la disposition de leurs organes : ainsi qu'on voit qu'un horloge, qui n'est composé que de roues et de ressorts, peut compter les heures et mesurer le temps, plus justement que nous avec toute notre prudence. »

v. 53, *façon* : Voici de quelle façon...

v. 57, *gens* : Tel ou tel.

v. 59, *Sur* : Au-dessus de...

v. 61, *science* : De science certaine.

v. 72, *voie* : Faire perdre sa trace.

v. 73, *cors* : Cerf de sept ans.

v. 74, *suppose* : En substitue.

v. 78, *change* : « Change en termes de vénerie se dit quand des chiens qui poursuivaient un cerf ou quelque gibier le quittent pour courir après un autre » (Fur.).

v. 84, *plume* : « Duvet qui couvre quelque sorte d'oiseau que ce soit » (Rich.).

v. 89, *pille* : « Se dit aussi des chiens qui se jettent sur les animaux ou sur les personnes » (Acad.).

v. 92, *monde* : Le Canada. Sur les castors, La Fontaine a pu se renseigner dans l'*Abrégé de la philosophie de Gassendi*, de Bernier, dans la *Description géographique et historique des côtes de l'Amérique septentrionale*, de N. Denys, dans le *Journal des Savants*, 1674, p. 82-83...

v. 101 *mortier* : En couches successives.

v. 104, *bâton* : Ces officiers qui ont « juridiction et inspection sur les ouvrages de maçonnerie et de charpente » (Acad.) dirigent avec autorité.

v. 118, *Nord* : Elu roi de Pologne en 1674, Sobiesky a repoussé les Turcs en 1667 et 1673 (v. 120). La réalité de son contact avec La Fontaine paraît douteuse, mais Sobiesky contait bien cette histoire, comme celle des deux Rats suivants.

v. 126, *Renard* : Des bobaques ou boubacks.

v. 130, *vedettes* : « Sentinelles à cheval » (Fur.).

v. 131, *partis* : « Troupe de gens de guerre, de cavalerie ou d'infanterie, que l'on détache pour battre la campagne, reconnaître l'ennemi, faire des prisonniers, etc. » (Acad.).

v. 138, *Epicure* : Malicieuse désignation de Descartes, mort en 1650.

v. 143, *divers* : Diversité opposée à la théorie réductrice de Descartes.

v. 151, *événement* : Effet.

v. 167, *fait* : Reprise, en sens inverse, du vers 44 : « un esprit » agit sur la matière.

v. 176, *plante* : « L'âme végétative est dans les plantes, la sensitive dans les bêtes, et l'âme raisonnable et spirituelle est dans les hommes » (Fur.). Théorie traditionnelle des trois âmes.

v. 191, *invention* : Argument décisif contre Descartes : les animaux, qui peuvent s'adapter aux occasions, sont capables d'invention, ce qui manifeste un bon « art de penser » (XI, 9, v. 42) dont témoignaient aussi certains personnages du livre IX (14, 15, 17).

v. 193, *écornifleur* : « *Ecornifler* : aller dîner chez autrui sans y être invité, par un esprit de goinfrerie ou d'épargne » (Fur.).

v. 207, *subtiliserais* : « *Subtiliser* : rendre subtil au propre et au figuré... L'esprit de vin se subtilise à force d'être rectifié ou distillé plusieurs fois » (Fur.).

v. 214, *plomb* : Idée d'alchimiste, qu'admettait Gassendi en se fondant sur l'atomisme.

v. 217, *argument* : « Un raisonnement qu'on fait en posant certains principes dont on tire des conclusions » (Fur.).

v. 234, *organe* : Même sens qu'en IX, 7, v. 69.

LIVRE X

L'Homme et la Couleuvre

Pilpay, *Le Livre des lumières*, p. 204-209. Chez Pilpay, l'Homme sauve la Couleuvre, puis la tue (voir VI, 13), sur le conseil du Renard, car elle a voulu le mordre. La Fontaine fait de l'Homme le méchant. Grand contraste avec la belle humanité et les entretiens du *Discours à Mme de La Sablière* ! Le débat, possible avec certains esprits, est vain avec des dominants négateurs.

v. 1, *Couleuvre* : Serpent venimeux pour Richelet.

v. 10, *raison* : Il ne s'agit plus de convaincre « par raison » comme en IX, 1, v. 90.

v. 12, *ingrats* : Circularité de la harangue comparable à celle du Loup (VII, 1, v. 66-68). Efficacité douteuse en ce cas, cependant : le dominant qui croit confirmer son pouvoir en parlant le met en crise. Vérification avec la Tortue suivante (v. 27-32). Le Cormoran saura que le dominant, pour être efficace, doit seulement parler pour avoir le pouvoir. Ensuite, il n'a qu'à « prendre sans peine ».

v. 29, *droit* : « Le droit du plus fort » (cf. I, 6), ou – plus finement – le droit fondé sur la valeur affirmée de l'Homme, celle qui autorise Descartes à le vouloir « comme maître et possesseur de la nature ». Cette fable, après le *Discours*, peut se lire comme une critique de l'entreprise de domination que légitimerait le cartésianisme. Avant *La Tortue et les deux Canards*, elle peut simultanément se lire comme une interrogation sur les fondements du pouvoir.

v. 54, *soins* : Supportait les efforts.

v. 55, *peines* : Virgile, *Géorgiques*, II, v. 401-402.

v. 90, *taire* : Cette alternative, qui fonde l'attitude lafontainienne face aux « grands », aide à lire les fables 11 et 12 de ce livre. « Parler de loin » : Attitude finale du Perroquet. « Se taire » : attitude conseillée à la Lionne face à la mort.

La Tortue et les deux Canards

Pilpay, *Le Livre des lumières*, p. 124-126. Esope, *La Tortue et l'Aigle*.

v. 3, *étrangère* : Voir IV, 11, VIII, 9, et, surtout, IX, 2 où le désir de pouvoir (comme désir d'infini) se lit aussi sous le « désir de voir ».

v. 6, *dessein* : Chez Pilpay, ils le lui proposaient en abandonnant un étang desséché (Voir 3).

v. 27, *effet* : Réellement. Nul fondement cependant pour ce pouvoir.

v. 35, *parentage* : Mot vieilli, selon le dictionnaire de l'Académie.

v. 36, *lignage* : Parenté issue d'une même souche (Fur.).

Les Poissons et le Cormoran

Pilpay, *Le Livre des lumières*, p. 92-95. Chez Pilpay, en étranglant le Cormoran, une Ecrevisse vengeait les Poissons. Ici, bien loin de la « reine des tortues », le Cormoran résout, en maître efficace, la crise que suscitait son âge. Il ne se pose aucune question éthique, à

l'inverse du Loup de 5. Il parasite, en toute conscience, la domination cruelle des hommes.

v. 7, *pourvoyeur* : Celui qui a soin de pourvoir une maison de
vivres (Fur.).

v. 11, *stratagème* : Voir *Discours à Mme de La Sablière*, v. 190-1.

v. 19, *émute* : « Emute », apparemment pour émeute, n'est pas
dans les dictionnaires du temps.

v. 36, *apôtre* : Hypocrite. Voir VII, 15, v. 43. Grippeminaud,
comme le Cormoran, et à la différence du Chat et de la Belette (ou
de l'Homme), ne cherchait nul fondement à son pouvoir, sinon la
force. Il mangeait sans commentaires.

v. 43, *engeance* : Péjorativement, race. Depuis 1, La Fontaine
mène une critique radicale de la supériorité de l'Homme (voir 5, 7,
12).

v. 45, *loup* : Voir 5.

L'Enfouisseur et son Compère
Abstemius, 169. En reprenant *Le Trésor et les deux Hommes*, La
Fontaine fait de l'Enfouisseur un avare qui se corrige grâce au voleur.

v. 1, *Pinsemaille* : Un grippe-sou (Pincemaille, logiquement, chez
Furetière). Marot emploie ce mot.

v. 2, *finance* : Cas inverse du Cormoran.

v. 10, *jouir* : Voir VIII, 27.

v. 35, *trompeur* : « Car c'est double plaisir de tromper un trompeur. » II, 15, v. 32.

Le Loup et les Bergers
Plutarque, *Le Banquet des sept sages*, paragraphe 13. Grand déve-
loppement de La Fontaine.

v. 11, *prix* : Au Xe siècle, le roi Edgar proposa aux princes gallois
de lui donner trois cents têtes de loup plutôt que de payer tribut en
argent.

v. 13, *bans* : Des annonces semblables à celles du roi Edgar.

v. 15, *menace* : Voir IV, 16.

v. 16, *rogneux* : Rogne : « gale invétérée » (Acad.).

v. 17, *pourri* : Le pourri est un mal des moutons.

v. 30, *agnelet* : Vient de la *Farce de Maître Pathelin*.

v. 34, *raison* : On retrouve une question de 1 : Pourquoi les
animaux devraient-ils être meilleurs que les hommes, qui se prétendent leurs maîtres de « droit » ?

v. 38, *croc* : « Ustensile de cuisine qui a plusieurs pointes recour-
bées où on attache la viande » (Fur.).

v. 40, *fort* : Il convient cependant de se placer au point de vue des
victimes. Ce que feront les fables 6, 7, 8.

L'Araignée et l'Hirondelle
Abstemius, 4.

v. 3, *Pallas* : Pallas sortit tout armée de la tête de Jupiter. Elle
devint jalouse de l'habileté d'Arachné dont elle fit une araignée.

v. 5, *Progné* : L'Hirondelle. Voir III, 15.

v. 10, *tissu* : Participe passé de l'ancien *tistre* : tissé.

v. 27, *fort* : Toujours la loi du plus fort. Voir 5, v. 40. Ou 1 et 3. Dans cette fable et les deux suivantes s'entend le discours, plus ou moins fondé, des victimes.

La Perdrix et les Coqs
Esope, *Les Coqs et la Perdrix.*

v. 5, *porté* : Voir VII, 12.

v. 7, *ménagerie* : « Lieu bâti auprès d'une maison de campagne pour y engraisser des bestiaux » (Acad.).

v. 17, *esprits* : Voir au livre IX, en particulier, 7, v. 75-77 et 12, v. 17-18.

v. 22, *tonnelles* : « Une espèce de chasse qu'on fait avec un bœuf ou un cheval de bois peint, que le chasseur pousse devant lui vers les perdrix pour les faire entrer dans un filet » (Fur.).

v. 24, *l'homme* : Voir 1, 3 (v. 43-45), 5. Correction à la fable suivante : en coupant les oreilles du Chien, l'homme le sauve du loup. Des plaintes des dominés, ne pas toujours conclure que les dominants sont des « tyrans ». Voir *Le Berger et le Roi* (les plaintes des « pestes de cour »).

Le Chien a qui on a coupé les oreilles

v. 5, *tyrans* : Voir X, 1 et la fable précédente, mais le « jeune dogue » se trompe.

v. 17, *mieux* : Légitimation de la pauvreté maintenue du Berger suivant (v. 54-73).

v. 18, *munit* : Fortifie.

v. 18, *esclandre* : « Vieux mot qui signifiait autrefois : un accident fâcheux » (Fur.).

v. 19, *gorgerin* : Le collier armé qui protège la gorge du chien.

Le Berger et le Roi
Les six voyages de J.-B. Tavernier, 1676, p. 99-102 : le Berger y reprend son poste après avoir été réhabilité. L'apologue encadré vient d'un *Ermite qui quitta ses déserts pour aller vivre à la cour*, fable de Pilpay (*Livre des lumières*, p. 152-160). La Fontaine se réfère ici constamment à *L'Astrée*.

v. 1, *démons* : Démon : « esprit, soit bon, soit mauvais » (Acad.).

v. 5, *Amour* : A rapprocher de IX, 15, v. 28-31.

v. 5, *Ambition* : Voir I, 4, et IV, 2.

v. 10, *sommes* : Référence d'ensemble au monde idéal de la pastorale opposé au monde réel, actuel, de la loi du plus fort (Voir 1-8). Après la transition que constitue la fable 8, *Le Berger et le Roi* introduit les questions de la définition et de la possibilité d'un bon dominant politique. Un tel dominant n'a pu exister qu'au « vieux temps », au pays du « songe », peut-être comme Oronte (v. 73), personnage du *Songe de Vaux*.

v. 12, *corps* : En bonne santé.

v. 15, *gens* : Formule homérique et surtout biblique (*Samuel*, II, v. 2). Thème du bon pasteur.

v. 28, *malheurs* : La chute de Fouquet en est un bel exemple.

v. 56, *grevés* : Lésés.

v. 60, *pauvreté* : « Le Prince s'attendait à découvrir Vaux-le-Vicomte. Il tombe sur Port-Royal » (Jean-Pierre Collinet).

v. 65, *machineurs* : Mot très rare (voir Richelet).

v. 68, *jupon* : « Se dit aussi d'une espèce de grand pourpoint ou de petit justaucorps qui a de longues basques et qui n'a point de busquière » (Fur.).

v. 68, *panetière* : « Ce qui sert aux bergers et aux bergères pour mettre leur pain... Elle est faite comme une fronde et ils la portent en écharpe » (Fur.).

v. 69, *musette* : « Instrument de musique auquel on donne le vent avec un soufflet » (Acad.).

Les Poissons et le Berg▪ qui joue de la flûte
   Esope, *Le Pêcheur qui joue de la flûte.*
   Deux bergers successifs. Le premier, conduit au pouvoir de juger par un roi idéal, découvrait l'extrême difficulté de bien guider les hommes (cf. XII, 29). Le second découvre qu'on prend autrui, qu'on veut nier, par la force, mais nullement par la douce poésie (qui n'est pas le discours trompeur du Cormoran [3]). Après l'utopie et le songe, retour à la loi du plus fort, au réel. Le conte précédent était « du bon temps, non du siècle où nous sommes ». Celui-ci, quittant vite la pastorale, ramène au siècle où Louis XIV, « d'une main puissante », « dompte l'Europe » (*Epilogue*, v. 19).

v. 1, *Tircis* : Voir IV, 2 et VIII, 13.

v. 13, *poissons* : A opposer au Cormoran (3).

v. 21, *cristal* : Voir 3, v. 30-32 et 37-38. Voir aussi la « prison volontaire » des poissons dans le troisième fragment du *Songe de Vaux.*

v. 31, *raisons* : Voir IX, 1, v. 90. Voir aussi X, 1, v. 10. La conclusion de cette fable rejoint, amèrement, la pratique de l'Homme à la fin de 1.

Les Deux Perroquets, le Roi et son Fils
   P. Poussines, *Specimen sapientæ Indorum veterum*, 1666, p. 609-611.

v. 9, *Nourris* : « Nourrir signifie encore élever, instruire » (Fur.).

v. 27, *barque* : Aux enfers, dans la barque de Charon.

v. 32, *Dieux* : En l'air.

v. 49, *profane* : En parlant de la Parque, et donc du destin, le roi oublie la providence.

v. 54, *objet* : Le prince aveugle.

v. 60, *yeux* : Voir 1, v. 89-90. Comme ce roi n'est pas « du bon temps » (9, v. 10), le Perroquet évite l'effet de sa « puissance » (10, v. 35) « en parlant de loin ». La Lionne, face à la mort, n'aura qu'à se taire.

La Lionne et l'Ourse
   P. Poussines, p. 618-619. La fable précédente a une source proche.

v. 1, *fan* : Son petit.

v. 8, *visité* : A rapprocher des nuisances que créent les cris du Cochon (VIII, 12, v. 13-14).

v. 21, *Destin* : Voir 11, v. 50. Loin d'accuser le destin, il faut vivre au mieux. Leçon de prudence en 11. Leçon de silence ici. Leçon d'audace, ensuite.

v. 26, *Hécube* : Ayant vu périr sa ville, son mari et ses enfants, cette reine de Troie devint esclave.

Les Deux Aventuriers et le Talisman
Pilpay, *Le Livre des lumières*, p. 62-66.

v. 17, *nez* : « On dit proverbialement qu'un homme saigne du nez lorsqu'il manque de résolution, quand il faut exécuter quelque entreprise » (Fur.).

v. 48, *Sixte* : Sixte-Quint, pape en 1585 après s'être fait passer pour infirme. Elu, il jeta ses béquilles...

v. 50, *Roi* : Vers à double entente que l'on peut lire à travers *Le Berger et le Roi*.

v. 55, *consulter* : La sagesse paraît parfois peu sage (Voir VIII, 12, v. 32). Après une leçon de prudence (11), puis une leçon de silence (12), leçon d'audace qui ouvre des perspectives.

Discours à Monsieur le duc de La Rochefoucauld
Les *Réflexions diverses* de La Rochefoucauld contiennent un texte qui rapproche systématiquement les hommes des animaux. Il n'était pas publié du vivant de La Fontaine, qui put pourtant le lire en manuscrit ou entendre son auteur en exposer la substance.

v. 3, *animaux* : Le *Discours à Mme de La Sablière* montrait que les animaux n'étaient pas loin des hommes. Ces rapprochements symétriques fondent en vérité l'entreprise des *Fables*.

v. 4, *Roi* : Nouvelle critique de ce Roi (voir 8, v. 5) et de la légitimité de son pouvoir. Voir surtout 1.

v. 8, *matière* : Voir *Discours à Mme de La Sablière*, v. 207-223. La Fontaine précise ici plus radicalement la nature de l'unité homme/animal.

v. 34, *fortune* : On pense à VII, 11 et 12, mais aussi à la fable précédente (v. 52-55).

v. 37, *détroit* : « Une étendue de pays soumis à une juridiction temporelle ou spirituelle. On l'appelle autrement : district » (Acad.). Pour ce récit, on pense à VIII, 7.

v. 51, *jeu* : « On dit *c'est le droit du jeu*, pour dire : c'est l'ordre, l'usage » (Acad.).

v. 52, *discours* : Comme le *Discours à Mme de La Sablière*.

v. 64, *hommages* : *L'Homme et son image* est dédié à La Rochefoucauld, qui apparaît comme un modèle d'humanité, supérieur aux animaux. Grâce à lui, il devient plus aisé de critiquer la critique contre les hommes qui parcourt le livre : l'Homme n'est pas toujours mauvais, quand il agit comme certain maître (8), comme le Berger ou le Roi (9), comme l'audacieux aventurier (13), et, mieux encore, comme La Rochefoucauld, ou peut-être, comme le Pâtre de la fable finale...

Le Marchand, le Gentilhomme, le Pâtre et le Fils de Roi

P. Poussines, *Specimen sapientæ Indorum veterum*, p. 616. Dans ce texte, le marchand, le noble, le prince, par leurs actions diverses, gagnaient de quoi vivre.

v. 8, *points* : « Se dit en astronomie... Le point de la nativité, c'est le degré ascendant sur l'horizon à la naissance de quelqu'un » (Fur.). Les « échoués » sont nés sous plusieurs influences astrales. Ils ont eu des sorts divers.

v. 14, *aventure* : L'échec de cette aventure corrige l'excès d'optimisme qu'un raisonnement de lapins ferait tirer de 13.

v. 17, *plainte* : Même constat qu'en 12, v. 20-27. Cependant, si une fable conseillait le silence, celle-ci, plus positive, conseille une reprise d'activité, et en montre le moyen.

v. 21, *raison* : Tendance des dominants à nier la présence de la raison chez autrui. Voir X, 1, v. 28 et 85. Obliquement, critique renouvelée de Descartes puisque l'Homme est « roi des animaux » (8, v. 5, et X, 14, v. 56).

v. 31, *Inde* : L'Amérique, ce sont les Indes occidentales.

v. 37, *faim* : Le Vieillard (XI, 8) emploiera une logique analogue pour montrer qu'il y a, en un temps limité, un très grand nombre de chances de plaisirs.

v. 48, *là-bas* : Dans l'autre monde.

v. 52, *main* : Voilà qui fonde la survie et une certaine valeur de l'homme, lorsqu'il l'emploie, sans les piller, les « dons de la nature ». Le Berger a un tout autre rapport à l'univers que l'Homme de X, 1. Il prélève le nécessaire pour vivre, par son travail. Mieux que le duc de La Rochefoucauld, et en débordant toute symétrie avec le *Discours à Mme de La Sablière*, ce personnage – presque nu au bout d'un livre qui débat la valeur et le rôle de l'Homme dans l'univers – est, pour l'heure, l'image la plus positive de l'homme. Ensuite, viendront le Paysan du Danube et, surtout, le Vieillard qui plante.

LIVRE XI

Le Lion

Pas de source connue pour ce récit. Un distique d'Aristophane dans *Les Grenouilles*, repris par Plutarque, a pu fournir l'idée. Traduction d'Amyot : « Le mieux serait pour la chose publique/ Ne nourrir point de Lion tyrannique ; Mais puisqu'on veut le nourrir, nécessaire/ Il est qu'on serve à ses façons de faire. » Ce Lion évoque sans doute Louis XIV, qui se renforça lentement, résista à l'Europe entière, et se préparait, vers 1678-79, après les traités de Nimègue, à annexer des villes par « réunions ».

v. 2, *aubaine* : « Droit par lequel le roi succède aux étrangers » (Rich.).

v. 9, *routier* : « Homme qui est fort rompu, fort expérimenté en quelque chose » (Acad.).

v. 23, *guerre* : De Louis XIV, La Fontaine écrit : « La guerre fait sa joie et sa plus forte ardeur. » (*A.M. de Niert, O.D.*, p. 618.) Voir aussi l'*Epilogue*, v. 19-21. Ne pas lire ici un éloge de Louis XIV, quand le texte suivant montre ce que serait un dominant selon La Fontaine, qui aspire à la paix (voir VII, 17).

v. 29, *dormait* : Voir 3, v. 21-23. Autre histoire de politique imprévoyante. En 3, le Renard est, d'un certain côté, au fermier ce que le Lion est, ici, au Léopard.

v. 53, *craître* : Graphie selon la rime et la prononciation du temps.

Les Dieux voulant instruire un fils de Jupiter

Maine : Fils de Louis XIV et de Mme de Montespan. Huit ans en 1678. Célébré comme enfant prodige, il était tendre pour sa mère, et même galant avec les dames, à en juger par ses lettres à Mlle de Villette (6 ans), Mlle de Thianges et la duchesse de Foix. Sa louange loue Mme de Montespan (Cf. dédicace du recueil) et – apparemment – Louis XIV, bien que le voisinage du Lion guerrier suggère que le fabuliste voudrait un roi occupé des « doux soins d'aimer et de plaire ». On peut toujours rêver : le duc du Maine ne peut évidemment être roi. Le redoublement de l'éloge (Le Lion victorieux/ le fils remarquable) critique, subtilement, Louis XIV aussi pillard que les Prêteurs du *Paysan du Danube*. Soucieux d'éviter tout danger, La Fontaine est un « maître ès arts » (5, v. 73).

v. 18, *réminiscence* : Souvenir de la théorie platonicienne.

v. 41, *cœurs* : C'est presque le dernier vers du second *Discours à Mme de La Sablière, O.D.*, p. 646.

Le Fermier, le Chien et le Renard

Abstemius, 149.

v. 10, *travaille* : Je me fatigue (Voir I, 3, v. 4).

v. 13, *poulaille* : Ce mot, absent des dictionnaires contemporains, est chez Voiture (Lettre CLVII).

v. 13, *croc* : Voir X, 5, v. 38.

v. 14, *coq* : On peut penser au constat, mais non aux conclusions, du Loup en X, 5, v. 16-18.

v. 18, *Styx* : Serment majeur. Voir VIII, 20, v. 46.

v. 20, *pavots* : Plante somnifère.

v. 23, *dormait* : Voir 1, v. 28-29 et la fable suivante. Si le « somme » est possible à qui vit « loin du monde et du bruit » (4, v. 24), le Père de famille ou le Sultan ne sauraient dormir. Ces dominants sont donc privés de félicité. Si la fable 1 suggérait la politique nécessaire d'un dominant négateur, celle-ci montre qu'elle le prive de tout plaisir. Il faut être fou pour désirer dominer. Mieux vaut goûter la solitude (4) et planter (8).

v. 32, *liquide* : Le soleil plongea dans la mer quand Thyeste servit à Atrée les restes de ses enfants. Image récurrente chez les auteurs tragiques.

v. 34, *Atride* : Agamemnon. Il retint Chryséis, fille de Chrysès, prêtre d'Apollon. Ce Dieu lança ses flèches contre l'armée (« l'ost ») grecque, selon Homère, pendant neuf jours (*Iliade*, I, v. 1-53).

v. 43, *Ajax* : Souvenir d'*Ajax* de Sophocle. Ajax, furieux d'être privé de ses armes d'Achille, détruisit beaucoup.

v. 58, *rien* : Voir X, 1, v. 84-90.

v. 59, *drille* : « Méchant soldat. Il se dit par mépris et par raillerie » (Fur.).

v. 60, *père de famille* : Maître de la maison, comme le latin *pater familias*. Seul, un vizir remarquable peut savoir, tout en dominant, quelquefois goûter la solitude, qui offre des « biens sans embarras » (4, v. 16 et 20), comme le chant et la connaissance délectable de l'univers.

v. 65, *procureur* : « Qui est chargé de la procuration d'autrui, qui traite en son nom » (Fur.).

Le Songe d'un habitant du Mogol

Pour le récit, Saadi, poète persan, auteur de *Gulistan ou l'Empire des roses* traduit par A. du Ryer, 1634. Pour l'éloge de la solitude, Virgile, *Géorgiques*, II, v. 485-502.

v. 1, *Mogol* : Habitant du Mogol. Voir VII, 5, v. 1.

v. 8, *Minos* : Le plus illustre juge des enfers.

v. 24, *frais* : Virgile, *Bucoliques*, 1, v. 53, « frigus [...] opacum »...

v. 26, *Sœurs* : Les Muses.

v. 29, *errantes* : Les planètes.

v. 34, *ourdira* : Ne tissera point avec des fils d'or.

v. 40, *remords* : A opposer au père de famille (3, v. 60) qui ne peut chanter, connaître, vivre selon une éthique convenable. Questions : serait-il possible de concilier régulièrement l'exercice du pouvoir et la morale ? Un dominant même peut-il entendre un discours qui l'instruise ? Retour du Lion et d'un conseiller, qui n'est plus Renard, mais Singe.

Le Lion, le Singe et les deux Anes

Asinus asinum fricat : sur cet adage, La Fontaine construit cette fable capitale pour la difficulté d'instruire les dominants et pour la tactique prudente à mener avec eux. Question : ne peut-on jamais dire aux tyrans leur injustice, comme le fera *Le Paysan du Danube* ? La Fontaine approuve la prudence du Singe, mais il admire la rhétorique et l'audace du Paysan. Il désire peut-être l'imiter, et il le fait – en Singe – par des fables prudentes, obliques, qui tiennent compte du réel et évitent d'être pris, de tomber dans des puits, comme certain Renard, qui a trop désiré, mal vu, mal pensé...

v. 4, *arts* : « Les lettres humaines et la philosophie. En ce sens, on appelle Maître ès arts, celui qui est passé maître en cette littérature avec pouvoir d'enseigner » (Acad.).

v. 5, *Régent* : « Un professeur [...] qui tient une classe dans un collège » (Acad.). Sans doute un jeu étymologique avec roi/règne.

v. 10, *Amour-propre* : « Le plus grand de tous les flatteurs » selon La Rochefoucauld (*Maximes*, 2).

v. 18, *rien* : Logique remarquable : inutile de supprimer tout l'amour-propre, pour supprimer pratiquement tous ses effets. Logique du seuil : au-delà d'un certain point, tout se renverse. Ainsi, en 6, au-delà d'un certain point, la probabilité d'une connaissance, équivaut à la certitude : nul besoin de toucher tout à fait l'« orbiculaire image » dans le puits pour savoir que ce n'est pas un fromage, et ne pas descendre. De même, en 8, le Vieillard tire de la forte probabilité qu'il lui reste encore un peu à vivre, la certitude de pouvoir jouir.

v. 48, *braillards* : Vient de « braire ».

v. 52, *Philomèle* : Le Rossignol (voir III, 15).

v. 53, *Lambert* : Maître de la musique de la Chapelle du Roi, Michel Lambert chantait et composait. La Fontaine qui l'admirait, le fit apparaître dans *Le Songe de Vaux, O.D.*, p. 100.

v. 55, *grattés* : « On dit qu'un âne *gratte* l'autre [...] quand deux personnes de peu de mérite se louent réciproquement » (Fur.).

v. 61, *puissances* : Voir VII, 1, v. 45.

v. 74, *Regardait* : Ce Singe, qui ne se flatte pas, comme « un fat » de la proximité du Prince, agit selon une probabilité très forte. Logique de seuil (voir v. 18) : il n'est pas tout à fait certain que le Lion soit un « terrible sire », mais il suffit qu'il le soit très probablement, pour agir tout à fait comme s'il l'était. Pareille méthode évite de tomber dans les puits.

Le Loup et le Renard

Source probable : Jacques Régnier, *Apologii Phaedrii, Vulpes et Leo*, I, 18, 1643. On peut douter que La Fontaine ait connu *Le Roman de Renart*, où l'on peut lire *Si comme Renart fit avaler Ysengrin dedans le puits.*

v. 2, *matoiserie* : « Fourberie » (Fur.).

v. 11, *orbiculaire* : « De figure ronde et sphérique » (Fur.).

v. 33, *Faune* : Divinité champêtre, fils de Mercure et de la Nuit.

v. 34, *Io* : Jupiter aima cette belle prêtresse de Junon, mais la transforma en génisse pour la protéger de sa jalouse épouse.

v. 44, *séduire* : Le Singe, puis les Sénateurs, malgré l'apparence (7, v. 1) du Paysan, ne sont pas séduits. On peut donc minimiser, voire réduire à rien, les effets de la séduction et parvenir à une lucidité tout à fait suffisante pour survivre, voire jouir, dans l'urgence, même si les certitudes sont souvent inaccessibles, comme en témoigne le débat ouvert, en début de fable, avec Esope. Débat de savants : qu'importe, pour vivre, le classement du Renard et du Loup au championnat de matoiserie ? Ici, l'incertitude n'est pas gênante. Dans le monde sublunaire, cependant, il faut en savoir assez, par expérience et « art de penser » (9, v. 42), pour éviter d'être séduit par l'ailleurs (cf. le Souriceau), par le Lion, par une « apparence » (7, V1) de fromage, ou dégoûté par une « apparence » d'inhumanité.

Le Paysan du Danube

Guevara (*L'Horloge des princes*, 1529) attribue ce récit à Marc-Aurèle. On le lit chez divers auteurs du XVIᵉ siècle : Pierre Boaistuau, Jean de Marcouville, Gabriel Buon, Nicolas Clément de Vizelize... La Fontaine a pu le lire chez son éditeur qui publia en 1680 les *Parallèles historiques* de François Cassandre, où il se trouvait.

v. 1, *apparence* : Voir 6, v. 44-47. Les trois jeunes Hommes feront cette erreur.

v. 3, *Souriceau* : VI, 5.

v. 6, *Esope* : Leur laideur était fameuse.

v. 16, *sayon* : « *Saie* : vieux mot qui signifiait autrefois : une casaque » (Fur.).

v. 20, *avarice* : Cupidité.

v. 28, *injustice* : Cette fable prolonge la leçon du Singe sur « l'injuste » (5, v. 19 et 70).

v. 41, *Univers* : Question à poser au Lion (1), et, surtout, à l'Homme (X, 1).

v. 51, *Préteurs* : « Des magistrats qui gouvernaient les provinces et y rendaient la justice » (Rich.).

v. 67, *conversons* : « Converser : vivre familièrement avec quelqu'un » (Fur.).

v. 88, *Patrice* : Anachronisme venant des traducteurs de Guevara. C'est Constantin qui institua le *patriciat*.

v. 94, *entretenir* : Et en France ? Et trouve-t-on encore des dominants capables de l'écouter ? N'a-t-on pas plutôt affaire à un Lion, avec qui il faut des tactiques de Renard (1) ou de Singe (5) ?

Le Vieillard et les trois jeunes Hommes

Abstemius, 168. S'y mêlent des souvenirs de Virgile, Horace, Cicéron, Sénèque.

v. 1, *plantait* : Faisait planter, comme le montre la gravure.

v. 9, *vous* : Souvenir d'Horace. *Odes*, II, 16, v. 17-18.

v. 14, *établissement* : « Retraite fixe. Retraite assurée et où apparemment on voit quelque espérance de repos. Il faut faire un établissement une fois dans sa vie. C'est un établissement pour le reste de ses jours » (Rich.).

v. 21, *arrière-neveux* : Petits-enfants (Voir VIII, 1, v. 27). Les *Géorgiques* (II, v. 58) évoquent « l'arbre qui fera de l'ombre à de lointains neveux ».

v. 25, *jouir* : Voir VIII, 27, v. 9 et 49. Après l'audace du Paysan, la jouissance, qui suppose de l'audace face à la mort. Après la résistance aux oppresseurs, l'ouverture au monde et aux autres. Contraste : la dernière fable montre le Chat-Huant qui ne plante pas, mais « tronque ». La sérénité du Vieillard n'efface pas la dureté méthodique de l'« interprète » d'Atropos.

v. 34, *enter* : Greffer.

v. 35, *pleurés* : Librement, ce participe passé ne se rapporte pas au sujet.

Les Souris et le Chat-Huant

Bernier, en s'appuyant sur Jacques Gaffarel, présente ce fait dans son *Abrégé de la philosophie de Gassendi*.

v. 7, *véritable* : Voir le *Discours à Mme de La Sablière*, que cette fable prolonge en radicalisant la critique des cartésiens (v. 28).

v. 27, *subsister* : Voir I, 1, v. 10. Discret rappel. Le Chat-Huant, « interprète d'Atropos », est l'image d'un dominant négateur, prévoyant, lucide, et donc redoutable.

v. 34, *arguments* : Voir, au contraire, le *Discours à Mme de La Sablière*, v. 217.

v. 41, *conduite* : Subtil jeu avec « Otons-lui les pieds ». Voir l'Epilogue, v. 20-21...

v. 42, *suite* : La tradition scolastique. Il est un autre « art de penser » : Le Vieillard et La Fontaine évitent de tronquer, de mettre en catégories. L'un plante. L'autre se fait « truchement de peuples divers ». En accompagnant le flux de l'univers, chacun ajoute à son heureuse diversité.

Epilogue

v. 2, *Dieux* : Voir IX, 1, v. 5.
v. 19, *puissante* : Voir X, 10, v. 35.

LIVRE XII

A Monseigneur le duc de Bourgogne

1. *Bourgogne* : Le fils du Grand Dauphin. Il a onze ans en septembre 1693. Fénelon – son précepteur – lui fait mettre en latin des fables de La Fontaine.

2. *redevable* : Voir XII, 5 et 9.

3. *Paix* : Les traités de Ryswick seront signés en septembre-octobre 1697, mais on discute depuis 1692.

4. *modération* : « La modération est une vertu de particulier et de philosophe, et non point de Majesté ni d'Altesse. » *A. M. le Prince de Conti*, O. D., p. 692. Texte capital pour la réflexion sur Alexandre.

Les Compagnons d'Ulysse

Dans l'*Odyssée* (X), tous les compagnons deviennent des porcs. Plutarque introduit la variété des métamorphoses et le refus d'un compagnon de redevenir homme. Dans la *Circé* de Gelli (1549) et chez Machiavel (*L'Ane d'or*), plusieurs compagnons contredisent les intentions d'Ulysse. En 1675, Thomas Corneille et Donneau de Visé firent jouer *Circé*, tragédie à grand spectacle.

v. 8, *Héros* : Le Grand Dauphin. Offensif, il a vaincu sur le Rhin (v. 14) en 1688, comme Louis XIV en 1672, mais ce dernier retient sa fougue (v. 10-13).

v. 40, *talpa* : Dans des grammaires latines, exemple d'un mot qui peut être féminin et masculin. Clin d'œil à l'adresse d'un écolier et souvenir possible de Voiture (*Pour la Taupe*, v. 18-19)...

v. 75, *plat* : « Sans déguisement et sans détours » (Rich.).

v. 78, *hasard* : En prenant le risque.

v. 94, *Loups* : L'idée vient de l'*Asinaria* (II, 4) de Plaute. Elle est chez Hobbes (*De cive*), chez Bossuet...

v. 99, *semonce* : Sollicitation, invitation, en vieux langage. Bon dominant, Ulysse, qui se maîtrise, contrairement au prochain Chat (XII, 2), sait inviter autrui à devenir homme. Malgré la valeur de sa tentative, son échec annonce celui que connaîtront l'Hospitalier et le Juge-arbitre (XII, 29).

v. 104, *Lôs* : Vieux mot, pour louange.

v. 105, *suivants* : En suivant.

Le Chat et les deux Moineaux

Probable invention de La Fontaine, qui oppose le Chat tuant son ami et Ulysse tentant d'éclairer les siens. Double leçon pour le duc de Bourgogne : ce qu'il doit faire, ce qu'il doit éviter en se connaissant (cf. 29, v. 39-40).

v. 9, *férule* : Ce Chat fait patte de velours.

v. 12, *discrète* : Sachant discerner. Voir VIII, 10, v. 18.

v. 26, *manger* : « On se sert quelquefois de manger pour dire quereller fortement » (Acad.).

v. 35, *jeux* : Voir *A Monseigneur le duc de Bourgogne*, v. 21.

Du Thésauriseur et du Singe

Grandes différences avec les sources repérées, qui remontent à Nicolas de Pergame. Chez Straparole, en jetant à la mer une part des richesses d'un avare, le Singe venge ses victimes. La Fontaine supprime l'idée d'une justice ultime.

v. 2, *fureur* : Voir VIII, 27, v. 1 et XI, 7, v. 59.

v. 6, *Amphitrite* : Déesse de la mer. Voir IV, 2, v. 2.

v. 19, *Bertrand* : Voir IX, 3 et 17.

v. 20, *manoir* : Voir XI, 3, v. 32.

v. 29, *rose* : Jacobus et Nobles à la rose sont des monnaies d'or anglaises. Les Ducatons sont milanais ou flamands. Les Doublons sont espagnols. Monnaies étrangères : La Fontaine peut vouloir souligner la folie de l'avare qui prétend maîtriser la diversité globale. Les pièces diverses s'écoulent, malgré ses efforts, parce qu'un Singe est chez lui, comme un Lièvre chez certain jardinier (IV, 4).

v. 38, *naufrage* : Cela prépare le début de 7.

Les deux Chèvres

Pline l'Ancien (VIII, 76) écrit que deux chèvres sur un même pont, s'opposèrent, puis s'accordèrent pour passer. Saint-Simon raconte la rencontre, dans une rue, de Mme de Beringhen et de la duchesse de Brissac-Saint-Simon, qui se bloquèrent mutuellement le passage.

Début de la fable dans le *Mercure Galant*, en 1691 : *Les Chèvres ont une propriété/ C'est qu'ayant fort longtemps brouté/ Elles prennent l'essor et s'en vont en voyage/ Vers les endroits du pâturage/ Inaccessibles aux humains./ Est-il quelque lieu sans chemins,/ Quelque rocher, un mont pendant en précipices,/ Mesdames s'en vont là promener leurs caprices.*

v. 2, *liberté* : Voir XII, 1, v. 102. Après la critique de la « passion d'accumuler » qui devient « fureur », et croit empêcher toute « aventure » (v. 36) en isolant et en fixant, *Les deux Chèvres* montre les risques d'une liberté d'« aventurières » v. 25) dès qu'on est deux. Peut-on régenter cet « esprit de liberté » ? Comment ? Qui peut le faire si Ulysse échoua ? Pas le vieux Chat, ni une belle, ni la Fortune, ni le Roi... Ne doit-on pas simplement constater que « cet accident n'est pas nouveau »...

v. 8, *caprices* : Jeu étymologique avec *capra* (chèvre).

v. 23, *Conférence* : En 1659, les conférences préparant la Paix des Pyrénées se tinrent à l'île des Faisans, au milieu de la Bidassoa.

v. 32, *Amalthée* : Cette Chèvre nourrissait Jupiter que sa mère cachait pour que Saturne - son père - ne le dévore pas.

A Monseigneur le duc de Bourgogne
    v. 9, *Fortune* : Voir le début de VII, 11 et XII, 4, v. 37.
    v. 14, *roue* : Elle symbolise l'inconstance de la Fortune.
    v. 15, *empêché* : Embarrassé. On songe à la coalition européenne contre Louis XIV.

Le vieux Chat et la jeune Souris
    Peut-être la fable 151 d'Abstemius. Sans doute une invention qui prolonge *Le Chat et les deux Moineaux*, rappelle *Le Milan et le Ros- signol*, *Le Loup et le Chien maigre* et *Le Petit Poisson et le Pêcheur*, et donne au « jeune Prince » une leçon.

    v. 3, *Raminagrobis* : Voir VII, 15, v. 31.
    v. 18, *là-bas* : Aux Enfers.
    v. 20, *Filandières* : Les Parques.

Le Cerf malade
    Après le Chat sans pitié, les médecins parasites de la mort. La Fontaine s'inspire d'une fable de Lokman, traduite par Erpenius en 1615, mise en vers latins en 1673 par Tanneguy Le Fèvre, puis adaptée en français par Desmay qui l'appliquait aux Hollandais ruinés par leurs alliés dans la guerre contre la France...

    v. 1, *pleins* : En langage de vénerie, « pays » peut s'employer au pluriel pour désigner une contrée pleine de cerfs.
    v. 14, *déchut* : Diminua.
    v. 21, *mœurs* : Souvenir de la seconde *Catilinaire* de Cicéron : *O tempora ! O mores !* Pour la fin du vers, voir XII, 16, v. 24. Cette impuissance constatée, en prolongeant la fable précédente, prépare la leçon du Solitaire (29).

La Chauve-Souris, le Buisson, et le Canard.
    Esope, *La Chauve-Souris, la Ronce et la Mouette.*

    v. 5, *Facteurs* : Voir VII, 13, v. 31.
    v. 17, *perte* : En I, 1, la Cigale l'ignorait.
    v. 21, *vert* : Un créancier insolvable pouvait éviter la prison s'il portait un bonnet vert. Voir Boileau, *Satires* I, v. 15.
    v. 23, *principal* : Le capital. Voir I, 1, v. 14.
    v. 24, *Sergents* : Huissiers.
    v. 33, *plongeon* : Cet oiseau « approche du canard » selon Fure- tière.
    v. 38, *detteur* : Ce mot peut venir de Marot ou de Rabelais.

La Querelle des Chiens et des Chats et celle des Chats et des Souris.
    Haudent, *De la guerre des Chiens, des Chats et des Souris.*
    Début de la fable dans l'édition posthume de 1696 : *La Discorde aux yeux de travers,/ Reine du monde sublunaire,/ Rit de voir que notre univers/ Est devenu son tributaire./ Commençons par les éléments :/ Vous trouverez qu'à tous moments/ Ils sont en appointé contraire.*

v. 6, *contraire* : « On dit proverbialement que des gens sont toujours *appointés contraires*, quand ils se contredisent toujours » (Fur.).

v. 9, *guerre* : Constat qui s'oppose au souhait permanent de La Fontaine pour la paix. Voir la dédicace de ce livre.

v. 21, *représenter* : Terme de droit. Présenter devant le juge.

v. 24, *altercas* : « Division, dissension, guerre civile » (Fur.).

v. 33, *Souriquois* : Voir IV, 6, v. 21.

v. 34, *narquois* : « Filou adroit et rusé qui trompe les autres » (Fur.).

v. 36, *basse* : Faire main basse : « ne donner point de quartier » (Acad.).

v. 40, *Nature* : Autre « loi de Nature » en VIII, 17, v. 1.

v. 42, *fit* : Voir IX, 4, v. 1. A lire cette fable, on peut douter de la bonté de Dieu.

v. 47, *Barbacoles* : Maîtres d'école (censés cultiver leur barbe). Toujours le même constat d'échec dans l'effort d'éducation (à suivre jusqu'en XII, 29).

Le Loup et le Renard

Un thème latin du duc de Bourgogne dont subsiste un fragment. Après les guerres chaotiques, qui renforcent finalement l'ordre, et avant le marcher « tortu » de qui sait son but parmi les hasards, voici le mystérieux désir de métamorphoses qui oppose les êtres à eux-mêmes et les agite.

v. 4, *envie* : Imitation d'Horace, *Satires*, I, 1, v. 1-8.

v. 15, *poète* : Une syllabe.

v. 21, *trompette* : Pour saluer ses victoires.

v. 36, *croc* : Voir X, 5, v. 38.

v. 50, *Patrocle* : Souvenir du chant XVI de l'*Iliade*. Comme Patrocle, couvert des armes d'Achille, ce Renard est métamorphosé. Celui de XI, 3, qui joue simplement son rôle, est rapproché d'Ajax (XI, 3, v. 37-44).

v. 52, *bêlant* : L'armée du peuple bêlant. Vocabulaire ancien et style homérique.

v. 59, *Régent* : Voir XI, 5, v. 5.

v. 64, *occasion* : A rapprocher de *La Souris métamorphosée en fille*, IX, 7.

L'Ecrevisse et sa Fille

Esope, *L'Ecrevisse et sa mère*. Des versions de cette histoire chez Avianus, Jacques Régnier, Haudent, Benserade...

v. 7, *accessoire* : C'est l'« artifice » (v. 3) qu'on « rajoute et qui arrive comme par surcroît à la chose principale » (Rich.), qui est ici l'offensive globale.

v. 9, *têtes* : De 1686 à 1697, Louis XIV affronte la ligue d'Augsbourg. Ses armées, qui avaient passé le Rhin en 1688, se replient en 1690 et 1691 (voir XII, 1, v. 14-16) pour mieux attaquer aux Pays-Bas.

v. 15, *Jupiter* : Souvenir de l'*Iliade*, VIII.

v. 28, *reviens* : Beau cas de ce que J. Grimm appelle « stratégie de désorientation ».

v. 29, *Bellone* : Déesse de la guerre.

v. 30, *propos :* Vers qui peut valoir comme un nouvel éloge du Roi ou comme une réserve qui fait relire la fable, en allant « tortu ».

L'Aigle et la Pie
Abstemius (26).

v. 6, *Agasse :* Nom populaire de la pie.

v. 12, *Caquet-bon-bec :* « Caquet-bon-bec, la poule à ma tante » : cette formule populaire apparaît dans *La Comédie des proverbes* de Cramail (1633).

v. 13, *Horace :* Volteius Menas, railleur. *Épîtres,* 1, 7, v. 64 et suivants.

v. 25, *Dieux :* Les chasseurs de la fable suivante éviteront cependant le pire.

v. 27, *Rediseurs :* « Qui va redire, rapporter aux autres ce qu'on dit d'eux. Ne disons rien devant cet homme-là, c'est un rediseur » (Fur.).

v. 30, *paroisses :* « On dit de deux choses dépariées qu'on porte ensemble, qu'elles sont de deux paroisses » (Fur.). La Pie est noire et blanche.

Le Milan, le Roi et le Chasseur
Probable invention de La Fontaine. Le texte de l'édition posthume de 1696, sans doute le plus ancien, est différent de celui de 1694. Il est plus audacieux.
titre a : LE ROI, LE MILAN ET LE CHASSEUR

v. 9, b : *n'appartient qu'aux bienfaiteurs des hommes :/ L'Age d'Or en fit voir quelques-uns ici-bas.*

v. 12, c : *ils devraient de bonté nous donner plus d'exemples ;/ Car la valeur chez eux s'acquiert assez de Temples./ Vous avez l'un et l'autre et ces dons précieux/ Font qu'il n'est point d'honneurs où votre cœur n'aspire./* Je sais...

v. 18, d : *ici doit* vous suffire

v. 20, e : *les* plaisirs

v. 27, f : *Des* qualités

v. 28, g : *ses.*

v. 29, h : *d'un rare esprit ses* grâces

v. 32, i : Ce qui sait *la* faire estimer | A ce qui sait *la* faire aimer

v. 33, j : de *dire* votre joie

v. 35, k : *Je change un peu la chose. Un peu ? J'y change tout./ La Critique en cela me va pousser à bout./ Car c'est une étrange femelle ;/ Rien ne nous sert d'entrer en raison avec elle. Elle va m'alléguer que tout fait est sacré ;/ Je n'en disconviens pas, et me sais pourtant gré/ D'altérer celui-ci ; c'est à cette licence/ Que je dois l'acte de clémence,/ Par qui je donne aux Rois des leçons de bonté./ Tous ne ressemblent pas au nôtre./ Le monde est un marchand mêlé ;/ L'on y voit de l'un et de l'autre./ Ici-bas le beau ni le bon/ Ne sont estimés tels que par comparaison./ Louis seul est incomparable./ Je ne lui donne point un éloge affecté ;/ L'on sait que j'ai toujours entre-mêlé la Fable/ De quelque trait de vérité/ Revenons à l'Oiseau, le fait est mémorable./ Un Milan...*

v. 45, l : *Peut-être il n'avait lors ni Sceptre ni Couronne.*

v. 55, m : *Chacun s'empresse et tous en vain.*

v. 57, n : *Ce* maudit.

v. 68, o : *Et la Cour d'admirer, et Courtisans ravis D'admirer de tels traits.*

v. 75, p : *Si je craignais quelque censure,/ Je citerais Pilpay touchant cette aventure,/ Ses récits en ont l'air : Il me serait aisé de la tirer d'un lieu par le Gange arrosé./ Là, nulle*

v. 81, q : *de Prince ou de Héros.*

v. 104 r : *Il croyait sa fortune faite,/ Lorsque sur ce chasseur l'animal se rejette,/ Et de ses ongles tout d'acier,/ Sauvage encor et tout grossier,/ Happe le nez du pauvre sire :/ Lui de crier*

v. 111, s : *C'est le plaisir des Dieux. Jupiter rit aussi,/ Bien qu'Homère en ses vers lui donne un noir soucy,/ Ce Poète assure en son Histoire/ Qu'un Ris inextinguible en l'Olympe éclata./ Petit ni grand n'y résista,/ Quand Vulcain clopinant s'en vint verser à boire./Que le peuple immortel fût assez grave ou non.*

Conti : François-Louis de Conti, neveu du Grand Condé, épouse Marie-Thérèse de Bourbon en 1688. A la demande de son oncle mourant (1686), Louis XIV lui avait pardonné – au moins en apparence – une correspondance irrévérencieuse à son égard. La fable salue la clémence du roi, mais souligne en fait, obliquement, sa dureté. Voir l'ambivalence de l'Aigle (11) : La Fontaine marche « tortu » (10).

v. 4, *vengeance* : Sur ces « douceurs », voir IV, 13, v. 31.

v. 12, *pas* : « Les princes [...] me font assez de bien quand ils ne me font point de mal. » Montaigne, *Essais*, III, 9.

v. 18, *ici* : Ici-bas.

v. 29, *Bourbon* : Marie-Thérèse de Bourbon.

v. 55, *leurre et poing* : Instruments de fauconnier.

v. 72, *Maître* : Voir la fable précédente, v. 26.

v. 84, *après* : La croyance indienne en la métempsycose précède Pythagore, qui disait avoir été un guerrier troyen. Voir IX, 7, v. 12.

v. 87, *Volatilles* : Richelet écrit bien *volatille* pour ce substantif féminin (Voir IX, 2, v. 56).

v. 99, *parangon* : « Modèle, patron... (le mot) est vieux » (Acad.).

v. 101, *porte-sonnette* : Les oiseaux de chasse portaient une sonnette au cou ou à une patte.

v. 111, *Dieux* : « Les dieux ne pleurent ni d'une façon ni d'une autre, reprit Gélaste ; pour le rire, c'est leur partage. Qu'il ne soit ainsi, Homère dit en un autre endroit que, quand les bienheureux immortels virent Vulcain qui boitait dans leur maison, il leur prit un rire inextinguible. » *Psyché, O. D.*, p. 181.

Le Renard, les Mouches et le Hérisson

Aristote qui renvoie à Esope, *Rhétorique*, II, 20.

Un manuscrit, publié par Walckenaer (1820) propose une autre version.

Le Renard et les Mouches. Un renard tombé dans la fange/ Et des Mouches presque mangé,/ Trouvait Jupiter fort étrange/ De souffrir qu'à ce point le sort l'eût outragé./ Un Hérisson du voisinage/ Dans mes vers nouveau personnage/ Voulut le délivrer de l'importun essaim./ Le Renard aima mieux les garder, et fut sage./ Vois-tu pas, dit-il, que la faim/Va rendre une autre troupe encore plus importune ?/ Celle-ci déjà soûle aura moins d'âpreté./ Trouver à cette fable une moralité/ Me semble chose assez commune./ On peut sans grand effort d'esprit/ En appliquer l'exemple aux hommes :/ Que de mouches voit-on dans le siècle où nous sommes. Cette fable est d'Ésope, Aristote le dit.

v. 5, *appelé* : Voir IV, 3, v. 36 et VIII, 10, v. 46-47.
v. 12, *inutile* : Voir V, 5, v. 10.

L'Amour et la Folie
Peut-être Louise Labé, *Débat de la Folie et d'Amour* (1555). Peut-être le Père Commire dont les *Carmina* (1681, puis 1689) contenaient une pièce de vers latins intitulée *Dementia Amorem ducens*.

v. 2, *Enfance* : Le fait qu'il soit un enfant.
v. 9, *bien* : Logique de renversement que l'on remarque aussi dans la fable précédente.
v. 21, *Némésis* : Déesse de la vengeance.
v. 28, *Partie* : « Se dit de tous les plaideurs » (Fur.).
v. 29, *résultat* : La décision.
v. 31, *Amour* : Beau diptyque avec la fable suivante qui montre l'amour qui sait voir.

Le Corbeau, la Gazelle, la Tortue et le Rat
Pilpay, *Le Livre des lumières*, p. 226-232.

v. 1, *vers* : Troisième pièce offerte à Mme de La Sablière après les *Discours* de 1678 et 1684.
v. 8, *Iris* : Voir *Discours à Mme de La Sablière* (IX), v. 1.
v. 43, *sujet* : Sur la distinction sujet/projet, voir aussi XII, 9, v. 66-67.
v. 50, *mettre* : Risquer comme au jeu.
v. 85, *École* : Voir I, 19.
v. 120, *fondé* : Même tournure en X, 15, v. 40.
v. 134, *cœur* : Voir 23, v. 1 et, surtout, 25, v. 83, La Fontaine trouve ici le mot (absent des livres précédents) pour désigner cette vertu positive, qui n'est pas la charité. L'existence du cœur, plus que la douteuse clémence des rois, et mieux que l'amour fou (cf. 14, 26, 27, 28), corrige un peu l'amertume du livre XII.

La Forêt et le Bûcheron
Verdizotti, *La Forêt et le Vilain*.

v. 9, *gagne-pain* : Voir V, 1, v. 33-34.
v. 20, *bienfaiteurs* : Cette fable contraste avec la précédente. Après la « douce société », à l'écart des hommes, voici, très vite, le « monde » plein de cruauté lucide. Même opposition qu'entre le *Discours à Mme de La Sablière* et *L'Homme et la Couleuvre*.
v. 25, *abus* : Voir *Rien de trop*, IX, 11. Voir aussi les cris inutiles en 6, v. 21.

Le Renard, le Loup et le Cheval
Mathurin Régnier, *Satires*, v. 217-252. La Fontaine lut cette fable le 1er juillet 1684, à l'Académie, lors de la réception du satiriste Boileau.

v. 15, *venelle* : Prendre la fuite.

v. 29, *le pied* : Le Cheval part très vite.

v. 33, *méfie* : Hors la « douce société » (15), dans ce monde plein de perfides (cf. 16), « méfiance est mère de sûreté » (III, 18), mais trop de méfiance peut perdre (Cf. fable suivante)...

Le Renard et les Poulets d'Inde

Des versions de cette histoire chez divers auteurs traitant de l'âme des bêtes : le chevalier Kenelm Digby (1644), Thomas Willis (1672), Jean-Baptiste du Hamel (1673), Antoine Legrand (1675)...

Le Singe

Pas de source connue. En cette fable du degré zéro de l'amour (à suivre depuis 14), la critique des « imitateurs » prolonge celle du Loup et les deux Renards précédents qui sont des imitateurs dangereux dans ce monde en guerre perpétuelle (voir 8 et 16). Les auteurs sont « la pire espèce » d'imitateurs dans le petit monde littéraire, bien connu de La Fontaine qui subit les attaques de Furetière. Fable amère. Après elle, la retraite du « sage assez semblable au vieillard de Virgile » produit une heureuse ouverture, vite contrariée cependant, et qui annonce l'ultime Solitaire.

v. 14, *espèce* : « On ne le dit des hommes que par dérision » (Acad.).

Le Philosophe scythe

Aulu-Gelle, *Nuits attiques*, XIX, 12.

v. 1, *Scythie* : Pays réputé rude, au nord de la mer Noire. Le philosophe voyageur Anarcharsis y vécut.

v. 4, *Virgile* : Voir *Géorgiques*, IV, v. 125-146.

v. 7, *Jardin* : Image d'un bonheur épicurien, à l'écart (cf. 15) et sans trouble. A opposer aux malheurs de la famille du Singe et à l'état de guerre des fables précédentes. Ce bonheur suppose la douceur, dont manquait le Bûcheron (16), et le discernement, dont manque le stoïcien qui « tronque » par indiscrétion comme d'autres par cupidité.

v. 10, *Ebranchait* : Coupait les branches inutiles, selon Richelet. *Emonder* consiste à « couper les grosses branches d'en bas, pour en faire un arbre de belle tige ».

v. 30, *indiscret* : Sans discernement.

v. 36, *mort* : Voir *Les Filles de Minée* (28), v. 491-493.

L'Eléphant et le Singe de Jupiter

Invention possible à partir de remarques de Pline l'Ancien sur les combats entre éléphants et rhinocéros.

v. 6, *Caducée* : Bâton surmonté d'ailes autour duquel deux serpents s'entrelacent. Symbole de paix qu'arbore Hermès, le messager de Jupiter.

v. 7, *Gille* : Voir IX, 3, v. 16.

v. 13, *créance* : Les ambassadeurs présentent des lettres de créance.

v. 16, *légation* : L'Eléphant attendait la mission du Singe.

v. 23, *cousin* : « Terme d'honneur que les rois donnent aux cardinaux, aux princes de leur sang et à des princes étrangers » (Fur.).

v. 29, *Rhinocère* : Province dont le nom paraît chez Pline l'Ancien (*Histoire naturelle*, V, 11). La Fontaine a sans doute inventé Rhinocère.

Un fou et un sage
    Phèdre, III, 5.

v. 5, *loyer* : Salaire.

v. 11, *estafier* : « une sorte de valet de pied ». « Terme de mépris. » (Rich.)

Le Renard anglais
    Kenelm Digby, *Demonstratio immortalitatis animæ rationalis*, 1644, ou, peut-être, Antoine Legrand, *De Carentia sensus et cognitionis in brutis*, Londres, 1675. C'est probablement Mme Harvey qui communiqua la substance de ces récits à La Fontaine.
    Harvey : Veuve de l'ambassadeur de Charles II en Turquie, elle fréquentait à Londres le groupe français formé autour de la duchesse de Bouillon et de Saint-Evremond, et que visitaient M. de Barillon (VIII, 4) et Bonrepaux. Elle défendait ardemment les intérêts français. La Fontaine dût la connaître en 1683 à Paris, où son frère était ambassadeur d'Angleterre.

v. 2, *déduire* : « Signifie aussi : narrer, raconter au long et par le menu » (Acad.).

v. 6, *Jupiter* : Allusion probable à l'exil (1680) de la duchesse de Bouillon, amie de Mme Harvey, et, peut-être à Saint-Evremond, exilé depuis 1661. Ce « temps orageux » peut aussi désigner l'ensemble de la situation politique.

v. 16, *Sciences* : Voir VII, 18.

v. 18, *pénétrer* : A pénétrer les secrets du monde.

v. 27, *patibulaire* : Gibet pour plusieurs pendus.

v. 32, *Annibal* : Tite-Live décrit ces ruses. *Histoire romaine*, XXII, 16-17.

v. 33, *change* : « En terme de vénerie se dit quand des chiens qui poursuivaient un cerf ou quelque gibier, le quittent pour courir après un autre » (Fur.).

v. 35, *clefs* : « Se dit des meilleurs chiens et des mieux dressés qui servent à redresser et à conduire les autres » (Fur.).

v. 37, *rompit* : « On dit en termes de chasse *rompre les chiens* pour dire : les rappeler pour les empêcher de continuer la chasse » (Acad.).

v. 48, *houseaux* : « Hautes guêtres. » « Vieux proverbe qui signifie mourir » (Fur.).

v. 61, *étranges* : Etrangères.

v. 62, *Prince* : Charles II.

v. 72, *Cythère* : L'île de Vénus.

v. 74, *Mazarin* : Hortense Mancini, duchesse de Mazarin, et sœur aînée de la duchesse de Bouillon. Ayant fui son mari, elle vécut à travers l'Europe où elle eut de multiples amours, notamment à la cour de Charles II. Sa présence, en fin de fable, introduit parfaitement une longue réflexion sur l'amour (24-28).

Daphnis et Alcimadure idylle
Théocrite (?), idylle XXIII.

Mésangère : Seconde fille de Mme de La Sablière. Veuve en 1681, elle s'installa chez sa mère en 1682, dont elle accompagnait les activités intellectuelles (Fontenelle lui dédia les *Entretiens sur la pluralité des mondes*). Tardant apparemment à renouer avec l'amour, elle ne se remaria qu'en 1690, mais librement, sans l'aval de son entourage.

v. 5, *puis* : Latinisme. Je ne saurais empêcher de partager...

v. 44, *nativité* : Naissance.

v. 81, *perfide* : Au royaume des morts, Ajax se tut devant Ulysse (*Odyssée*, XI, v. 542-567) et Didon ne répondit rien aux excuses d'Énée (*Énéide*, VI, v. 469-476).

Philémon et Baucis
Ovide, *Métamorphoses*, VIII, v. 620-724.

Vendôme : Grand chef militaire, Louis-Joseph de Vendôme dut connaître La Fontaine par la duchesse de Bouillon, sa tante. Il fréquentait avec son frère tout un monde de libertins, dont Chaulieu et La Fare. En 1685, quand parut ce texte, son faste le contraignit à vendre son hôtel parisien (future place Vendôme) et à vivre au château d'Anet.

v. 5, *Japet* : Prométhée.

v. 20, *Clothon* : Une des Parques.

v. 25, *gré* : La reconnaissance.

v. 28, *amour* : A la rébellion insensée d'Alcimadure contre l'amour, s'oppose la volonté d'aimer de Philémon et Baucis (Les deux textes suivants corrigeront cette apparente apologie du mariage). L'amour lucide et bienveillant de ces vieillards n'est pourtant pas celui, passionné, de Daphnis, ou de Didon. C'est l'amour du « cœur ». Même passage d'un texte à l'autre qu'entre les fables 14 et 15.

v. 67, *escabelles* : Escabeau. Siège de bois sans dossier.

v. 70, *Cérès* : Déesse des moissons.

v. 83, *cœur* : Voir 15, v. 134.

v. 90, *volatille* : Voir 12, v. 87.

v. 94, *monts* : Virgile, *Bucoliques*, I, v. 84. *Majoresque cadunt altis de montibus umbræ.*

v. 111, *dû* : Tous auraient dû...

v. 117, *pourpris* : « Vieux mot qui signifiait enceinte, clôture de quelque lieu seigneurial, château ou maison noble, ou de l'église » (Fur.).

v. 118, *lambris* : Signe de richesse. Voir XI, 4, v. 35.

v. 119, *Apelle* : Les deux plus illustres peintres grecs.

v. 144, *hosties* : Victimes expiatoires.

v. 162, *présents* : Les errances amoureuses de La Fontaine étaient célèbres.

v. 165, *Clio* : Muse de l'histoire.

v. 169, *los* : Voir 1, v. 104.

v. 190, *Anet* : Le château des Vendôme où ils reçoivent beaucoup d'amateurs des beaux-arts, qui s'y trouvent comme au Parnasse

(« Le sacré vallon »). On pense au château de Fouquet dont La
Fontaine, dans *Le Songe de Vaux*, imaginait les arbres futurs.

v. 193, *sourcis :* « Se dit [...] des montagnes et des rochers fort
élevés » (Fur.).

La Matrone d'Ephèse

Sources innombrables. L'histoire est chez Phèdre, dans le *Saty-
ricon* (CXI-CXII), chez des conteurs de toute l'Europe... Une version, composée par La Valterie, suivait *Joconde* et *Le Cocu battu et
content* dans la première édition de contes de La Fontaine (1664).
Texte astucieusement placé entre *Philémon et Baucis* et *Belphégor*,
l'évocation de l'amour fidèle et la démonstration de l'enfer du
mariage. La Matrone d'Ephèse, qui n'a rien d'Alcimadure et qui
rappelle la jeune Veuve, a finalement raison de céder au désir de
plaisir, « l'aimant universel de tous les animaux » selon Poliphile
(*Psyché, O.D.*, p. 258).

v. 18, *patron :* Un saint patron est un modèle et protège.

v. 20, *prudoterie :* Molière, *George Dandin*, I, 4.

v. 29, *déchevelée :* Elle défait ses cheveux pour montrer son
deuil.

v. 30, *demeurant :* L'héritage.

v. 42, *rengrégée :* « Rengréger : augmenter le mal » (Rich.).

v. 134, *presse :* Ce vers peut se comparer à IX, 2, v. 12.

v. 148, *femme :* On peut songer à IX, 15, v. 1-2.

v. 196, *goujat :* Voir III, 11, v. 7.

Belphégor

Machiavel, nouvelle publiée en 1545.

Quand il publia ce texte en 1682, à la suite du *Poème du Quinquina*, La Fontaine le dédia à La Champmeslé. Après sa conversion,
il considéra peut-être que cette actrice, aux mœurs réputées scandaleuses, devait disparaître de son livre.

Dédicace de 1682 : « *De votre nom j'orne le frontispice/ Des derniers
vers que ma Muse a polis./ Puisse le tout, ô charmante Philis !/ Aller si
loin que notre lôs franchisse/La nuit des temps ! nous la saurons dompter,/
Moi par écrire, et vous par réciter./ Nos noms unis perceront l'ombre
noire ;/ Vous régnerez longtemps dans la mémoire/ Après avoir régné
jusques ici/ Dans les esprits, dans les cœurs même aussi./ Qui ne connaît
l'inimitable actrice/ Représentant ou Phèdre ou Bérénice,/ Chimène en
pleurs, ou Camille en fureur ?/ Est-il quelqu'un que votre voix
n'enchante ?/ S'en trouve-t-il une autre aussi touchante,/ Une autre enfin
allant si droit au cœur ?/ N'attendez pas que je fasse l'éloge ;/ De ce qu'en
vous on trouve de parfait :/ Comme il n'est point de grâce qui n'y loge,/
Ce serait trop ; je n'aurais jamais fait./ De mes Philis vous seriez la
première,/ Vous auriez eu mon âme tout entière,/ Si de mes vœux j'eusse
plus présumé :/ Mais en aimant, qui ne veut être aimé ?/ Par des transports n'espérant pas vous plaire,/ Je me suis dit seulement votre ami,/ De
ceux qui sont amants plus qu'à demi :/ Et plût au sort que j'eusse pu
mieux faire !/ Ceci soit dit : venons à notre affaire.* »

v. 30, *vue :* Il a des lettres de changes payables à vue.

v. 58, *encensa :* Les poètes le louèrent.

v. 69, *dit* : Idée fréquente chez La Fontaine : « La clef du coffre-fort et des cœurs c'est la même. » *Le petit chien qui secoue de l'argent et des pierreries, Contes et nouvelles,* III, v. 1. « Mots dorés font tout en amour. » *Pâté d'anguille, Nouveaux contes,* v. 117. Voir aussi *Les Filles de Minée,* v. 307-312.

v. 70, *mobile* : « Terme d'astronomie : la première et la plus haute de toutes les sphères célestes qui donne le mouvement de toutes les autres » (Rich.).

v. 78, *lui-même* : Voir v. 20.

v. 93, *Cadeaux* : « Cadeau : grand repas » (Rich.).

v. 108, *revers* : En agissant à l'inverse de la bonne foi et, particulièrement, en attaquant autrui par-derrière.

v. 115, *cœur* : Voir 15, v. 134 et 25, v. 83.

v. 116, *soit* : Pour le prouver...

v. 204, *fantastique* : « Imaginaire, qui n'a que l'apparence. Les esprits faibles sont sujets à avoir plusieurs visions fantastiques ; il leur apparaît des esprits qui n'ont que des corps fantastiques » (Fur.).

v. 280, *venelle* : De fuir. Voir 17, v. 15.

v. 287, *prison* : Position capitale à suivre en I, 18, en VII, 2, dans plusieurs contes et dans *Psyché,* et qui motiva sans doute l'attitude familiale de La Fontaine.

Les Filles de Minée

Ovide, *Métamorphoses,* IV, v. 1-145 pour le cadre et Pyrame et Thisbé. *Métamorphoses,* VII, 890-982, et *Art d'aimer,* III, 685-746 pour Céphale et Procris. Boissard, *Antiquités romaines,* 1598, II, p. 49 pour Télamon et Cloris. Boccace, *Décaméron,* V, 1, pour Zoon et Iole. Sur de nombreux points, souvent capitaux, La Fontaine s'écarte de ces textes.

Un long avertissement précédait ce texte dans les *Ouvrages de prose et de poésie* (1685), où il parut pour la première fois (Voir O. D., p. 769-773).

v. 2, *Pallas* : Elle file, tisse, brode.

v. 8, *Cérès* : A la fête des Ambarvales, on honorait Cérès en faisant le tour des champs.

v. 9, *Sémèle* : Bacchus, fils de Jupiter et de Sémélé.

v. 14, *fêtes* : Voir la critique de la multiplication des fêtes (VIII, 2, v. 26-29).

v. 32, *raison* : Cette révolte contre Bacchus et contre l'Amour prolonge celle d'Alcimadùre. Elle sera châtiée. *Les Filles de Minée,* par sa position, évite ainsi toute interprétation ascétique de la dernière fable : La Fontaine propose la leçon du Solitaire, mais pas le refus d'Amour et de Bacchus.

v. 54, *donne* : « Le désir » est « enfant de la contrainte ». Mazet de Lamporechio, *Contes et nouvelles,* II, v. 24.

v. 91, *Terme* : Voir IX, 19, v. 19. Ici, « Terme » semble désigner un tout assez considérable, presque un temple.

v. 129, *Clothon* : Voir 15, v. 20.

v. 156, *détruit* : Voir *Belphégor.*

v. 213, *incertaine* : Ne plus être aussi ferme dans son refus.

v. 222, *Aure* : Divinité de l'air.

v. 238, *prudence* : Voir IV, 1, v. 59-60.

v. 265, *vie* : Ovide ne dit rien de tel.

v. 331, *élément* : La mer. On peut penser à *La Fiancée du roi de Garbe.*

v. 340, *vent* : « En termes de marine, on dit gagner le dessus du vent [...] pour dire prendre l'avantage du vent » (Fur.).

v. 370, *fortune* : Une tout autre fortune.

v. 429, *face* : D'amoureux, Damon est devenu ami.

v. 496, *développé* : Accompli et révélé à lui-même.

v. 508, *donnée* : Idée analogue dans *Comment l'esprit vient aux filles* et dans *Les Oies de frère Philippe.*

v. 546, *Ægide* : Bouclier de Pallas.

Le Juge-arbitre, l'Hospitalier et le Solitaire

Arnauld d'Andilly, *Les Vies des saints pères des déserts et de quelques saints, écrites par des pères de l'église et autres anciens auteurs ecclésiastiques grecs et latins...*, 1647-1653, II, 496. « Que le repos de la solitude rend les hommes capables de connaître leurs péchés. » La Fontaine avait déjà utilisé le livre d'Arnauld d'Andilly, en 1673, pour le *Poème de la captivité de saint Malc.*

La bibliothèque municipale de Lyon conserve une copie manuscrite de cette fable. En 1990, l'étude des variantes a amené Jacques Rougeot à conclure que ce texte est plus ancien que celui du livre XII.

v. 15, *Hôpitaux* : La Fontaine peut penser à Mme de La Sablière, retirée en 1680 aux Incurables pour soigner.

v. 24, *appointeur* : « Se dit quelquefois de ces gens qui s'empressent à faire toutes sortes d'accommodements » (Fur.).

Fables non recueillies

Le Soleil et les Grenouilles

Père Commire, *Sol et ranae*, feuille volante imprimée en 1672. La Fontaine a traduit cette pièce de propagande contre les Provinces-Unies. De son vivant, elle fut publiée deux fois en feuille volante, et une fois en volume, dans le *Recueil de vers choisis* du père Bouhours en 1693. Ne pas confondre avec VI, 12. On comprend que ce simple éloge de la force de Louis XIV s'intégrerait mal dans l'ensemble des *Fables.*

v. 8, *honorables* : Même procédé qu'en IX, 12, v. 5-9.

v. 11, *bienfaits* : Possible allusion à l'alliance passée des Provinces-Unies et de la France contre l'Espagne.

Le Renard et l'Ecureuil

Parmi les dix fables du manuscrit Conrart (Arsenal), manuscrit 5418), cette fable est la seule que La Fontaine n'a pas publiée. Il lui parut peut-être impossible de présenter cette trop claire allusion à l'affaire Fouquet, l'écureuil figurant dans les armoiries du Surintendant déchu. Authenticité probable.

v. 4, *deux* : Ces vers sont aussi les premiers de V, 17.

v. 11, *faîte* : Possible allusion à la devise de Fouquet : *Quo non ascendam ?* (Jusqu'où ne m'élèverai-je pas ?). Pour le vers suivant, on peut aussi évoquer *Le Chêne et le Roseau.*

v. 16, *gabait* : Se gaussait. Archaïsme.

v. 18, *gobet* : « Terme populaire qui ne se dit qu'en cette phrase : prendre un homme au gobet, pour dire, au gosier, au collet, l'emprisonner. En termes de fauconnerie, se dit d'une manière de chasser ou voler les perdrix avec l'autour ou l'épervier » (Fur.).

La Ligue des Rats

Authenticité douteuse de cette fable parue sans nom d'auteur dans le *Mercure galant* en décembre 1692 et reprise dans les *Œuvres posthumes* de 1696. Outre quelques mots peu lafontainiens (comme Matou), on y trouve une pensée peu subtile sur un rapport de force évident. On croit à une imitation de La Fontaine, qui peut concerner la prise de Namur par Louis XIV en juin 1692. Selon Racine, Louis XIV était d'autant plus « satisfait de sa conquête, que cette grande expédition était son ouvrage ; qu'il l'avait entreprise sur ses seules lumières, et exécutée, pour ainsi dire, par ses propres mains, seul, à la vue de toutes les forces de ses ennemis ».

v. 5, *rateuse* : « Rateusement » figure chez Marot, épître *A son ami Lyon*, v. 145.

LES EDITIONS DES *FABLES* DU VIVANT DE LA FONTAINE

— *1668* : *Fables choisies, mises en vers, par M. de La Fontaine*, Paris, Claude Barbin (associé avec Denys Thierry). Vignettes de Chauveau. Privilège : 6 juin 1667. Achevé d'imprimer : 31 mars 1668.

A cette édition en format in-4° succède une édition moins chère en format in-12 avec achevé d'imprimer du 19 octobre.

— *1670* : *Recueil de poésies chrétiennes et diverses. Dédié à Monseigneur le prince de Conti. Par M. de La Fontaine.* A Paris. Chez Pierre le Petit. 1671. En fait, le privilège est du 20 janvier 1669 et l'achevé d'imprimer du 20 décembre 1670. La Fontaine a travaillé à ces trois volumes avec Brienne. Le troisième contient 16 fables dans cet ordre : *L'Alouette et ses Petits avec le Maître d'un champ, La Chauve-Souris et les deux Belettes, Le Chêne et le Roseau, Le Charlatan, Conseil tenu par les Rats, La Besace, Le Corbeau et le Renard, La Cigale et la Fourmi, Jupiter et le Métayer, Le petit Poisson et le Pêcheur, Le Loup et le Chien, Le Lièvre et les Grenouilles, La Mort et le Bûcheron, La Mouche et la Fourmi, Le Loup et l'Agneau, La Grenouille qui se veut faire aussi grosse que le Bœuf.*

— *1671* : *Fables nouvelles et autres poésies de M. de La Fontaine*, Claude Barbin. Privilège : 16 février 1671. Achevé d'imprimer : 12 mars 1671.

Après une dédicace et un *Avertissement*, avant trois fragments du *Songe de Vaux* et un ensemble de pièces qui finit par *Adonis*, ce livre présente huit fables nouvelles illustrées de vignettes de Chauveau : *Le Lion, Le Loup et le Renard, Le Coche et la Mouche, Le Trésor et les deux Hommes, Le Rat et l'Huître, Le Singe et le Chat, Du Gland et de la Citrouille, Le Milan et le Rossignol, L'Huître et les Plaideurs.*

— *1672* : *Le Curé et le Mort*, en feuille volante.

Le Soleil et les Grenouilles, en feuille volante avec les initiales D.L.F. La Fontaine n'a pas repris cette fable qu'on ne doit pas confondre avec VI, 12.

— *1678-1679 : Fables choisies, mises en vers par M. de La Fontaine, et par lui revues, corrigées et augmentées.* Paris, Thierry et Barbin. Privilège du 29 juillet 1677, enregistré le 3 août, suspendu, et enregistré de nouveau le 2 décembre. Quatre volumes en format in-12, dont le dernier sort en 1679.

I et II : les 6 livres parus en 1668. Achevé d'imprimer du 3 mai 1678.

III : les livres actuellement numérotés VII et VIII.

IV : les livres actuellement numérotés IX, X, XI. Achevé d'imprimer du 15 juin 1679.

Sauf pour les huit fables des *Fables nouvelles*, les vignettes des deux derniers volumes ne sont sans doute pas gravées par Chauveau (pas de signature). Nicolas Guérard, qu'il a formé, en a signé quelques-unes.

— *1685 : Ouvrages de prose et de poésie des sieurs de Maucroix et de La Fontaine*, Claude Barbin. Privilège du 1er février 1685. Achevé d'imprimé du 28 juillet 1685. Deux volumes.

Dans le premier volume, *La Folie et l'Amour, Le Rat, Le Corbeau, la Gazelle et la Tortue, La Forêt et le Bûcheron, Le Renard et les Poulets d'Inde, Le Singe, Le Philosophe scythe, L'Eléphant et le Singe de Jupiter, Un Fou et un Sage, Le Renard, le Loup et le Cheval, Le Renard anglais, Daphnis et Alcimadure, Philémon et Baucis, Les Filles de Minée.*

— *1690 : Les Compagnons d'Ulysse* dans *Le Mercure galant* de décembre.

— *1691 : Les deux Chèvres* dans *Le Mercure galant* de février.

Du Thésauriseur et du Singe dans *Le Mercure galant* de mars.

— *1692 : Fables choisies mises en vers...*, 4 volumes in-12. Privilège du 18 septembre 1692. Achevé d'imprimer du 21 octobre 1693. Réédition de nos onze premiers livres.

La Ligue des Rats dans *Le Mercure galant* de décembre. Authenticité douteuse.

— *1693 : Les Compagnons d'Ulysse* dans *Le Courrier galant* de mai.

Le Juge-arbitre, l'Hospitalier et le Solitaire dans le *Recueil de vers choisis* du père Bouhours. Privilège du 7 mars 1693. Achevé d'imprimer du 1er juin 1693.

Fables choisies par M. de La Fontaine, Paris, Barbin, 1694. Privilège du 28 décembre 1692. Achevé d'imprimer du 1er septembre 1693. Notre actuel livre XII.

BIBLIOGRAPHIE

Pour accéder à des bibliographies beaucoup plus complètes, on peut consulter :

Stevens Edith S., *A Critical Bibliography of La Fontaine 1900-1970*, Dist. of North Carolina Univ., Chapel Hill, D.A.I. 34 — 2657 A, 1973.

Van Baelen, *La Fontaine : répertoire bibliographique de la critique, 1955-1975*, Papers on French Seventeenth Century Literature, n° 7, 1977, p. 121-174.

Dandrey Patrick, Bibliographie analytique, 1980-1989 et Bibliographie 1990, *Le Fablier*, n° 3, 1991, p. 43-65 et p. 75.

Sweetser Marie-Odile, Une décennie d'études critiques des œuvres de La Fontaine, *Le Fablier*, n° 3, p. 25-30.

1. *Quelques éditions des* Fables

Régnier Henri, *Œuvres de La Fontaine*, Hachette, collection « Grands écrivains de la France », 1883-1892, 11 volumes et un album.

Radouant René, Hachette, 1929.

Couton Georges, « Classiques » Garnier, 1962.

Adam Antoine, GF Flammarion, 1966.

Collinet Jean-Pierre, Gallimard, « Poésie », 1974, 2 volumes, puis, en 1 volume, réimpression « Folio », 1991.

Fumaroli Marc, L'Imprimerie nationale, collection « Lettres françaises », 1985, 2 volumes.

Fragonard Marie-Madeleine, Presses-Pocket, 1989.

Collinet Jean-Pierre, Bibliothèque de la Pléiade, Gallimard, 1991. Edition indispensable pour les sources de La Fontaine.

2. *Quelques études et recueils d'études sur l'œuvre de La Fontaine*

Beugnot Bernard, « L'idée de retraite dans l'œuvre de La Fontaine », *Cahier International des Etudes françaises*, n° 26, 1974, p. 131-142.

Boutang Pierre, *La Fontaine politique*, J.-E. Hallier/Albin Michel, 1981.

Clarac Pierre, *La Fontaine par lui-même*, Seuil, 1961.

Collinet Jean-Pierre, *Le Monde littéraire de La Fontaine*, P.U.F., 1970.

Collinet Jean-Pierre, *La Fontaine en amont et en aval* (recueil d'articles), Pisc, Editrice Libreria Goliardica, « Histoire et critique des idées », n° 11, 1988.

Duchêne Roger, *La Fontaine*, Fayard, 1990.

Giraudoux Jean, *Les Cinq Tentations de La Fontaine*, Grasset, 1938.

Kohn Renée, *Le Goût de La Fontaine*, P.U.F., 1962.

Le Pestipon Yves, *Les relations de pouvoir dans l'œuvre de La Fontaine*, Thèse, université de Lille, 1993.

Mongrédien Georges, *La Fontaine, Recueil des textes et des documents du XVIIᵉ siècle*, C.N.R.S., 1973.

Orieux Jean, *La Fontaine ou la vie est un conte*, Flammarion, 1967.

Petit Léon, *La Fontaine à la rencontre de Dieu*, Nizet, 1970.

Sweetser Marie-Odile, « Réflexion sur la poétique de La Fontaine : le jeu des genres », *P.F.S.C.L.*, vol. XIV, n° 27, p. 637-651.

Sweetser Marie-Odile, « Le jardin : nature et culture chez La Fontaine », *C.A.I.E.F.*, n° 35, mai 1982, p. 59-72.

« La Fontaine », numéro de la revue *Europe*, mars 1972.

Le Fablier, Revue publiée par les Amis de Jean de La Fontaine, Musée Jean de La Fontaine, 02400 Château-Thierry.

3. *Quelques études sur les* Fables

Bassy Alain-Marie, « Les *Fables* de La Fontaine et le Labyrinthe de Versailles », *Revue française d'histoire du livre*, juillet-septembre 1976, p. 367-426.

Biard Jean-Dominique, *Le Style des Fables de La Fontaine*, Nizet, 1970.

Bellosta Marie-Christine, « *La vie d'Esope le Phrygien* de La Fontaine ou les ruses de la vérité », *R.H.L.F.*, janvier-février 1979, p. 3-13.

Beugnot Bernard, « Autour d'un texte : l'ultime leçon des *Fables* », *Mélanges offerts à René Pintard. Travaux de linguistique et de littérature*, 13, 2ᵉ partie, Klincksieck, 1975, p. 291-301.

Blavier-Paquot Simone, *La Fontaine. Vues sur l'art du moraliste dans les Fables de 1668*, Paris, Belles Lettres, collection « BFL », n° 159, 1961.

Bornecque Pierre, *La Fontaine fabuliste*, 2ᵉ édition revue et corrigée, Sedes, 1975.

Bray Bernard, « Avatars du " je " d'auteur dans les *Fables* », *Mélanges offerts à René Pintard. Travaux de linguistique et de littérature*, 13, 2ᵉ partie. 1975, p. 303-322.

Bideaux Michel, Brunon Jean-Claude, Fragonard Marie-Madeleine, Pascal Jean-Noël, *Fables et fabulistes, variations autour de La Fontaine*, Editions interuniversitaires, 1992.

Bou Merhi Hussein, *La Condition humaine dans les Fables de La Fontaine*, Thèse de doctorat, Paris 3, 1991.

Busson Henri, « La Fontaine et l'âme de bêtes », *R.H.L.F.* XLII, 1935, p. 1-32, et note p. 631-636.

Calogero Giardana, « La portée politique de la fable selon La Fontaine : pour une analyse de *Le Pouvoir des fables* », *L'Information littéraire*, mai-juin 1991, p. 4-16.

Clarac Pierre, « Variations de La Fontaine dans les six derniers livres des *Fables* », *L'Information littéraire*, nº 1, 1951, p. 1-9.

Collinet Jean-Pierre, « La Fontaine et l'art de la réécriture », *Cahiers de littérature du XVIIᵉ siècle*, nº 10, 1988.

Couprie Alain, « Autour du thème de la cour dans les *Fables* de La Fontaine : problèmes méthodologiques », *L'Information littéraire*, nº 2, 1973, p. 151-154.

Couton Georges, *La Poétique de La Fontaine. Deux études : La Fontaine et l'art des emblèmes. Du pensum aux « Fables »*, P.U.F., 1957.

— *La Politique de La Fontaine*, Publications de la faculté des lettres de Lyon, 1959.

— « Variété : la leçon politique d'une fable », *L'Information littéraire*, nº 2, 1960, p. 71-73.

— « Le livre épicurien des *Fables* : essai de lecture du livre VIII », *Mélanges offerts à René Pintard*, Klincksieck, 1975, p. 283-290.

Croquette Bernard, « Combat perdu ? La Fontaine, *Les deux Coqs* (VII, 12) », *Textuel*, nº 20, 1987, p. 121-125.

Dandrey Patrick, *Une poétique implicite de La Fontaine, études sur le phénomène de la fable double dans les livres VII à XII des Fables*, thèse de troisième cycle, université de Nantes, 1981.

— « L'émergence du naturel dans les *Fables* de La Fontaine », *R.H.L.F.*, nº 3, 1983, p. 371-389.

— « Quelques mots-clefs de l'écriture des *Fables*. Les confidences de La Fontaine dans deux apologues du livre XII », *Cahiers de littérature du XVIIᵉ siècle*, nº 10, 1988, p. 239-261.

— « Séduction du pouvoir, La Fontaine, *Le Berger et le Roi* », *Cahiers de littérature du XVIIᵉ siècle*, nº 8, p. 9-33.

— *La fabrique des Fables. Essai sur la poétique de La Fontaine*, Klincksieck, 1992.

— « Moralité », *Littératures classiques*, supplément au n° 16, janvier 1992, p. 29-39.

Duchêne Roger, « Les fables de La Fontaine sont-elles des contes ? » *Littératures classiques*, Supplément au n° 16, janvier 1992, p. 85-97.

Genetiot Alain, « La poétique de La Fontaine et la tradition moderne : les six derniers livres des *Fables* », *L'Information littéraire*, n° 1, 1992, p. 18-27.

Grimm Jürgen, « La Fontaine, Lucrèce et l'Epicurisme », *Literatur und Wissenschaft, Begegnung und Integration, Festschrift für Rudolf Baehr*, Tübingen, Stauffenburg Verlag, 1987, XVI, p. 41-54.

— « Stratégies de désorientation dans les *Fables* de La Fontaine », *Ouverture et dialogue, Mélanges offerts à Wolfgang Leiner*, édités par Ulrich Döring, Antiopy Lyroudias, Rainer Zaiser, Tübingen, Gunter Narr, 1988, p. 175-191.

— « "Quel Louvre ! Un vrai charnier !" La représentation de la société de cour dans les *Fables* de La Fontaine », *Littératures classiques*, n° 11, janvier 1989, p. 221-231.

— « Le livre XII des *Fables* : somme d'une vie, somme d'un siècle ? » *Le Fablier*, n° 1, 1989, p. 63-67.

— « Y-a-t-il une critique sociale dans les *Fables* de La Fontaine ? » *Littératures classiques*, supplément au n° 16, janvier 1992, p. 61-79.

— « L'art de persuader dans les *Fables* de La Fontaine », *R.H.L.F.*, mars-avril 1992.

Gutwirth Marcel, *Un merveilleux sans éclat : La Fontaine ou la Poésie exilée*, Droz, 1987.

Haddad Adnan, *Fables de La Fontaine d'origine orientale*, Sedes, 1984.

Houdard Sophie et Merlin Hélène, « Quand la force est sujette à la dispute, *L'Homme et la Couleuvre* », *Poétique*, février 1983, p. 48-59.

Jasinski René, « Sur la philosophie morale de La Fontaine dans les livres VII à XII des *Fables* », *Revue d'histoire de la Philosophie*, Nouvelle série, I, 1933, p. 313-330 ; II, 1934, p. 218-242 ; voir *R.H.L.F.*, XLII, 1935 cité *supra* (*R.H.L.F.*, 1935) qui conteste que Bernier soit la source prépondérante des théories de La Fontaine, la réponse de Busson, *R.H.L.F.*, 1935, p. 631-636, et la réplique de Jasinski, *R.H.L.F.*, XLIII, 1936, p. 317-320.

Jasinski René, *La Fontaine et le premier recueil des « Fables »*, Nizet, 1966, 2 volumes.

Jasinski René, « Le gassendisme dans le second recueil des

Fables », *A travers le XVIIe siècle*, Nizet, 1982, tome 2, p. 75-120.

Marin Louis, « Le pouvoir du récit », in *Le Récit est un piège*, Les éditions de Minuit, 1978.

— « Les tactiques du Renard », in *Le Portrait du roi*, Les éditions de Minuit, 1981, p. 117-129.

— « Les plaisirs de la narration », *Furor*, 22, 1991, p. 5-24.

— « La séduction du miroir » et « La peur de l'idole », in *Des pouvoirs de l'image*, Seuil, 1993.

Malandain Pierre, *La Fable et l'intertexte*, Temps actuels, collection Entailles, 1981.

Marmier Jean, « Les livres VII à XII des *Fables* de La Fontaine et leurs problèmes », *L'Information littéraire*, n° 5, 1972, p. 199-204.

Méchoulan Eric, « Pour une rhétorique de l'effet : La Fontaine et " Le pouvoir des fables " », *Littérature*, n° 84, décembre 1991, p. 23-32.

De Mourgues Odette, *O Muse fuyante proie, essai sur la poésie de La Fontaine*, José Corti, 1962.

Périvier Jacques-Henri, « *La Cigale et la Fourmi* comme introduction aux *Fables* de La Fontaine », *French Review*, XLII, 1969, p. 411-427.

Proust Jacques, « Remarques sur la disposition par livres des *Fables* de La Fontaine » *De Jean Lemaire de Belges à Jean Giraudoux, mélanges offerts à Pierre Jourda*, Nizet, 1970, p. 227-248.

Richard Noël, *La Fontaine et les fables du deuxième recueil*, Nizet, 1972.

Serres Michel, *Le Parasite*, Grasset, 1985.

Spitzer Léo, « L'art de la transition chez La Fontaine » in *Etudes de style*, p. 166-207, Gallimard, 1970.

Sweetser Marie-Odile, « Les épîtres dédicatoires des *Fables* ou La Fontaine et l'art de plaire », *Littératures classiques*, n° 18, printemps 1993, p. 267-285.

Taine Hippolyte, *La Fontaine et ses fables*, Hachette, 1861.

Tournon André, « Les fables du Crétois », *Littératures classiques*, Supplément au n° 16, janvier 1992, p. 7-24.

Trudeau Danièle, « La fortune d'un pot au lait », *Poétique*, n° 71, 1987, p. 291-312.

Vincent Monique, « La fable dans *Le Mercure galant* : un reflet de La Fontaine », *XVIIe siècle*, n° 156, juillet-septembre 1987, p. 267-281.

Wadsworth Philip A., « Le douzième livre des *Fables*, *C.A.I.E.F.*, n° 26, 1974, p. 103-115.

Waffa Imani, *L'Interrogation rhétorique. Argumentation et polyphonie : application aux Fables de Jean de La Fontaine*, Thèse de doctorat, Toulouse, 1989.

Youssef Zobeidah, *La Poésie de l'eau dans les Fables de La Fontaine*, Biblio 17, Papers on French Seventeenth Century Literature, 1982.

Zuber Roger, « Les animaux orateurs : quelques remarques sur la parole des *Fables* », *Littératures classiques*, supplément au n° 16, janvier 1992, p. 49-56.

CHRONOLOGIE

1621 : Naissance de Jean de La Fontaine, fils de Charles de
La Fontaine, conseiller du roi et maître des eaux et forêts,
et de Françoise Pidoux.
8 juillet : Baptême de Jean de La Fontaine à la paroisse
Saint-Crépin de Château-Thierry.

1629 : Publication des *Fables d'Esope*, édition trilingue destinée aux enfants des écoles par Jean Meslier.

1631 : Publication des *Fables d'Esope Phrygien, traduites et
moralisées*, par Jean Baudoin.

1635-1636 : La Fontaine, après avoir accompli ses années
de collège à Château-Thierry, où il a connu François de
Maucroix, part probablement poursuivre ses études à
Paris.

1641 : *27 avril* : La Fontaine est admis à l'Oratoire, rue
Saint-Honoré à Paris.

1642 : *Octobre* : La Fontaine renonce à sa vocation religieuse, quitte l'Oratoire et regagne Château-Thierry.

Vers 1643 : La Fontaine entend réciter certains poèmes de
Malherbe et s'éprend de sa poésie.

1645-1647 : La Fontaine entreprend ses études de droit à
Paris. Avec ses amis Maucroix, Pellisson, Furetière, Tallemant des Réaux, Cassandre, Charpentier, il constitue la
petite académie littéraire de *la Table ronde*. Il rencontre le
poète Chapelain et l'érudit Conrart. Au terme de ses
études de droit, il est inscrit avocat en la cour du Parlement de Paris.

1646 : Publication des *Fables d'Esope* traduites par Pierre Millot.

1647 : Publication des *Fables d'Esope* traduites par Le Maître de Sacy pour les écoles de Port-Royal.
10 novembre : Par « complaisance » pour son père, La Fontaine épouse la jeune Marie Héricart, originaire de La Ferté-Milon, âgée de quatorze ans.

1648 : Publication des *Fables héroïques* d'Audin, avec des illustrations de François Chauveau.

1652 : *20 mars :* La Fontaine est reçu maître particulier triennal des eaux et forêts du duché de Chaûry (Château-Thierry), charge qu'il a achetée.
Publication des *Fabulae Æsopiae* (réécrites en latin) par Gilles Ménage.

1653 : *30 octobre :* Baptême, à la paroisse Saint-Crépin de Château-Thierry, de Charles, fils de Jean de La Fontaine et de Marie Héricart.
Premières difficultés financières de La Fontaine.
Nicolas Fouquet est nommé surintendant des finances.

1654 : *17 août :* achevé d'imprimer de *L'Eunuque, comédie* traduite en vers et adaptée de Térence par La Fontaine. Elle est toutefois publiée sans nom d'auteur.

1656 : La Fontaine rencontre de nouvelles difficultés financières.

1657 : La Fontaine commence à écrire des vers pour Nicolas Fouquet.

1658 : *avril :* Mort de Charles, père de Jean de La Fontaine, qui laisse aux deux frères une succession difficile. Le poète hérite des charges de son père, mais aussi de dettes. Fouquet et son entourage apprécient beaucoup l'*Épître à l'abbesse de Mouzon* que La Fontaine avait fait remettre au surintendant. Peu après, La Fontaine lui est présenté. Au second semestre 1658, il lui offre le manuscrit, calligraphié par Nicolas Jarry, de son poème *Adonis*.

1659 : La Fontaine est admis à la « cour » de Fouquet à Saint-Mandé où il retrouve Paul Pellisson et François de Maucroix. Il y noue amitié avec Brienne et Charles Perrault. Il passe « contrat » avec Fouquet, qui le pensionne en échange d'une « pension poétique » dont il devra s'acquitter chaque trimestre. C'est pourquoi il entreprend, à la demande de Fouquet, *Le Songe de Vaux*, description anticipée des splendeurs du château alors en construction.

Publication des *Figures diverses tirées des Fables d'Esope et d'autres* par R.D.F. [Raphaël Trichet du Fresne]. Publication des *Lettres à Olinde* de Patru, contenant trois traductions de fables. Réimpression des *Fables d'Esope Phrygien*, de Jean Baudoin.

Vers 1660 : La Fontaine écrit la farce des *Rieurs de Beau Richard* qui est représentée à Château-Thierry.
C'est de cette époque qu'il faut probablement dater les premières fables que compose La Fontaine, sans toutefois les publier.
Réimpression des *Fables héroïques* d'Audin, et de la *Mythologica æsopica* de Névelet.

1661 : Mort de Mazarin. Début du règne personnel de Louis XIV.
17 août : Fouquet donne à Vaux une fête somptueuse en l'honneur du roi. La Fontaine, qui y assiste, en fait une relation à Maucroix.
5 septembre : Fouquet est arrêté à Nantes et emprisonné sur ordre du roi.
La Fontaine est poursuivi pour usurpation d'un titre de petite noblesse (écuyer).
Réédition des *Cento favole morali de piu illustri autori Greci e Latini*, de G.M. Verdizotti.

1662 : La Fontaine est condamné à une forte amende pour usurpation de titre de noblesse.
Composition et publication de l'*Elégie pour M.F. (Elégie aux nymphes de Vaux)* en faveur de Fouquet.

1663 : *23 août :* La Fontaine accompagne son oncle Jannart en exil à Limoges, où les deux voyageurs arriveront le 8 septembre. En cours de route, il adresse à sa femme six lettres qui constituent *La Relation d'un voyage de Paris en Limousin*.

1664 : Publication, à titre d'essai, d'un conte imité de Boccace, *Joconde*.
8 juillet : La Fontaine entre au service de la duchesse douairière d'Orléans, au palais du Luxembourg, dont il est l'un des neuf « gentilshommes servants ». Sa femme se retire à Château-Thierry.
Colbert est nommé contrôleur général des finances.
Fouquet est condamné à la détention perpétuelle et transféré à la forteresse de Pignerol.
Le Nôtre crée un labyrinthe de verdure dans le « petit bois vert » du jardin de Versailles.

1665 : *10 janvier :* achevé d'imprimer du premier recueil des *Contes et Nouvelles en vers*, chez Claude Barbin.
La Fontaine collabore à la traduction de *La Cité de Dieu* de saint Augustin, dont le tome premier est publié le 30 juin (tome second en 1667).

1666 : *21 janvier :* achevé d'imprimer de la deuxième partie des *Contes et Nouvelles en vers*, chez Billaine.
Le maître des eaux et forêts de Château-Thierry reçoit de Colbert une lettre de remontrances sur les abus commis dans son district.
Premiers aménagements décoratifs du labyrinthe de Versailles.

1667 : *6 juin :* le libraire Claude Barbin prend un privilège pour le premier recueil des *Fables choisies mises en vers par M. de La Fontaine.*
Publication dans un recueil, portant l'adresse de Cologne, de trois nouveaux contes.

1668 : *31 mars :* achevé d'imprimer des *Fables choisies mises en vers par M. de La Fontaine*, à Paris, chez Claude Barbin et Denys Thierry, en un volume in-4° avec des illustrations de F. Chauveau.
19 octobre : achevé d'imprimer de la même édition en deux volumes in-12.

1669 : *31 janvier :* achevé d'imprimer des *Amours de Psyché et de Cupidon*, suivis d'*Adonis*, chez Claude Barbin.

1670 : *20 décembre :* achevé d'imprimer du *Recueil de poésies chrétiennes et diverses, dédié à Monseigneur le Prince de Conti, par M. de La Fontaine.* Celui-ci n'a en fait que collaboré à ce recueil où apparaissent seize fables déjà publiées.

1671 : *21 janvier :* La Fontaine quitte définitivement sa charge de maître des eaux et forêts, rachetée par le duc de Bouillon.
27 janvier : achevé d'imprimer des *Contes et Nouvelles en vers, troisième partie*, chez Claude Barbin.
12 mars : achevé d'imprimer des *Fables nouvelles et autres poésies de M. de La Fontaine*, chez Claude Barbin, où apparaissent huit fables originales qui prendront place dans le second recueil.

1672 : Publication séparée de deux fables, *Le Curé et le Mort*, sans lieu ni date, ni nom d'auteur, et *Le Soleil et les Grenouilles, imitation de la fable latine* [du Père Commire], signée D.L.F.
3 avril : mort de la duchesse douairière d'Orléans. La

Fontaine perd sa fonction. Il est accueilli et sera bientôt logé par Madame de La Sablière, rue Neuve-des-Petits-Champs.
Le labyrinthe de Versailles est orné de statues de plomb coloré représentant des fables d'Esope. Chaque statue est accompagnée d'un quatrain de Benserade.

1673 : La Fontaine fréquente assidûment le salon de Madame de La Sablière où il rencontre ou retrouve des hommes de lettres, des voyageurs, des savants (Perrault, Bernier, Roberval...).
Publication du *Poème de la Captivité de saint Malc*, chez Claude Barbin.

1674 : La Fontaine travaille, pour Lulli, au livret d'un opéra, *Daphné*. Il se fâche avec celui-ci, abandonne la tâche et écrit contre le musicien la satire acerbe du *Florentin*.
Publication des *Nouveaux Contes, de M. de La Fontaine* (4ᵉ partie), à l'adresse de Gaspar Migeon à Mons. Ces contes sont jugés plus licencieux que les précédents.

1675 : *5 avril* : le lieutenant de police La Reynie ordonne la saisie et interdit à la vente ce volume des *Nouveaux Contes*.

1676 : *2 janvier* : La Fontaine, en raison de nouvelles difficultés financières, est contraint de vendre sa maison natale de Château-Thierry.
Mort de François Chauveau, illustrateur des *Fables*.

1677 : *29 juillet* : La Fontaine prend un privilège pour une nouvelle édition des *Fables choisies mises en vers*.

1678 : *3 mai* : achevé d'imprimer des deux premiers volumes de la nouvelle édition, in-12, des *Fables choisies mises en vers*, chez Claude Barbin et Denys Thierry (L. I à VI). Publication ultérieure du troisième volume (L.VII et VIII actuels).
août-septembre : traités de Nimègue.
La Fontaine écrit divers poèmes, notamment pour célébrer la paix de Nimègue.

1679 : *15 juin* : achevé d'imprimer du 4ᵉ volume de la nouvelle édition des *Fables* (L. IX à XI actuels). Illustrations de François Chauveau et d'élèves de son atelier, comme Nicolas Guérard, pour l'ensemble de l'édition.
Achèvement du « troisième Versailles ».

1680 : Madame de La Sablière se tourne vers Dieu. Elle quitte son hôtel de la rue Neuve-des-Petits-Champs pour

une demeure plus modeste rue Saint-Honoré, où elle continue à loger La Fontaine.
23 mars : mort de Fouquet à Pignerol.

1681 : *1ᵉʳ août :* achevé d'imprimer des *Epîtres* de Sénèque, chez Claude Barbin, dans une traduction de Pinterel, revue par La Fontaine.

1682 : *24 janvier :* achevé d'imprimer du *Poème du Quinquina et autres ouvrages en vers de M. de La Fontaine,* chez Barbin et Thierry.
La Fontaine brigue un fauteuil à l'Académie.
La Cour se transporte à Versailles.

1683 : *6 mai :* représentation par les comédiens français — et probable échec — d'une pièce de La Fontaine, aujourd'hui disparue, *Le Rendez-vous.* La Fontaine commence probablement à écrire une tragédie, *Achille,* qui restera inachevée.
6 septembre : mort de Colbert.
15 novembre : élection de La Fontaine par l'Académie au fauteuil de Colbert, contre les partisans de Boileau.
20 novembre : refus du roi d'entériner la proposition de l'Académie.

1684 : *17 avril :* élection de Boileau à l'Académie française.
24 avril : élection définitive de La Fontaine à l'Académie.
2 mai : réception de La Fontaine à l'Académie.

1685 : *janvier :* La Fontaine se brouille avec Furetière.
28 juillet : achevé d'imprimer des *Ouvrages de prose et de poésie des Sieurs de Maucroix et de La Fontaine,* chez Claude Barbin, contenant notamment onze fables qui paraîtront dans le dernier recueil et cinq nouveaux contes.
18 octobre : Révocation de l'Edit de Nantes.

1686 : Formation de la Ligue d'Augsbourg.

1687 : Querelle des Anciens et des Modernes.
Publication, à ce sujet, par La Fontaine de l'*Epître à Monseigneur l'Evêque de Soissons (Epître à Huet)*, accompagnée d'une *lettre à Monsieur de Bonrepaux.* Déportation des Huguenots.

1688 : Madame de La Sablière se retire aux Incurables. Elle abrite encore La Fontaine, avec quelques-uns de ses gens, dans la petite maison qu'elle conserve.
29 juin : mariage du Prince de Conti et de Marie-Thérèse de Bourbon. A cette occasion, La Fontaine dédie au Prince la fable du *Milan, le Roi et le Chasseur.* Il devient un

familier des Vendôme et des Conti. Il rencontre dans leur entourage Madame Ulrich, dont il devient l'ami et le « chaperon ».

1690 : *Décembre :* publication séparée dans *Le Mercure galant* de la fable *Les Compagnons d'Ulysse.*

1691 : *Février, mars :* publication séparée et successive dans *Le Mercure galant* de deux fables, *Les deux Chèvres* et *Du Thésauriseur et du Singe.*
28 novembre : Première représentation d'*Astrée*, tragédie lyrique sur une musique de Colasse et sur un livret de La Fontaine. Nouvel échec.

1692 : *18 septembre :* le libraire Trabouillet prend un privilège pour une édition des *Fables* de La Fontaine. Ce privilège sera recédé à Barbin et Thierry.
Décembre : publication séparée, anonyme, dans *Le Mercure galant*, de la fable *La Ligue des Rats*, attribuée à La Fontaine, mais dont l'authenticité est douteuse. La Fontaine tombe malade et fait une confession générale à l'abbé Pouget, vicaire de Saint-Roch.
28 décembre : privilège obtenu par Claude Barbin pour l'édition du dernier recueil des *Fables.*

1693 : *6 janvier :* mort de Madame de La Sablière. Peu après, La Fontaine trouve refuge auprès d'Anne d'Hervart, riche fils de banquier, et de son épouse, dans leur hôtel de la rue Plâtrière.
12 février : La Fontaine, malade, répudie publiquement ses *Contes* devant une délégation de l'Académie et exprime son regret sincère d'avoir écrit des œuvres « scandaleuses ».
Il entreprend une paraphrase du *Dies iræ.*
1er juin : achevé d'imprimer du *Recueil de vers choisis*, réuni par le Père Bouhours, où se trouve *Le Juge arbitre, L'Hospitalier et le Solitaire.*
1er septembre : achevé d'imprimer de la dernière partie des *Fables* (actuel Livre XII), chez Claude Barbin, avec la date de 1694. Dix fables de ce dernier recueil sont inédites. L'ensemble des *Fables* comporte désormais douze livres en trois parties. Toutes les illustrations sont de François Chauveau ou d'élèves de son atelier travaillant dans le même style.

1695 : *9 février :* La Fontaine est pris d'un malaise dans la rue.
13 avril : Mort de Jean de La Fontaine, à l'hôtel d'Hervart, rue Plâtrière. On trouve sur lui un cilice.

1696 : Publication chez Guillaume de Luyne, par les soins de Madame Ulrich, d'*Œuvres posthumes* du poète, dont un conte, *Les Quiproquos*.

1709 : Mort de Marie Héricart, veuve du fabuliste.

1714 : Publication dans les *Œuvres choisies* de Jean-Baptiste Rousseau, à Rotterdam, d'un *Conte tiré d'Athénée*.

1723 : Mort de Charles de La Fontaine, fils unique du poète.

TABLE ALPHABÉTIQUE
DES FABLES

TABLE

FABLES

LIVRE PREMIER

LIVRE DEUXIÈME

LIVRE TROISIÈME

TABLE 533

LIVRE QUATRIÈME

LIVRE CINQUIÈME

LIVRE SIXIÈME

TABLE 535

LIVRE SEPTIÈME

LIVRE HUITIÈME

LIVRE NEUVIÈME

LIVRE DIXIÈME

TABLE   537

Appendice

FABLES PARUES DU VIVANT DE LA FONTAINE, MAIS NON RECUEILLIES DANS LE LIVRE DES *FABLES*

DERNIÈRES PARUTIONS

GF Flammarion

05/06/114961-VI-2005 – Impr. MAURY Eurolivres, 45300 Manchecourt.
N° d'édition FG078152. – Février 1995. – Printed in France.